D1068816

ÄSTHETIK

WEGE DER FORSCHUNG

BAND XXXI

1979

WISSENSCHAFTLICHE BUCHGESELLSCHAFT

DARMSTADT

ÄSTHETIK

Herausgegeben von

WOLFHART HENCKMANN

1979

WISSENSCHAFTLICHE BUCHGESELLSCHAFT

DARMSTADT

CIP-Kurztitelaufnahme der Deutschen Bibliothek

Ästhetik / hrsg. von Wolfhart Henckmann. –
Darmstadt: Wissenschaftliche Buchgesellschaft, 1979.
(Wege der Forschung; Bd. 31)
ISBN 3-534-04849-0

NE: Henckmann, Wolfhart [Hrsg.]

1 2 3 4 5

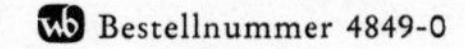

Bestellnummer 4849-0

Satz: Maschinensatz Gutowski, Weiterstadt
Druck und Einband: Wissenschaftliche Buchgesellschaft, Darmstadt
Printed in Germany
Schrift: Linotype Garamond, 9/11

ISBN 3-534-04849-0

INHALT

IV. Formalistische Ansätze

V. Marxistische Ansätze

VI. Anhang

EINLEITUNG

Von Wolfhart Henckmann

Dieser Band der ›Wege-der-Forschung‹-Reihe dokumentiert Forschungsansätze und Forschungsrichtungen der Ästhetik, die in den dreißig Jahren nach dem zweiten Weltkrieg hervorgetreten sind.

„Nach dem zweiten Weltkrieg" – eine zeitliche Begrenzung wie diese legt die Annahme nahe, daß ein politisches Ereignis von dem Ausmaß des zweiten Weltkriegs eine Zäsur, wenn nicht gar eine Epoche in der Geschichte der Ästhetik bedeute. Dies trifft jedoch nur bedingt zu. Zum einen, weil viele grundlegende Werke der Ästhetik, die nach 1945 erschienen sind, aus der Kontinuität der Lebensarbeit von Wissenschaftlern zu verstehen sind, die ihren geistigen Boden jenseits der Kriegsjahre und der Einflußsphäre des Faschismus hat. Sodann, weil nach 1945 viele Theorien weitergewirkt haben oder überhaupt erst wirksam geworden sind, die ebenfalls zeitlich oder geographisch jenseits des Faschismus entwikkelt worden sind. Schließlich ist noch hervorzuheben, daß die meisten Theorien, die nach 1945 hervorgetreten sind, auf so vielfältige und gewichtige Weise auf die wissenschaftsgeschichtliche Tradition, ja überhaupt die Wissenschaftsgeschichte der Ästhetik im engeren Sinn, die seit A. G. Baumgartens Werk ›Aesthetica‹ (1750/58) datiert, auf die Ursprünge des abendländischen Philosophierens bei Aristoteles, Platon und den Vorsokratikern zurückgreifen, daß die wenigen Jahre des tausendjährigen Reiches sich in ein Nichts aufzulösen scheinen. Bedenkt man darüber hinaus, daß diejenigen theoretischen Positionen, die in den letzten dreißig Jahren mit dem Anspruch aufgetreten sind, Ästhetik als Wissenschaft überhaupt erst begründet zu haben, sich auf ganz andere Argumente stützen als das Ende des Faschismus oder des zweiten Weltkriegs, dann scheint vollends das Jahr 1945 keine sinnvolle wissenschaftsgeschichtliche Zäsur zu bedeuten.

In einem bescheideneren Rahmen scheint es dennoch sinnvoll zu sein, mit der Dokumentation der vielfältigen Wege der Forschung im Bereich der Ästhetik in den Jahren nach 1945 zu beginnen. Von diesen Jahren an begann immer deutlicher die Dezentralisierung der ästhetischen Forschung (man möge diesen Ausdruck für den umständlicheren der Forschung im Bereich der Ästhetik gestatten) in den Vordergrund zu treten; eine Dezentralisierung sowohl in geographischer als auch in wissenschaftstheoretischer Hinsicht.

Obwohl sich diese beiden Aspekte der Dezentralisierung bereits seit der Mitte des 19. Jahrhunderts beobachten lassen, konnte Deutschland noch bis zur Machtergreifung durch die Nationalsozialisten als das international anerkannte Zentrum der ästhetischen Forschung gelten, nicht nur wegen der Vielfalt originaler und gründlich erarbeiteter Standpunkte, sondern auch wegen der kontinuierlichen und lebendigen Kommunikation der wissenschaftlichen Ergebnisse – man braucht nur auf die ›Zeitschrift für Ästhetik und allgemeine Kunstwissenschaft‹ hinzuweisen, die, 1906 von M. Dessoir begründet, zumindest bis 1933 ein getreues Spiegelbild der nationalen und internationalen Forschung darstellte, danach aber trotz aller Bemühungen des neuen Herausgebers R. Müller-Freienfels, einem unrühmlichen Ende im Jahre 1943 entgegensiechte; und neben dieser Zeitschrift auf die nach dem ersten Weltkrieg abgehaltenen nationalen Kongresse für Ästhetik (1924, 1927, 1930) und den von Dessoir organisierten ersten internationalen Ästhetik-Kongreß in Berlin. All dies brach 1933 schlagartig ab, und bis heute hat sich in Deutschland keine so lebendige Diskussion wie damals mehr bilden können. Dezentralisierung in geographischer Hinsicht bedeutet also zunächst einmal, daß Deutschland nicht mehr das Zentrum der ästhetischen Forschung darstellt, ja trotz hervorragender Einzelleistungen nicht einmal mehr zu den führenden Nationen in der ästhetischen Forschung gezählt werden kann.

Dezentralisierung bedeutet sodann, daß in anderen Ländern die ästhetische Forschung etwa seit der Jahrhundertwende, besonders aber nach 1945 zunehmend an Selbständigkeit, Kontinuität und Fruchtbarkeit gewonnen hat. Vor allem in den USA, wo bereits 1941 nach dem Vorbild von Dessoirs Zeitschrift das ›Journal of Aesthetics and Art Criticism‹ gegründet wurde, das für mehrere

Jahrzehnte das einzige maßgebende Organ der ästhetischen Forschung war, in den letzten Jahren aber mehr die ursprüngliche Aufgabe, Publikationsorgan der amerikanischen Gesellschaft(en) für Ästhetik zu sein, in den Vordergrund rückte; symptomatisch dafür u. a. auch die Einsparung der verdienstvollen Jahresübersichten über das internationale Schrifttum. Zu den heute, d. h. nach 1945 führenden Ländern gehören sodann Frankreich, Italien und Großbritannien im Westen, die UdSSR, Polen, die Tschechoslowakei im Osten.

Das gespaltene Deutschland liegt in der Mitte, ohne jedoch Mitte oder auch nur Vermittlungsmedium zwischen Ost und West zu sein. Im Gegenteil: gegenseitige Ignorierung oder Polemik befestigte bis in die wissenschaftliche Forschung hinein die ideologischen und gesellschaftlich-politischen Differenzen, denen gegenüber das gemeinsame Schicksal des Faschismus und die davor liegende Blütezeit ästhetischer Forschung ohne verbindende Wirkung blieben – die Spaltung geht selbst noch durch die Erinnerung, d. h. durch die „Vergangenheitsbewältigung" und die Fortführung der kulturellen Errungenschaften früherer Jahrzehnte und Jahrhunderte. Die oben erwähnte „Dezentralisierung" ästhetischer Forschung bedeutete in beiden Teilen Deutschlands während der ersten zehn Jahre nach dem zweiten Weltkrieg zunächst einmal soviel wie ein fast vollständiges Defizit ästhetischer Forschung. Ging es doch in erster Linie um die Identitätsfindung, die im Osten in der Ideologie des Marxismus-Leninismus, im Westen in der abendländischen Tradition gesucht wurde, beide Male also außerhalb der durch das tausendjährige Reich abgebrochenen jüngeren Vergangenheit, und beide Male exklusiv in Beziehung auf den jeweils anderen Teil Deutschlands. Im Rahmen dieser Identitätsbemühungen besaß die Ästhetik eine nur sekundäre oder tertiäre Bedeutung.

In der DDR jedoch begann sich seit der Mitte der 50er Jahre eine andere Einschätzung der Ästhetik durchzusetzen, initiiert durch den Aufsatz von G. Lukács über ›Kunst und objektive Wahrheit‹ (1954). Eine Reihe von offiziellen Kulturkonferenzen in den 60er Jahren nahm die Ästhetik immer nachdrücklicher für den Aufbau des Sozialismus in Anspruch, was in den sich allmählich differenzierenden Diskussionen um den „sozialistischen Realismus" und um den wahren Sinn der von Lenin geforderten „Parteilichkeit" in Kunst und Kritik zum Ausdruck kam. Der Aufsatz von E. Pracht über ›Sozialistischer Realismus und ästhetische Maßstäbe‹ (1966) illustriert die Bemühungen, zwischen Ästhetik, Kunstproduktion und Kunstkritik einen engen, produktiven Zusammenhang herzustellen. An diesen, wie überhaupt an den Beiträgen zur Ästhetik aus dem Osten ist zu erkennen, daß ihr gemeinsames Zentrum in der produktiven Anwendung, Differenzierung oder Fortführung der Lehren der Klassiker des Marxismus-Leninismus liegt, somit der Ästhetik also eine wichtige Funktion im Prozeß der gesellschaftlichen Bewußtseinsbildung auf ein zukünftiges Ziel hin zugesprochen wird.

In der Bundesrepublik gab und gibt es weder einen Konsensus in Hinsicht auf die kanonische Geltung bestimmter Klassiker noch in Hinsicht auf bestimmte gesellschaftliche Funktionen; selbst die sogenannte Kontinuität des wissenschaftlichen Gesprächs erweist sich bei genauerem Hinsehen als ein Pseudos: fast jeder wissenschaftliche Standpunkt schreibt sich seine eigene Vorgeschichte, wodurch die abendländische Tradition in eine Vielzahl nebeneinander herlaufender, miteinander kaum in Verbindung stehender Überlieferungsstränge zerlegt worden ist. Partikularität ist damit zum dominierenden Merkmal der westlichen Ästhetik geworden, sowohl gegenüber der Tradition als auch gegenüber der Breite und Differenziertheit der neuen Problemstellungen; die Kehrseite des Partikularismus ist der Pluralismus der Positionen, der ein bis dato noch nicht dagewesenes Ausmaß erreicht hat. Die erstaunliche Vervielfältigung der ästhetischen Forschung und ihre geographische Dezentralisierung ließen sich, in Analogie zu den exakten Wissenschaften, als Symptome einer zunehmenden Arbeitsteiligkeit und Spezialisierung deuten – vorausgesetzt, daß es sich bei der Ästhetik um eine exakte Wissenschaft handeln würde. Dies wird in der Tat hier und da behauptet (Bense, Moles), aber (noch?) nicht allgemein anerkannt. Die Ästhetik ist deshalb wohl nach wie vor als eine „vorparadigmatische" Wissenschaft (T. S. Kuhn) anzusehen, für die bekanntlich die Vieldeutigkeit des Wissenschaftsbegriffs und zugleich die Unentscheidbarkeit dieser Frage charakteristisch sind. Und solange sich die Ästhetik in diesem vorparadigmatischen Zustand befindet, kann von einer zunehmenden Spezialisierung nicht die Rede sein, weil alle Probleme immer wieder von neuem in Angriff genommen werden müssen. Allenfalls kann von der Fähigkeit bestimmter Theorien gesprochen werden, bis zu spezialisierten Fragestellungen vordringen zu können – was jedoch (abgesehen davon, daß schon im 18. Jahrhundert sehr spezielle Fragen behandelt wurden) innerhalb des semantischen Horizonts einer partikulären Theorie verbleibt. Partikularität und der dazugehörende Pluralismus beherrschen also die westliche Ästhetik innerhalb der letzten dreißig Jahre in einem stärkeren Maße als je zuvor, so daß sich keine Theorie des Westens oder Ostens, sobald sie sich der westlichen Diskussionssituation aussetzt, diesem Depotenzierungsmechanismus zu entziehen vermag.

Diese wissenschaftstheoretische Dezentralisierung bezieht sich jedoch nicht allein auf die philosophische Ästhetik. Vielmehr hat sich die Verlagerung der ästhetischen Forschung aus dem Zuständigkeitsbereich der Philosophie auf andere Wissenschaften bereits im 19. Jahrhundert angekündigt, als G. Th. Fechner in der ›Vorschule der Ästhetik‹ (1876) der philosophisch-spekulativen „Ästhetik von oben" eine empirische „Ästhetik von unten" an die Seite stellte bzw. jene durch diese zu verdrängen begonnen hatte. Seither haben sich vor allem die Psychologie mit ihren vielen Spielarten (experimentelle Psychologie, Gestaltpsychologie, Tiefenpsychologie usw.) und die (funktionelle, empirische usw.) Soziologie auf fruchtbare Weise der ästhetischen Forschung angenommen, während diesen gegenüber die einzelnen Kunstwissenschaften darauf bedacht waren, abstrakten Verallgemeinerungen gegenüber die Spezifik einzelner Kunstgattungen, Stilrichtungen und künstlerischer Werke zur Geltung zu bringen, vor allem die Literatur- und die Kunstwissenschaft. Auf alle diese Wissenschaften verlagerte sich ein beträchtlicher Teil der ästhetischen Forschung, und hinzu kamen noch die vielfältigen Beiträge des „kunstdogmatischen Schrifttums" (Perpeet), die sich norm- oder utopiemotiviert für die jeweils einzig wahre Kunst einsetzten und teils von den Künstlern selbst, teils von Kunstkritikern und auch von Wissenschaftlern stammten.

Die „Ästhetik von unten" war mit einer Fülle von Einzelerkenntnissen und der scheinbar bescheidenen Beschränkung auf den

Aussagehorizont ihrer engen, genau begrenzten methodologischen Perspektiven so erfolgreich, daß sich die philosophische Ästhetik von immer mehr Teilbereichen ihres traditionellen Aufgabenkreises zurückziehen mußte; nicht nur das – ihre Wissenschaftsfähigkeit wurde immer mehr in Zweifel gezogen. Nach zweihundertjähriger ergebnisreicher Forschung ein wahrhaftes Skandalon. Es blieb nicht das einzige. Von Hause aus hervorragende Wissenschaftler wie A. Baeumler hatten während des Dritten Reiches eine wehrlose Anfälligkeit für rauschende Ideologien gezeigt – „Weltanschauungen", „Heilslehren", „Ideologien" schienen, nachträglich betrachtet, nicht nur einen grundlegenderen und umfassenderen Einfluß auf die ästhetische Forschung auszuüben als rationale Argumentation und intersubjektive Kontrolle der Erkenntnisse, sondern sogar in einem bislang verborgenen Einverständnis miteinander zu leben – was war von einer solchen „Wissenschaft" zu halten, die sich von jedem neu auftretenden Propheten bereitwillig reformieren und in Dienst nehmen ließ? Ein drittes Skandalon gesellte sich hinzu und drohte die Ästhetik gänzlich dem Spott auszuliefern. Von Anfang an hing die Legitimität der kunstphilosophischen Fragestellung davon ab, daß die Kunst mehr war als bloß Amüsement oder moralische (bzw. ideologische) Erziehung (Gleichschaltung); daß die Kunst vielmehr das uralte Rätsel der Sphinx immer wieder neu formulierte – aber trat die moderne Kunst nicht als radikale und zynische Absage an diesen metaphysischen Anspruch auf, so daß die philosophische Infragestellung nur noch als blinde Fortsetzung eines zur Gewohnheit und Gewöhnlichkeit erstarrten Terminologierituals in einer völlig entmythologisierten Kunstwelt erscheinen mußte – die Ästhetik also von ihrem eigenen Objekt verraten und bloßgestellt wurde?

Angesichts dieser – und mancher anderer – Skandale schien keine andere Wahl zu bleiben, als die Bankrotterklärung der Ästhetik bekanntzugeben. Das Wort vom „Ende der Ästhetik" machte die Runde; besonders in Deutschland, wo einstmals die Ästhetik ins Leben gerufen wurde, wurde es zum geflügelten Wort, und die Ästhetiker konnten nur noch ihrer letzten wissenschaftlichen Pflicht nachkommen, über die Gründe des Bankrotts Rechenschaft abzulegen. Es wurde gesagt, daß der ursprüngliche Fehler in der Subjektivierung der Kunsterfahrung gelegen habe, die in dem vom griechischen Wort *aisthesis* (Wahrnehmung) abgeleiteten Begriff der Ästhetik selbst angelegt gewesen sei; dieser Irrtum müsse rückgängig gemacht werden, damit die wahre, unverkürzte Frage nach dem Sein der Kunst wiedergewonnen werden könne (Grassi, Gadamer u. a.). Ein anderer Fehler wurde in der für die Neuzeit charakteristischen Reduktion und Degradation der Schönheit auf die Dimension der sinnlich wahrnehmbaren Schönheit erkannt; Schönheit sei aber primär ein Geistphänomen, und dieses müsse, im Rückgriff auf die vor-neuzeitlichen Denker des Mittelalters und der Antike, wieder in Erinnerung gebracht werden (H. Kuhn, H. U. v. Balthasar). Hinter dem Wort vom Ende der Ästhetik steht also eine grundsätzliche Kritik an der Ästhetik als (philosophischer) Einzelwissenschaft, die jedoch nur den Weg freimachen soll für die eigentlichere Frage. Durch diese Bemühung, die Ästhetik wieder auf die unmittelbare Selbstartikulation der Philosophie in uneingeschränktem Sinne zurückzuführen, oder umgekehrt: durch die Inanspruchnahme des ursprünglichen philosophischen Konstitutionsaktes für die Erhellung des Kunst- und Schönheitsproblems, wird ein fundamentalerer Aspekt des Wesens der philosophischen Ästhetik erkennbar, als gemeinhin mit der Konzeption einer vorparadigmatischen Wissenschaft verbunden wird. Die perpetuierliche Grundlagenkrise der Ästhetik beweist also nicht ihre Unfähigkeit, Wissenschaft zu werden, sondern die sie auszeichnende Fähigkeit, jede in wissenschaftliche Form gebrachte Aussage zurückzubeziehen auf ihre ursprüngliche Genese, in der konkret faßbar werden sollte, was ihr an Wahrheit zugrundeliegt. Eine solche Hinterfragung, die an jedem überlieferten Begriff, an jeder neuen oder alten Problemstellung anknüpfen kann, vollzieht sich nicht in sachferner Abstraktion, sondern an und mit der Erfahrung von Kunst und Schönheit – sofern allerdings, dies ist einschränkend zu sagen, durch sie jener Bereich angesprochen und erschlossen wird, in dem es unmittelbar, ohne Absicherung durch Konventionen und Traditionen, um die Bestimmung dessen geht, was der Mensch ist, wie er sich versteht und wohin er geht. Kunst und Schönheit, die den Menschen so mit sich selbst, mit dem Ursprung seiner frei verantwortlichen Selbstbestimmung konfrontieren, sind notwendigerweise auf philosophische Erhellung als einem wesensverwandten Akt der Selbstbestimmung angewiesen, wie umgekehrt die Philosophie auf die Erfahrung von Kunst und Schönheit angewiesen ist, weil es in beidem um die Bestimmung und Sicherung des Menschlichen geht. Beide können von ihrer eigentümlichen Aufgabe abirren, beide können sich aber auch mit den je eigentümlichen Mitteln auf diese Aufgabe erneut verpflichten, wenn sie sich auf die eine, von beiden auf verschiedene Weise angenommene Aufgabe der Konstitution des Sinns der menschlichen Existenz hier und heute besinnen.

Das sogenannte Ende der Ästhetik stellt sich also als Bemühung heraus, die irrtümliche Auffassung der Ästhetik zu beenden – die philosophische Ästhetik ist damit so jung oder so alt wie schon zu Zeiten ihrer Begründung im 18. Jahrhundert, als sich ja auch Baumgarten schon auf die Griechen berufen hatte. Baumgartens Begründungsversuch hat indessen so viele abgeleitete, vielfach vermittelte Problemkreise mit der philosophischen Grundlegung verbunden, daß sie ein eigenes Forschungsinteresse erweckten und erwecken mußten, das sich nach einiger Zeit von der Philosophie emanzipierte. Diese Entwicklung rückgängig zu machen ist unmöglich und auch nicht sinnvoll zu wünschen. Eine philosophische Ästhetik, die noch das Ganze der ästhetischen Forschung für sich beanspruchte, wäre heute unphilosophisch. Fechners Idee, daß die Ästhetik von oben und die Ästhetik von unten aus verschiedenen Richtungen sich gegenseitig in die Hände arbeiteten, hat sich als eine fehlgeleitete Utopie erwiesen. Das Feld der ästhetischen Forschung ist kein Acker, den man oben am Hang und unten im Tal zu bebauen anfangen kann, sondern ein durch viele Sphären hindurchgehender, die heterogensten Dinge auf eine immer noch dunkle Weise verbindender Kosmos, dessen Erforschung wohl noch auf lange Zeit Stückwerk bleiben wird. Aber nur indem man von den verschiedensten Ansätzen aus der Erforschung des großen Mikrokosmos der Kunst und Schönheit nachgeht, kann man hoffen, der Erkenntnis des Ganzen allmählich näherzukommen.

Zur Textauswahl dieses Bandes ist nur noch weniges zu sagen. Nachdem sich die Ästhetik von unten in den vergangenen hundert Jahren so mannigfaltig und imponierend zur Geltung gebracht hat, konnte diesmal von ihr abgesehen werden, bis hinein in die keineswegs auf empirische Methoden einzuschränkenden Einzelwissenschaften und Kunstwissenschaften. Wir haben uns auf die philosophische Ästhetik beschränkt bzw. auf Ansätze, die das Problem der Grundlegung und der Theoriebildung pointieren. Doch auch in dieser thematischen Einschränkung setzte der zur Verfügung stehende Raum enge Grenzen, so daß vieles, was in die Auswahl hätte aufgenommen werden müssen, dem Rotstift zum Opfer fiel. Viele wichtige Autoren, wie Adorno, Beardsley, Gadamer, Heidegger, Ingarden, Merleau-Ponty, Osborne, Sartre, um nur einige willkürlich herauszugreifen, mußten unberücksichtigt bleiben, einiges, was für die Sammlung vorgesehen war, wurde nicht freigegeben. Mehr als eine Dokumentation in Bruchstücken konnte leider nicht erreicht werden.

Um jedoch innerhalb des thematischen Rahmens die Auswahl nicht zu heterogen werden zu lassen, haben wir uns auf fünf Zugangsweisen konzentriert, die einen wesentlichen Anteil an der Diskussion der letzten drei Jahrzehnte gehabt haben: die metaphysische, phänomenologische, analytische, theoretisch-formalistische und materialistische Ästhetik. Die Reihenfolge der einzelnen Gruppen ist relativ gleichgültig, weil sie Strömungen repräsentieren, die über viele Jahre hin nebeneinander herlaufen. Innerhalb der einzelnen Gruppen allerdings mußten die Beiträge wegen der gelegentlich vorkommenden Bezugnahmen oder dem Zeitpunkt gewisser gesellschaftlicher oder künstlerischer Ereignisse chronologisch nach der Erstveröffentlichung angeordnet werden. Die chronologische Anordnung soll nicht unbedingt bedeuten, daß die Beiträge einen Fortschritt innerhalb ihrer Strömung bezeichnen, sondern eher, für welche Fragestellung und Problemauffassung der betreffende Autor sich eingesetzt hat. Alle Beiträge nehmen unmittelbar oder vermittelt Stellung zu aktuellen Problemen, doch mußte der Wunsch, mit den Aufsätzen zugleich den gesamten Horizont der neuen Fragestellungen zu dokumentieren, sehr bald als unrealisierbar aufgegeben werden; schon ein bloßer Forschungsbericht würde den gesamten Raum eines solchen Bandes einnehmen. Wir haben deshalb Wert darauf gelegt, eine verhältnismäßig umfangreiche Bibliographie beizufügen (die aber nur einen Bruchteil der erschienenen Literatur umfaßt), die nicht nur weitere Literatur zu den fünf

Gruppen enthält, sondern auf ihre Weise dokumentiert, wie breit, komplex und vielseitig die ästhetische Forschung in den letzten drei Jahrzehnten geworden ist.

I

METAPHYSISCHE ANSÄTZE

Jahrbuch für Aesthetik und allgemeine Kunstwissenschaft I, 1951, S. 1–28.

VON DER ZEITLOSIGKEIT DER KUNST

Von Wilhelm Perpeet

I

Die Tatsache, daß es Kunst gibt, hat das Denken nie davon abgehalten, sich die Frage aufzugeben, worin denn das Wesen der Kunst besteht und was ihren eigentlichen Sinn ausmacht. Gehört die Kunst wesentlich mit zum Menschsein-Können? Wenn ja, wie wäre dann ihre sinnlogische Eigengesetzlichkeit gerade auch im Zusammenhang mit und im Selbstunterschied von den anderen menschlichen Leistungen, wie etwa Staat, Recht, Wirtschaft, Mythos, Religion, Wissenschaft, Philosophie usw. begründbar und einsichtig zu machen? Vor solche sich selbst aufdrängende und unabweisbare Fragen sieht der Philosoph sich gestellt, seit er das Wunder der Kunst erlebt hat.

Das besinnliche Nachdenken über das Wesens-Was der Kunst nennt man Kunstphilosophie. Deren Geschichte zu schreiben ist ein bis heute immer noch dringendes Desiderat. Denn: was Kunst ihrem Wesen nach ist, läßt sich nur an dem ablesen, was der geschichtliche Mensch als das ihm je Wesentliche und Eigentliche an der Kunst bei sich selbst originär erfahren hat und was er aus dieser seiner inneren Kunsterfahrung in reflexiver Artikulation sich zum besonnenen Bewußtsein gebracht und zu Gedanken „über" die Kunst zu steigern vermocht hat.[1] So paradox es klingen mag: ein sachsystematisches Wissen von der Kunst scheint uns nur erreichbar über eine getätigte Kritik des historischen Kunst-Denkens, d. h. aber nur als ein umsichtig verstehendes Nachspüren dessen, was der Mensch an lebendig durchlebten Erfahrungen mit der Kunst in theoretischen Formulierungen aufbewahrt und so gesichert hat. Einen anderen Weg als den über die Geschichte der Kunstphilosophie gibt es nicht, um zu „allgemeingültigen" und „objektiven" Erkenntnissen von

Kunst zu gelangen. Wir können immer nur so viel erkennen, als wir erfahren haben. Denkbar ist vieles, was unsere gehabten Erfahrungen übersteigt. Aber davon haben wir noch kein „Wissen". So hat das kunstphilosophische Wissen seine labile Grenze an der geschichtlichen Kunsterfahrung. Übersteigt es diese, so artet es zur Kunstspekulation aus. Nur innerhalb und diesseits der Selbsterfahrung des Menschen und damit auch seiner Kunst ist ein epistemetisches Wissen möglich. Und dieses sich aus der Immanenz heraus zu erarbeiten ist viel schwerer als die „Phänomene" unberücksichtigt hinter sich zu lassen, weil sie doch „nur" von empirischem Rang wären. „*Denken* kann ich, was ich will, wenn ich mir nur nicht selbst widerspreche." [2] Aber *Erkenntnisse* habe ich nur dann, wenn ich nicht nur nicht mir selbst, sondern auch den Phänomenen nicht widerspreche.

Auch bei einem nur flüchtigen Blick in die Geschichte der Kunstphilosophie muß ein zweifacher Tatbestand auffallen. Und durchdenkt man ihn auf die in ihm sich anzeigende Sachlichkeit hin, so wird sich von selbst zeigen, daß er mehr darstellt als eine bloß historische Kuriosität.

Zunächst: Mögen die mannigfaltig gegebenen Kunstdefinitionen hinsichtlich ihrer intendierten Sinnvermeintheit auch noch so sehr untereinander divergieren, *einen* formalen Konvergenzpunkt haben sie alle, in welchem sie miteinander übereinstimmen. Überall setzt das Kunst-Denken mit antithetischen Begriffspaaren an und macht dann die spannungshafte Einheit der jeweils in Anschlag gebrachten antagonistischen Prinzipien als das eigentliche Könnens- und Leistungsgeheimnis und damit mindestens als *ein* Wesensgesetz der Kunst vorstellig.

E. Rothacker [3] weist der Kunst ihre synthetische Funktion so zu: der Mensch würde kraft seiner bipolaren Möglichkeiten – von denen die eine auf distanzlose und pausenlose Aktionshingabe an die ihn bedrängende Welt und die andere auf den kontemplativen Genuß der weltlosen Subjektivität abzielt – sich selber zerreißen und sich damit entmöglichen, wenn er sich nicht im ästhetischen Verhalten vor diesen Extremisierungstendenzen selber bewahren könnte. Radikalisiert er nämlich sein Aktionsvermögen, d. h. lebt er nur in der angestrengten Bewußtheit „dieses und dann des nächsten Stoßes und Gegenstoßes", dann geht ihm sowohl das Ganze der Welt als auch zugleich seine eigene Ganzheit verlustig. Radikalisiert er das der vis activa polar alternierte Vermögen durch weiteste Abstandnahme von der Welt der Praxis mit ausschließlicher Blickrichtung auf „mein Ich" und die „mir" erlebbaren Erlebbarkeiten, dann verliert er wiederum nicht nur sich selbst, indem er in seine eigene Bodenlosigkeit und Leere absinkt, sondern auch die Welt. Kierkegaard hat diese extrem kontemplative Haltung in der Figur des Ästheten fibelhaft verdeutlicht: auf der Jagd nach seiner eigenen Empfindungsbeute geht er schließlich leer aus. Nichts als das Nichts hat er erjagt und bricht am Ende in Verzweiflung und Schwermut zusammen. Im echten künstlerischen Akt dagegen erlebt der Mensch die erlösende Ausgleichsspannung zwischen den beiden ins Unlebbare mitreißenden Tendenzen von radikal-verbindlicher Praxis und radikal-unverbindlicher Kontemplation. Im Ästhetischen vermag der Mensch welthaft und personhaft zugleich zu sein. Er erschließt sich von sich her in betrachtender Haltung für das Ganze der *Welt* und wird sich dadurch erst der Ganzheit „des *eigenen* Seins bewußt".

O. Becker [4] hat in Anlehnung an Schellings Antagonismus vom „Bewußtlosen" und „Bewußten", deren abgrundtiefe Unvereinbarkeit nur in der ästhetischen Produktion zur überbrückten Einheit wird, gleichfalls *zwei* „Seinswurzeln" aufgedeckt. Aus der einen lebt der Mensch im Freiheitsbewußtsein seiner Geschichtlichkeit und aus der andern in der fraglosen Getragenheit seines naturhaft-kosmischen Wesens. Diese empedokleische Zwietracht vermag auch der ästhetische Akt – sei er „kunstschöpferisch" oder „kunstgenießend" – nicht harmonisch zu verdauern. Der Mensch kann sein Leben nur aus *beiden* Wurzeln „nähren". Diese wurzelhafte Zweiheit macht eben das Schicksal seiner Endlichkeit aus. Und diese kann auch die Kunst nicht nihilieren. Von Schelling wurde sie zwar noch in eine „bewußtlose Unendlichkeit" zur identischen Einheit gebracht und somit „aufgehoben". Das mutet Becker der Kunst nicht mehr zu. Im ästhetischen Akt „erhebt" sich aber der Mensch „über" die letzte Dualität der ῥιζώματα πάντων. Von einer Versöhnung kann man in dem Sinne sprechen, daß der Mensch im künstlerischen Verhalten sie „unter" sich bringt und daß er im abstandnehmenden Blick von der fraglichen Spitze eines Moments herab seine eigene duale Ursprünglichkeit mit *einem* Augenblick zusammen erschaut.

Auch wer den Weg zur Wesenserfassung der Kunst über die Gegenstandsanalyse des Kunstgebildes und nicht über die Analyse des ästhetischen Aktes wählt, sieht sich genötigt, wie Nic. Hartmann [5] eine *Zwei*schichtigkeit am Kunstwerk herauszustreichen: das dinglich-sinnlich und damit vordergründig „tragende" *Real*sein und das ihm „aufruhende" hintergründige mehr oder weniger tiefe *Irreal*sein des geistigen Gehaltes. Dieser scheint durch den transparenten realen Vordergrund hindurch. Zwar nicht als ein ideales Ansichsein, das unabhängig von der Einstellung des Betrachters bleibt, was es ist, sondern als ein je nach unserer Auffassungsart uns ansinnender und ansprechender Gehalt, der bezogen bleibt auf uns und daher auch nur ein „Für-uns-Sein" hat. Auch nach Hartmann macht dieses *„Zusammen"* von der Realität des sinnlich Wahrnehmbaren und der Irrealität des nur sinnhaft verstehbaren Gehaltes, der wiederum nur in der aufnehmenden Schau des *realen* Betrachters sein „Ist" hat, „das eigentliche Geheimnis" der Kunst aus als eines rätselhaften Doppelgebildes heterogenster Seinsweisen.

Daß auch das kunstphilosophische Denken der „Deutschen Bewegung" immer wieder den gleichen formalen Griff zur Kunstbestimmung anwendet (ob als Synthese: Natur-Geist oder Materiereines Sein oder Endlichkeit-Unendlichkeit oder Stoff-Form), darauf können wir in diesem Zusammenhang nur hinweisen, weil es uns lediglich *darauf* ankommt: wenn das aus ganz verschiedenen metaphysischen Prämissen ansetzende und daher auch mit ganz verschiedenen Begriffsgehalten operierende Denken die Kunst nur so sinnverständlich machen zu können glaubt, daß sie ein polar gespanntes Zusammen von an sich Heterogenem, das außerhalb der Kunst in vereinzelter Gegensätzlichkeit auseinanderklafft, konkretisiert, so muß hier eine originäre Einsicht vorliegen, die den Rang einer Gesetzlichkeit im strengsten Wissenssinne hat. Daß die Kunst sich durch diese syndesmotische Seinsweise auszeichnet, Heterothetisches an- und miteinander zu binden, das scheint *eine* von mehreren Wesensgesetzlichkeiten der Kunst zu sein. Wir heben sie hier heraus, um eine zweite, offenbar damit gekoppelte, profilieren zu können.

II

Die zweite im kunstphilosophischen Schrifttum immer wieder anzutreffende Versicherung ist: die Kunst ermögliche eine Teilnahme am „Ewigen". Daß sie vom Wundfieber der Zeitlichkeit heile, daß sie das irdische Echo der Ewigkeit sei (J. Paul), daß sie uns über die Erde erhebt (Wackenroder), daß nur im Ästhetischen allein „wir uns wie aus der Zeit gerissen" fühlen (Schiller), daß die Kunst „uns in dem Zeitlichen selbst die vollkommene Gegenwart des Höchsten" zeigt (Solger), daß auch „im weiten Kunstgefilde webt ein Sinn der ewigen Art" (Goethe), daß irdische Reiche vergehen, aber ein guter Vers ewig besteht (W. v. Humboldt) – das alles sind leicht zu vermehrende kunstenthusiastische Bekenntnisse. Aber in ihnen nichts als bloße Pathosformeln einer „typisch" ästhetischen Weltanschauung sehen zu wollen, wäre zu kurzsichtig. Gewiß, nur aus dem Schellingschen Identitätssystem ist ein Wort wie dieses voll verständlich:

> Die Kunst ist ... dem Philosophen das Höchste, weil sie ihm das Allerheiligste gleichsam öffnet, wo in ewiger und ursprünglicher Vereinigung gleichsam in einer Flamme brennt, was in der Natur und Geschichte gefordert ist und was im Leben und Handeln, ebenso wie im Denken sich fliehen muß.[6]

Aber daß die Kunst Außer-, Über- oder Unzeitliches oder Zeitloses und Ewiges vermittelt, das scheint nicht nur das Dogma eines bestimmten Lebensstiles, sondern der gedankliche Niederschlag einer immer wieder versicherten Kunsterfahrung zu sein. Auch bei kühlen und nüchternen Kunstdenkern, denen man eine ästhetisch gefärbte Metaphysik nicht zuschreiben wird, finden sich Urteile dieser Art. In der Kunst erlebt der Mensch eine tiefe und zufallsüberlegene Glückserfahrung. Das Beglückende liegt wohl in der erlösenden Zeitentrücktheit und Zeitenthobenheit, in einer sich nicht mehr entziehenden, sondern gleichsam mit allen Poren eingeatmeten Sinngewißheit, in der alles, was ist, sinndurchsichtig bleibt und Welt und Ich einem in sich ruhenden, leuchtenden Kristall gleichen – sonst wäre das Wort von der Zeitlosigkeit der Kunst gar nicht konzipierbar gewesen.

W. Pinder [7] glaubt die Sinnfrage nach der Kunst nur so beantworten zu können: der Mensch erfährt unaufhörlich die *zeitliche* Bedingtheit an sich selbst. Er kommt nie aus einem ständigen Verfluß heraus. Nie hat er sich und die Welt ganz, weil er selber auch nur im Strome der Zeit treibt. Und diese unaufhaltsame Vergänglichkeitserfahrung beantwortet der Mensch mit seiner kunstschöpferischen Tat: in ihr und durch sie holt er aus dem Fluß seines Erlebens durch künstlerische Formung einen „bleibenden" Sinn heraus, der nicht mehr untergeht. In der Kunst verspürt er den „Anhauch des Ewigen". Nicht das Spielerische sei *der* Wesenszug der Kunst, sondern „die Bannung des Vergänglichen im Gefäß der Form". Der Sinn der Kunst liege einzig „im Kampf gegen die Vergänglichkeit". Weil „wir auf den kleinen Gräbchen jeder Minute in das große der letzten Stunde steigen müssen" (J. Paul), darum gibt es für Pinder die Kunst. „Es gäbe sie nicht, wenn es keinen Tod gäbe." [8]

E. Rothacker: dem Leben ist die Tendenz ursprünglich, „sich formend zu verewigen, den Hauch des Augenblickes durch Gestaltung zu bannen. Die Kunst lehrt nicht nur, das flüchtige Bild des Schönen in der Flucht des Werdens zu erleben, sondern gewinnt auch mittels des Momentes des Übersinnlichen, das in der *reinen Form* steckt, Macht *über* dessen *Zeitlichkeit*" [9]. Wie schwer dieses Urteil wiegt, wird man erst dann ganz ermessen, wenn man bedenkt, wie sehr gerade von Rothacker als *die* transzendentale Fundamentalstruktur des vom Menschen gelebten Lebens die Zeitlichkeit herauspräpariert worden ist. In allen Schriften kämpft er gegen die „schwer überwindbare Neigung zur Utopie" des Denkens, welche „ohne Berücksichtigung der Tatsache, daß alles menschliche Dasein endlich, zeitlich und durch Lagen bestimmt ist" [10], glaubt, aus einem „idealen" Verstandesraum Einsichten über den Menschen und seine kulturellen Leistungen herunterholen zu können. Wer etwa die Kategorie der Zeitlichkeit unter seinen anthropologischen Grundbegriffen wie „Lage", „Antwort", „Einfall", „Erlebnishorizont", „Handlung" und „Haltung" vermissen sollte, der hätte die so thematisierten Kategorien noch gar nicht verstanden. Denn diese Apriori des konkreten Lebens sind nichts anderes als die sachlich entfaltete Zeitlichkeit selber. Nicht, *weil* wir uns ständig in wechselnden Lagen befinden und durch Stellungnahmen sie in bestimmter Weise zu meistern gezwungen sind, sind wir *auch* zeitlich. Sondern: weil der Mensch zeitlich ist, *deshalb* kommt er niemals aus ständig wechselnden Lagen heraus, auch nicht im geistigen Leben, und deshalb wird er unausgesetzt zu Entscheidungen gezwungen. Immer bleibt er auf ein neues Noch-Nicht gerichtet, das immer bezogen bleibt auf ein stetig sich veränderndes Jetzt (Situation), welches durch die anhaltende Bedeutung des Nicht-Mehr mitbestimmt ist.

Die Zeit geht ihren Gang. Das in sie verstrickte Subjekt wird nicht entlassen. Sein Leben als zeitliche Folge zwischen Geburt und Tod stellt sich als eine lückenlos pulsierende Folge von Entscheidungen dar.[11]

Wenn O. Becker als methodischen Ausgangspunkt seiner ästhetischen Aktanalyse gerade die *Zeitlichkeit* des Daseins in präzis existenzial-ontologischem Sinn wählt und dennoch den Sinn des Künstlerischen als anwesende *Ewigkeit* – und dauere sie auch nur einen Augenblick – expliziert, und wenn Nic. Hartmann aus der Gegenstandsanalyse des Kunstwerks ebenfalls die erscheinende *Zeitlosigkeit* des irrealen Gehaltes im Gegensatz zu seiner vordergründig *zeitlichen* Realschicht und der wechselnden Einstellung des realen Betrachters betont, so dürfte auch das zu der Annahme berechtigen, daß hier der Zeitlosigkeitscharakter der Kunst gesichert ist.

Das „Phänomen“ der Zeitlosigkeit an der Kunst ist gesehen! Aber ist es auch schon logisch einsichtig gemacht? In welchem Sinne ist die Ewigkeit der Kunst zu begreifen? Gemüthafte Suggestionsformulierungen haben in der Kunstphilosophie keinen Platz. Gerade in ihr kommt es nicht darauf an, Nacherlebbares zu betonen, sondern das, was im Aktvollzug sehr wohl nacherlebbar sein kann, auch nach*denkbar* zu machen und in eine theoretisch erfüllte Anschaulichkeit zu erheben. Das λόγον διδόναι als Maxime des Philosophierens gilt auch und gerade im kunstphilosophischen Problembereich, weil innerhalb seiner die Gefahr eines bloß emotionalen Assoziierens besonders naheliegt. Auch hier darf einzig das begründenwollende Denkgewissen den letzten Ausschlag geben.

Wissen wir denn schon, mit welchem Recht wir von der Zeitlosigkeit der Kunst sprechen dürfen? Das Phänomen ist gesehen; aber ist es damit auch schon gerettet? Wie läßt es sich denn ohne heimlich mitgebrachte Voraussetzungen begründen? Denn nur in der Anheftung an Gründe ist es gerettet. Von Jean Paul sind uns zwei Mahnrufe gegenwärtig: „Niemand bedenkt das Wort Ewigkeit" und „Beflecke die Ewigkeit nicht mit irgendeiner Zeit."

Hat die Rede von den unsterblichen Werken und vom Ewigkeitswert der Kunst einen Gehalt und einen Bestand? Oder sind dies nur noch halbgedachte Redensarten zu einer Zeit, in der die große Kunst samt ihrem Wesen von dem Menschen gewichen ist? [12]

III

Zäh tradiert ist folgende Denkgewohnheit: der „ideelle" Gehalt eines Kunstwerkes ist weder spontaner Selbstveränderung fähig, noch erleidet er von außen an sich selbst Veränderung. *Also* ist er dasjenige, was die Kunst entzeitlicht und zeitlos macht. Denn der verstehbare Sinngehalt teilt als ein irrealer nicht die Seinsweise eines materiellen Dinges, dessen unausgesetzte Zustandsänderungen chronometrisch feststellbar sind; ebenfalls nicht die eines Organismus, dessen Einheit im Ablauf von aufeinanderfolgenden Phasen besteht; und erst recht nicht die des seelischen Lebens, das seine Erlebnisinhalte nur in der Trias eines bereits vorwirksam erwarteten und protentional gehabten „Noch-Nicht", eines in der Erinnerung retentional festgehaltenen und nachwirksamen „Soeben" und eines unbeständig wandernden „Jetzt" hat. Wäre es nicht absurd, den künstlerischen Gehalt auf sein Vorher oder Nachher im Vergleich zu seiner momentanen Verfassung abzufragen? Etwas nach seinem Wann zu fragen hat doch nur Sinn, wenn ich ihm grundsätzlich auch eine Modifikationsmöglichkeit zumuten kann. Am Kunstwerk vermehrt oder vermindert sich sein Gehalt aber weder aus sich selbst noch ist er willkürlichen Zutaten vom Beschauer her ausgesetzt. Er ist ohne komparativische Werdemöglichkeit. Er verharrt in beständiger Selbigkeit. Die Duration seiner Selbstidentität zeichnet die Seinsweise des Kunstgehaltes vor allem Realen aus. Was real ist, kann nie ein absolutes Sich-selbst-Gleichbleiben aufweisen. In unaufhörlichen Prozessen ist auch der härteste Granit Veränderungen unterworfen. Das Lebendige „wächst" und „altert". Auch der Mensch ist in keinem Moment seines Lebens schon der volle Eigentümer seiner selbst. Immer sind wir „jetzt" mehr als wir „waren". Und wir sind auch „noch" mehr als wir „jetzt" sind. „Nec ego ipse capio totum, quod sum." [13] Kein „Jetzt" schenkt uns schon unsere restlose Totalität. Ich bin nicht der, der ich bin, wenn ich mich jetzt erfasse. Ich bin erst ganz der, der ich bin, wenn ich zu dem geworden bin, der ich sein werde. Das *„Noch-Nicht"* gehört also ebenso zum daseinsintegrierenden Moment des menschlichen Lebens wie das sinnoffene Nicht-Mehr, dessen Erfüllungsmöglichkeit mit abhängig ist von der Weise des Weiterlebens. So gesehen hat der Mensch seine Vergangenheit bis zum Tode noch vor sich. Bis zuletzt ist er sich noch ausständig.

Wie ganz anders die Seinsweise des unsinnlichen Gehaltes der Kunst! Er ändert sich nicht mehr an sich selbst. Seine Sinneindeutigkeit ist „ein für allemal" festgelegt. Das „Aussehen" seiner Sinngestalt vermag sich nicht mehr in ein Jetzt-So und Jetzt-So usw. abzuwandeln. Er hat nur ein einziges kontinuierliches Jetzt, das immer gilt, und in welchem er eingestaltig (μονοειδές), weil ohne ἀλλοίωσις ruht. Jederzeit ist er das, was er ist in werdeloser rein *seiender* Präsenz. Diese wird vom Kunstwerk nur „repräsentiert" als ständig vorhandene ideelle Anwesung. Der Gehalt ist durch und durch parontisch. Er bleibt sich nicht nur „ähnlich", er ist sich immer „identisch". Für ihn gibt es keine ihn individuierenden Jetzte, die ihn in seinem Aussehen jeweils bestimmen könnten. Seine sosein-identische Seinsweise läßt sich sprachlich nur in der Partizipalform des Präsenz ausdrücken. Denn er bleibt sich wandellos gleich. Wenn ich „heute" eine Beethovensche Symphonie „anders" empfinde als „früher", so liegt das nicht am symphonischen Gehalt – er bleibt ja ein und derselbe –, sondern an mir, der ich inzwischen „anders" geworden bin. Und ebensowenig bedeutet der Hinweis auf die „Korruptibilität" des sinnlich wahrnehmbaren Kunst*dinges* einen Einwand gegen die invariable Konstanz des Kunstgehaltes. Dieser schattet sich nie ab wie etwa die Farben eines Gemäldes verblassen können.

Damit mag der häufig beschrittene Begründungsweg für die Zeitlosigkeit der Kunst hinreichend angezeigt sein. Nic. Hartmann argumentiert in der gleichen Weise. Die vielberufene Zeitlosigkeit der Kunst „betrifft in Wahrheit ausschließlich den Gehalt des Hintergrundes als solchen; sie ist an ihm jederzeit als für ihn wesentlich empfindbar, sofern man ihn rein in sich betrachtet – und das will heißen, sofern man von seinem charakteristischen ‚Sein für den Beschauer' absieht.“ [14] Die Kunst biete uns zwar keine ansichseiende, wohl aber eine erscheinende Zeitlosigkeit. Aber daß uns diese überhaupt zur Erscheinung kommen könne, das eben liege an der Immerseiendheit des sich gleichbleibenden Kunstgehaltes. „Was . . . in der Schau erfaßt wird, das erscheint als ein Zeitloses und ideal Immerseiendes.“ [15]

Das Erscheinen ist wechselvoll; es ist dem Spiel des Zufalls, dem Wandel des Verstehens im lebenden Geiste, der Zerstörung des Realgebildes ausgeliefert. Wo aber und wie immer es einsetzt, es erscheinen immer wieder *dieselben* ins Zeitlose erhobenen Gestalten.[16]

Zu ihnen kehrt man aus dem Getriebe zurück, findet sie in unentwegter *Identität* wieder vor – das Große in ewiger Größe, das Leichte in ewiger Leichtigkeit, das Flüchtige in ewiger Flüchtigkeit. Sie sind von der Kunst nicht nur festgehalten, sondern in ihrer Weise wirklich der Zeit enthoben, verewigt.[17]

Was so als das entzeitlichende Moment an der Kunst herausgeholt wird, das ist augenscheinlich in engster Anlehnung an das Schema vom variablen Denkakt und konstant bleibenden Denknoema durchgehalten. Das Unzeitliche an der Kunst ist das vom Künstler konzipierte und intendierte unsinnlich-sinnhafte Noema, das von ihm eigentlich „Erschaute“ und „Gemeinte“; dasjenige, um dessentwillen er überhaupt Meißel oder Pinsel ansetzte. Es ist der einsinnig fixierte Gehalt, der theoretisch auch ablösbar ist von dem ihn repräsentierenden Materiellen und von dem ihn in betrachtender Schau Aufnehmenden und „Genießenden“. Grundsätzlich ist er von „jedermann“ zu „jeder Zeit“ als derselbe wiederzuerkennen. Der Sinn des Gehaltseins besteht in seiner Iterierbarkeit. Von sich aus läßt er sich bei jeder adäquaten Zuwendung des Betrachters und bei adäquater Verfassung des realen Vordergrundes als der unverändert Gleiche sehen, – nicht anders wie die εἴδη Platons.

Wir lassen zunächst dahingestellt, ob denn wirklich die hintergründige Idee des Kunstwerkes als eine in sich selbst identische hinzunehmen ist; ob der geschaute Gehalt auch unabhängig von den mannigfaltig verschiedenen Erlebnisakten, in welchen ich ihn „habe", an sich selbst unveränderlich derselbe bleibt und ob der Satz zu Recht besteht: „Wir können noch sehen, was Rembrandt sah; und was mehr ist, wir können sehen, ‚wie' Rembrandt sah." [18]

Wir prüfen vielmehr die Stichhaltigkeit der diesem Denken zugrundeliegenden Prämisse. Die hier vorgelegte Zeitlosigkeitsargumentation der Kunst legitimiert sich einzig und allein aus einer Voraussetzung: daß innerzeitlich all das zu nennen ist, was der Veränderungsmöglichkeit grundsätzlich unterworfen ist und daß alles andere, was sich durch unveränderliches Sich-gleich-Bleiben auszeichnet, als außerzeitlich und zeitlos anzusprechen ist.

Daß die Gleichung von „veränderlich" = „zeitlich" und „unveränderlich" = „zeitlos" als eine *metaphysische* sehr wohl möglich ist, davon können wir absehen. Denn hier steht keine Metaphysik der Kunst zur Diskussion, sondern die Frage: wie die Zeitlosigkeit der Kunst in allgemein zwingender und für jedermann einsichtiger Weise aufzuzeigen ist. Und dabei dürfen wir uns nicht dadurch beirren lassen, daß dem Menschen aus der Selbsterfahrung seiner eigenen Vergänglichkeit und der pausenlosen Umweltveränderung eine Sehnsucht nach reiner stehender Dauer erwachsen kann und daß er den Zustand von ständiger Gegenwärtigkeit als das höchstmögliche Glück ersehnt und ihn deshalb „als" Zeitlosigkeit digniert. Daß er unverlierbare Besitzesfreude als Sehnsuchtsziel in einer „besseren" Welt vor Augen hat, das ist nur allzu verständlich. Aber unwiderlegbar bleibt doch, daß die Vorstellung einer immerseienden Gegenwärtigkeit auch nur wiederum eine Zeitvorstellung ist, und nicht Zeitlosigkeit bedeutet. Ruhende Dauer ist von nicht geringerer Zeitlichkeit als eine alles auseinanderreißende und flüchtig machende Zeit. Mit Zeitlosigkeit als bloßem Negat und bloßer Privation von „Entstehen und Vergehen" ist doch wieder nur eine Zeit postuliert, von der man lediglich das momentum discretionis abstrahiert hat. Das kontinuierliche Moment wird der Zeit entnommen, hypostasiert und zur Zeitlosigkeit substantiiert. Damit ist im Grunde aber ein zeitliches Moment als Zeitlosigkeit etikettiert. Und die Zeitlosigkeit ist insofern verzeitlicht, als eben von der Zeit, welcher beide Momente – das kontinuierliche wie das diskontinuierliche – wesensmäßig zugehören, nur das eine kontinuierliche Moment dem diskontinuierlichen vorgezogen wird. Aber: „immerhaben“ und „festhaltenkönnen“ und „ständige Besitzesgewißheit“, das alles ist ohne Zeit gar nicht möglich; dazu braucht man Zeit.

Es läßt sich leicht dartun, daß Immerseiendheit von Selbstidentischem von zeitimmanenter und nicht von zeittranszendenter Seinsweise ist.

IV

Lassen wir bei der Betrachtung der soseinsidentischen Kunstgehalte zunächst die Begriffe wie Zeit und Zeitlosigkeit absichtlich ganz aus dem Spiel, so ist folgendes unmittelbar einsichtig: sie haben ein *„ständiges“ Immer*-So; sie ändern „nie“ ihr Aussehen. Sie werden nicht „jetzt“ so und „dann“ so. Ihr So-Aussehen ist von einem ununterbrochenen „und so weiter“. Sie schlagen nicht nur nicht in ihr Gegenteil um; sie wandeln sich selbst nicht einmal innerhalb einer denkbaren Ähnlichkeitsgrenze ab, so wie wir etwa von einem Menschen sagen können, er habe sich zwar geändert, aber doch noch eine große Ähnlichkeit mit seinem früheren Aussehen beibehalten. Vielmehr sind die Sinngestalten an sich betrachtet – in jedem Moment sich selber identisch. Sie sind von pausenloser Einsinnigkeit und Eingestaltigkeit ihrem Bedeutungsgehalt nach. Sind sie doch jeder Veränderungsmöglichkeit enthoben. Ihre einzige Möglichkeit besteht darin, daß sie sind, was sie sind und auch das weiterhin bleiben. In unentwegter und unaufhörlicher Dauer strahlt ihr „So“. Sie sind „perfekt“. In keinem Jetzt sind sie anders. „Jederzeit“ und „allezeit“ kann man sie immer wieder in ihrer Selbigkeit antreffen. Sie halten ihre Selbstidentität durch alle auch nur erdenkbaren momentanen Jetzte „stets“ und „ständig“ durch, weil sie von einer anfang- und endelosen Jetzthaftigkeit sind. Sie haben nur ein einziges „fortwährend“ nach rückwärts und vorwärts geöffnetes „Immer-Jetzt“ (νῦν ἀεί). Ihr Jetzt ist in seiner Extension unbegrenzt. An ihnen läßt sich kein vergangenes „War“ oder zukünftiges „Wird Sein“ unterscheiden. Ihre Gewesenheit ist ihr jetzigwesendes Wesen, das auch „immerzu“ in weiter fortdauernder Noch-Geltung bleiben wird. Strenggenommen kann man von ihnen gar nicht sagen, daß sie „sind", sondern nur, daß sie *seiend* so sind, wie sie schon immer waren und weiterhin sein werden. Gleichmäßige Duration, fortgesetzte Anwesung, invariable Konstanz zeichnet sie aus.

Was haben wir aber damit beschrieben?

Nichts weiter als eine unendlich „gelängte", infinite Gegenwärtigkeit! Diese aber „außerhalb" und „jenseits" der Zeit sein zu lassen und als Zeitlosigkeit zu nominieren, wäre willkürlich wie widersinnig. Gehört nicht ebensoviel Zeit dazu, in ungetrübter Selbstidentität pausenlos verharren zu können, wie in pausenloser Selbstveränderung unaufhörlich seine eigene Vergänglichkeit zu sein? Wodurch unterscheidet sich ein „immer" wieder anders Werdendes von einem „nimmer" anders Werdenden? Doch nur durch die Art und Weise, wie beide sich innerhalb des *einen* Zeithorizontes durchhalten. „Immer-wieder-so-sein" und „immer-wieder-anders-sein" sind konträre Seinsweisen. Von beiden gilt ein ὑπὸ χρόνου εἶναι. Was kontinuierlich sich selber gleich bleibt, benötigt dazu nicht weniger, sondern gerade so viel Zeit wie ein in kontinuierlicher Veränderung sich Befindendes. Letzteres muß ja auch ein mindestens fixierbares So haben, sonst könnte man von ihm keine Veränderung aussagen. Es hat nur ein „kurzfristig" dauerndes So. Dagegen haben die in ständiger Gegenwart perseverierenden Soseinsidentitäten ein beständiges und unveränderliches So ∞. Mag das kurzfristige So noch so minimal sein und das So der Immerseiendheit von noch so unbegrenzter Dauer – beide können nur sein, wie sie sind, weil und sofern sie zeitlich sind. Unendlich in parontischer Unveränderlichkeit beharrende Soseinsdauer läßt sich aus der Zeit gar nicht herausnehmen und in eine Zeitlosigkeit versetzen, weil sie dann gar nicht mehr „dauern" könnte. Was in kontinuierlicher, gegenwärtiger Anwesenheit „immer", „fortwährend", „alle Zeit" und „jeder Zeit" dasselbe bleibt, vermag nur deshalb seine sich selbst identische Verfassung durchzuhalten, weil es *„in"* der Zeit ist und nicht weniger zeitlich ist, als das, was in flüchtigster Unbeständigkeit und in unaufhörlicher Sukzession sein jeweilig „jetziges" So-Aussehn verliert und immerfort ein anderes zeigt.

Mit Recht hat H. Conrad-Martius gerade an einem fingiert Ruhenden, Unbeweglichen und Unveränderten die Zeitkonstitution expliziert, um die sich immer wieder vordrängende Auffassung von der Veränderungslosigkeit als Zeitlosigkeit fernzuhalten.

Das Dauernde ist ja auch in der Zeit, ja es ist ohne Zeit unmöglich. Es bewegt sich zwar nicht in der Zeit, es verändert sich (als solches!) nicht in ihr, sondern es ‚ruht' in ihr. Aber gerade zu dieser seiner schlichten Daseinsruhe braucht es Zeit. Ohne Zeitraum wäre diese Ruhe unmöglich, wäre ihrer ‚Entfaltung' von vornherein der Boden genommen.[19]

Ob man sich die präsentiale Dauerweise noch sehr gesteigert denkt, an keiner Stelle überspringt sie den zeitlichen Horizont und wird nie und nimmer zur Zeitlosigkeit. Das, was ihr das Dauern überhaupt ermöglicht, ist ja nichts weiter als eben das kontinuierliche Moment der Zeit.

Ob Zeittranszendenz oder Zeitimmanenz vorliegt, dafür gibt es einen untrüglichen Index. Läßt sich noch sinnvoll fragen: „Wie lange so?", dann hat auch das jeweils Befragte eine *zeitliche* Seinsart. Ob diese nun als ein Modus fluider Veränderlichkeit oder als Modus statuarischer Unveränderlichkeit zu charakterisieren ist, ob man mit einem „gewesen" oder mit einem „immer noch so" antworten muß, das streicht in beiden Fällen nur die Zeitlichkeitsstruktur heraus. Und angesichts von soseinsidentischen Gehalten ist die Frage nach ihrem „Wielange" nicht nur berechtigt, sondern sogar unerläßlich, um das Spezifikum ihrer *zeitlichen* Seinsart, nämlich die vergangenheits- und zukunftslose, unendlich offene Gegenwärtigkeit zu Gesicht zu bekommen. Das wirklich Zeitlose aber läßt sich auf sein „Wielange" überhaupt nicht befragen. Es hat kein duratives „Immer-So". Was zeitenthoben ist, kann weder „so lange" noch „so kurz" dauern, weil nur ein Zeitliches „dauern" kann. Die Frage „wie lange?" gleitet am Zeitlosen als eine unangemessene ab.

Um die zeitliche Seinsart soseinsidentischer Kunstgehalte schärfer herausheben zu können, sei ein Blick auf die Seinsweise soseinsidentischer Denkgehalte erlaubt. Von letzteren wird ja immer wieder die Zeittranszendenz als das charakteristische Merkmal behauptet. Und ist deren Zeitlosigkeit anzuerkennen, warum sollten dann nicht die „Gefühls"-νοήματα der Kunst von der gleichen Zeitlosigkeit sein können? Die Frage beantwortet sich von selbst, wenn beim genaueren Zusehen die allerseits versicherte Zeitlosigkeit der logischen Idealgebilde auch als eine bloße zeitimmanente Seinsart sich zu erkennen gibt und wenn sich zeigt, daß die übliche Charakterisierung der logischen Richtigkeiten als Zeitlosigkeiten dem durch nichts gerechtfertigten Vorurteil entspringt: nur das Unbeständige sei der Zeit verfallen, das Beständige aber der Zeit enthoben. Zunächst dürfte aber doch folgendes einleuchten: Fließphänomene und Dauerphänomene sind nicht dasselbe. Sie sind unterscheidbar. Zwischen ihnen besteht ein Unterschied (διαφορά). Aber sie können nur deshalb und nur insofern untereinander differieren, als sie doch wenigstens in *einer* Hinsicht etwas *gemeinsam* haben. Hätten sie das nicht, fehlte jegliche Vergleichsbasis. Was aber ist das Gemeinsame zwischen kontinuierlicher Soseinsidentität (Dauerphänomen) und kontinuierlichem Anderssein (Fließphänomen)? Antwort: ihr beiderseitiges „In-der-Zeit-Sein". Nur weil sie beide in ein und derselben Zeit sind, können sie sich in ihrer unterschiedlichen Zeitweise voneinander abheben als momentan, unbeständig, fließend kontinuierliche Selbstveränderung einerseits und als dauernd, beständig, seiend, wesend kontinuierliche Selbstidentität andererseits. Sie verhalten sich also gerade nicht zueinander wie Zeitliches und Zeitloses. Denn dieses Begriffspaar involviert Verschiedenheit ohne jede Gemeinsamkeit. Zeitlichkeit und Zeitlosigkeit sind ἕτερα. Zeitlosigkeit ist das „Ganz-Andere" von Zeit. Man darf die ἑτερότης nicht zur διαφορά nivellieren. Also kann Beständigkeit gar nicht als Kriterium der Zeitlosigkeit und Unbeständigkeit als Kriterium für Zeitlichkeit fungieren.

Blicken wir nun auf die Seinsweise des idealen Seins selber – ob dieses als Sphäre der Allgemeingültigkeiten oder als Bereich eigenständiger Bedeutungs- und Sinneinheiten gefaßt wird, ist gleichgültig, – so zeigt sich: Diese idealen Gebilde stehen auch in unverrückbarer, durativer Gegenwärtigkeit fest. Und insofern sind sie unterschiedlich und unabhängig von den flüchtigen und variablen Denkakten, in denen sie gedacht werden. Das Viersein von 2×2 ändert sich nicht, ob ich es als Resultat eines Zählaktes gefunden habe oder ob ich vier nur gedankenlos nachplappere. Logische Richtigkeiten sind immun dem „Wie" und „Wann" ihres aktuellreellen Gedachtwerdens gegenüber. Sie dauern unentwegt und unabhängig von dem Akt-„Moment“ des Denkens. Der Satzinhalt, daß die Höhen eines Dreiecks sich in einem Punkte schneiden, bestand „schon“ in seiner Richtigkeit, noch „ehe“ er demonstriert wurde. Nach seinem ersten Entstehen und seinem möglichen Vergehen fragen zu wollen, wäre lächerlich. Die Richtigkeiten in der idealen Sphäre sind immer schon so gewesen und werden immer so bleiben, wie wir sie antreffen. Sie sind von ständiger Vorhandenheit und können deshalb auch mit Recht objektive „Gegenstände“ oder „Sachen“ genannt werden. Unveränderlich stehen sie mir in ihrem bleibenden An-sich gegenüber; ihre Präsenz bleibt unabhängig von der jeweiligen Bewußtseinspräsenz, in der ich sie denkend dann und wann habe. Aber deshalb sind sie nicht außer-, über-, unzeitlich oder zeitlos. Sie haben zwar nicht die Zeitart des Verfließens, wohl aber die der durativen Präsenz. Zeitlich ist das ideale Sein nicht anders als das reale Sein. Reales Sein und ideales Sein unterscheiden sich nicht wie Zeitliches und Zeitloses. Unterschiedlich sind sie nur der Zeitweise nach. Nicht nur das stets sich Verändernde in unserer sinnlichen Wahrnehmungswelt, wo alles nur „einmal“ und „zum letzten Mal“ geschieht, ist zeitlich. Es gibt nicht nur die Zeitart des stetigen Umschlagens von „jetzt“ in „nicht-jetzt“, wie es uns aus der realen Welt bekannt ist, sondern auch die des stetigen Insichstehens der „idealen“ Welt, welche das Denken entdeckt. Alles Reale ist in der *Zeitart* kontinuierlicher Soseinsveränderung und alles Ideale in der *Zeitart* kontinuierlicher Soseinsidentität.

Daß die Zeit die Dauer nicht ausschließt [20] und daß ideale Immerseiendheiten keine zeitlose, sondern zeitliche Seinsweisen haben, läßt sich bei Platon lernen. Die εἴδη haben ihre ἕδραι nicht jenseits, sondern diesseits der Zeit. Zwar teilen sie nicht die zeitliche Verflußweise der αἰσθητά. Diese kommen nie zum Stehen. Infolge ihres steten Anderswerdens kann man von ihnen immer nur ein „Mehr und Minder“ (μᾶλλον καὶ ἧττον) aussagen. Das Aussehen (εἶδος) der εἴδη dagegen bleibt sich in seinem Wasgehalt immer gleich. Er ist βέβαιον. Damit das Aussehn der eingestaltigen Wasgehalte sich aber überhaupt als ein ἀεὶ κατὰ ταὐτὸν ὡσαύτως ὄν gegenüber dem immer wieder Anderssein der αἰσθητά durchhalten kann, können die εἴδη gerade nicht in einem zeittranszendenten τόπος angesiedelt werden. Sie sind wohl von der verströmenden Zeitart der αἰσθητά geschieden, aber nicht überhaupt aus der Zeit herausgenommen. Sie nehmen teil an der Zeit, und zwar in der Zeitform der Gegenwärtigkeit (μέθεξις μετὰ χρόνου τοῦ παρόντος). Nur dank ihrer partizipialen Präsenzweise können sie ihre Geltung in ein νῦν ἀεί auslängen. Und so wesen sie als die Sich-immer-Gleichen ἐν πάντι τῷ χρόνῳ und εἰς τὸν ἀεὶ χρόνον. Wären sie zeit-los, so hätten sie keine Immerseiendheit. Solange Zeit überhaupt ist, solange behalten sie ihr einsinniges εἶδος bei. Was aber den εἴδη ihre präsentische Ständigkeit, ihr οὐσία-Sein, ermöglicht, das allerdings kann nicht mehr selber in der Zeit liegen, das muß ἐπέκεινα τῆς οὐσίας angesetzt werden. Denn dieses Höchste, Erste und Letzte (τὸ μέγιστον, φύσις τοῦ πρώτου ἰδέα τελευτεία), welches alles Sein sein läßt (sowohl das der fließenden αἰσθητά als auch der parontischen εἴδη), ist das wahrhaft Zeitlose, das gerade keine durative Gegenständlichkeit ist.

Ergebnis: Wer der Kunst durch Hinweis auf die irreale Komponente ihres selbstidentischen Gehaltes Zeitlosigkeit zusprechen will, der spricht sie ihr de facto ab. Die Seinsweise der Soseinsidentitäten ist selber eine zeitliche, und zwar von der Zeitart petrefakter Präsenz. Sempiterne Seinsweisen von infiniter Fortdauer bleiben zeitimmanent. Denn Zeitlichkeit und Zeitlosigkeit sind nicht identisch mit Selbstveränderlichkeit und Selbstidentität.

Ist das einmal eingesehen, so erledigen sich Auffassungen von selbst, wie zum Beispiel: die Kunst sei deshalb zeitlos, weil sie urbildlich immer schon vorhandene „Ideen" sinnlich porträtiere oder weil sie präexistierende irreale Werte konkretisiere. Aus einer gegenständlichen Denkhaltung heraus wird sich die Zeitlosigkeit der Kunst niemals nachweisen lassen. Das ist eine konsequenzlogische Unmöglichkeit. Alles gegenständliche Sein – ob als dingliche Vorhandenheit oder als sinnhafte Bedeutungseinheit – hat zur Selbstkonstitution ein zeitimmanentes Moment, nämlich das der Kontinuität notwendig. Gegenständliches muß, um als Selbstand überhaupt existent sein zu können, irgend eine Soseinsdauer aufweisen; gleichgültig ob diese kurz oder lang währt. Jede Art von Dauer bleibt aber eine Zeitweise. Das, was außerhalb der Zeit als Zeitloses sein soll, kann gar nicht dauern, weil nur die Zeit die Dauer als ein urtümliches Wesensmoment in sich schließt. Zeitlosigkeit als unendliche soseinsidentische Dauer wäre eine „schlechte“ Zeitlosigkeit, weil nur eine verkleidete Zeitlichkeit. So wie die bloß iterative Unendlichkeit nach Hegel eine schlechte Unendlichkeit bleibt. In Analogie zum vulgären Zeitbegriff könnte man auch von einem vulgären Zeitlosigkeitsbegriff sprechen, wenn darunter nichts anderes verstanden werden sollte als eine unendliche, linear-kontinuierliche Gegenwärtigkeit. Von der Zeitlosigkeit der Kunst zu sprechen, hat nur Sinn, wenn dem Begriff der Zeitlosigkeit auch ein zeittranszendenter Bedeutungsgehalt korrespondiert.

V

Die Rede von der zeitenthebenden Möglichkeit der Kunst deriviert auch gar nicht aus gehabten Kontakten mit gehaltlichen Immerseiendheiten. Es muß schon im originären Kunsterlebnis ein Außerzeitliches, d. h. ein von allen nur möglichen Zeitarten qualitativ ganz Verschiedenes tangierbar sein. Denn wie sollte man sonst verstehen, daß es den eigentümlichen Modalcharakter eines ruckartigen Erleuchtungserlebnisses, eines „Augenblicks“-Erlebnisses im emphatischen Sinn annehmen kann! Wie wäre es möglich, daß wir uns im Kunsterlebnis wie auf einem Scheitelpunkt, der über allem Zeitlichen liegt, erhoben fühlen, den Atem anhalten und verstummen, daß wir plötzlich einen Augenaufschlag der Seele erleben, die – und darin liegt wohl das Wunderhafte – mit leiblichen Sinnen eine Sinnevidenz erfährt, von der unser *zeitliches* Weiterleben nachhaltig mitbestimmt werden kann – so wie Rilke vor dem archaischen Torso Apolls bekennt: „Da ist keine Stelle, die dich nicht sieht, du mußt dein Leben ändern.“ Wie sollte man vor immerschon-seienden „Ansichs“ von Schauern so überwältigt werden, daß es einem heiß und kalt über den Rücken laufen kann? Wie könnten diese immer gültigen und somit gleichgültigen gehaltlichen Dauereinheiten uns mit der heimlichen Wärme eines ausgesöhnten Gutseins von allem, was ist, überströmen und uns klarer, hellsichtiger machen, tiefer verstehen und bisher nicht geahnte Zusammenhänge gewahren lassen?

Ein streng „objektives“ Kunstdenken müßte das alles nur auf

Kosten unserer je individuellen psychophysischen Sensibilität und damit als unsere willkürlich-subjektive Zutat erklären. Denn das „gefrorene" Immerso der Kunstgehalte ist ja von einer erschreckenden Kälte. Zu solchen Konsequenzen wird man getrieben, wenn man alles an der Kunst objizieren zu können glaubt – auch das, was sich wesensmäßig jeder Vergegenständlichung entziehen muß: das Phänomen der Zeitlosigkeit. Dieses Tiefste und Innerlichste an der Kunst kann ein objektiv-gegenständliches Denken nicht bewältigen. Es muß schließlich selber vor ihm in seine gegenseitige Intention umschlagen: in einen extremsten Subjektivismus.

Also: Außerzeitlichkeit und Innerzeitlichkeit stehen als heterothetisch sich ausschließende Vermeintheiten unvereinbar gegenüber. Und wie sollte das, was in einem gegenseitigen Negierungsverhältnis geschieden bleibt, dennoch in einem Miteinander-Verhältnis gedacht werden können? Wie könnten die Horizonte der Zeitlosigkeit und Zeitlichkeit jeweils sich ineinander schieben? Denn gerät die Zeitlosigkeit in den Bereich der Zeitlichkeit, dann ist sie zeitlich. Zeitliches und Zeitloses können nicht zu einer Einheit so verschmelzen, daß Zeitliches zur Zeitlosigkeit und Zeitlosigkeit zur Zeitlichkeit würde. Und dennoch müssen beide, ohne sich gegenseitig aufzuheben, irgendwie zusammentreffen. Soll das je möglich sein, dann doch nur so, daß Außerzeitliches unter Beibehaltung des spezifisch zeitlosen Quale „im" Zeitlichen aufleuchtet. Das heißt aber, daß die Zeitlosigkeit sich selbst transzendiert, um im Zeitlichkeitshorizont als Zeitloses „spürbar" zu bleiben und auch umgekehrt, daß die Zeitlichkeit sich selbst transzendiert, ohne von der Zeitlosigkeit verschluckt und annulliert zu werden.

Wo und wie aber läßt sich dieser beiderseitige Überstiegspunkt an der Kunst fixieren? Erst dann, wenn die Zeitlichkeitsstruktur der Kunst selber in ein klares und deutliches Bewußtsein gehoben ist. Nur dann, wenn wir wissen, was denn die zeitliche Seinsart der Kunst ausmacht, wird ihre mögliche zeitlose Seinsart überhaupt greifbar werden. Damit stehen wir vor der Aufgabe, zunächst die Zeitlichkeit der Kunst zu verdeutlichen.

VI

Es versteht sich von selbst, daß wir nicht auf die „Vergänglichkeit" des Sinnlich-Materiellen am Kunstwerk verweisen dürfen. Denn: auch außerkünstlerische Geformtheiten und Naturdinge sind zerbrechlich und werden „materialmüde". Durch konservierende und renovierende Tätigkeit verlängert man nicht die zeitliche Seinsweise der Kunst, sondern die Künste als Kulturgüter, welche sich in ihrem musealen Charakter grundsätzlich nicht von dem denkmalhaften Inventargut eines Zeughauses unterscheiden. Auch dürfen wir auf der Suche nach der Zeitlichkeit der Kunst nicht auf das unbeständig wechselnde und epochal gebundene Verständnis für Kunst, etwa für das der Antike oder des Mittelalters, hinweisen. Denn solche Renaissancen teilt die Kunst auch mit außerkünstlerischen Leistungen, wie etwa die Geschichte des Platonismus oder Aristotelismus lehrt.

Wann und wie ist Kunst überhaupt existent? Wann hat die Kunst ihr ontisches Ist? Antwort: einzig und allein im künstlerischen Erlebnis; präziser: im ästhetischen Erlebnis. Denn ohne auf αἰσθήσεις bezogene αἰσθητά-Korrelate, d. h. ohne unmittelbar sinnliche Wahrnehmbarkeiten ist ein Kunsterlebnis nicht möglich. Da die Struktur des ästhetischen Erlebens prinzipiell die gleiche ist als künstlerischer Schaffensvorgang wie als „Kunstgenuß" [21], können wir die Frage nach der Zeitlichkeit des Kunstseins auf die nach der Zeitstruktur des ästhetischen Erlebnisses reduzieren.

„Jedes Erlebnis ... untersteht dem Urgesetz des Flusses." [22] Das heißt jedes wie auch immer qualitativ getönte Erlebnis – also nicht nur das ästhetische – hat als formal-transzendentale Grundstruktur eine *Temporal*struktur. Was heißt das? Um sich den Sinn der immanenten Zeitgesetzlichkeit des Erlebens klarzumachen, schärft man sich tunlichst ein, was *nicht* damit gemeint ist. Nicht – wenn das Bild erlaubt ist – soll es besagen: unser Ich habe eine konstant schleusenartige Struktur, durch welche unaufhörlich die Zeit hindurchströmt, die uns einmal in kürzeren, einmal in weiteren Abständen in sich bereits fertige Erlebnisdata wie Hölzer im Strom zutreibt, deren wir uns nur solange inne wären, als sie das ichliche Schleusenufer „passierten". Wären sie abgetrieben, dann wüßten wir eben nichts mehr von ihnen, weil uns vom Strom der Zeit unentwegt neue Erlebnisstücke zugeführt werden. Oder in einem Bilde Diltheys: Das jeweils Erlebte haben wir nicht als ein zusammenhangloses isoliertes Nacheinander „wie Wagen hintereinander, jeder von dem andern getrennt, wie Reihen eines Regiments von Soldaten, immer Zwischenraum zwischen ihnen“ [23]. Sondern: *erstens* erlebe ich nur Zusammenhänge und *zweitens* stifte „ich“ (transzendentales ego) diese Zusammenhänge selber, und zwar dadurch, daß ich sie unaufhörlich in einem „triadischen“ Griff miteinander verknüpfe. Keine Präsentation (-Impression) ohne eine retentionale Mithabe von etwas, das bereits „vorbei“ ist. „Früher“ Erfahrenes gibt mir den Blick mit frei, um eine unmittelbare Vorgegebenheit als solche überhaupt zu sehen. „Die Melodie unseres Lebens ist bedingt durch die begleitenden Stimmen der Vergangenheit.“ [24] Kein Augenblickserlebnis, das nicht durch alle vergangenen Erlebnisse mitbeeinflußt wäre. Eine Blickzuwendung auf ein jetzt Momentanes ist ohne gleichzeitigen Rückgriff auf Früheres gar nicht möglich. Ferner: keine Präsentation ohne zugleich eine protentionale Vorhaltung von „Mehr“-Erwartungen, denen ich mich hingeben oder aber auch versagen kann. In jedem Augenblick bin ich so mit zwei Blickstrahlen über das unmittelbar Gegebene bereits hinaus; ja, nur weil ich Früheres und Späteres mitsehe, kann ich Jetziges überhaupt erleben. *Drittens:* erst in und mit dieser unaufhörlich getätigten Ursynthese, welche faktisch Auseinanderliegendes mit Sinnfäden verknüpft, und auf der sich alle anderen Synthesen von der assoziativen bis zur existentiell relevanten aufstufen, konkretisiert sich das Bewußtsein von Zeit. So konstituiert sich das innere Zeitbewußtsein. Die Zeit ist also gerade nicht dogmatisch als eine ontische Gegebenheit vorausgesetzt, sondern ihrer werden wir uns nach Husserl überhaupt erst im Synthetisieren bewußt. Nicht die Zeit als ein unendlich langes und als ein unendlich breites Fließband führt uns die Erlebnisse in sich fertig zu. Sondern sie konstituiert sich in eins mit der Erformung des sinnlichen Erfahrungsstoffes zu Erlebnisinhalten durch den dreigriffigen synthetisierenden Akt von Retention, Impression (Präsentation) und Protention. Aus diesem ursynthetischen Tun entquillt gewissermaßen erst die Zeit und damit auch das Bewußtsein unserer eigenen Zeitlichkeit. Wir können auch so sagen: wären wir ohne sinnliche Wahrnehmungsmöglichkeit, d. h. vermittelten uns die Sinne keinerlei materialen Erlebnis-„Stoff", den wir zu synthetischen Leistungsprodukten verarbeiten könnten, dann vermöchten wir weder von „eben" oder „jetzt" oder „noch-nicht" zu sprechen, noch würden wir uns unseres eignen zeitlichen Da bewußt. Wir hätten dann kein Bewußtsein von der Zeit. Überspitzt: unseren Sinnen verdanken wir das Erlebnis der Zeit, und erst unseren zeitigenden Synthesen verdanken wir das Erleben-Können von etwas.

Wenn nun bereits jedes außerkünstlerische Wahrnehmungserlebnis (z. B. der Tintenfleck an der Wand) zugleich auch ein immanentes Zeitlichkeitserlebnis darstellt, so muß das ästhetische Erlebnis, das ein „sinnliches" Erlebnis κατ' ἐξοχήν darstellt, – es ist ja eben kein noetisches oder volitatives – erst recht auf den immanent getätigten Leistungen des inneren Zeitbewußtseins basieren. Und in der Analyse ergibt es sich auch als ein durch und durch zeitlich strukturiertes. Wir treten „jetzt" vor ein Bild, um es zu betrachten. Schon diese „Position" ist keine zusammenhanglos neutrale. Der erste Blick bereits ist in seiner Richtung, in der Wahl des Augenpunktes, von dem die optische Lesebewegung ihren Ausgang nimmt, mitbedingt von erworbenen Lebenserfahrungen unserer Vergangenheit. Er ist schon in einen größeren Lebenszusammenhang eingegliedert. Er bildet eigentlich gar keine Zäsur; er wird selber wieder nur Glied einer von Blicksynthesen gebildeten Akteinheit, die ihr Sein im Werden hat. Wir wandern mit den Augen jetzt von der Lichtquelle in eine Schattenecke, dann wieder von ihr in die Bildtiefe, in die wir uns stufenweise und nach und nach hineinsehen, dann wägen wir das Rot gegen das Blau ab. Die Betrachtung wächst sich zu einem immer größer werdenden, mikrokosmisch von uns selbst gefugten Wahrnehmungszusammenhang aus, in welchem die „einzelnen" ästhetischen Aktinhalte sich bei jedem weitern Blick neu eingliedern. Der funktionale Stellenwert jeder Einzelwahrnehmung ist nicht festgelegt, noch der letzte Blick kann den ersten Blickinhalt entscheidend alterieren. Und andererseits kein neuer Blickinhalt ohne die bereits vorher gehabten. Denn letztere bleiben ja in perspektivischer Mitsicht. Unsere Betrachtung ist eine ständig synthetisierte Folge von Einzelwahrnehmungen. Selbst eine Miniatur in der Größe einer Zielscheibe fixieren wir nicht in *einem* festgelegten Blickstrahl.

Es bleibt aber gar nicht bei den rein optisch getätigten Synthesen unseres inneren Zeitbewußtseins. Denn wir betrachten ja nicht *nur* mit den Augen und nehmen nicht *nur* mit dem Hirn Notiz davon. Wir sehen immer zugleich als ganze Persönlichkeit, die mit dem Sehen in eine innere Bewegung gerät.

Der Blick schweift mit Muskelbewegungen des Augapfels an der Oberfläche der Dinge hin, folgt den Umrissen eines Berges, dem Wuchs eines Baumes, der Richtung eines Weges, und *zugleich* mit ihm bewegt sich der innere Sinn auf denselben Bahnen. So scheinen diese für sich wie lebendig zu rinnen und zu laufen.[25]

Wir verspüren unmittelbar eine Bewegungslust, „die sonst wirklich Bewegtes, wie z. B. das brandende Meer, ein Pferd im Sprung, ein Vogel im Flug“ zur Darstellung reizt. Wir verzeitlichen gewissermaßen das räumlich Dargestellte und die Sprache verrät auch die Tätigkeit des inneren Zeitsinns. Man sagt z. B.: der Berg steigt „allmählich“, oder: „plötzlich“. In Wahrheit steigt ja nicht der Berg, sondern unsere Anschauung allmählich und plötzlich an ihm empor. Unser bewegtes Schauen besteht in einem innern Umreißen, Überfahren, Nachtasten, Zeichnen. Wir glotzen nicht einfach ein Bild an. Mit unserem bewegten Schauen – unser Blick springt nicht wie der Minutenzeiger einer Bahnhofsuhr, der jeweils einen Minutenstrich deckt – erregen wir uns auch „innerlich“ mit. Wir werden gleichsam zum Schöpfer dessen, was wir sehen. Wir erschauen uns das Bild, indem wir es unentwegt aus einzelnen αἴσθησις-Akten aufbauen. Dabei verspüren wir die Gunst, schöpferisch sein zu dürfen, d. h. aber gerade zu *zeitigen.*

Der Betrachter baut und schichtet die Hügel und Berge, hüllt sie in Wälder, erhebt, verzweigt, belaubt die Bäume, bettet die Matten hin, dehnt die Ebene aus, behaucht und tränkt das Ganze mit Luft und Wasser, bestrahlt es mit Licht, stimmt es in Formen und Farben zu einer einheitlich beseelten Neuschöpfung zusammen.[26]

Kurz: er erlebt die Eigenmächtigkeit selbsttätig-schöpferischen Verknüpfens, indem er die verstreutesten momenta discreta zu einem σύν, zu einer Wirkeinheit „heran"-erlebt. Er spürt das Werden, indem er selber werden läßt im Urakt aller Synthesen: in der demiurgischen Synthesis-Leistung des inneren Zeitbewußtseins.

Also nicht nur die ereignishaften „Zeitkünste", die mit dem Gehör erfaßt werden, auch die optisch wahrgenommenen „Raumkünste" erleben wir mit dem inneren „Zeitsinn". Dieser ermöglicht das Gesehene (Bildnerei) nicht weniger als das Gehörte (Dichtung und Musik), das Ertastete (Plastik) nicht weniger als das Ergangene (Architektur) zur erlebbaren Anschaulichkeit. Die seit Lessing gebräuchliche Einteilung in Raumkünste und Zeitkünste ist insofern schief, als sie den Eindruck erweckt, daß nur die vorwiegend akustisch vermittelten Künste zeitlich erlebt würden, die vorwiegend optisch vermittelten als die nur räumlichen ohne getätigte Synthesen des inneren Zeitbewußtseins. Daß aber auch die synoptischen Schauakte, mit denen wir ein unbewegtes und ruhendes Kunstwerk, wie etwa ein Bild, wahrnehmen, nur durch immanent zeitliche Synthesen zu Erlebnisdata sich konstituieren, das wird darum übersehen, weil bei raumdinglichen Wahrnehmungen die spontan zeitliche Tätigung uns selbstverständlich ist. Aber man schaue sich nur selber einmal bei einer Bildbetrachtung zu oder achte bei klassischen Bildbeschreibungen auf die zeitlichen Ausdrücke. Dann ergibt sich von selbst, in welch phasigem Ablauf die Intentionsspitze des Blickes von Partialerfassung zu Partialerfassung „kontinuierlich" weiterschreitet und dabei jede „Hier"-Fixierung nur möglich ist, weil das eben „dort" Fixierte noch mit im Blick behalten wird und weil zugleich auch das „noch nicht" voll erfaßte restliche „Dort", zu dem man schon intuitiv mit dem Blick hinüberzuckt, mit antizipiert wird.

Daß die Architektur als künstlerische Raumgestaltung ebenfalls nur in kinästhetischen Synthesen erlebbar ist, ist kunstwissenschaftlich längst bekannt. Nur ziehe man auch kunstphilosophisch die Konsequenzen daraus. Dann erst gewinnt das zuerst von Goethe gefundene Wort von der Architektur als erstarrter Musik seinen eigentlichen Bedeutungsgehalt.[27] Die Musik ist unräumlich. Der Ton baut keinen Gegenstand auf. Er steht nicht. „Sein Stehen ist ein bloßes Umrinnen im Kreise, nur das Wogen einer Woge" (J. Paul). Sein tonales νῦν ist ein zeitliches σύν. Bereits den Einzelton erleben wir, wie Husserl einsichtig gemacht hat, nur als dreiphasige Einheit, die von uns zeitigend zusammengehalten wird. Eine Kathedrale „steht“ zwar. Sie klingt nicht ab. Aber daß wir ihr rhythmisch pulsierendes Ruhen, die Atmung ihrer Innenräume, die Gelenkhaftigkeit ihrer Glieder, deren gespanntes Recken oder deren gesammelte Gelöstheit erleben können, das ist nur möglich, weil wir uns den gestalteten Raum nicht anders als die Musik in „Nacheinander“-Synthesen miteinander zur Gegebenheit bringen. Die Kunst erleben wir nur durch unsre Sinne und insofern ist grundsätzlich auch der Ansatz richtig, die Kunstgattungen „von unten her“, d. h. von den Sinnen aus, zur Bestimmung zu bringen. Falsch aber ist, wenn dabei das Auge als Organ unzeitlicher Raumerfahrung fungieren soll. *Alles* sinnlich Wahrnehmbare haben wir nur in der primordialen Tätigkeit der zeitimmanenten Selbstkonstitution des Erlebens.

Die ästhetische Rezeptivität ist eine modifizierte Spontaneität unaufhörlich getätigter Zeitsynthesen. Der künstlerische Erlebnisinhalt hat gar kein Analogon in einem dinghaften Ist. Sein Ist hat nur ein Werde-Sein auf Grund innerer Zeitigung. *Wir* verknüpfen, gliedern, profilieren, setzen Bezüge, kontrastieren, wägen aus, machen überschaubar, legen Bedeutungsakzente, halten sich überlagernde Tendenzen zusammen, geben einer davon die Führungsspitze, der wir die anderen unterordnen. *Wir* halten das Farbgedränge zurück, *wir* ziehen eine unterbrochene Linie aus oder führen sie weiter usf. Sind aber diese zeitlichen Charakteristika des ästhetischen Verhaltens etwas anderes als Ausdruck selbstschöpferischen Tuns? Das, was sich mir im Kunsterlebnis als so oder so betroffen Machendes gibt, dessen Seinsweise ist ja nicht die eines bloß passivisch „in mir“ sich widerspiegelnden Etwas, welches als „dasselbe“ auch „außer“ mir ebenso vorhanden wäre. Ich halte nicht nur einen mehr oder weniger seelenvollen Gemütsspiegel einem ohnehin schon fix und fertig gegebenen ästhetischen Faktum hin, das sich in mir nur noch einmal abspiegelt und immer wieder so abspiegelt, falls ich mich ihm mit der gleichen seelischen Disposition zuwende. Gerade die Tatsache, daß sich Kunsterlebnisse nie als identische wiederholen lassen, sollte der ästhetischen „Abbildtheorie“ zu denken geben. Weder der schaffende

Künstler noch der Kunstbetrachter erleben in sich ästhetische Verdoppelungen.

Indem der Künstler irgendeinen Gegenstand der Natur ergreift, so gehört dieser schon nicht mehr der Natur an, ja man kann sagen, daß der Künstler ihn in diesem Augenblick *erschaffe,* indem er ihm das Bedeutende, Charakteristische, Interessante abgewinnt oder vielmehr erst den höheren Wert hineinlegt.[28]

Und ebensowenig verdoppelt der Betrachter den außer ihm schon bestehenden ästhetischen Gegebenheitsmodus in sich noch einmal. „Was man weiß, sieht man erst.“ [29] Das αἰσθητόν als ästhetischer Erlebnisinhalt bleibt abhängig von dem es „aktiv“ setzenden αἴσθησις-Akt. „Weder die Basis, noch die Mitte, noch die Spitze der Pyramide ist *erhaben,* sondern die Bahn des Blicks“ (J. Paul). Der Eindruck, der mich überwältigt, den ich „erleide“ – er ist zugleich auch ein von mir selbst mitbeschworener, ein von mir selber einbeseelter, er ist mein „Geschöpf“. Und insofern ist jegliches Beeindrucktwerden zugleich auch Selbst-Ausdruck meiner Person. Wenn zwei Reisende vor derselben Akropolissäule stehen, der eine in Tränen ausbricht ob soviel unfaßbarer Schönheit, der andere seinen Namen darin einkritzelt in der Geste des Inbesitznehmens [30], so zeigt sich hier deutlich genug, wie im hinnehmenden Eindruckerleiden unmittelbar die Persönlichkeit des Betrachters zum Ausdruck kommt. Hier sind Eindruck und Ausdruck korrelativ. „Zu jeder ästhetischen Erfahrung gehört ein Organ“ (Goethe). Und gerade dieses hat keine bloß passivische Funktion. Kraft seiner vermag ich überhaupt auszugreifen, um etwas als so oder so erleben zu können. Mit ihm erfahre ich. „Es gibt keine Erfahrung, die nicht produziert, hervorgebracht, erschaffen wird.“ [31] „Die von außen herankommenden Dinge entnehmen Geschmack und Farbe unserer inwendigen Beschaffenheit, so wie die Kleidung uns wärmt nicht mit ihrer Wärme, sondern mit unserer eigenen“ (Montaigne). Wo sollte auch der ästhetische Bewußtseinsinhalt herkommen, wenn er nicht aus uns selbst entspränge.[32] Und auf dieses „Entspringen“ kommt es hier an. Im ästhetischen Verhalten erleben wir im schöpferischen Tun selber unsere selbstschöpferische Möglichkeit. Ich erfahre *mich* als schöpferisch, indem ich ein fiat spreche, d. h. *Nicht*-Ichliches in einem neuen Bewandtniszusammenhang konkreszieren lasse. Ich bin nicht nur der „Betrachter“ von etwas, das unabhängig von mir schon so da wäre, wie ich es im Blick habe. Unabhängig vom Betrachter und eigenständig ist lediglich ein außerästhetisches Erregungsmaterial, das bleibt, was es ist, und das physikalisch gesehen vielleicht eine Wellenbewegung oder schließlich nur eine Formel ist. Aber – um ein Wort Rothackers zu variieren – von einem Elektronenbündel ist noch keiner ästhetisch ergriffen worden. Das αἰσθητόν ist nicht trennbar vom Träger des αἴσθησις-Aktes. Es ist seine ureigenste Schöpfungsleistung. *Er* hat es ins Da gerufen. Die ästhetische „contemplatio“ ist zugleich eine actio: Ich erschaffe mir, was ich betrachte. So ist das ästhetische Erlebnis im eigentlichsten Wortsinn ein Ursprungserlebnis. Indem ich Heterogenstes in Beziehung zueinander setze und miteinander zu einer sinnfälligen Einstimmung bringe, erfahre ich mich in diesem Werdensprozeß selber als einer, der werden lassen kann, d. h. aber, indem ich werden lasse, werde ich zugleich auch meiner eigenen Werdemöglichkeit inne.

Nur im Tun erfährt der Mensch, wer er ist, und indem er schöpferisch zeitigt, erfährt er auch seine eigene Zeitlichkeit *als* schöpferisches Sein-Können. Gerade die Analyse des ästhetischen Verhaltens lehrt, daß eine Gleichsetzung von Zeitlichkeit mit Vergänglichkeit eine nicht gerechtfertigte Sinnverengung bedeutet. Zeitlichkeit besagt nicht eo ipso „Sterben-Müssen“, den Tod schon spüren, noch ehe er eintritt, weil er uns mit „sanftern dünnern Sicheln“ jede Minute abmäht und sie dahinwelken läßt (J. Paul). Die dem ästhetischen Erlebnis immanente Zeitlichkeit ist gerade die der intensivst erfüllten Lebendigkeit, der Neuschöpfung aus sich selbst, des schöpferischen Werdens schlechthin, des Gewährens und Erzeugens, des Ermöglichens und Seinlassens. Jedes ästhetische Erleben hat etwas Kosmogonisches an sich. Wir erleben die Wirklichkeit des Werdens, das glückhafte Stehen in unserem eigenen Da, weil wir anderes ins Da entspringen lassen. Das Urwunder des Da erfahren zu dürfen, macht die Zeitlichkeit des Kunsterlebnisses aus. Was im gelebten Leben nicht immer glücken mag und was daher nur als anstrengende Selbstforderung im Leben gilt: „Memento vivere. Das heißt: Steh jedem Tag wie einer Schöpfung von Dir gegenüber, welche viel oder wenig enthält, aus Deinem Inneren dazugeformt“ [33], das gerade gelingt im ästhetischen Verhalten. Denn da „bricht unsere innere Gegenwart nie ab und sie bleibt das Unvergängliche unter dem Vergänglichen, das an ihr herabschmilzt und rinnt" (J. Paul). Nicht das memento mori, das memento vivere durchschüttert uns dann. Das Werden zum Sein (γένεσις εἰς οὐσίαν), zum Da, ist ja um nichts selbstverständlicher und ebenso ergreifend wie das Rätsel, das uns anmutet, wenn wir Entwerdung, Entmöglichung, Erstarrung, Erschöpfung, kurz den Tod des Lebendigen erleben. Außer in der Liebe – „das Bild der Geliebten kann nicht alt werden, denn jeder Moment ist seine Geburtsstunde" (Goethe) – scheint das „Wunder" des schöpferischen Werdens nur im ästhetischen Verhalten in restloser Reinheit erfahrbar.

Was macht es denn, daß wir z. B. vor einem Pestbild nicht erschreckt davonlaufen? Doch nur, weil wir in schöpferischer Werdewirklichkeit den Pesttod entspringen lassen können und somit über ihm stehen. Er ist „unser" Geschöpf und mit ihm bedeuten wir uns etwas. Wem Todesbilder einen lähmenden Schrecken einjagen, der zeigt sich gerade in seinem künstlerischen Unvermögen, d. h. er vermag sich gar nicht in einen schöpferischen Werdeprozeß einzuschwingen und das inhaltlich Dargestellte dadurch in Distanz zu halten, daß er es verstehend zu *seinem* Werk macht, und zwar so, daß es nur von seinem Verstehensatem „lebt".

Nur von der Temporalstruktur des ästhetischen Erlebens, welches alles, was es erlebt, im Zuge des *Werdens* erfährt, läßt sich auch das eigentümliche prae verstehen, welches die Kunst vor dem Denken auszeichnet.

> Allen Werdensprozessen gegenüber versagt das Denken . . . Der Verstand versagt seinem innersten Wesen nach dem Werden gegenüber, alles Neue sucht er auf Altes zurückzuführen, alles sich Wandelnde erstarrt unter der Berührung seines Blickes. Von der Quelle, sagt Goethe, kann man nur sprechen, insofern sie fließt (Dichtung und Wahrheit).[34]

Denkend läßt sich nur adäquat begreifen, was mindestens die formale Seinsweise der werdelosen, stetigen, stabilen Vorhandenheit aufweist. Aber damit ist die Reichweite des Denkens zugleich auch wieder beschränkt. Alle Aktwirklichkeiten, d. h. alles, was sein Ist erst im und während des Aktvollzuges hat, bleibt seinem Zugriff entzogen. Denken konstantiiert, substantiiert, statuiert, begrenzt, setzt ab, vergegenständlicht. Will es Werdewirklichkeiten denken, dann bringt es diese zum Stehen und hat sie damit entstellt. Den Fluß kann man nicht festnageln. Aktsubstanzen aber kann die Kunst vermitteln. Im Drama z. B. können wir die Wirklichkeit der Freiheit, die nur ist als aktuales Werdesein, viel unmittelbarer erleben, als sie uns eine Ethik vermitteln könnte.

VII

Das Kunstwerk „ist" aktuell als fieri, als schöpferische *Werde*wirklichkeit. Seine Gegebenheitsweise ist die sich selbst zeitigende künstlerische Erlebniseinheit. Sofern es *ist*, ist es *zeitlich*, und zwar nicht in der Zeitart perfekten Fertigseins, sondern in der des Werdeseins, d. h. des Werdens zum ... Außerhalb des kunstschöpferischen Erlebens ist es gar nicht. Auch nicht als praeexistierendes Möglichsein. Die Wirklichkeit des Kunstwerks hinkt nicht hinter der ihm vorangehenden Möglichkeit nach. Umgekehrt: im schöpferischen Erzeugen – sei es als originärer Schaffensvorgang des Künstlers, sei es im Verstehenserlebnis des Betrachters – entspringt auch erst seine Möglichkeit.[35] „Vorher" war es nicht einmal der Möglichkeit nach da – wenn man das Möglichsein nicht nur negativ verstehen will, d. h. als Nicht-Unmöglichkeit hinsichtlich von Verwirklichungshindernissen, sondern positiv als potentielle Vermögenskraft, die sich erst durch seine Verwirklichung entlädt. Tizians Karl V. war vor der Verwirklichung noch gar nicht möglich – wenn man sich nicht zu der banalen Behauptung versteigen will, daß die vermögende Möglichkeit dieses Gemäldes darin bestanden habe, daß Tizian eben noch nicht tot gewesen wäre. Bergson hat einleuchtend gemacht, „daß der Künstler gleichzeitig das Mögliche mit dem Wirklichen schafft, wenn er sein Werk gestaltet". Der gute Wille ist wie in allen Lebensbereichen so auch in der Kunst das Belangloseste – eine Einsicht, die wir auch z. B. bei James und Rothacker Seite für Seite theoretisch entfaltet finden. „Das Wirkliche schafft das Mögliche, und nicht das Mögliche das Wirkliche." [36] Erst wenn wir ein Kunstwerk als gelungen erleben, d. h. in seine unerschöpfliche Tiefe verstehend eingedrungen sind und durch seine produktive Bedeutsamkeit uns bereichert und gefördert fühlen – erst dann erscheint es uns nachträglich in der Rückwärtsspiegelung als immer schon so möglich gewesen.

Die Kunst ist also erst dann seiend, wenn sie als Ursprung, als schöpferisches Werden eines Unvorhergesehenen erlebt wird. Ihre zeitliche Seinsweise ist die des Entspringens und Hervorquellens selber. Sie ist Zeitigung.

Wie aber soll da ihre Zeitlosigkeit denkbar sein? Scheint sie nicht so sehr verzeitlicht, daß ihre heraklitische Struktur gar keine zeittranseunte Seinsweise übrig läßt? Wie soll sie zeitlos sein, wenn ihre einzige Seinsmöglichkeit gerade die ist, immer im beweglichen Original-Sein-Müssen erlebt zu werden? Wenn wir schon die in ständig stehender, unbegrenzt offener Gegenwärtigkeit verharrenden Soseinsidentitäten als zeitlich ansprechen mußten, um wieviel weniger können wir das Kunstsein als reines Aktualsein zeitlos nennen!

Sehen wir genauer zu: als zeitliche Seinsart der Kunst erkannten wir die schöpferische Selbsttätigkeit und zeitigende Eigenmächtigkeit des künstlerisch Erlebenden. Um sich aber das ästhetische Verhalten als ein unaufhörlich synthetisierendes Tun in seiner schöpferischen Eigenart klar zu machen, vergleiche man diese Art schöpferischen Erlebens mit reinen Willensschöpfungen. Wo der Wille schöpferisch ist, da wird ein reines Könnensbewußtsein erlebt, das sich in zielklaren und verantwortungsbewußten Tatsetzungen ausdrückt. Willensschöpfungen sind Setzungsgeschehnisse. Der alttestamentliche Schöpfungsbericht bietet dafür ein exemplarisches Modell: der Willensgott in schöpferischer Willenshaltung. Seine Schöpfung ist „nichts anderes als das freie *Setzen* eines personhaft-geistigen Willens“ [37]. Seine Weltschöpfung ist eine „mühelose“ Willenssetzung, denn für ihn gibt es gar keinen Unterschied zwischen Wollen und Sollen. Sein Gewolltes ist schon Getanes. Der Schöpfungsvorgang ist von einer solchen Sicherheit und Stabilität, daß man von einer quellenden und strömendtreibenden kontinuierlichen Fließweise gar nicht sprechen kann; er besteht aus kristallklaren, in sich abgegrenzten und sich gegenseitig bedingenden Setzungsakten.

Das künstlerische Schöpfungserlebnis ist aber gar nicht primär das Erlebnis eines stoßweise sich realisierenden Willens. Es gibt sich

gerade nicht in dieser zielhaften Konsequenz, wo da
ein vorgegebenes Leitziel von einer so konstant bleib
keit ist und dem Tun vorherleuchtet, daß die erlebte
wirklichkeit nichts als geradlinige Aktualisierung ist.
für die ästhetische Schöpfungsleistung bedeutet der gut
nichts. Denn der finalontische Sinn des künstlerischen
nicht bereits schon *vor* seiner Aktualisierung fest, sonde
bart sich erst *im* Tun. Er gibt sich erst während und im von
zentriertester Wachheit begleiteten Schaffen zu erkennen. Im äst
tischen Erleben sind wir eigentümlich „nervös". In unsicher tastenden Verstehensversuchen horchen oder blicken wir auf das Gesollte hin. Wir wissen noch gar nicht so recht, worum es hier eigentlich geht. Wir treiben noch auf erregten inneren Bewegungen hierhin und dorthin und suchen die Orientierung. In diesem fließenden Dahintreiben halten wir ängstlich Ausschau nach Zusammenhängen, nach orientierenden Verstehenslinien. Bisweilen greifen wir Halt suchend nach konventionellen oder durch Übung erlernten Anschauungsformen und lassen diese wieder fahren, wenn wir merken, daß wir uns vergriffen haben, daß ihre Verstehenshilfen nur leere Hülsen und unechte Fassaden sind. Der künstlerisch Erlebende fühlt sich wohl schon in eine ganz bestimmte Richtung gedrängt, aber ohne das letzte Worum-willen ansichtig zu haben. Seine Intentionsspitze, aus fließenden Synthesen gebildet, stößt immer noch ins Dunkle. Und in dieser Ungewißheit treibt er um so mehr seine Verstehenskräfte an, ja übersteigert und überspannt sie. Aber in dem Maße, wie er sich in seine Selbsttätigkeit hineinsteigert, fühlt er sich zugleich auch in quälender Verlassenheit und einem verhängnisvollen Geschehen ausgeliefert. In diesem phasigen Auf und Ab, in dieser suchenden Unruhe, da kann es sein, daß er von einem Sinnstrahl plötzlich durchzuckt wird, der wie von ganz anderswo her ihn durchfährt und den er mit allen Fasern seiner Persönlichkeit zu spüren bekommt. Das, was ihm nicht verstehbar werden wollte, ist ihm nun mit einemmal klar und wie selbstverständlich. Blitzartig wird ihm gewiß, worauf es überhaupt ankommt, was das Wichtige und Wesentliche und Sinn-Notwendige ist. Wie beschenkt hält er inne und möchte festhalten, was er sich trotz eifrigsten Bemühens selber nicht abtrotzen und „machen" konnte. Aber

hat es sich ihm schon wieder entzogen. Nur solange des Auges zu treffen vermag, fühlt er sich wie von ze eines Sinnintensivums berührt. Dann *versteht* er in ischen Sinne, den Droysen diesem Erkenntnisakt zu- hat.

hen ist das vollkommenste Erkennen, das uns menschlicher- glich ist. Darum vollzieht es sich wie unmittelbar, plötzlich, ohne wir des logischen Mechanismus, der dabei tätig ist, bewußt sind. her ist der Akt des Verständnisses wie eine unmittelbare Intuition, wie ein schöpferischer Akt, wie ein Lichtfunken zwischen zwei elektrophoren Körpern, wie ein Akt der Empfängnis. In dem Verstehen ist die ganze geistig-sinnliche Natur des Menschen völlig mittätig, zugleich gebend und nehmend, zugleich zeugend und empfangend.[38]

Trieb er bisher auf dem Gewoge seiner eignen Bewegungen frei und sich selbst überlassen, drohte ihm sein eignes Tun unter den Händen diffus zu verwuchern, so gelingt ihm jetzt wie von selber die Sinnsynthese. Wie der Blitz nur für einen Moment das Dunkel erhellt und seine Dauer doch schon zur Orientierung ausreicht, so wirkt diese Augenblicksberührung. Ein Sinn leuchtet auf, dessen Strahlkraft unheimlich weit über den Moment seines Aufleuchtens hinausreicht. In ihm „erscheint" mit einemmal bisher gar nicht Beachtetes und beziehungslos Auseinanderliegendes in einem ganz neuen Verstehenszusammenhang, dessen Bezugsweite das ganze gelebte Leben umfaßt und durchnervt, von solchem Ausmaß, daß man jetzt erst erfährt, was einem früher begegnete. In einem Nu scheint das „Vergangene wie das Künftige begriffen" [39].

Wie aber soll man diesen nicht festzuhaltenden, weil nicht gegenständlichen Augenblick mit seinem Offenbarungs-, Eingebungs- und Erleuchtungscharakter benennen? Von den vielen beliebig greifbaren und gewöhnlichen Jetzten unterscheidet er sich durch seine potentielle Kraft und Vehemenz, die darin besteht, daß er in unser zeitlich auseinandergezogenes Leben einzugreifen und die zeitlich gelebten Sequenzen zu Sinnkonsequenzen zusammenzubinden vermag. Dem Kunstbetrachter wachsen in einem solchen Augenblick Einsichten zu, die ihn substantiell bereichern, vertiefen, fördern und daseinssicher machen. Der Hand des Malers entfahren Striche, „welche seine Vorstellungskraft und sein Können übertragen und ihn selbst in Bewunderung und Staunen versetzen" (Montaigne). Dieser Augenblick ist nicht irgendeiner von den Jetzten. Er ist selten. Erlebt man ihn, dann ist es, wie wenn man in sein eigenes Geschick einrückt. Und nicht etwa so, daß man mit ihm der Zeitlichkeit entrückt in eine zeitlos selige Wolkensphäre. Er hat gar keine träumerisch beseligende Aureole um sich. Das „Plötzlich" trifft keinen Träumer. Nur den Bemühten macht es betroffen. Es ist auch mehr als ein bloßer „Einfall", obwohl es ihm in der Gegebenheitsweise gleicht. Aber der Einfall durchschlägt nicht den ganzen Menschen. Er bleibt in dessen spezialisierten Intelligenz-„Schichten" hängen und trifft nur den τεχνίτης „im" Menschen.

Platon spricht im Parmenides von dem, was in keiner Zeit ist (ἐν χρόνῳ οὐδενὶ οὖσα). Und dieses Zeitlose ist das „Plötzlich" (τὸ ἐξαίφνης). Es ist keines von den τὰ νῦν, welche zeitlich, d. h. ἐν χρόνῳ sind. Aber wenn auch das ἐξαίφνης von unzeitlicher Seinsart ist, so bleibt es doch als Zeitloses nur in der Zeit erfahrbar; eben als jener Punkt, wo eine zeitliche Seinsart in eine andere umschlägt. Das Zeitlose ist für uns Zeitliche nicht in einer besonderen Region und in einer besonderen zeitlosen Haltung isoliert und für sich zu haben. Wir werden seiner nur inne im Medium der Zeit, wie wir auch das Höchste nur im Medium eines davon Verschiedenen und an Seinswert Geringeren erfahren. Das „Erste" läßt sich nicht zum gegenständlichen, lehr- und lernbaren Denkbesitz machen. So im zweiten Brief. Im Staat wird von dem Höchsten auch nur gleichnishaft gesprochen. Wie sollte auch das letzte Um-willen als sinngründender Ursprung von allem, was so ist, wie es ist, gegenständlich fixierbar sein! Wäre es das, dann müßte man noch hinter es greifen können. Wäre das aber möglich, dann wäre es nicht das Letzte.

Denn es läßt sich nicht wie andere Lehrgegenstände formulieren, sondern aus lange währendem Umgang mit der Sache und dem Zusammenleben wird plötzlich (ἐξαίφνης) wie von einem springenden Funken, in der Seele ein Licht entzündet, das nunmehr sich selbst ernähren kann.[40]

Goethe sieht die zeitüberdauernde Kraft im Augenblick. Er ist das Zeitlose, das Ewige.[41]

Kierkegaard läßt nicht weniger das Ewige und Zeitlose dem zeitlichen Menschen nur kommensurabel sein im „Augenblick“,[42] der zeitlich gesehen gar kein Ist hat, sondern bloße Grenze ist zwischen dem Vergangenen und dem Kommenden, also eigentlich ist, wenn er schon gewesen ist.

Gewiß haben Plato, Goethe und Kierkegaard den Sinn ihres Zeitlichseins und damit auch die Zeitlosigkeit als Inbegriff erfülltester Sinnhaftigkeit ganz verschieden erlebt und erdeutet. Aber es ist wohl kein doxographischer Zufall, daß sie übereinstimmend das Zeitlose *erstens* nicht in irgendeinem Dauersein, sondern paradoxerweise in einem augenblicklichen Plötzlich aufgefaßt haben, und daß sie *zweitens* das so gefaßte Zeitlose gerade in seiner Bezugshaftigkeit zum zeitverhafteten Dasein betont haben. Dem Menschen als zeitlich-endlicher Existenz ist es eben nicht vergönnt, auch nur „für einige Zeit“ außerhalb der Zeit sich aufhalten zu können. Und dennoch geht der Sinn seines zeitlichen Daseins nicht im Ephemerischen auf. In der Sinnintensivierung des zeitlichen Daseinmüssens liegt zugleich auch seine zeitlose Daseinsmöglichkeit beschlossen. Je mehr der Mensch das Gesetz seines zeitlichen Seinmüssens als schöpferische Selbstzeitigung übernimmt, um so mehr steht er in der Gunst eines zeitlosen Dasein-Könnens. Allerdings nur in der Gunst, denn die augenblickhafte Plötzlichkeitserfahrung als gesteigerte Sinnerfahrung steht nicht restlos in seiner Macht. „Aus den Wolken muß es fallen / Aus der Götter Schoß das Glück, / Und der mächtigste von allen / Herrschern ist der Augenblick“ (Schiller). Sinneinsichten können nicht gewollt werden. Sinn ist ja nicht generalisierbar, und darum ist auch der Wasgehalt der Zeitlosigkeit nicht fixierbar. Μὴ εἰκῇ περὶ τῶν μεγίστων συμβαλλώμεθα.[43] Echte Wahrnehmungen, sagt Rothacker, sind selten. Glückt uns aber eine im anstrengenden Tun, dann trifft sie uns bis in unsere tiefste und intimste Mitte, dann verlebendigt sich unser Leben. Es wird „gründlicher“, d. h. ursprünglicher.

Erfahren wir im schöpferischen Kunsterlebnis ein solches ungewöhnliches und seltenes Plötzlich, dann erfahren wir die Zeitlosigkeit der Kunst.

Anfangs wiesen wir auf zwei vom historischen Kunstdenken immer wieder hervorgekehrte Einsichten hin: Die *eine* Wesensgesetzlichkeit der Kunst bestehe in gelingenden Synthesen von scheinbar unvereinbaren Gegensätzen und die *andere* in der Ermöglichung einer Zeitlosigkeitserfahrung. Haben nicht beide Gesetzeserkenntnisse eine gemeinsame Ursprungswurzel? Im selbstschöpferischen Tun gelingen uns Synthesen. Als solche basieren sie auf den Grundleistungen unseres inneren Zeitbewußtseins. Sinnsynthesen sind solche, die sich zugleich in unserem zeitlichen Leben befruchtend auswirken. Und die Spitze solcher Synthesen ist spürbar in Schöpfungserlebnissen als Augenblickserlebnissen.

Nachtrag 1973

Auch heute findet der Verfasser seinen vor über zwanzig Jahren geschriebenen Aufsatz noch lesenswert. Nur hält die Abhandlung nicht, was der Titel verspricht. Danach soll die Zeitlosigkeit der Kunst thematisch sein. So erwartet der Leser die Problematisierung einer den *Werken* der Kunst und nicht so sehr einer dem *Erleben* von Kunst zukommenden Zeitlosigkeit. Allerdings wird versichert, daß die Kunst ihr „ontisches Ist" einzig und allein im „ästhetischen Erlebnis" bzw. in der „ästhetischen Anschauung" hat. Aber ist dies nicht bloß eine listige Behauptung, um mit der Zeitlosigkeit der Kunst schneller, als das Problem es erlaubt, fertig zu werden? Denn *die* Zeitlosigkeit, die mit dem schöpferischen Kunstgenuß eines ästhetischen Bewußtseins verbunden sein kann, ist nicht gleichsinnig mit *der* Zeitlosigkeit, die sich in den Werken der Kunst verwirklicht. Und darum sollte es doch gehen! Mittels einer *egologischen,* auf das ästhetische Erlebnis konzentrierten Bewußtseinsanalyse ist die Zeitlosigkeit der Kunst nicht einzusehen. Denn die Kunst stellt sich immer in ihren Werken dar. Ein Werk der Kunst aber ist kein ästhetisches Bewußtsein. Bei „Kunst" denkt der Kunsthistoriker mit Recht an Werke der Kunst, der Kunsttheoretiker an Gattungen von Kunstwerken, der Kunstkritiker an die zu beurteilenden Anmutungsqualitäten werkgewordener Kunst. Und daran kommt der Kunstphilosoph auch nicht vorbei: erst das Werk macht den Künstler und erst ein Kunstwerk den Kunstbetrachter. Also hätte bei dem gegebenen Titel die *egologische* Analyse werkgewordener Kunst im Mittelpunkt stehen müssen.

Eines ist es, in transzendental-logischer Absicht die Bedingungen erkennen zu wollen, die so erfüllt sein müssen, daß ein Erleben von Kunstwerken in eins auch ein Erleben von Zeitlosigkeit ist. Dabei wären Zeit und Zeitlosigkeit, Zeitlosigkeit und Ewigkeit begrifflich auseinander zu halten! Außerdem ist zu beachten, daß das Erleben von Zeitlosigkeit nicht auf das Erleben von Kunstwerken beschränkt ist. Ein *anderes* ist es, im Zuge einer „Kritik der historischen Vernunft" wissen zu wollen, ob den konkreten Werken der Kunst trotz ihrer geschichtlichen Stellenfunktion im Aufbau einer vielleicht längst untergegangenen menschlichen Lebenswelt dennoch eine zeitüberwindende Alterslosigkeit zukommt. Ich denke hierbei an einen Satz aus Fr. v. Raumers ›Italien‹ (II, 23), den Carl Schnaase in seine ›Geschichte der bildenden Künste‹ (I, Düsseldorf [2]1866) aufgenommen hat: „Der entscheidende Vorzug des Lebendigen ist, daß es lebt, der entscheidende Vorzug des Kunstwerks, daß es nicht altert oder stirbt." Die metaphorische Ausdrucksweise sollte am wenigsten den Philosophen stören, der gewohnt ist, den Sinn metaphorischer Ausdrücke ernst zu nehmen. Nun kann das „Jungbleiben" des Kunstwerks – wie der Aufsatz dargetan hat – nicht mit transzendenten Geltungen von Werten oder Sinngehalten begründet werden. Wie aber ist es positiv zu begründen? Meines Erachtens nur so, daß das große Wort vom „Königsrecht geprägter Formen" in kleine Münzen eingelöst wird.[44]

Anmerkungen

[1] In dieser Forderung ist an den *Kunst*philosophen nur weitergegeben, was W. Dilthey gelegentlich (vgl. Briefwechsel mit Yorck von Wartenburg, Halle 1923, S. 52) vom Philosophen allgemein verlangt.

[2] Kant, KrV, Vorrede B, S. 26, Anmerkung.

[3] E. Rothacker, Probleme der Kulturanthropologie, 2. Aufl., Bonn 1948, S. 46 ff.

[4] O. Becker, Von der Hinfälligkeit des Schönen und der Abenteuerlichkeit des Künstlers, in: Husserl-Festschrift, Halle 1929; wiederabgedruckt in: O. Becker, Dasein und Dawesen, Pfullingen 1963, S. 11–40.

[5] Nic. Hartmann, Das Problem des geistigen Seins, 2. Aufl., Berlin 1949.

[6] F. W. J. Schelling, Werke, hrsg. v. O. Weiss, Bd. III, Leipzig 1907, S. 627.

[7] W. Pinder, Von den Künsten und der Kunst, Berlin/München 1948.

[8] A. a. O., S. 45.

[9] E. Rothacker, Probleme der Kulturanthropologie, a. a. O. (vgl. Anm. 3), S. 55.

[10] E. Rothacker, Geschichtsphilosophie, München/Berlin 1934, S. 48.

[11] E. Rothacker, Probleme der Kulturanthropologie, a. a. O., S. 11.

[12] M. Heidegger, Holzwege, Frankfurt a. M. 1950, S. 66.

[13] Augustinus, Confessiones X, 8.

[14] Nic. Hartmann, a. a. O. (vgl. Anm. 5), S. 469.

[15] A. a. O., S. 472.

[16] A. a. O., S. 473.

[17] A. a. O., S. 471.

[18] A. a. O., S. 421 f.

[19] H. Conrad-Martius, Die Zeit, in: Philos. Anzeiger, II. Jg. 1927/28, S. 145.

[20] Nic. Hartmann, Zeitlichkeit und Substantialität, in: Bl. f. dtsche Philos. XII, H. 1, 1938.

[21] Vgl. dazu M. Scheler, Schriften aus dem Nachlaß, Bd. 1, Berlin 1933, S. 432: „Der Künstler schaut, was aus seinen Händen oder aus seinem Dichten, aus Malen, Bilden hervorgeht, nicht anders an als der Zuschauer. Immer sieht er Neues hervorgehen – das er nicht vorher sah oder voraussah. Er ist je überrascht oder enttäuscht von sich selbst. Er schaut mehr einem Prozeß seines Geistes und seiner Hände zu, als daß er Ziele hätte und Mittel suchte." Was der Maler malt, ist nicht ein schon fix und fertig im Reich der Möglichkeiten Vorgegebenes, das er nur als dasselbe in die Sichtbarkeit zu überführen hätte. „Der Maler ‚sieht' mit der Pinselspitze, der Zeichner mit dem Punkte, da sein Stift die Fläche berührt, auf die er zeichnet." (M. Scheler, Metaphysik und Kunst, in: Deutsche Beiträge, H. 2, 1947, S. 113). O. Becker, a. a. O. (vgl. Anm. 4), S. 40: „Schaffen und Rezipieren sind gerade in der ästhetischen ‚Sphäre' in ihrer letzten Wurzel prinzipiell ungeschieden: jede adäquate Rezeption ist ein Nachschaffen des Werks und jede echte Schöpfung ist ‚Vision' – besser: Schöpfung und Rezeption entstammen der *Vision,* ihrer gemeinsamen Wurzel." – „Wie der Beschauer seinen Blick, so bewegt der Künstler Pinsel und Modellierholz." (R. Vischer, Drei Schriften zum ästhetischen Formenproblem, hrsg. v. E. Rothacker, in: Philosophie und Geisteswissenschaften, Neudrucke Bd. VI, Halle 1927, S. 48).

[22] E. Husserl, Erfahrung und Urteil, Hamburg 1948, S. 304.

[23] W. Dilthey, Ges. Schriften, Bd. V, Leipzig/Berlin 1924, S. 201. Die

fluide Struktur des Bewußtseins entdeckt zu haben ist eine Leistung, welche die Philosophie der letzten hundert Jahre für sich buchen kann. Man darf sich nur nicht von den jeweils verschiedenen Termini verwirren lassen. Hält man sich an die sachlichen Vermeintheiten, dann zeigt sich erst wie beispielsweise James nicht weniger als Dilthey, Cornelius nicht weniger als Husserl, Scheler nicht weniger als Bergson dasselbe Phänomen zu begreifen versuchen.

[24] W. Dilthey, Ges. Schriften, Bd. VIII, Leipzig/Berlin 1931, S. 224.

[25] R. Vischer, a. a. O. (vgl. Anm. 21), S. 62, an den wir uns hier halten, hat gerade die sensomotorische Bewegtheit des ästhetischen Erlebnisses hervorgekehrt. Vgl. auch W. Hager, Über den Rhythmus in der Kunst, in: Studium Generale, Jg. 2, H. 3, 1949, bes. S. 154–156.

[26] R. Vischer, a. a. O., S. 63.

[27] Eckermanns Gespräche mit Goethe, 23. März 1829.

[28] Goethe, Einleitung in die Propyläen.

[29] Goethe, ebd.

[30] J. v. Uexküll, Niegeschaute Welten, Berlin 1936.

[31] Goethe, Der Sammler und die Seinigen.

[32] Goethe, ebd.

[33] Cl. Misch, Der junge Dilthey. Ein Lebensbild in Briefen und Tagebüchern 1852–1870, Leipzig/Berlin 1933, S. 191.

[34] E. Rothacker, Das Wesen des Schöpferischen, in: Bl. f. dtsche Philos. X, 1937, S. 422 f.; wiederabgedruckt in: E. Rothacker, Mensch und Geschichte, Bonn 1950, S. 166–193.

[35] H. Bergson, Denken und schöpferisches Werden, hrsg. v. F. Kottje, Meisenheim/Glan 1948, S. 119 ff.

[36] H. Bergson, a. a. O., S. 124.

[37] H. Weide, Alttestamentlicher und altindischer Schöpfungsglaube, in: Ztschr. f. Religion und Geistesgesch., 1. Jg., H. 4, 1948, S. 292; vgl. auch E. Rothacker, Das Wesen des Schöpferischen, a. a. O. (vgl. Anm. 34).

[38] J. G. Droysen, Historik, München/Berlin 1937, S. 26; vgl. auch E. Grassi, Verteidigung des individuellen Lebens, Bern 1946, bes. S. 173.

[39] Goethe, Einleitung in die Propyläen.

[40] Plato, 7. Brief, 341 c.; vgl. R. Bultmann, Zur Geschichte der Lichtsymbolik im Altertum, in: Philologus, Bd. 97, H. 1–2, S. 21. Augustinus übersetzt das platonische ἐξαίφνης als ictus trepidantis aspectus (Confessiones VII, 17).

[41] Vgl. Goethe, ›Vermächtnis‹-Verse: Dann ist Vergangenheit beständig, das Künftige voraus lebendig, der Augenblick ist Ewigkeit.

[42] „Nichts ist so hurtig, wie der Blick des Auges und doch ist er kommensurabel für den Gehalt des Ewigen ... Ein Blick ist eine Bezeichnung

der Zeit, aber wohlgemerkt der Zeit in einem schicksalsschwangeren Konflikt, da sie von der Ewigkeit berührt wird." (Kierkegaard, V, 84) – „Wer jemals vom Ewigen ergriffen ward, weiß ganz gut, daß dieser Zusammenstoß des Ewigen und des Zeitlichen im Augenblick, im Nu eine entsetzliche Spannung ist." (Kierkegaard, Begriff des Auserwählten, S. 74).

[43] Heraklit, VS, B. 47: „Nicht leichthin wollen wir über das Tiefste urteilen." (Übers. v. B. Snell).

[44] Was mit J. Burckhardts Wort vom „Königsrecht geprägter Formen" – H. Treyer nennt sie auch „bündige Formen" – gemeint ist, dazu vergleiche: Wilhelm Perpeet, Kulturphilosophie, in: Archiv für Begriffsgeschichte, Bd. XX, H. 1, S. 76 ff.

Luigi Pareyson, Contemplation du beau et production de formes. Revue internationale de philosophie 9 (1955), pp. 16–32. Übersetzt von Martine Lorenz-Bourjot.

BETRACHTUNG DES SCHÖNEN UND PRODUKTION VON FORMEN

Von LUIGI PAREYSON

I

Man wird leicht zugeben, daß sich das Schöne nur der Betrachtung offenbart, und daß jeder Akt der Betrachtung eigentlich nichts anderes betrifft als die Schönheit des Gegenstandes. So eng aber die Bande auch sein mögen, die zwischen Schönheit und Betrachtung bestehen, so hieße es doch das Zeugnis der Erfahrung geringschätzen, wollte man jene Bande außer acht lassen, die zwischen Schönheit und Produktion bestehen.

Die Betrachtung setzt immer ein Interpretationsgeschehen voraus, wobei sie weniger dessen letzter Schritt oder äußeres Ziel ist als dessen Erfolg und Gelingen. Was hier von Wichtigkeit ist, sind die zwei Aspekte der Interpretation: eine Bewegung, wo man sucht, lauert, erforscht, und eine Ruhe, wo man findet, sieht, betrachtet: auf der einen Seite der abenteuerliche Weg, auf dem sich das Wechselspiel der Aufmerksamkeit abwickelt, die, von der Begierde gespannt und vom Interesse genährt, sich ihrerseits in eine echte Frage verwandelt; auf der anderen Seite die gelassene und zufriedene Ruhe der Entdeckung und des Besitzes, wo die Frage ihre Antwort erhält und die Unruhe der Suche in der Schau Befriedigung findet. Gerade in dieser Befriedigung, zu der die gelungene Interpretation führt, besteht die eigentliche Freude der Betrachtung, und dies gibt uns die volle Gewißheit darüber, daß wir jetzt vor dem Schönen stehen; denn der Gegenstand, der bisher schwebend an den schwankenden Figuren und den vorläufigen Schemen hing, die ihn zu bestimmen suchen, gewinnt jetzt Gestalt in einem offenbarenden Bild und bietet sich dem zufriedenen Blick dar als vollendete, organisierte und unabhängige Form.

Nun sind diese beiden Aspekte der Interpretation nicht voneinander zu trennen; mit anderen Worten heißt dies, daß die Betrachtung des Schönen immer ein Interpretationsgeschehen voraussetzt, und daß jedes Interpretationsgeschehen, was immer sein Ziel auch sei, zu einem Akt ästhetischer Betrachtung führt: einen Gegenstand betrachten, seine Schönheit genießen, seine Interpretation vollenden, dies sind drei synonyme Ausdrücke zur Bezeichnung ein und desselben Aktes. Es folgt daraus, daß die Schönheit nur solchen Gegenständen zu eigen ist, die ein Interpretationsgeschehen hervorzurufen vermögen, und daß wir erst nach der Interpretation dieser Gegenstände dazu gelangen, ihre Schönheit zu sehen und zu betrachten.

Daß die Wahrnehmung des Schönen erst nach einem Interpretationsgeschehen eintritt, bestätigt die Erfahrung von jedermann: gewiß besitzt die Schönheit einen Glanz, der sie ankündigt und sie sogar aufdrängt; sie offenbart und schenkt sich aber nur denen, die sie in den Blick zu nehmen und anzuschauen wissen. Die Schau des Schönen setzt immer eine sie bedingende Vergangenheit voraus, und es ist zweifelsohne möglich, die Schönheit anzuschauen, ohne sie sehen zu können, nicht aber sie zu sehen, ohne gewußt zu haben, wie sie anzuschauen ist. Selbst wenn man sie mit dem ersten Blick wahrnimmt, darf man nicht glauben, dies sei ohne das Abenteuer der Suche geschehen: die Schönheit hat sich nämlich einem sympathischen und aufnahmebereiten Blick dargeboten, als käme sie eine Erwartung zu erfüllen und eine Begierde zu befriedigen, und als hätte sich die Interpretation vollendet, noch bevor ihr Gegenstand da war, und so eine Vorahnung seiner geschaffen und seine Aufnahme bereitet. Es ist ganz gewiß nicht unser Blick, der die Schönheit schafft, bei weitem nicht, vielmehr ist es die Schönheit, die sich offenbart, indem sie sich als Belohnung denen schenkt, die es durch einen aufmerksamen und durchdringenden Blick vermocht haben, sich Zugang zu ihr zu verschaffen, und sie zu nötigen, sich darzubieten. Nicht anders verhält es sich in der Liebe: In ihr wird die Schönheit keineswegs einem Gegenstand verliehen durch die Verkleidung eines trügerischen Scheins, sondern wird vielmehr im Gegenstand enthüllt von einem Blick, den die Verehrung noch schärfer und hellsichtiger macht.

Und daß die Wahrnehmung des Schönen allein in der Vollendung der Interpretation besteht, zeigt uns die Wirklichkeit des natürlichen Schönen selbst, denn die Dinge erscheinen uns nur in dem Maße schön, wie wir zu ihrer Erkenntnis gelangen. Zur Erkenntnis der Dinge gelangen, das heißt nicht, daß man sich verflüchtigende und schwankende Figuren von ihnen entwirft, sondern offenbarende und angemessene Bilder von ihnen formt, das ist die Belohnung für einen abenteuerlichen und schwierigen Weg, an dessen Ende man, indem man die Dinge als Formen wahrnimmt, zur Betrachtung ihrer Schönheit gelangt, so daß es immer einen Punkt geben muß, wo sich die ästhetische Betrachtung mit der Erkenntnis der Natur vereint. Daraus folgt jedoch nicht die Subjektivität des natürlichen Schönen, als ob die Schönheit nur das Bild beträfe, ohne der Sache anzugehören, denn es liegt im Wesen der Betrachtung, daß Bild und Sache gerade dann zur Übereinstimmung kommen, wenn jedes für sich in seiner wahren Natur erscheint. Erst am Schluß einer gelungenen Interpretation ist das Bild geformt und tritt die Sache in Erscheinung; aber in diesem Moment ist das Bild nichts anderes als die Offenbarung der Sache, und die Sache ist nur bestimmt in dem Bild, das sie offenbart, so daß Bild und Sache in einer einzigen Form zusammenfallen, und die Frage nach Subjektivität oder Objektivität des Schönen entfällt.

Nun kann der überaus produktive Charakter des Interpretationsgeschehens nicht übersehen werden. Interpretieren heißt zuerst, Gestalten vorschlagen, die den Gegenstand zu offenbaren suchen, und unter ihnen jenes Bild aufzufinden wissen, das ihn derart zu offenbaren vermag, daß es nicht genügt zu sagen, es „stelle ihn dar", sondern daß man vielmehr sagen muß, das Bild sei der *Gegenstand selbst*. Es gilt, Interpretationsschemata auszudenken und sie an den Entdeckungen zu messen, die unaufhörlich aus der Begegnung zwischen einem stimulierenden Anlaß und einem konzentrierten Blick entspringen, es gilt, diese Schemata zu verwerfen, sie im schrittweisen Erproben gegebenenfalls zu ersetzen, zu korrigieren und zu ergänzen, wobei die Bemühung um Werktreue, ohne sich durch unvermeidliche Rückschläge entmutigen zu lassen, trotzdem den Versuchungen der Ungeduld widersteht und sich stets die Möglichkeit der vergleichenden Gegenüberstellung offenhält und nie die Notwendigkeit der Überprüfung vergißt, bis das „Bild" gefunden wird, in dem der Gegenstand sich in dem Maße offenbart, wie das Bild ihn enthüllt. Aber sowohl die Gestalten, die die Treue verwirft, als auch diejenigen, die der durchdringende Blick annimmt, werden ja alle vom Interpreten selbst erfunden und produziert in einem Ringen, wo der Wille, die Offenbarung zu empfangen, sich mit der gestalterischen Produktivität vereint, ja sogar nach ihr ruft und verlangt, denn man kann nicht sein *lassen,* ohne erscheinen zu *machen,** und erkennen, ohne wieder zu machen.

Interpretieren heißt außerdem, verschiedene Standpunkte einnehmen und die angemessenste Perspektive ausfindig machen, denn das Verstehen entspringt nur einer Begegnung, und der Gegenstand gibt sich allein denen preis, die es verstehen, ihn sprechen zu lassen, und er öffnet sich erst, wenn er auf eine ganz bestimmte Weise befragt wird. Dies ist ein mühsames und schwieriges Ringen, insofern es nicht genügt, abstrakte und unpersönliche Standpunkte zu erdenken; im Gegenteil, man muß Blicke von lebenden Personen erfinden, so daß die Befragung sich zu einem Dialog steigert, wo jeder sich der dem Gesprächspartner verständlichen Sprache zu bedienen weiß. Aber diese offenbarenden Perspektiven, die der Interpret sucht und nacheinander erprobt, werden ja alle von ihm selbst erfunden und produziert in der Ausübung einer „Kongenialität", wo die Gestaltungskraft ihre ganze schöpferische Macht entfaltet, denn man kann nicht darauf hoffen, daß man verstehen wird, ohne selbst zum Organ der Durchdringung zu werden.

II

Wenn aber die Einschätzung der Schönheit nichts anderes ist als die Vollendung der Interpretation, dann gibt es, wie schon gesagt, Schönheit nur in dem, was interpretiert werden will. Der Anspruch auf Interpretation ist aber nur der „Form" eigen, denn die Form allein, insofern sie ihrem Wesen gemäß das Gelingen eines Produktionsgeschehens ist, erfordert von demjenigen, der sie erfassen und durchdringen will, ein Interpretationsgeschehen, wie wir es bisher untersucht haben. Hiermit stoßen wir wieder auf einen der Angelpunkte der ästhetischen Überlegung, an welchem sichtbar wird, wie sich die Begriffe des Schönen und der Produktivität unlöslich vermengen, und wie die Schönheit als die Haupteigenschaft und das eigentliche Wesen der Form hervorgeht und mit dem Akt selbst identisch wird, durch welchen die Form am Schluß eines von ihr vollendeten Produktionsgeschehens zu ihrem Entstehen gelangt und am Schluß eines von ihr hervorgerufenen Interpretationsgeschehens sich der Erkenntnis öffnet.

Die Form nämlich wird nur dann angemessen definiert, wenn man sie als das Gelingen eines Produktionsgeschehens definiert. Freilich verdient das Ergebnis einer Produktion nur insofern den Namen „Form", als es als Gelingen gelten kann, und als die Tätigkeit, die es hervorbringt, den Erfindungsgeist nicht ausschließt. Jede menschliche Tätigkeit, die sich nicht auf ein reines und einfaches Verhaltensmuster reduzieren läßt, bietet der Erfindung einen mehr oder minder breiten Spielraum, wodurch sie gleichsam formgebend wird: Selbst da, wo es nur darum geht, genau festgesetzte Pläne zu verwirklichen, kann die Erfindung eine Rolle spielen, denn die Verwirklichung eines Planes ist ebensosehr ein Erproben als ein Verwirklichen; selbst die Anwendung von schon vorhandenen Regeln muß oft, wenn sie wirksam werden will, sich von den Forderungen des zu machenden Werkes leiten lassen; auch in solchen Bereichen, die unter dem Anspruch allgemeiner Gesetze zu stehen haben, so das Denken und die Sittlichkeit, gilt es dennoch immer herauszufinden, wie solche Gesetze auf Einzelfälle bezogen werden können, um daraus jeweils eine Handlungsregel und ein Urteilskriterium abzuleiten. In allen diesen Fällen ist die Verwirklichung eines Werkes nur durch das Formen möglich, so daß wir sagen dürfen, die Schönheit erstrecke sich auf alle Werke des Menschen, ohne uns dadurch den Gefahren eines übertriebenen Ästhetizismus auszusetzen. Denn je mehr wir in der Begegnung mit einem Werk seinen spekulativen oder ästhetischen oder sonstigen Wert anerkennen, vermögen wir zugleich auch seine Schönheit zu betrachten in einem Prozeß der Einschätzung, der ebenso doppelt wie unteilbar ist und der keineswegs Werte vermischt oder zurücksetzt.

Nirgends aber tritt die formgebende Tätigkeit mit solcher Macht und sozusagen mit solcher Reinheit hervor wie in der Kunst; in der Kunst also wird man ihrem Wesen am besten auf die Spur kommen. Dann wird sich das bewahrheiten können, was übrigens schon häufig bemerkt worden ist, nämlich daß die formgebende Tätigkeit sich in Bewegungen der erfinderischen Produktion entfaltet, bei welchen es weniger darauf ankommt, die Pläne auszuführen oder Regeln anzuwenden, als darauf, beim Tun zu planen und beim Wirken die Regel zu finden, und wo man im Tun das zu machende Werk entdeckt sowie die Art und Weise erfindet, wie es zu tun ist, so daß bei jedem Schritt des Wirkens unmöglich festgestellt werden kann, was noch zu tun übrig bleibt, denn in einer Hinsicht könnte alles *schon* gemacht sein, und in anderer Hinsicht ist jedoch noch *alles* zu tun; und die Pläne und Regeln, die gelegentlich im Laufe des Wirkens erfunden werden, sind nichts als Schemata und Versuche, die keinerlei regulativen Wert aufweisen und doch eine ausgezeichnete operative Wirksamkeit besitzen, denn erst hinterher, nachdem ihre Gegenwart sich erübrigt haben wird, werden sie ihr wahres Wesen kundtun.

Bei einem solchen Geschehen hängt selbstverständlich alles von dem Gelingen ab, und die Art und Weise, wie man sich verhalten *soll,* ist nur die Art und Weise, wie das Werk sich machen *läßt,* was sich natürlich erst *post factum* herausstellt; dergestalt, daß das bei jedem Schritt des Wirkens *gegenwärtig* Entscheidende nur ihr zukünftiger *Endpunkt* ist, der jedoch einem *Ziel* nicht ohne weiteres gleichkommt, denn dieses Ziel, vorausgesetzt, es sei eines, erscheint als solches erst am Schluß. In diesem Sinn darf man wohl sagen, formen heiße zu Ende führen und vervollkommnen: etwas zu Ende führen, das erst zu sein anfängt, wenn es vollendet ist, und vervollkommnen, ohne im voraus zu wissen, was noch zu tun bleibt, um das, was man gerade macht, zu vollenden. Daher wird man die formgebende Tätigkeit als ein Zu-Ende-Führen bezeichnen müssen, das weder die Verwirklichung eines vorgefaßten Planes ist noch der letzte Handgriff an einem zu machenden Werk, sondern eben das Geschehen einer erfinderischen Produktion auf der Suche nach ihrer Vollendung, also weder der Einfluß von außen noch die letzte Phase eines Produktionsgeschehens, sondern dieses Geschehen selbst, insofern es die eigene Totalität einholt. Ist das Gelingen etwa nicht ein Geschehen, das zu seinem Abschluß gelangt ist, d. h. an dem Punkte zu Ende gebracht wurde, der für es einzig und allein in

Betracht kam (denn das Geschehen davor abzubrechen, hätte bedeutet, es zum Scheitern zu bestimmen, und es darüber hinaus weiterzuführen, würde bedeuten, es zur Auflösung zu verurteilen)? Deswegen zeichnet sich die Form aus durch eine Totalität, die nichts auflösen kann, und durch eine Vollkommenheit, die nichts gefährden kann, denn sowohl die eine wie die andere besteht in der Angleichung der Form an ihre eigenen Ansprüche, und der geringste Angriff gegen diese Ansprüche würde die Zerstörung und Vernichtung der Form selbst bewirken; deswegen umfaßt sie nicht mehr und nicht weniger als all das, was sie umfassen muß, deswegen ist sie so, wie sie sein soll, und muß sie sein, wie sie ist, so daß auch nur die kleinste Hinzufügung oder Verminderung oder Abänderung sie ganz und gar zerstören würde; deswegen ist die Form, indem sie durch das Gesetz der Stimmigkeit, das in ihre Teile fließt und sie zu einem Ganzen werden läßt, genau strukturiert und nicht an ein provisorisches und unbeständiges Balancespiel gehängt ist, endgültig in ihrer Harmonie, ewig in ihrem Wert, universal in ihrer Einzigartigkeit, unabhängig in ihrer Autonomie, vorbildlich in ihrer Vollkommenheit; deswegen ist die Form schön.

III

Diese zwangsläufig sehr knappen und summarischen Überlegungen reichen vielleicht aus, uns davon zu überzeugen, daß die Schönheit eher dem Bereich der Produktion als dem der Betrachtung angehört: Die Betrachtung bildet nur den letzten Akt eines Dramas, in welchem die Produktion die Hauptrolle spielt, ob sie nun die formgebende Tätigkeit unterstützt oder die Peripetie der Interpretation lenkt. Es muß hervorgehoben werden, daß sich gerade hier die Schönheit an einem Kreuzweg befindet: Sie hat ihren Ort genau da, wo der Endpunkt der formgebenden Tätigkeit seinem Wesen gemäß zum Ausgangspunkt der interpretatorischen Untersuchung wird. Mehr noch, die Schönheit besteht gerade in dieser wesentlichen Eigenschaft der Form, Vollendung eines Produktionsgeschehens und somit Anreiz zu einem Interpretationsgeschehen zu sein. Wie dies überhaupt möglich ist, ist leicht einzusehen: Wenn die Form ein vollendetes Geschehen ist, so kann man sie nur durch ein Geschehen einzufangen hoffen, und nur indem man sie wieder geschehen läßt, kann man sie dazu zwingen, ihre Vollkommenheit zu offenbaren. Obwohl die Form ein vollendetes und somit unveränderliches Ganzes ist, oder vielmehr gerade deswegen, ist sie von einer Dynamik umgeben, die in ihr zugleich ihre Ruhe und ihren Aufschwung findet; die Form löst ein Interpretationsgeschehen aus genau in dem Moment, wo sie ein Produktionsgeschehen zu Ende bringt. Die Form und nur sie kann und will sogar interpretiert werden, und eine Interpretation ist nur möglich von Produkten einer formgebenden Tätigkeit, weil die Form allein das Geschehen in sich birgt, das in ihr zur Vollendung gelangte und das jetzt ihr Geheimnis ist.

Dabei fällt sofort auf, daß all dies eine auf der Interpretation gründende Erkenntnislehre, eine Metaphysik der Form und der formgebenden Tätigkeit und allgemein eine Philosophie der Person voraussetzt; ich darf aber unterlassen, darüber jetzt einen Überblick zu geben, der aufgrund seiner Kürze nur unzureichend sein könnte; ich möchte vielmehr meine Aufmerksamkeit auf den Knotenpunkt richten, wo sich Produktionsgeschehen und Interpretationsgeschehen aneinander gebunden herausbilden. Wieder müssen wir uns auf die Kunst beziehen, weil in ihr die formgebende Tätigkeit am allerreinsten erscheint und dadurch viel genauer betrachtet werden kann als anderswo. So sehr auch die Tätigkeit des Autors und die des Lesers oder, anders gewendet, die Tätigkeit des Produzenten und die des Konsumenten sich unterscheiden mögen, wird es sich jedoch als unmöglich herausstellen, daraus zu folgern, sie seien völlig voneinander unabhängig wie etwa „zwei wesentlich verschiedene Systeme“ oder „zwei Ordnungen von nicht mitteilbaren Modifikationen“, deren jede „im Unwissen über Gedanken und Voraussetzungen“ der anderen belassen werden will. Freilich hängt der Wert des Werkes nicht davon ab, ob und inwieweit der Künstler in seinen Entscheidungen sich von den vorausgesehenen Reaktionen der Leser hat leiten lassen, und der Scharfblick der Leser setzt nicht unbedingt voraus, daß sie Schritt für Schritt jenen abenteuerlichen Weg gegangen sind, der den Autor zum vollendeten Werk geführt hat: Der Künstler kennt keine anderen Gesetze als eben die Ansprüche des zu machenden Werkes, und der Leser darf im Werk nichts anderes als das suchen, was tatsächlich darin enthalten ist. Jedoch muß man zugeben, daß der Künstler in seinem Wirken das Werk irgendwie muß vorwegnehmen können, so wie es sich nach seiner Vollendung dem Zuschauer darbieten wird, und daß der Leser überhaupt nichts von dem Werk versteht, wenn er nicht darin eine dynamische Vollkommenheit wahrnimmt, wie sie der Autor selbst ahnte und erblickte; daher kann man ohne jegliche Bedenken annehmen, daß zwischen der Aktivität des Produzenten und der des Konsumenten eine echte Kontinuität besteht, die über ihren tiefgreifenden Unterschied hinaus erhalten bleibt. Dies wird in der Erfahrung des Lesens offenbar, und wir werden uns noch damit befassen müssen; daraus können wir aber jetzt schon ersehen, welche enge Beziehung zwischen den Bemühungen und der formgebenden Tätigkeit besteht. Hier erkennt man, wie das Kunstwerk zugleich die Interpretation, die von ihm gegeben, und die Produktion, aus der es hervorgeht, lenkt; und die folgende Untersuchung soll dann zeigen, daß das Kunstwerk zugleich Gesetz und Ergebnis seiner Produktion ist, und daß es allein in seinen Aufführungen lebt, ohne jedoch sich darauf zu reduzieren.

IV

Untersuchen wir zuerst, wie das Kunstwerk Form gewinnt. Wenn bei der formgebenden Tätigkeit die Verwirklichung keineswegs der Erfindung folgt, sondern mit ihr gleichzeitig ist, so begreift man sofort, daß der Künstler keine Spur vor sich hat, die ihm den Weg weisen könnte, und es bleibt ihm nichts anderes übrig als anhand von Versuchen zu arbeiten. Das Werk fängt erst an, zu sein, wenn es gemacht wird: Bis zuletzt kann selbst ein sehr kleiner Fehler das Gelingen verhindern und das Erreichte zunichte machen. Als reine Form gibt das Kunstwerk das Gesetz seiner unauflösbaren Stimmigkeit und die Regel seiner unzerstörbaren Struktur erst im Gelingen preis, nachdem es vollendet und vollbracht ist; bis dahin ist alles in der Schwebe, nichts kann fest und endgültig sein, kein Hinweis auf den einzuschlagenden Weg ist möglich. Hier ist die Situation eines Abenteuers gegeben, auf welches man sich eingelassen hat, ohne den Ausgang zu kennen, und so gilt es, jeden Umstand auszunützen einzig in der Gewißheit, daß es ein Ende nehmen wird, sei es im Mißerfolg oder im Erfolg.

Daraus folgt keineswegs, daß dieses Abenteuer sich selbst überlassen sei, als gelte es, sein Glück zu versuchen und nur mit dem Zufall zu rechnen. Die Tatsache, daß der Künstler im Laufe seiner Versuche gegebenenfalls auslöscht oder verbessert, streicht oder ersetzt, ablehnt oder wieder macht, entfernt oder beibehält, beweist es uns zur Genüge; dieser Sachverhalt zeugt davon, daß zumindest in einem bestimmten Maße der Künstler seine Entscheidungen zu fällen und zwischen dem glücklichen Fund und dem Mißgriff zu unterscheiden weiß und das zu erkennen vermag, was er brauchte, wenn er es zufällig findet; d. h.: selbst wenn er weder einen Gedanken noch einen Plan besitzt, der den weiteren Verlauf seines Wirkens abzeichnen könnte, so wird er bei seiner Suche jedoch hinreichend gelenkt.

Nun ergibt sich diese Mischung aus Abenteuer und Gelenktsein aus dem Wesen des Versuches selbst, den man nicht ohne Mißverständnis auf das bloße Herumtasten eines Blinden reduzieren kann. Die Situation des Versuches ist weder Erleuchtung noch Finsternis, weder Ordnung noch Chaos, weder Gesetz noch Zufall, weder Gewißheit noch Unwissenheit, sondern vielmehr eine Mischung aus beiden Komponenten, in der das Abenteuer niemals so ungewiß ist, daß es auf nichts anderes mehr zurückgreifen könnte als auf den Zufall, und das Gelenktsein niemals so ausgeprägt ist, daß es von vornherein der Entdeckung sicher sein könnte; denn selbst wenn ein besonderer Fund den Erfolg des Ganzen noch nicht garantieren kann, so ist es nichtsdestoweniger wahr, daß ein Fehlgriff niemals so unheilvoll ist, daß sich daraus nicht einige Anregungen für das Gelingen gewinnen ließen; und wenn auch die Gefahr eines Zusammenbruchs ständig bestehen bleibt, kann das schon Gemachte doch immer noch einige Hinweise für das noch zu Machende geben. Diesen Sachverhalt könnte man vielleicht so ausdrücken, daß die Situation des Versuches darin besteht, sich von nichts anderem lenken zu lassen als von der Erwartung der Entdeckung und der Hoffnung auf Erfolg; jedoch vermögen es beide, zufriedenstellend, ja sogar wirksam zu führen, denn die Erwartung der Entdeckung wird durch Vorwegnahme der Entdeckung selbst wirksam, und das Gelingen, obwohl nur Gegenstand einer Hoffnung, übt eine echte Anziehung auf das Wirken aus, dessen Ergebnis es sein wird. Wenn also das Versuchen sich einen Weg zu bahnen weiß, dann deshalb, weil es von der Vorahnung des Gelingens gelenkt wird; denn die Erwartung der Entdeckung ist eher schon ihr Vorzeichen, und die Hoffnung auf den Erfolg eher schon sein Vorgefühl, so daß die Form sich derart selber vorwegnimmt, daß sie die Produktion lenkt, die aus ihr hervorgeht, und das Wirken willens ist, sich von seinem Ergebnis lenken zu lassen.

Man wird sich also nicht gut der Folgerung entziehen können, daß, wenn es wahr ist, daß das Werk erst dann zu existieren anfängt, wenn es gemacht und vollendet ist, es nicht weniger wahr ist, daß das Werk zu wirken anfängt, noch bevor es existiert. Das zu machende Werk ist es, das das Wirken des Künstlers lenkt, indem es die Erwartung weckt, die er dem Werk entgegenbringt und sich der Ahnung bietet, die er von ihm empfängt. Dies heißt nicht, daß das Werk wie die Spur eines zu verwirklichenden Entwurfes das Tun leitet, oder daß es wie eine unbekannte zu entdeckende Wirklichkeit ihm vorangeht; daraus ergibt sich keineswegs, das Werk sei „präexistent", so daß „wir wie im Falle eines Naturgesetzes es entdecken müssen, weil es zugleich notwendig und verborgen ist". Die Ahnung der Form ist weniger ein Erkenntnisakt als eine Handlungsweise, und die Wirkung des zu machenden Werkes auf das Wirken, das es macht, kommt nur in den Urteilen zum Vorschein, durch welche der Künstler seine Wahl prüft und seine Entscheidungen bestätigt. Jene Vorahnungen, so wirksam sie im Wirken auch sein mögen, sind nicht greifbar, und die einzige Möglichkeit, sie wahrzunehmen, gibt hier das Bewußtsein, durch welches der Künstler weiß, daß, *wenn* seine Suche mit der Entdeckung belohnt wird, er imstande sein wird zu erkennen, daß er erfolgreich gewesen ist: Erst nachher vermag der Künstler zu *wissen*, daß sein Wirken von dem Werk, das er eben vollendet hat, gelenkt und weniger durch eine Technik des Verwerfens als durch eine Technik des Wählens geführt wurde.

In der Tat handelt es sich hier um zwei verschiedene Aspekte ein und desselben Geschehens: um den Aspekt des Künstlers in seinem Ringen um das zu machende Werk, und um den Aspekt des Werkes nach Vollendung seiner Produktion. Je nach dem gewählten Gesichtspunkt ist das Produktionsgeschehen das Endergebnis der Versuche, durch welche der Künstler das Werk macht, oder aber es ist die Organisation, die das Werk sich selber gibt. Das, was während der Produktion Vorschlag, Entwurf, Versuch, Vorahnung, Arbeit, Konstruktion, Berechnung, Gelingen war, enthüllt sich nach Vollendung des Werkes als Keim, Embryo, Organisation, Zweckmäßigkeit, Wachstum, Entfaltung, Spontaneität, Reifungsprozeß: Hier wird sichtbar, daß die Entwürfe und Skizzen schon das ganze Werk waren, das geschah und es vermochte, den Künstler bei seinem Tun zu lenken, und daß da, wo nichts beständig und fest zu sein schien, schon ein Ganzes lebte, das nach seiner Vollendung verlangte.

Wird man so weit gehen zu sagen, das Werk bringe sich ganz allein hervor und suche sich einen Urheber aus, um ihn zu dem Schoß seiner Entstehung und dem Mittel seiner Geburt zu machen? Wäre die Aktivität des Künstlers nur eine Art von demütigem Gehorsam oder von aufopferungsvollem Beistand, wodurch der Künstler die spontane Erzeugung des Werkes selbst nur begleiten und unterstützen würde? Keineswegs: im Gegenteil hört der Künstler nie auf, der wirkliche Urheber seines Werkes zu sein, wenn es nach den eigenen Forderungen das Licht erblickt, und nie erscheint der Künstler tätiger und unabhängiger, als wenn er den Willen seines Werkes tut. Erst in diesem Augenblick erweist sich der Künstler als ein echter Schöpfer, da er dazu gelangt ist, mit den eigenen Händen etwas derart Lebendiges zu machen, daß es sich ihm, der es macht, aufdrängt. Diese Situation, in welcher sich der Künstler bei seinen gelungensten Produktionen befindet, nämlich daß er seinem Werk gehorcht, indem er es macht, ist auch die Situation, wo seine Aktivität am reinsten, mächtigsten, wirksamsten ist. Gerade diese Dialektik, in der die Initiative der Produktion und die innere Dynamik des Gelingens zusammenwirken, zeichnet die echte Schöpfung aus: Wenn ein Produktionsgeschehen die entgegengesetzten Eigenschaften des Versuches und der Organisation, der Suche und der Entfaltung, des Abenteuers und des Reifungsprozesses zugleich aufweisen kann, so deswegen, weil der Künstler um so schöpferischer und unabhängiger ist, als er der zukünftigen Form ganz gehorcht. Das Erscheinen des gelungenen Werkes ist die Geburt einer Form in der Aktivität der Person, und nie besitzt die Aktivität des Menschen mehr Intensität und mehr Macht als in dem Augenblick, wo sich in ihr der unabhängige Wille der Form niederschlägt.

V

Nehmen wir jetzt den Standpunkt des „Konsumenten" ein. Sofort merken wir, daß die Form nur aufgrund einer dynamischen Betrachtungsweise erscheint, die sie wieder in Bewegung setzt. Das Kunstwerk zeigt sich erst dann als Formwesen, wenn man es von seiner scheinbaren Bewegungslosigkeit befreit und es dann erfaßt, wenn es das Geschehen seiner Produktion vollendet und dadurch den eigenen Forderungen entspricht: Man muß den Augenblick fassen, wo das Werk die von ihm selbst hervorgebrachte Erwartung zu erfüllen vermag. Der Leser muß imstande sein, in das innere Leben der Form einzudringen, um sie wirken zu sehen, bevor sie existiert; er muß das Geschehen ihrer Ausgestaltung entwickeln, bis er versteht, daß es nur diesen Punkt erreichen konnte und mußte; er muß vom schon Gemachten das noch zu Tuende unterscheiden können, so daß er im Werk, wie es ist, das Werk, wie es sein wollte, erkennt und im Gesetz seiner Stimmigkeit das Gesetz seiner Organisation; kurzum, er muß zur heimlichen Werkstatt des Künstlers Eintritt gewinnen, nicht um die vollständige Geschichte seines Wirkens herauszubringen, wohl aber, um dort das Gesetz der Vollkommenheit seines Werkes in ihrem Ursprung zu erspähen.

Wenn die Betrachtung eines Kunstwerkes dynamisch zu sein hat, so deshalb, weil dessen Vollkommenheit ihrerseits dynamisch ist: Sie ist die eigentliche Vollendung des Gelingens und nicht das Spiel der Konformität; sie ist die Totalität eines vollendeten Geschehens und nicht das Gleichgewicht einer Konstruktion; sie ist die Unveränderlichkeit dessen, was endgültig ist und nur da zu Ende gehen kann, wo das Geschehen sich vollendet hat, und nicht die Notwendigkeit einer bestehenden Ordnung oder eines absoluten Kanons.

Wenn die dynamische Betrachtungsweise des Werkes als einzige dessen Vollkommenheit, Totalität, Unveränderlichkeit wahrzunehmen vermag, so deshalb, weil sie allein imstande ist, das Produktionsgeschehen in seinem Streben nach Gelingen zu erspähen und bei dem einzigen Punkt stillzustehen, wo es sich vollenden kann; all dies ermöglicht es, das Werk in seiner Vollkommenheit zu erfassen und zu begreifen, warum es nur so sein kann, wie es ist, und seine Teile nur so sein können, wie sie sind.

Nun hat diese dynamische Betrachtungsweise so viel Aktivität und so viel Produktivität an sich, daß es nicht in Frage kommen kann, sie zu einer Art rezeptiver Betrachtung herunterzuspielen: Sie besteht vielmehr darin, das Kunstwerk aufzuführen, d. h., es in seiner eigenen Sprache sprechen zu lassen, es leben zu lassen, wie es will, es in seiner ganzen zugleich geistigen und physischen Wirklichkeit zu vergegenwärtigen, es von seiner Bewegungslosigkeit zu befreien, um ihm sein Leben wiederzugeben. Es muß hier meines Erachtens hervorgehoben werden, daß jedes Kunstwerk durch eine Aktivität aufgeführt sein will, die mit der des Musikers, der ein Stück aufführt, oder der des Schauspielers, der ein Theaterstück spielt, verwandt ist. Es wäre ein Irrtum zu glauben, daß die Notwendigkeit der Aufführung nur bestimmte Künste betrifft, wie z. B. Musik und Theater, bei welchen die Aufführung eigentlich nur offenkundiger ist als bei anderen: Auch die Dichtung will aufgeführt werden, wie die Rhapsoden und die Deklamatoren beweisen; und ein Gemälde, eine Statue, ein Denkmal müssen von einem ganz bestimmten Blickwinkel aus und in einem bestimmten Licht angeschaut werden, damit sie sich so zeigen, wie sie sein wollen. Außerdem ist die Aufführung nicht nur Sache der Vermittler zwischen Werk und Publikum: Ich kann kein Theaterstück „lesen", ohne es für mich auf einer imaginären und bloß inneren Bühne vorzustellen, und die Interpretation der Schauspieler erläßt dem Zuschauer nicht die Notwendigkeit einer eigenen Vorstellung, denn sie hat weniger das Ziel, jene zu ersetzen, als überhaupt eine vorzuschlagen.

Das Werk, das aufgeführt werden will, verlangt jedoch nichts, was es nicht schon besäße, und die Aufführung will ihm bei weitem nicht etwas Zusätzliches hinzufügen, sondern nimmt sich nur vor, es in seiner echten Wirklichkeit darzubieten und zu seinem eigenen

Leben zu verhelfen. Wenn es wirkliches Lesen nur durch die Aufführung gibt, so deshalb, weil letztere dem Kunstwerk von Natur aus angehört: Die Kunstwirklichkeit eines Theaterstückes ist dessen Darbietung selbst, und wenn das Stück aufgeführt werden will, so deshalb, weil es für die Bühne und auf ihr geboren ist: Um es zu verstehen, muß man ihm dieses ursprüngliche Leben wiedergeben, d. h. das Stück aufführen und spielen, sei es auch nur auf einer imaginären und inneren Bühne. Die Aufführung ist weder ein neues Leben, das einem seelenlosen Körper zu geben wäre, noch ein flüchtiges Bild, in dem sich ein reiner, unerreichbarer Geist einen Augenblick lang widerspiegelt; sie ist weder die Vollendung eines unvollendet gebliebenen Werkes, noch die Erweckung einer Erinnerung oder einer Sehnsucht: Sie ist eben das Leben des Kunstwerkes.

Wenn dem so ist, muß man sagen, daß zwischen dem Kunstwerk und seiner Aufführung eine echte Identität besteht. Der Wille zur Aufführung holt gerade den Wunsch des Werkes ein, und die Wirklichkeit des einen ist nichts anderes als die Wirklichkeit des anderen. Die Aufführung beansprucht kein anderes Leben als das des Werkes selbst, und das Werk ist eine lebendige Existenz, die jetzt und immer leben will: Dadurch kann die Aufführung mit dem Werk selbst identisch werden, so daß es nicht anders leben kann als in seiner Aufführung. Diese am Schluß erreichte Identität schließt jedoch nicht mit ein, daß das Werk aufhört, das Gesetz für die Aufführung zu sein, die man von ihm macht: So wie es den Künstler aufgefordert hat, es so zu machen, wie es wollte, daß er es machte, so fordert es den Leser auf, es so aufzuführen, wie es weiter existieren will. Die Aufführung ist das Werk selbst in seiner vollen sichtbaren und klanglichen Wirklichkeit, und dennoch wohnt das Werk darin als ihr Gesetz und ihre Regel, so wie es das Gesetz der formgebenden Tätigkeit war, obwohl es nur deren Ergebnis bildete. Wenn es anders zuginge, wäre nicht zu verstehen, wie man angesichts der Aufführung eines unbekannten Werkes ein Urteil zugleich über die Aufführung und das Werk überhaupt fällen kann. Es muß aber hier bemerkt werden, daß das Werk nur insofern das Gesetz des Aufführenden zu sein vermag, als er in ihm das Gesetz des Urhebers erkennt. In einem gewissen Sinn könnte man sagen, daß das aufzuführende Werk das zu machende Werk ist; dies erlaubt freilich keineswegs willkürliche Aufführungen, denn man kann im eigentlichen Sinne erst im nachhinein, wenn die Produktion gelungen ist, von dem zu machenden Werk sprechen: Selbstverständlich ist es das vollendete Werk (forma formata), das aufgeführt werden will, und allein die vollkommene und vollendete Form kann das wollen; die Aufführung aber kann nur deswegen verwirklicht werden, weil das Werk selbst hatte vollendet werden wollen (forma formans). Dies ist vielleicht die wesentliche Bedingung jeder Aufführung: eine Pflicht zur Treue gegenüber dem Werk, weniger aber in dem, was es ist als in dem, was es selbst sein will. Daher hat mancher Aufführende gelegentlich den Autor sogar in Einzelheiten korrigiert, wo der Künstler den Forderungen des Werkes nicht genug nachgekommen war; dies ist bei weitem keine unzulässige Vergewaltigung, sondern im Gegenteil die tiefste und wünschenswerteste Treue.

Eine Schwierigkeit kann jedoch darin liegen, daß die Aufführungen ein und desselben Werkes zahllos sind und von der Persönlichkeit der verschiedenen Aufführenden abhängen. Muß dann nicht daraus gefolgert werden, daß die Aufführungen nichts sind als Annäherungen oder Entfaltungen, Reproduktionen, welche an ihr Urbild zu erinnern suchen, ohne ihm gleichkommen zu können, oder aber Neuschöpfungen, die nach Belieben das Werk verwandeln können? Entsteht dann nicht die unerquickliche Alternative daraus, daß entweder der Aufführende im Verzicht auf seine Eigenschaft als Interpret seine Persönlichkeit verhüllen und sich bemühen muß, die einzig richtige Interpretation zu finden, oder aber der Interpret, indem er seine Eigenschaft als Aufführender zurückstellte, seine Persönlichkeit ausdrücken und eine Aufführung bieten soll, die sich nur auf ihre Neuheit beruft? Auf solche Weise kann die Aufführung von sogenannten Interpreten oder Aufführenden verfälscht werden, die sie vor die absurde Alternative stellen, entweder standardisiert oder willkürlich zu sein.

Um dieser Schwierigkeit zu entgehen, genügt es, das zu beachten, was uns im übrigen unsere Erfahrung bezeugt, nämlich daß Freiheit und Treue nicht zu trennen sind, als sei in willkürlichen und gleichrangigen Aufführungen Freiheit nur ohne Treue möglich, und als sei in einer standardisierten und unpersönlichen Aufführung Treue nur ohne Freiheit möglich. Die Interpretation selbst setzt diese Untrennbarkeit voraus, denn nur durch die Ausübung einer immer freien und persönlichen Treue kann ihr Erfolg beschieden werden. Von einem Aufführenden erwarten wir, daß *er* es ist, der *dieses* Werk aufführt: Es gehört nicht zu seiner Aufgabe, Selbstverzicht leisten zu *müssen* oder sich selbst ausdrücken zu *wollen;* wir fordern von ihm, daß er das Werk leben läßt, wie es selbst will, wobei wir freilich wissen, daß er es nur durch eine Anstrengung vermag, die seine ganze Persönlichkeit beansprucht, die ihrerseits zu einem Werkzeug der Durchdringung geworden ist, so daß wir, in der Überzeugung, daß er um so origineller sein wird, als er es nicht beabsichtigt hat, dann bereit sind, in der uns von ihm gebotenen Aufführung zugleich seine Interpretation des Werkes und das Werk selbst zu finden.

Tatsächlich ist es das Wesen der Interpretation zu offenbaren und auszudrücken, was somit bedeutet, daß sie wesentlich unendlich ist. In ihr erscheint das zu interpretierende Objekt genau in dem Augenblick, wo das interpretierende Subjekt sich ausdrückt: dieses verfügt über keine anderen Mittel zur Durchdringung als die eigene Persönlichkeit, so daß die Interpretation nur durch das gelingen kann, was sie auch zum Mißerfolg führen könnte, wie es das Mißtrauen bezeugt, das wir regelmäßig den Interpreten entgegenbringen, die jegliche Art von Werken aufführen wollen. In einem gewissen Sinne ist aber auch das Werk unendlich, denn seine Totalität ist das Ergebnis eines in eine Bestimmung gepreßten Unendlichen, so daß jeder Aspekt, auch der unwichtigste, es ganz offenbaren kann, vorausgesetzt es wird von einer offenbarenden Perspektive her erhellt. Es gilt also, jene glückliche Übereinstimmung oder „Konsonanz“ zwischen einem der Aspekte des Werkes und einer der Perspektiven des Betrachters zu finden oder herzustellen, damit das Werk sich je mehr offenbart, als man es durchdringt, bis die daraus resultierende Aufführung sich zugleich als Ausdruck des Interpreten und als Offenbarung des Werkes darbietet.

So können wir sagen, daß die Vielzahl und Vielfalt der Aufführungen die Identität des Werkes mit seiner Aufführung nicht zerstört, da für jeden Interpreten die Aufführung das Werk selber ist; je mehr er versucht hat, das Werk in seiner Unabhängigkeit zu erhalten, um es besser zu durchdringen, um so mehr identifiziert er das Werk, wie es sein will, mit der Aufführung, die er von ihm hat geben können. Der Leser vermag erst dann das Kunstwerk aufzuführen, wenn er die eigene Persönlichkeit vertieft, und seine Aufführung erst dann mit dem Werk zu identifizieren, wenn er am echtesten er selber ist; denn die Offenbarung des Werkes ist die Belohnung für eine gesuchte und gefundene Sympathie, und die Aufführung eines Werkes ist ebenso die Offenbarung seiner höchsten Wirklichkeit wie der Ausdruck der Persönlichkeit des Interpreten. Auf diese Weise bewahrt das Werk durch die Unterschiede seiner Aufführungen hindurch seine Identität, und diese Unterschiede gefährden so wenig das innere Leben des Werkes, daß man im Gegenteil sagen kann, sie verwirklichen es immer besser. Jedesmal identifiziert sich das Werk mit den Aufführungen, die es selbst fordert und anregt, und seine einzige Lebensmöglichkeit ist eben das Leben seiner Aufführungen, in denen es wohnt, ohne jedoch darin aufzugehen: Obwohl das Werk mit seinen Aufführungen identisch ist und nur in ihnen lebt, ist es ihr Ansporn und ihre Regel, ihr Gesetz und ihr Richter, ihre Substanz und ihr Leben.

Aus diesen Bemerkungen insgesamt kann meines Erachtens gefolgert werden, daß das Kunstwerk seine Interpretation im selben Maße regeln kann, wie es seine Produktion geregelt hat, und so wie es zugleich Gesetz und Ergebnis seiner Produktion ist, so lebt es nur in den Aufführungen, die es selbst anregt und lenkt. Einerseits drängt sich das Werk seinem Urheber auf, der zugleich ihm gehorchen und es machen soll, andererseits überläßt es sich der Aufführung des Interpreten, bis es mit ihr identisch wird, wobei es sie anregt und regelt. In diesem Sachverhalt offenbart sich mit höchster Evidenz die Dialektik, die sich zwischen der Initiative der Person und der Unabhängigkeit der Form entfaltet, denn der Künstler steigert seine Aktivität in dem Maße, wie er seinem Werk gehorcht, und allein dadurch, daß er den Willen des Werkes ausführt, vermag er das eigene Wirken zu beherrschen: Der Leser wiederum gelangt erst zur Originalität und zur Neuheit seiner Aufführung, wenn er sich als Ziel setzt, das Werk so leben zu lassen, wie es selbst will, so daß das Werk seine Identität auch dann nicht verliert, wenn es mit jeder seiner Aufführungen identisch wird. Der Grund dafür liegt erstens darin, daß die menschliche Aktivität nur dann wirklich persönlich und echt schöpferisch ist, wenn völlig unabhängige Formen in ihr entstehen, und zum zweiten darin, daß der Mensch zur Form nur dann gelangen kann, wenn er sie durch seine eigene Tätigkeit wiederholt, so daß die von ihm gegebene Interpretation diese Form nur in dem Maße offenbart, wie sie den Ausdruck seiner selbst enthält.

Anmerkung

* [Der Autor gebraucht das Wortspiel: « *laisser* être sans *faire* apparaître ». Anm. d. Übers.]

Festschrift für Hans Sedlmayr. München: C. H. Beck 1962, S. 13–55.

DIE ONTOGENESE DER KUNST

Von Helmut Kuhn

I

Das Wort „Ontogenese“ bezeichnet ein „Werden ins Sein“ – nach dem platonischen Ausdruck: γένεσις εἰς οὐσίαν. Warum aber nicht lieber nach dem Sein oder Wesen selbst fragen? Ist doch das Wesen der Zielpunkt des Werdens. So scheint es vernünftig anzunehmen, daß das Werden von seinem Ende oder Telos her verstanden werden muß. Und diese vernünftige Ordnung des Verstehens kehren wir um, indem wir mit dem Werden beginnen.

Nun, glaube ich, geben wir einem begründeten Zögern nach, wenn wir nicht geradenwegs auf das Wesen der Kunst zugehen. Dies Zögern hat nichts mit der Person des Fragenden zu tun, sondern ergibt sich teils aus der Sache, teils aus den Bedingungen, unter denen wir heut die Frage stellen. Man bemerkt mit Erstaunen und Bedauern, daß in Deutschland, dem Heimatland der Ästhetik, die Ästhetik so gut wie verwaist ist. Vielleicht erklärt sich dieser Sachverhalt aus eben jenem Zögern. Denn das Nachdenken über die Kunst hat bei uns keineswegs aufgehört. Es scheint dorthin abgewandert zu sein, wo die Frage nach dem Wesen mit zur Sprache kommt, aber nicht unmittelbar dringend wird – in die Kunstgeschichte, die Dichtungs- und Literaturwissenschaft, aber auch in die Ateliers und die programmatischen Äußerungen von Künstlern aller Gattungen.

Der Grund für das Zögern liegt nicht etwa darin, daß keine Vorstellung von dem, was Kunst ist, vorausgesetzt werden kann und daß infolgedessen der Blick ins Leere irrt. Im Gegenteil – er wird von einer massiven und unübersehbaren Tatsache gebannt. Kunst ist eine Institution geworden, und es möchte fast überflüssig scheinen, noch zu fragen, was sie überdies in Wahrheit ist. Jedermann weiß – nicht zwar was Kunst ist, aber was sie nicht ist. In dem Zweckgefüge unseres Daseins zeigt sie sich scharf, wenn auch negativ bestimmt: als das nicht in dem gewöhnlichen Sinn Nützliche. Dieser Negativität entspricht eine machtvolle gesellschaftliche und ökonomische Realität. Es gibt Kunststätten, Kunstvereine, einen Kunsthandel, eine Kunstwissenschaft. Es gibt eine öffentliche Kunsterziehung und Schulen zur Heranbildung von Künstlern, und schließlich ist da eine Gattung von Menschen, die sich selbst als Künstler wissen und von der Gesellschaft als solche anerkannt werden. Die Bohème, der gesellschaftliche Ausdruck der Negation bürgerlicher Nützlichkeit, hat sich längst als Vorstufe zur Einbürgerung, das Nicht-zweckhafte als Korrelat eines unabweislichen Bedürfnisses erwiesen. Aber gerade diese unübersehbare Tatsächlichkeit verbirgt das Wesentliche. Mehr noch, sie legt eine Ansicht nahe, die an dem Wesen vorbeiführt. Das Aufdämmern dieses Sachverhalts wirkt auf das Denken zunächst wie ein Haltsignal. Es zögert, und das Zögern vor der Wesensfrage spricht sich in einem Zweifel aus: Hat sich vielleicht die moderne, nach-idealistische Ästhetik durch einen geschichtlich begründeten Schein auf einen falschen Weg locken lassen? Wenn sich dieser Verdacht als begründet erweisen sollte, wäre es nötig, zurückzugehen und einen neuen Weg einzuschlagen.

Die erste Lehre, die uns Erfahrung und öffentliche Meinung aufdrängen, lautet: Kunst ist autonom. Dieser Satz ist als Wesensbestimmung wie auch als politische Forderung gedacht. Er macht zunächst eine Voraussetzung, an die nicht viel Worte oder Gedanken verschwendet werden, weil sie auf allgemeine Zustimmung rechnen kann – bei der Mehrzahl unserer Zeitgenossen. Die Neuartigkeit und Schwierigkeit dieser Voraussetzung bleibt dabei außer acht. Sie besagt, daß die Kunst wesenhaft *eine* ist. Im Hinblick auf diese Wesenseinheit wissen wir, wovon wir sprechen, wenn wir „Kunst" sagen. Es gibt zwar viele Künste, die ihrer äußeren Erscheinungsform nach so wenig miteinander zu tun haben wie die Abfassung eines Liebesgedichts mit dem Entwerfen farbiger Glasfenster für eine Kathedrale. Aber sie alle haben doch teil an der Form oder dem *Eidos*, das Kunst als solche definiert. Und kraft dieser Teilhabe, auf Grund also ihres Kunst-seins, haben sie auch teil an der Autonomie als dem allgemeinen Charakter des Kunstseins. Das will sagen: sie sind selbstgesetzlich. Als Formen menschlicher Tätigkeit haben sie dies Besondere, daß sie nur durch eine ihnen selbst innewohnende Gesetzlichkeit regiert werden – durch sonst nichts. Das ist die Proklamation nicht der Freiheit des Künstlers, sondern der Kunst. Gemäß dieser Proklamation wird der Künstler als Künstler, nicht als Mensch nur dadurch frei, daß er sich dem Gesetz der Kunst unterwirft, d. h. dadurch, daß er sich in seinem Schaffen allein durch die *eine* Regel leiten läßt, die in dem Eidos „Kunst" beschlossen liegt – durch das *eine* große Gesetz, das in einer je bestimmten Weise (einer Kunstart), in einer je besonderen Form (einem Kunstwerk) zu verwirklichen ist.

Autonomie aber ist wiederum nichts weiter als der ins Positive gewendete Ausdruck einer Negation. Die der Kunst zugeschriebene Selbstgesetzlichkeit verneint die gemeine Nützlichkeit. Die Kunst, die von ihren Sachwaltern für autonom erklärt wird, will und darf nicht dienen. Durch Dienst würde sie ihre Freiheit und damit ihr Kunst-sein preisgeben. Sie muß sich allen Lebensmächten, die um sie werben, verschließen. Sie muß die politische Macht abweisen, die als totaler Staat nach ihr greift und sie zum Werkzeug der Propaganda machen will. Aber sie muß sich auch, unter Umständen politischer Freiheit, gegen die wirtschaftliche Macht wehren, die eine Anpassung an ihre Zwecke auf minder brutale, aber nicht minder wirksame Weise zustande bringen kann. Dabei gewinnt sie freilich, wie die Erfahrungen gerade der jüngsten Zeit deutlich gemacht haben, nicht die Freiheit von wirtschaftlichem Interesse (die im Wirtschaftsraum komprimierten Interessen erlauben kein Vakuum), sondern nur die Abhängigkeit von einem freischwebenden, künstlerisch spezialisierten ökonomischen Interesse. Der seine Investierungen durch Setzung von künstlerischen Werten schützende Kunsthandel ist eine praktische Konsequenz des Autonomieprinzips, gerade wie auf dem Gebiete der Gestaltung selbst die sog. abstrakte Kunst aus ihm folgt. Denn es ist leicht zu sehen, daß jede Darstellung von Wirklichkeiten, auch dann, wenn sie sich unter naturalistischen Parolen um Unparteilichkeit bemüht, eine Einmischung in die Wirklichkeit mit ihren Kämpfen und Parteiungen, also einen Dienst bedeutet. Ein gleiches gilt von dem Aussprechen von Ansichten und Meinungen, wie es sich bei der Bildung sinnvoller Sätze in der Dichtung kaum vermeiden läßt. Auch hier zieht man nur eine Folgerung aus der Prämisse, dem Autonomieprinzip, wenn man die Dichtung als Kunst dadurch rettet, daß man den Sinn ausschaltet, die Leistung des Menschen auf die Wahl von Wörtern und Verhältnisbestimmungen einschränkt, die Kombination dieser Elemente aber der Maschine überläßt.[1] Der Wahnsinn, sagt man, hat Methode. Dennoch gerät der Wunsch nach Folgerichtigkeit bisweilen ins Gedränge. Was soll man beispielsweise mit der Baukunst anfangen? Der Funktionalismus gibt doch nur eine halbherzige Antwort. Er befreit die Baukunst vom Dienst am Menschen, indem er die menschliche Person in Funktionen auflöst, die Funktion der „verwaltenden Berechnung“ (Bürohaus), der „planmäßigen Herstellung“ (Fabrikgebäude) usw. Aber mit dem Gedanken von freischwebenden Funktionen erstellt man schließlich doch nur ein soziologisches Gegenstück zu der uns schon bekannten freischwebenden ökonomischen Basis – einen Ersatz für das wirklich Erstrebte: die Abzäunung des Gebietes der Nichts-als-Kunst.

Nun kann die Erwägung nicht bei der negativen Bestimmung – Kunst = nicht Nicht-Kunst – stehen bleiben. Der Leere des Autonomiebegriffs wird mit der Annahme eines Bedürfnisses abgeholfen. Doch auch damit ist es nicht getan: basiert doch die gesamte Zweck- und Nützlichkeitsordnung des Daseins auf einem Ganzen von Bedürfnissen. Das Kunstbedürfnis muß also ein Bedürfnis eigner Art sein – eines, das sich nicht in das System der Zwecke, will sagen der bewußten Lebensgestaltung, einfügen läßt. Wir müssen es im Unbewußten lokalisieren und sagen: die Kunst befriedige gewisse, im Unterbewußtsein schlummernde oder ins Unbewußte zurückgedrängte Bedürfnisse durch eine Art Ersatzbefriedigung. Kunst wird zur Katharsis. Insofern erweist sie sich, aufs Ganze des Lebens hin angesehen, doch wieder als nützlich. Die negative Bestimmung der Kunst als des Nicht-nützlichen führt somit schließlich auf das Nützliche zurück – auf einen erweiterten Begriff von Nützlichkeit. Wenn aber schon zugegeben wird, daß Kunst Bedürfnisbefriedigung ist, scheint es ratsam, die Aufmerksamkeit auf die geschichtlich variable Form dieses Bedürfnisses zu lenken und die Kunsterzeugung jeweils entsprechend einzurichten. Denn aus dem

Bedürfnis kann der Bedarf errechnet werden. Die psychoanalytische Befragung des Unbewußten auf die in ihm verborgenen Bedürfnisse hin und der kommerzielle Kalkül (in Bewegung gesetzt durch das freischwebende ökonomische Interesse an der Produktion) können zusammenwirken und etwa das als Symptom aufschlußreiche Phänomen Salvador Dali hervorbringen. In der auf Bedürfnisbefriedigung berechneten Kunstmontage kann auch das zum Klischee erniedrigte klassizistische Schönheitsideal wieder Verwendung finden.

Wir halten inne – nun nicht mehr zögernd, sondern erschrocken. Wir sind ausgegangen von der sich aufdrängenden institutionellen Wirklichkeit der Kunst in unserer Zeit, wir haben uns von ihr das Stichwort, das in der Formel von der Autonomie zusammengefaßte Gesetz ihres Daseins, an die Hand geben lassen, und wir haben daraus die, wie uns schien, unvermeidlichen Folgerungen gezogen. Aber dabei sind wir statt zu einem Begriff von Kunst zur Parodie eines solchen gelangt (wir stellten uns zuletzt poetische Produktion als Füttern einer Maschine mit Sprachmaterial vor); doch nicht genug damit: die Freiheit der Kunst, die mit unserem Ausgangspunkt festzustehen schien, hat sich uns in ihr Gegenteil verwandelt. Das dialektische Gesetz, das diesen Umschlag bewirkt, ist leicht zu begreifen. Die Kunst soll „reine Kunst" sein, Nichts-als-Kunst, unbefleckt von den Zweckdienlichkeiten, die ihr von den Daseinsmächten aufgedrängt werden. Sobald ich aber diese reine Kunstwesenheit erfaßt, abgesondert, von allen fremden Zutaten gesäubert, sobald ich das nur ihr eigentümliche Wesen und Wirken, ihr An-sich definiert habe – dann bin ich auch in der Lage, diese *an-sich*-seiende Wirklichkeit *für mich* zu verwenden. Die Autonomie einer Sondertätigkeit hat notwendigerweise ihre Grenze in dem Besonders-sein (das ein Zusammensein mit anderen Tätigkeiten verlangt), und sie schlägt, sobald sie erkannt und auf Grund von Kenntnis nutzbar gemacht worden ist, in ihr Gegenteil um. Die Autonomie irgendeiner ihrer Tätigkeiten widerspricht der Autonomie der Person. Das Prinzip der Autonomie der Kunst verneint die Person und damit auch, letzten Endes, die Kunst.

Wir sind von einem Prinzip ausgegangen und dabei in die Irre gegangen. Das Prinzip, die Autonomie der Kunst, hat sich in unserem Gedankengang als das πρῶτον ψεῦδος erwiesen. Belehrt von dem, was uns inzwischen begegnet ist, kehren wir zum Ausgangspunkt zurück. Was uns irregeführt hat, so beginnen wir dann zu verstehen, ist eine Wahrheit – eine verführerische, will sagen, zum Mißverständnis ihrer selbst verführende Wahrheit. Diese Verführung hat Geschichte gemacht und ist dadurch noch verführerischer geworden – trotz der abgründigen Verlegenheit, die sich schließlich daraus ergab. Droht uns doch, solange wir auf diesem Abweg wandeln, der Verlust nicht nur des Begriffes von Kunst, sondern der Kunst selbst. Das Zögern, das uns zurückwarnt, wenn wir uns wieder mit dieser Wahrheit befassen wollen – der Wahrheit über das Wesen der Kunst –, erweist sich als hintergründig.

Eine Wahrheit, die zum Irrtum verführt – das klingt wie ein Sophisma. Das Gesagte bedarf einer Erklärung. Der Erklärung sei eine Formel vorausgestellt, die selbst der Erklärung bedarf, aber als Hinweis nützlich sein mag. Mit dieser Formel unterscheiden wir zwischen einer Prämisse und einer Folgerung folgendermaßen: Die Prämisse: es gibt eine Wesensform „Kunst", und durch Teilhabe an diesem εἶδος gehören die Hervorbringungen, die wir „Kunstwerke" nennen, einer besonderen Klasse von Dingen an.

Die Folgerung: die dem Kunstwerk teleologisch zugeordnete Tätigkeit (das Hervorbringen sowohl wie das Genießen) steht ausschließlich unter dem Gesetz jener künstlerischen Wesensform, mit anderen Worten, sie konstituiert ein autonomes Feld menschlicher Hervorbringung.

Unsere Behauptung besagt nun zweierlei: einmal, daß die Prämisse wahr, die Folgerung jedoch ein „non sequitur" sei; sodann, daß die Folgerung, obwohl falsch, sich dem Geist als überzeugend aufdrängt. Sie gehört, mit Francis Bacon zu reden, zu den *idola specus*. Versuchen wir nun, hineinzuleuchten „in cavernam quae lumen naturae frangit et corrumpit" (Novum Organon II 42). Mit dieser Absicht machen wir einen neuen Anfang.

II

Wir sprechen von Kunst – das Wort kommt uns leicht, allzu leicht auf die Zunge. Wir gebrauchen einen Allgemeinbegriff, und die Zeitumstände ersparen uns die Mühe, uns denkend zu ihm emporzuarbeiten. Er fällt uns mühelos zu. Die Sprache sagt ihn uns vor. Nun belehrt uns historische Besinnung darüber, daß dies eine jüngst erworbene Weisheit ist. Man sprach längst von Künsten, meist von „schönen Künsten“ oder auch „schönen Künsten und Wissenschaften“, aber nicht wie wir von Kunst. Dieser Begriff ist erst konsolidiert worden durch die deutsche Philosophie, die den traditionellen Gattungen die philosophische Ästhetik hinzufügte. Baumgarten, Kant, Winckelmann und Herder legten den Grund, auf dem die nachfolgenden romantischen und idealistischen Denker aufbauten. Goethe und Schiller waren es dann, die das Wort in seiner heut vorherrschenden Bedeutung festlegten (so sagt der im einzelnen veraltete, doch in seinen Grundlinien noch gültige Artikel „Kunst“ im Grimmschen Wörterbuch), und die neue Prägung wurde bald Eigentum der anderen europäischen Sprachen. Die deutsche Ästhetik hatte nicht nur eine Wahrheit ausgesprochen, sondern ein Schlagwort gefunden: die Wahrheit, so wie sie ausgesprochen war, paßte in schlagender Weise zu der Stellung, die der Kunst und dem Künstler in der nach-revolutionären Welt zufiel. So kam es, daß die nachfolgende Ästhetik, auch dann, wenn sie ihren Ursprung verleugnete oder ihm kritisch gegenüberstand, sich in der von den deutschen Idealisten eingeschlagenen Bahn bewegte: sie verriet sich dadurch, daß sie den neugeprägten Begriff der Kunst meist unbesehen ihren Untersuchungen zugrunde legte. Eine Ausnahme bilden nur diejenigen, die entweder auf eine vor-idealistische Tradition zurückgriffen wie John Ruskin und William Morris, oder, wie John Dewey, die idealistische samt der metaphysischen Tradition verwarfen.

Wir sprechen von einem neugeprägten Begriff und einer in ihm aufleuchtenden Wahrheit. Das ist nicht so zu verstehen, als wäre diese Wahrheit zuvor ganz unentdeckt geblieben und als wäre der Begriff ohne Vorgänger. Wohl ist es richtig, daß weder das Altertum noch das Mittelalter ein Wort für das besaß, was wir mit Vorliebe Kunst nennen. Der durch τέχνη und dann durch *ars* bezeichnete Tätigkeitsbereich wurde nach Gesichtspunkten gegliedert, die für eine Absonderung des „Ästhetischen“ keinen Raum ließen. Die Gliederung war in erster Linie bestimmt durch die Überordnung des kontemplativen über das praktische und demiurgische Leben. Die sieben freien Künste waren, modern ausgedrückt, Wissenschaften, auch die Musik als Teil des Quadrivium: sie bedeutete Musiktheorie. Ferner wurde zwischen den herrschenden oder anordnenden Künsten (die allein als des freien Mannes würdig galten) und den ausführenden oder dienenden, mit körperlicher Arbeit verbundenen Künsten unterschieden. Die Unterscheidung reißt quer durch die „Kunst" im modernen Sinn hindurch. Und dennoch: der Gedanke, daß sich auch das Werk des Demiurgen, des Malers etwa oder des Bildhauers und Schnitzers, in seiner Vollendung neben das Werk des Dichters stellen darf – des Dichters, den man, durch Pindar und, im christlichen Zeitalter, durch König David ermutigt, gern in die Gesellschaft der Gekrönten aufnimmt –, die Ahnung also eines in der Ordnung der τέχναι nicht miterfaßten εἶδος stellt sich früh ein, etwa in Platons ›Gastmahl‹, wo die Dichter mit den „schöpferisch" (εὑρετικοί) genannten Demiurgen zusammengestellt werden (209 a). Ohne noch die Reife des Begriffs zu erlangen, artikuliert sich der Gedanke in der Renaissance dank einem Zusammentreffen neuplatonischer Gedanken mit der Befreiung der bildnerischen Kunst von zünftig-handwerklichen Bindungen. Die Unterscheidung von *ars* und *usus* wird zu einem Gemeinplatz; der artifex (bei fortbestehender Geringachtung der manuellen Kunstfertigkeit) wird zum *alter deus* erhoben.[2]

Nur mit vorsichtiger Einschränkung wird also von der Neuheit der durch die Ästhetik geleisteten Begriffsbildung zu sprechen sein. Immerhin behält die Aussage ihr Gewicht. Daran kann uns Hermann Lotze mit dem ersten Satz seiner „Geschichte der Ästhetik in Deutschland" (München 1868) erinnern: „Es ist niemals ein bedeutungsloses Ereignis in der Entwicklung der Wissenschaft, wenn Fragen, welche einzeln längst die Aufmerksamkeit beschäftigt hatten, zum ersten Male unter gemeinsamem Namen vereinigt und als bestimmtes Glied in den Zusammenhang menschlicher Untersuchungen eingereiht werden." Der Satz sagt noch zu wenig. Handelt es sich doch um eine Einreihung nicht nur in den Zusammenhang von Untersuchungen, sondern in den Zusammenhang der öffentlich wirksamen Denkweise, die dazu bestimmt war, der Kunst ihren Ort im Ganzen des menschlichen Daseins anzuweisen und ihr

Selbstverständnis zu leiten. Hier liegt der kritische Punkt: es gilt zu scheiden zwischen der Wahrheit, die bewahrt werden soll, und jener Abbiegung des Weges, die zur Autonomieerklärung und schließlich zur Selbstaufhebung der Kunst geführt hat.

Die entdeckte und zur Geltung gebrachte Wahrheit bestand darin, daß auf Grund einer tiefen Erfahrung der metaphysische Rang der Kunst für das Denken wiederhergestellt und begrifflich zur Geltung gebracht wurde. Die Idee oder das Absolute waren die Worte, durch die man den Gegenstand der metaphysischen Denkerfahrung bezeichnete, und von ihr her wurde das Kunstwerk als ein „Scheinen der Idee", als Eröffnung von Wahrheit sui generis verstanden. Hegel, der das Fazit aus der vorangegangenen ästhetischen Reflexion zog, buchte als Gewinn „die Wiedererweckung der Philosophie im Allgemeinen, so auch die Wiedererweckung der Wissenschaft der Kunst"; und dieser Wiedererweckung, so meinte er, „verdankt eigentlich die Ästhetik als Wissenschaft erst ihre wahrhafte Entstehung, und die Kunst ihre höhere Würdigung" (Vorlesungen über die Ästhetik, 1. Bd. Jub.-Ausg. der Werke XII 90). Man kann von einer Geburt der Ästhetik aus dem Geist des Platonismus sprechen. Diese neue philosophische Disziplin lehrt uns, eine überwältigende Mannigfaltigkeit von Werken, kaum vergleichbar nach Erscheinungsweise, ihrer Hervorbringungsart nach verschiedenen Klassen menschlicher Tätigkeit angehörig, mit *einem* Blick zu umfassen. In jedem einzelnen von ihnen erkennt sie den Stempel einer metaphysischen Würde, der sie über die Welt der Gebrauchsgegenstände, der handwerklichen oder technischen Produktion hinaus in die „Welt des Kunstschönen" entrückt. Jedes einzelne Werk, Lied oder Bild, Bau oder Tanz, Statue oder Vers, wird zum Mittler einer unwiderleglichen Wahrheit; und jedem einzelnen müssen wir als seinem Urheber einen Menschen zuweisen, der schöpferisch in einem Sinne genannt wird, wie es anderen Produzenten nicht zukommt: er allein trägt den Titel des Künstlers. All das ist mitgedacht in der Entscheidung Hegels, die die Kunst über das Reich des „objektiven Geistes" (Recht, Moralität, Sittlichkeit) hinaushebt, um sie den Vollbringungen des „absoluten Geistes" zuzurechnen. Der „eidetische Grundsachverhalt" ist damit erfaßt: die Wesensgestalt der Kunst als Kunst steht in Umrissen vor Augen, und der einmal erfaßte Contour wird sich nachfolgenden Generationen von Forschern nicht nur, sondern auch von gebildeten Sprechern unverlöschlich einprägen. Hegel hat recht behalten, wenn er ein Datum für die „höhere Würdigung“ der Kunst setzt.

Dies das erste Festzuhaltende. Aus dem synoptischen Zugriff ergab sich ein Problem, dessen Auflösung oder vermeinte Auflösung sich als folgenreich erwiesen hat.

Die Erfassung der Wesensgestalt „Kunst“ wurde ermöglicht durch den Rückgriff auf ein anderes Eidos, um dessen Klarstellung sich die Philosophie seit Platon bemüht hat: Kunst wurde durch Schönheit definiert. Die „höhere Würdigung“ der Kunst gründete sich auf eine wiedergewonnene Würdigung der Schönheit. Das zeigte sich besonders deutlich bei Kant und bei Winckelmann, und bei dem letzteren schmecken wir überdies die Quelle, aus der die Einsicht stammt: Plotin und die neuplatonische Tradition. Die Wesensform Kunst prägt die menschlichen Werke (oder auch die sie hervorbringende Tätigkeit, potentialiter oder actualiter), in denen sich Schönheit verwirklicht. Und die so formulierte Grundeinsicht nötigt dazu, die Schönheit, welche die Kunst zur Kunst macht, auch außerhalb der Kunst zu finden und gelten zu lassen. Dementsprechend pflegten die Werke der neuen, sich Ästhetik nennenden Wissenschaft die „Naturschönheit“ neben der „Kunstschönheit“ zu behandeln. Aber das Problem der Beziehung zwischen Kunst und Schönheit liegt nicht in dieser Zweiheit, die bereits für Hegel zweifelhaft geworden war: nach ihm gibt es Schönheit in der Natur überhaupt nur für uns, für das menschliche Bewußtsein (l. c. XII 176). Etwas anderes steht in Frage: das Verhältnis zwischen Schönheit und Sinnlichkeit.

Die Schönheit hat ihren von der Metaphysik ihr angewiesenen Ort in der Transzendenz. Sie gehört in die nächste Nachbarschaft des Guten – und damit des als sinnhaft verstandenen Seins. In der griechischen Philosophie sind das ἀγαθόν und das καλόν immer im Begriff, ineinander überzugehen. Und damit bleibt die Philosophie dem allgemeinen, auch heute noch lebendigen Sprachgebrauch nahe. Trotz moderner Ästhetik nehmen wir keinen Anstoß, wenn wir lesen, wie Augustin, Verfasser einer Schrift ›De pulchro et apto‹,

Gott anredet als pulchritudo tam antiqua et tam nova (Confessiones X 27). Das Nahezu-ineinander-übergehen wird aber nicht Identität, auch bei Augustin nicht. Coruscasti, splenduisti – so fährt er an der zitierten Stelle fort. Die Schönheit leuchtet. Sie ist der Glanz des Guten, das Gute sofern es aus sich heraustritt, sich der Anschauung darstellt. So tritt z. B. das Gute aus sich heraus, dadurch daß es sich dem Kosmos in seiner Maßhaftigkeit und ebenmäßigen Fügung mitteilt: es „entflieht uns“, wie es in Platos ›Philebos‹ heißt, „die Kraft des Guten in die Natur des Schönen“ (εἰς τὴν τοῦ καλοῦ φύσιν, 64 c). In der christlichen Gedankenwelt wird der Sohn gleichgesetzt mit dem fleischgewordenen „Logos“, dem Sich-äußern oder Aus-sich-heraustreten des Vaters – und entsprechend wird bei Augustin (De Trinitate) und ähnlich bei Thomas von Aquin dem Schönen ein Ort innerhalb der trinitarischen Betrachtung bei der Behandlung der zweiten göttlichen Person angewiesen.

Auf den ersten Blick mag es scheinen, als gehöre Aristoteles nicht in diese Tradition. Doch findet sich gerade bei ihm ein weiterführender Beitrag. Er begegnet in einer Überlegung, die nicht dem Guten als solchem gilt, sondern der Freude oder Lust (ἡδονή) – dem aktualisierten Guten für das empfindende Lebewesen. Die Lust wird von Aristoteles in ursächlichen Zusammenhang gebracht mit dem ungehemmten Funktionieren der Fähigkeiten: sie vollendet deren Am-Werke-sein (ἐνέργεια), aber nicht so, als wäre sie selbst diese vollendete Tätigkeit, sondern als eine hinzutretende Vollendung (ἐπιγινόμενόν τι τέλος) – in der Weise, wie den Herangereiften die Jugendblüte (ἡ ὥρα) noch obendrein geschenkt wird (Eth. Nic X 4, 1174 b 31–33). In dem Verhältnis zwischen Jugendkraft einerseits und Schönheit oder Liebreiz (χάρις) anderseits (als Abbild des Verhältnisses von Gesundheit des Lebens und Lust eingeführt) wiederholt sich das Verhältnis des Guten zum Schönen. An sich bedarf das Gute keiner Zutat: es ist in sich vollendet. Dennoch erscheint seine Leuchtkraft – das Schöne, durch das es bezaubert und entzückt – als eine unvordenkliche Zugabe, gnadenhaft, Dank heischend, zur Liebe entflammend. In dem Schönen ist das Gute so anwesend, daß der Charakter der Forderung – an das noch nicht zu seinem Ziel gekommene Erkennen, an die Verwirklichung durch Tat – zurücktritt: es ist für die in ihm ruhende Anschauung gegenwärtig.

Das Sich-zur-Anschauung-Bringen des Guten im Schönen bedeutet keineswegs Versinnlichung. Anschauung meint zunächst: Gegenwart für den anschauenden Geist. Nur so viel darf gesagt werden, daß dieser Anschauung eine Tendenz auf Versinnlichung innewohnt. Nicht von ungefähr – Plato bringt diese Tatsache mit Recht in Zusammenhang mit der Macht, die das Wahrnehmen, vor allem mittels des hellsten der Sinne, des Gesichts, über das menschliche Streben und Begehren hat. Wenn die Weisheit selbst (φρόνησις) – wenn das Schauen des Guten zu einem Wahrnehmen und leiblichen Sehen werden könnte, dann würde, wie es im ›Phaidros‹ heißt, ein übergewaltiges Sehnen die Seele ergreifen (δεινοὺς γὰρ ἂν παρεῖχεν ἔρωτας). So aber ist es allein dem Schönen zuteil geworden, in einem klaren Ebenbild unseren leiblichen Augen sichtbar zu werden und uns zu entflammen (250 c 8–e 1). Der Glanz des Guten – das Schöne – ist nicht sinnlich, aber er kann sinnlich werden. Es besitzt eine Eignung zur sinnlichen Einkörperung, und dies natürlicherweise. Wird doch im Schönen das Gute gewinnend – wie könnte es uns gewinnen, wenn es uns nicht dort aufsuchte, wo wir sind – in der Welt als dem Ort der natürlichen Zusammenfügung von Leib und Seele?

Schönheit ist das sich zur Anschauung bringende Gute, und diese Anschauung ist in erster Linie geistig, in zweiter Linie sinnlich. Gegen den ersten Teil dieser Behauptung, den Primat der übersinnlichen Schönheit gegenüber der sinnlichen, richten sich jedoch ernste Bedenken. Sie zielen auf den in der Behauptung steckenden „Platonismus“ (wobei dies Wort einer Verurteilung Ausdruck gibt) und gehen auf den Philosophen zurück, den wir eben als Zeugen aufgerufen haben – auf keinen geringeren als Aristoteles.

Den Wesensformen (εἴδη, ἰδέαι), so bedeutet man uns, dürfen nicht die Eigenschaften zugeschrieben werden, die den konkreten Dingen oder Wesen dank der Anwesenheit der Wesensformen in ihnen zukommen. Der gerechte Staat ist gerecht durch die Anwesenheit der Wesensform Gerechtigkeit in ihm, aber die Gerechtigkeit selbst ist nicht gerecht; das Dreieck ist dreieckig durch die Anwesenheit der Wesensform Dreieckigkeit in ihm, aber die Dreieckigkeit ist weder dreieckig noch ein Dreieck. Wer gegen diese Regel verstößt, setzt sich dem Vorwurf aus, den Aristoteles gegen Plato erhoben hat: er behandelt die Formen, als wären sie in den Stand der Unvergänglichkeit erhobene Einzeldinge oder Konkreta. Damit verwickelt er sich in lächerliche Widersprüche. Wenn die Form des „Dreieckigen an sich" oder der Dreieckigkeit selbst ein Dreieck oder dreieckig wäre, müßten die Gesetze der Trigonometrie auch auf die Form anwendbar sein. Eines dieser Gesetze besagt, daß jedes Dreieck entweder rechtwinklig, stumpfwinklig oder spitzwinklig sein muß. Wenn aber die Form unter eine dieser Klassen fällt, kann sie nicht zugleich die jene drei Klassen umfassende Form sein. Diesen Fehler der „Hypostasierung des Begriffs" scheint Plato begangen zu haben, als er die Schönheit für schön erklärte – ein Fehler, der schon in seinem Sprachgebrauch zum Ausdruck kommt. Kennzeichnenderweise benannte er die Form für gewöhnlich nicht mit dem nomen abstractum „Schönheit" (κάλλος), sondern mit dem durch ein emphatisches „selbst" verstärkten Neutrum des Adjektivs: das Schöne selbst (αὐτὸ τὸ καλόν). Damit entfällt die geistige Anschauung der Schönheit, so bedeutend der Platz sein mag, den sie sich in der Tradition erobert hat. Wir müssen sie dem Mythos überlassen, der den groben Denkfehler durch poetischen Glanz der Aussage zu verhüllen versteht.

Um Klarheit in diese Frage zu bringen, führen wir die Unterscheidung zwischen „Form" und „exemplarischer Verwirklichung" der Form ein. Wir nehmen an, daß die Form eine Gattung oder Klasse begründet – die Form „Leben" etwa die Klasse der lebendigen Wesen, und weiter nehmen wir an, daß diese Form sich in einer ganzen Stufenleiter von Exemplaren verwirklicht, derart daß wir ein Primärbeispiel, eine musterhafte Realisierung von den minder vollkommenen Weisen und Beispielen unterscheiden können. Dies Primärbeispiel wird dann für unsere Erkenntnis eine ausgezeichnete Bedeutung haben. Einerseits werden wir von ihm die Wesensform selbst ablesen können; anderseits können wir durch Beziehung auf das Primärbeispiel die sekundären, tertiären, quartären Beispiele (und so fort in absteigender Linie) verstehen. Um eine platonische Illustration zu wählen: die gerechte Polis, die Sokrates in der ›Politeia‹ im Geiste seiner Hörer entstehen läßt, ist nicht die Gerechtigkeit selbst, ihr Eidos, sondern sie ist ein Paradigma, das heißt, ein musterhaftes Primärbeispiel. Von dieser exemplarischen Polis läßt sich allerdings sagen, was sich von der „Gerechtigkeit als solcher" nicht sagen läßt: daß sie gerecht ist. Sie ist sogar in höchstem Maße – sie ist so vollkommen gerecht, daß wir, wenn man so sagen darf, in Anschauung ihrer das überanschauliche Wesen, die Gerechtigkeit als solche, mitanschauen. Mit dieser Überlegung gewinnen wir zweierlei: wir retten die geistige Anschauung, indem wir sie von dem das Genus begründenden *universale* in das Primärbeispiel (scholastisch gesagt: das *primum in genere*), von der „Idee" in das „Ideal" verlegen; und wir vermeiden das Ärgernis der sich selbst potenzierenden Attribution (der gerechten Gerechtigkeit, der dreieckigen Dreieckigkeit). Zugleich dürfen wir uns sagen, daß wir uns mit dieser von keinem platonischen Text gestützten Überlegung nicht weit von Plato entfernen. Geht doch der Gedanke des *primum in genere* auf den ›Phaidon‹ zurück: dort ist Seele das erste Exemplar des Lebendigen, wie Feuer das erste Exemplar der Gattung des Heißen ist. Die Harmonie und das Ebenmaß des Kosmos sind bei Plato (vgl. die eben zitierte Stelle im ›Philebos‹), aber auch bei Aristoteles (vgl. Met. 1078 a 36) das Primärbeispiel der Schönheit, ein Gegenstand der geistigen Anschauung, weder reines Eidos noch sinnfälliges Konkretum, sondern ein Mittleres, die Form exemplarisch veranschaulicht.

Damit wäre der Einwand zurückgewiesen. Die Behauptung von dem Primat der geistigen Schönheit beruht nicht auf platonisierender Begriffsmythologie. Vielmehr wird zwischen der Wesensform des Schönen einerseits und zwei Weisen ihrer Verwirklichung, einer über-sinnlichen und einer sinnlichen, anderseits unterschieden, und der ersteren wird der Vorrang zuerkannt. Wir sprechen nicht etwa metaphorisch von einer „schönen Seele", sondern umgekehrt: weil wir eine mehr als leibliche Schönheit kennen, vermögen wir die Schönheit des Leibes zu entdecken. Freilich, die Tendenz zur Versinnlichung, die zum Wesen der Schönheit überhaupt gehört, wird von dem geistig Schönen nicht verleugnet. Das höchste Exemplar geistiger Schönheit ist nicht, wie die Alten meinten, als Kosmos, als Wohlordnung des maßhaften Alls zu denken (diese Ansicht führte zu einer unzulässigen Mathematisierung des Schönen), sondern als personhaftes Wesen. Und wenn wir uns, gebannt und verzaubert, in die Schönheit eines Menschen vertiefen, ob wir ihn nun von Augenschein kennen oder ob er einer vergangenen Zeit angehört und uns nur durch Berichte, Zeugnisse und Wirkungen bekannt geworden ist, dann verweben sich der Klang der Stimme, der Glanz des Auges, der Rhythmus des Schrittes, kurz Elemente der sinnfälligen Erscheinung, so sehr in ein seelisch-geistiges Bild, daß die Grenze zwischen Sinnlichem und Übersinnlichem wie ausgelöscht ist. Der durch Umgang unseren Sinnen Vertraute wird transparent auf „ihn selbst" hin, den geistigen Personkern, und umgekehrt verleiblicht sich der nie mit Augen Geschaute zu einem imaginativen Porträt.

Doch ist mit Unterscheidung von Wesensform, die eine Gattung begründet, und exemplarischer Verwirklichung der Form nicht alles gesagt, was in Erwiderung auf den anti-platonischen Einwand zu sagen ist. Weder sind wir der Sache selbst auf den Grund gegangen, noch haben wir den Punkt erreicht, von dem aus wir die von Plato gelehrte Anschauung des „Schönen an sich" begreifen können. Ein Schritt über die bisher erreichte Position hinaus bleibt zu tun.

Das gattungsbegründende Eidos, so hat sich gezeigt, muß von den Exemplaren unter der Gattung, und insbesondere von dem Primärexemplar, unterschieden werden. Nun ist aber das Schöne keine Gattung – ebensowenig wie das Sein und das Gute. Vielmehr umspannen diese drei Begriffe alle Gattungsbegriffe. Sie sind Transzendentalbegriffe, aber so, daß in ihrer engen Wechselbezogenheit dem Sein der Primat zukommt. Ihre Transzendentalität beruht im Grunde auf dem transzendentalen Charakter des Seins. Das Gute ist das Sein selbst, von der Seite der ihm innewohnenden Sinnhaftigkeit her betrachtet, während das Schöne dies sinnhafte Sein in seinem Sich-zeigen begreift. Nun sind *transcendentalia* wesensverschieden von jedem gattungsbegründenden Eidos. Letzteres steht in einer doppelten Unterscheidung. Es unterscheidet sich einmal (nach innen zu) von den unter ihm befaßten Exemplaren, auch von den höchsten, als von denen, die das Eidos am reinsten verkörpern, ferner (nach außen hin) von anderen Formen oder Eide von gleichem Gattungscharakter. Diese zweite Unterscheidung entfällt natürlicherweise bei den Transzendentalbegriffen. Mit der generischen Differenz wird aber die eigentliche (im Unterschied von der analogischen) Konzeptualisierbarkeit hinfällig. Die Transcendentalia sind nicht unerkennbar, aber undefinierbar. Infolgedessen zieht das Auslöschen der zweiten (externen) auch die erste (interne) Unterscheidung in Mitleidenschaft. Nicht etwa so, daß auch sie ausgelöscht würde; das Sein bleibt unterschieden von allem Seienden, das eidetisch Gute von guten Taten, Werken und Wirklichkeiten, die Schönheit-als-eine von der Vielheit des Schönen. Aber diese Differenz gilt mit einer Modifikation von grundlegender Wichtigkeit: das Sein-selbst, das Gute-selbst, die Schönheit als solche – sie verschmelzen mit der je höchsten Exemplarität. Das Sein *ist* das höchste Seiende, das Gute-an-sich *ist* die höchste Güte, die Schönheit *ist* das höchste Schöne. Man sieht: die Lehre von den Transzendentalien führt notwendigerweise zur Onto-theologie, wie umgekehrt die Onto-theologie ihren Halt verliert, wenn sie nicht durch Transzendentalbegriffe gestützt wird. Weil die transzendentale Begründung nicht mitgedacht oder nicht verstanden wird, scheinen die Mauern der Metaphysik bei dem Feldgeschrei „Hie ontologische Differenz!“ einzustürzen. So ist es an der Zeit, dem strengen ontologischen Sinn der Sätze nachzusinnen, in denen Augustin sich vor Gott anklagt als einen, der Gott Eigenschaften gemäß den zehn Kategorien (deren erste bekanntlich Substanz heißt) beilegen wollte: „quasi et tu subjectus esses magnitudini tuae aut pulchritudini, ut illa essent in te quasi in subjecto, sicut in corpore; cum tua magnitudo et tua pulchritudo tu ipse sis; ...“ (Confessiones IV 16). Solange diese Wiederherstellung des Problems nicht erfolgt ist, wird auch, nebenbei gesagt, das Verständnis der attischen Philosophie im argen liegen. Weder kann begriffen werden, inwiefern die platonische Ideenschau mehr ist als ein Mythologem, das auf der durch falsche Selbstprädizierung verschuldeten Hypostasierung von Allgemeinbegriffen beruht (während sich in Wahrheit die geistige Leuchtkraft der platonischen Ideen nur dort zeigt, wo Formen als Abwandlungen des Guten in den später durch die Transzendentalien begrenzten Raum eintreten – z. B. Phaidros 247 c–e); noch kann die Weise, in der Aristoteles nach dem Sein fragt, verständlich werden: ohne sein Thema und damit die Differenz von Sein und

Seiendem je aus den Augen zu verlieren, richtet der Philosoph in den Abhandlungen der ›Metaphysik‹ seine Anstrengung durchaus darauf, in Durchforschung aller erdenklichen οὐσιάι diejenige zu entdecken, die als „Seinsheit" κατ' ἐξοχήν, und mithin als Primärverkörperung, das Sein in seiner Eigentlichkeit zu seiner Darstellung bringt.[3]

III

Unsere Erwägung, scheinbar ein Umweg, hat uns genau an die Stelle der schicksalsvollen Abweichung geführt, von der aus die Geschichte der modernen Ästhetik als einer philosophischen Wissenschaft zu verstehen ist. Die Begründung dieser Wissenschaft wird von Alexander Baumgarten in charakteristischer Weise präludiert, und der neu erfundene Name „Aesthetica" gewinnt symbolische Bedeutung. Durch die Bestimmung „perfectio sensitiva" wird die Schönheit als eine Art von Vollkommenheit in Beziehung gesetzt zu dem metaphysischen Grund alles Seins, zugleich aber innerhalb des sinnlich Wahrnehmbaren lokalisiert. Die ontologische Verwurzelung der Schönheit wird erhalten, ihre trans-sensitive Urform entfällt. So entschieden dann auch die romantische und nachromantisch-idealistische Ästhetik über die Vollkommenheitslehre der Wolff-Baumgartenschen Ontologie hinausgeht – an dem Prinzip der wesenhaften Sinnlichkeit des Schönen hält sie fest. Es ist das Prinzip, aus dem sich der moderne Autonomie-Anspruch der Kunst letztlich herleitet.

In Schellings Vorlesungen über „Philosophie der Kunst", die uns als Beispiel der voll entwickelten idealistischen Ästhetik dienen können, ist Schönheit, neben Wahrheit und Güte, eine der drei Potenzen, in die sich das Absolute entfaltet. Daraus ergibt sich: „Wie für die Philosophie das Absolute das Urbild der Wahrheit – so für die Kunst das Urbild der Schönheit" (Werke, Jub.-Ausg. III 390). Die Lehre von der im Absoluten gründenden Schönheit wird mit hohem Selbstbewußtsein vorgetragen als eine Philosophie, welche erstmalig den wahren Begriff der Kunst feststellen und dadurch „die für die Produktion großenteils versiegten Urquellen der Kunst für die Reflexion wieder öffnen" kann (381). Aber so hoch auch die Schönheit hier gerückt wird, so bedeutet doch die ihr zugeschriebene metaphysische Funktion vor allem auch ihre Einschließung im Bereich des Sinnlichen. Schönheit, so definiert Schelling, „ist da gesetzt, wo das Besondere (Reale) seinem Begriff so angemessen ist, daß dieser selbst, als Unendliches, eintritt in das Endliche und *in concreto* angeschaut wird“ (402).

„Schönheit, ihrem Wesen nach über-sinnlich, hat eine natürliche Tendenz zur Versinnlichung; und deshalb kann es etwas wie Kunst geben“ – in diesem Satz ließe sich das (nirgend so formulierte) Denken der Metaphysik zu diesem Gegenstand zusammenfassen. Demgegenüber heißt es jetzt: Schönheit ist ihrem Wesen nach sinnliches Erscheinen, und die durch den Menschen in der Rolle des Künstlers bewerkstelligte Versinnlichung des Absoluten heißt Kunst. In der traditionellen Auffassung war die Beziehung zwischen Schönheit und künstlerischer Vollbringung okkasionell – gibt es doch, so wußte man, neben schönen Werken auch schöne Gedanken, schöne Taten oder schöne Einrichtungen. Jetzt, nach Begründung einer philosophischen Ästhetik, erscheint die Beziehung zwischen Schönheit und Kunst wesensbegründend; und damit ist der moderne Begriff von Kunst erst philosophisch stabilisiert. Traditionellerweise wurde der Begriff der Schönheit in Zusammenhang mit der Fleischwerdung des Logos behandelt; jetzt erscheint die Schönheit selbst und mithin die Kunst als Inkarnation, und das will sagen: als die Versinnlichung des Absoluten.[4] Kunst, als Gefäß der Schönheit und Medium der Inkarnation verstanden, gewinnt eine religiöse Bedeutung. Aber die Kunstreligion gehört nach Schelling im wesentlichen der Vergangenheit an: in der Neuzeit sei die Epiphanie des Absoluten in absolut schönen Gestalten und Werken überwunden worden durch das Hervortreten des Absoluten in seiner höchsten Gestalt – als Vernunft. In all diesen Überlegungen ist sich Schelling des theologisch-trinitarischen Ursprungs seiner Ästhetik wohl bewußt, ja er knüpft ausdrücklich an die von ihm umgedeutete Tradition an. Als das Ereignis der Inkarnation, will sagen der Ineinsbildung des Allgemeinen und Besonderen, erscheint ihm die Welt der griechischen Götter. Die griechische Mythologie sei, so meint er, „das höchste Urbild der poetischen Welt“ (412). Die Inkarnation im christlichen Sinn gilt ihm als der Schlußakt der von ihm konzipierten historischen Inkarnation. Christus sei das in die Endlichkeit gekommene und sich in Menschengestalt opfernde Unendliche – „der letzte Gott" (452). Man sieht, wie leicht die Überhebung der Kunst in ihre Aufhebung umschlägt. In Christus ist alles Fleisch gekreuzigt worden. Hat denn nach solchem Opfer, so lautet die verführerische Frage, die Welt noch Raum für jene Vergöttlichung des Fleisches, als welche der Idealist die Kunst verstehen möchte? Schon beginnt die Gestalt sich abzuzeichnen, die heute ihren Schatten über die Kunstfreude der Menschheit wirft: der Künstler in der Rolle des Ikonoklasten. Indessen entging Schelling der kunstfeindlichen Folgerung durch eine historische Konstruktion, die, nach dem Vorbild Schillers und Friedrich Schlegels, der modernen Kunst ihre Ansprüche gegenüber der Antike sichern sollte. In Vorwegnahme eines später von Hegel mit besserem Erfolg entwickelten Gedankens erklärte er: „Nur in der Geschichte der Kunst offenbart sich die wesentliche und innere Einheit aller Kunstwerke" (392).

Die idealistische Ästhetik hat die große Prämisse gedacht. So sehr auch die Linien des nachfolgenden Denkens divergieren, sie alle leiten sich von dieser Prämisse her und tragen den Stempel ihres Ursprungs aufgeprägt. Entscheidend ist der Begriff der Autonomie. Mit der Definition des Schönen als der Koinzidenz von Begriff und Anschauung (Schelling) oder des „Scheinens der Idee" ist ein ganzes Reich abgegrenzt, in dem die Kunst als unbeschränkte Herrin regiert. Ihr Statthalter ist der Künstler, von Amts wegen Genie. Und „das Genie ist autonomisch". Die Philosophie erkennt in ihm die „absolute Gesetzgebung", „welche nicht allein selbst autonomisch ist, sondern auch zum Prinzip aller Autonomie vordringt" (Schelling, Vorles. üb. d. Methode d. akad. Studiums, III 371); und indem sie als Kunstphilosophie diese Gesetzgebung entfaltet, konstruiert sie „das Universum in der Gestalt der Kunst" (III 388). In ähnlicher Weise feiert Hegel die Befreiung der Kunst von den ihr auferlegten Botmäßigkeiten durch die philosophische Ästhetik.

Nun liegt in dem Anspruch auf Autonomie eine Zweideutigkeit. Zunächst ist die künstlerische Selbstgesetzgebung geschichtlich gehaltvoll gedacht, und darin beruht die Kraft und Bedeutung dieser philosophischen Ästhetik gegenüber dem abstrakten Vollkommenheitsbegriff, mit dem Baumgarten operierte. Im Schönen, so heißt es, wird das Absolute real angeschaut. Oder auch: in ihm kommt die Idee zur Erscheinung. Das ist wohl eine Versöhnung *sui generis*, durch welche der Mensch erst recht heimisch wird in der Sinnenwelt. Nichts gleicht ihr, nichts kann sie ersetzen oder das bewirken, was sie bewirkt. Aber in dieser autonomen Einzigkeit ist sie inklusiv. Die Entfremdung, die sie überwindet – die menschliche Unbehaustheit in der Erscheinungswelt –, schließt alle nur erdenklichen Gegensätze und Spannungen in sich, schließt in sich die metaphysische Verlorenheit des Menschen, und zwar in der je eigentümlichen konkreten Form, die von der geschichtlich-gesellschaftlichen Situation des Künstlers und seines Publikums bestimmt wird. Nichts Menschliches kann ihr fremd sein – weder das Leiden des Vereinsamten und Verirrten noch die Not des Unterdrückten. Und entsprechend ist die in der ästhetischen Versöhnung erreichte und als Schönheit hervortretende Vollkommenheit nichts weniger als eine formale, d. h. inhaltsleere Harmonie. In ihr klingen die Leiden und Freuden, nicht nur des Menschen überhaupt, sondern des Menschen in seiner jeweiligen geschichtlich bedingten Daseinslage in einem beseligenden Akkord zusammen. In ihr offenbart sich in nichtbegrifflicher Weise unwiderlegliche Wahrheit. Man sieht: Autonomie, wie sie die idealistische Ästhetik versteht, bedeutet nicht Isolierung der Kunst, sondern formuliert einen totalen Anspruch.

Der Anspruch übersteigt das Maß möglicher Erfüllung. Das war den idealistischen Philosophen selbst klar. Er mußte historisch modifiziert und für die eigne Gegenwart zurückgeschnitten werden. Wenn die Kunst die totale Versöhnung leistet, wird sie zur Religion, und das Genie zum Propheten und Erlöser. Vor dieser Folgerung schreckten die entschlossenen Denker in der Nachfolge Kants nicht zurück, und um sie erträglich zu machen, mußte eine geschichtsphilosophische Konstruktion zu Hilfe gerufen werden. Nur einmal erfüllte die Kunst die ganze Forderung ihres Wesens – in der klassisch-griechischen Antike. Was sie damals hervorbrachte, waren Kunstwerke innerhalb eines Gesamtkunstwerkes – des festlich-griechischen Daseins. Aber diese Heiligung des Irdischen durch die Kunst gehört einer unwiederholbaren Weltstunde an. Die Zeit oder, wie Hegel es ausdrückte, „der Weltgeist“ ist über sie fortgeschritten, und mit diesem Fortschritt hat die Kunst ihren totalen Anspruch verloren. Sie hört nicht auf, sich zu entwickeln, aber sie gilt uns „nicht mehr als die höchste Weise, in welcher die Wahrheit sich Existenz verschafft" (Hegel, Vorles. über d. Ästhetik, Jub.-Ausg. XII 150). Sie bleibt „nach der Seite ihrer höchsten Bestimmung für uns ein Vergangenes". „Die Kunst ladet uns zur denkenden Betrachtung ein, und zwar nicht zu dem Zwecke, Kunst wieder hervorzurufen, sondern was Kunst sey wissenschaftlich zu durchdenken" (ibid. 32).

Wie steht es dann aber mit dem Lebensgesetz der Kunst in ihrem reduzierten Stande der Modernität? Diese Frage, von den romantischen und idealistischen Denkern verschiedentlich, aber nirgend in schlüssiger Form behandelt, ist vom Fortgang der Entwicklung folgerichtig beantwortet worden. Diese Antwort hat die Zweideutigkeit der behaupteten Autonomie zum Vorschein gebracht – das in ihr verborgene Entweder-Oder. Wenn dem totalen Anspruch nicht genügt werden kann, schlägt die grenzenlose Inklusivität in totale Exklusivität um. „Alles um der Schönheit willen" – das bedeutete, vom Künstler her gedacht, die ästhetische Polarisierung der ganzen Welt, die Kunstreligion der Antike, die Feier des Irdischen. Das Bild ändert sich, wenn wir an den Künstler in der modernen Welt denken. Gemäß dem Prinzip der Autonomie heißt es dann immer noch: „Alles um der Schönheit willen". Aber das bedeutet jetzt: Schönheit muß mit dem Leben bezahlt werden. Wer sie anschaut, ist des Todes. Denn sie, und damit die Kunst, gehorcht nur ihrem eigenen Gesetz, kennt weder Sitte noch Nutzen, ist erhaben über die Unterscheidung von Gut und Böse. Sie erscheint daher, wenn jene Unterscheidung in allen Phasen des Daseins durchgehalten wird, als böse oder dämonisch. Die Kunst, die unter dem Gebot der Autonomie steht, nur der Schönheit dienen darf, wird, vom Künstler her gesehen, ein unmenschliches Opfer. Auf ihr Tun und ihre Werke hin betrachtet wird sie „reine Kunst", esoterisches Spiel. Ethos, Darstellung oder was sie sonst an das Leben und seine Interessen band, sind ihr verboten. Wir stehen wiederum vor jenem pervertierten Begriff von Autonomie, wie er sich uns aus der Situation der Kunst in der modernen Arbeitswelt aufgedrängt hat – vor der exklusiven Autonomie, die damit beginnt, die Kunst in eine vielleicht glänzende, aber jedenfalls unfruchtbare Isolierung zu drängen, um dann in ihre Instrumentalisierung umzuschlagen.

Wir ziehen das Fazit aus den vorangegangenen Betrachtungen und erinnern an einen merkwürdigen Satz aus der Einleitung von Schellings Vorlesungen über die Philosophie der Kunst. „Den meisten geht es mit der Kunst, wie es dem Meister Jourdain bei Molière mit der Prosa ging, der sich wunderte, sein ganzes Leben Prosa gesprochen zu haben, ohne es zu wissen" (III 378). Meister Jourdain – das ist die Menschheit bis an die Schwelle der neuesten Zeit. Die griechisch-römische Antike, das christliche Mittelalter, die Kulturen des fernen Ostens und des nahen Orients – sie alle finden sich in der *einen* Erfahrung zusammen. Sie haben Kunst in großer Mannigfaltigkeit der Formen und in hoher Vollendung hervorgebracht, aber sie wußten nicht, was sie taten. Sie haben das Hervorgebrachte in Ehren gehalten, ihre köstlichsten Werke haben sie dem Dienst der Götter und der Herrscher geweiht, und sie haben die Meister oft fürstlich belohnt. Aber der Begriff der Kunst ist ihnen ebenso fremd geblieben wie der des Künstlers; oder, was auf das gleiche herauskommt, sie hatten einen anderen, einen „nichtästhetischen" Begriff von Kunst, der manches ausschließt, was unser Begriff einschließt (besonders die Dichtung) und zugleich einschließt, was wir ausschließen, und der dadurch uns fremdartig anmutende Zusammenordnungen hervorbringt – wie z. B. die indischen Kataloge der „Künste", die die Malerei der Kalligraphie einordnen. Es war in der Tat eine neue Lehre, die die neue Wissenschaft der Ästhetik in die Bildungswelt einführte und kraft deren sie dem Worte Kunst eine neue Primärbedeutung gab. Die Bereitwilligkeit, mit der die Welt sich diese Lehre aneignete, würde Staunen erregen, wenn man nicht bedächte, daß die ästhetische Botschaft ihre Wirkung tat als Ausdruck und Element einer literarisch-philosophischen und künstlerischen Bewegung, des ästhetischen Humanismus und der ihm auf dem Fuß folgenden Romantik, die um die Jahrhundertwende ihre Herrschaft über das geistige Leben Europas antrat. Die Ästhetik mit ihrem ebenso prägnanten wie anspruchsvollen Kunstbegriff erlebte damals ihren καιρός. Aber etwas Ominöses haftete dem fruchtbaren Augenblick an. Er traf mit dem Ende des Barock zusammen – des letzten in der geschichtlichen Abfolge der europäischen Gesamtstile. Die Selbstbewußtwerdung der Kunst als Kunst bezeichnete den Beginn einer Epoche der Kraftlosigkeit der Kunst. Nicht als ob es hinfort an großen Künstlern gefehlt hätte. Was aber von nun an mangelte, war die Kraft der Kunst, alle Lebensbereiche mit ihrem Stilwillen zu durchdringen – bis hinein in die intimen Äußerungen des Briefschreibers oder die Formung der Gegenstände täglichen Gebrauchs, wie das noch dem Barock gelungen war. Oder, anders gesehen: die Kunst war nicht länger höchster Ausdruck eines Gestaltungswillens, der in allen Äußerungen des täglich-gesellschaftlichen Lebens und in allen Phasen der Produktion zum Vorschein kam und den Töpfer, den Schlosser und den Drechsler zu Mithelfern an dem gemeinschaftlichen Werke der Lebensgestaltung machte. Der Prozeß setzte ein, den Hans Sedlmayr als „Verlust der Mitte" beschrieben hat. Jenes Wort von Hegel, welches die Begründung der „Wissenschaft der Kunst ... in unserer Zeit" in Zusammenhang brachte mit der Tatsache, daß die Kunst für uns „die ächte Wahrheit und Lebendigkeit verloren" hat (XII 32), weckte einen schicksalsvollen Nachhall.

Die Tatsachen sind unverkennbar. Doch geht es darum, ihre Bedeutung zu erfassen. Hegel scheint recht behalten zu haben. Aber da niemand daran denken wird, seine auf einem eigentümlichen Fortschrittsgedanken gegründete Geschichtsphilosophie für verbindlich zu halten, bleibt der Sinn seiner These vom Ende des wesentlichen Lebens der Kunst dunkel. Sollen wir wirklich glauben, daß eine Erkenntnis wahr, aber zugleich für die Tätigkeit, auf die sie sich richtet, lähmend oder gar tödlich sein könnte, und daß eben dies der Fall des in der Ästhetik verwirklichten Kunstbewußtseins im Verhältnis zur künstlerischen Tätigkeit wäre? Sollten wir ein Beispiel oder auch nur ein Analogon jener bekannten, durch falsche Bewußtseinskonzentration hervorgerufenen organischen Störungen vor uns haben – ein Mensch wird sich seines Gehens bewußt und beginnt zu stolpern?

Die berechtigten Schlußfolgerungen, die wir aus dem vorliegenden Sachverhalt gewinnen wollen, sind anderer Art. Sie beziehen sich (1) auf den Status der Kunst im Stande des Unwissens über die Kunst als Kunst, (2) auf die Gültigkeit des richtig verstandenen Autonomieprinzips unerachtet der Lebensverwobenheit der Kunst,

(3) auf den Zusammenhang zwischen dem pervertierten Autonomieprinzip und dem metaphysischen Irrtum über die Natur der Schönheit.

Im Ergebnis werden diese Schlußfolgerungen uns zu dem Ausgangspunkt unserer Betrachtungen zurückführen – zur Beantwortung der Frage, warum es ratsam ist, die Untersuchung über das Werden der Kunst der Untersuchung über ihr Wesen vorangehen zu lassen.

IV

(1) Es verhält sich in der Tat so, daß sich die Menschheit in ihrem Hervorbringen von Kunst wie Meister Jourdain betrug: die Völker waren immer mit anderen, vielartigen Interessen beschäftigt. Nichts lag ihnen ferner als Kunst im Sinne einer „Kulturleistung" hervorbringen zu wollen. Aber während sie mit Leidenschaft ihre andersartigen Ziele verfolgten, ergaben sich, fast möchte man sagen „wie nebenbei", Werke von solcher Herrlichkeit, daß sie nicht nur das Staunen und die Bewunderung der Zeitgenossen erregten, sondern noch nachfolgende Geschlechter in Bann schlugen. Und diese Werke sammeln wir nun, machen sie in lesbaren Ausgaben, in öffentlichen Sammlungen, durch photomechanische und phonographische Wiedergaben der Öffentlichkeit zugänglich, und wir benennen sie, und zugleich die Kraft und Tätigkeit, der sie ihre Entstehung verdanken, mit dem modernen Namen Kunst. Mit Recht tun wir das. Denn unerachtet der Gedanken und Interessen, die bei ihrer Entstehung mitgewirkt haben, leuchtet uns aus ihnen das eine Eidos der durch Menschenkraft versinnlichten Schönheit entgegen.

Was wir eben mit einem angreifbaren Ausdruck als „Entstehung nebenbei" gekennzeichnet haben, bedarf der näheren Bestimmung. Es bedeutet nicht etwa, daß jene Werkmeister nicht ihr Leben für die Vollkommenheit ihrer Werke einsetzten. Wissen wir doch, daß das Gegenteil wahr ist und daß die göttliche Leichtigkeit des Vollendeten am teuersten bezahlt werden muß. Wohl aber liegt in der so bedenklich klingenden Kennzeichnung die Behauptung: daß die Hingabe, die die vollendete Schönheit hervorbringt oder (richtiger gesagt) mit ihr beschenkt wird, eigentlich nicht ihr, sondern dem sich in ihr Zeigenden gilt – daß die Bewegung des Werdens, aus der das Kunstwerk entsteht, ihrem Oberflächenaspekt nach transitiv, ihrem Wesen nach aber transzendent ist. Das muß hier noch wie ein Rätsel klingen. Halten wir zunächst daran fest, daß sich bei der geschichtlichen Ontogenese der Kunst alles so vollzieht, als ob nicht etwa Ordnung und Wohlstand, Ruhm und Macht, Gunst der Götter, Mehrung aller Güter und Glück ohne Maßen begehrt würden – und obendrein noch die besondere Gabe der schönen Vollbringung, der Kunst, sondern im Verlangen nach dem Einen und zugleich Vielfältigen, dem εὖ ζῆν, erblüht eine gleichfalls mannigfaltige und wiederum aus *einer* Wurzel stammende Verherrlichung des eignen Lebens, seiner Mittel und seines Ziels, seiner Vollzugs- und Ausdrucksformen, seines natürlichen und künstlichen Rahmens. In der Gestaltung des guten Lebens ergibt sich „von selbst", daß es sich als schön darstellen will. Der Glanz des Guten, dem die Wahrheit des Daseins zugrunde liegt, verbreitet sich über das Leben in allen seinen Taten und Werken – ein Glanz, an dem alle Glieder der Gesellschaft, wenn auch nicht in gleichem Maße, mitwirken und sich erfreuen, ohne den das Leben nicht wirklich lebenswert wäre und der dennoch (aus Gründen, denen noch nachzufragen sein wird) zur Verführung werden kann, indem er die Schwächung des Rechts, die Lüge, die Krankheit, die Verwirrung trügerisch überglänzt.

Das Werden der Kunst tritt nicht als die Ausgrenzung und Bearbeitung eines neuen Gebietes hervor. Jenes eigentümliche Faktum, das im Felde der morphologischen Biologie von Adolf Portmann als „Darstellungsfunktion" herausgearbeitet worden ist, hat sein Analogon im menschlichen Dasein. Und auch hier, wie im tierischen Dasein, ist das Sich-darstellen nicht eine Funktion für sich, sondern eine das ganze Leben mitgestaltende Form des Funktionierens. Diese Form verbreitet sich aber nicht gleichmäßig über das Lebensganze. Nur dort tut sie sich hervor, wo ein Tun oder Wirken wichtig genommen wird. Nur das als bedeutsam und groß Erachtete wird der Hervorhebung und des Schmuckes für wert gehalten. Denn Schmuck, richtig verstanden, ist nicht äußere Zutat, die etwa das Nützliche auch noch dem Auge angenehm macht, sondern er schmiegt sich der Sache selbst an, ist ihr hervortretender innerer

Wert, ihre Zier und selbsteigne Rühmlichkeit, lateinisch gesagt ihr *decus,* das Scheinen, das ihrem Sein geziemt *(decet).* Unendlich Vieles und Verschiedenes kann je nach den Umständen von Volk, Zeit und Ort für wichtig erachtet werden: das Kamel und sein Sattelzeug, die Harpune und das Kanu, die Quelle und das Meer, die Büffelherde und der vulkanische Berg. Aber das Prinzip der Auswahl des Wichtigen ist immer und überall das gleiche. Immer geht es um Leben und Gutleben. Leben erhält sich durch Selbstbehauptung von Individuen und Gemeinschaften, vor allem aber durch Fortzeugung. Es ist wesentlich Zeugungskraft. „Gut-leben" bedeutet darüber hinaus bejahtes oder lebenswertes Leben: es ist das Prinzip sowohl der Erhaltung geübter Ordnung wie vor allem erahnter aber noch unerfahrener Lebensfülle. Fruchtbarkeit und Transzendenz, untrennbar miteinander verschränkt, sind, so können wir abkürzend sagen, das Thema des menschlichen Daseins. Was sich deutlich auf sie bezieht – was also lebenfördernd in dem Doppelsinn des Wortes Leben ist – all dies und nichts als dies begründet die Wichtigkeit, die ihrerseits die Grundlage für die Wirksamkeit der menschlich erhöhten „Darstellungsfunktion" werden kann. Geburt, Begattung und Zeugung, Krankheit und Tod, das Gedeihen von Pflanze und Tier, die Fruchtbarkeit der Erde und die Gunst des Himmels, Herrschaft und Kampf, die Ordnung der menschlichen Gewalten und die Pflege des Umgangs mit den göttlichen Gewalten – dies etwa sind die Elemente, die in den Kreis der Wichtigkeit und der darstellenden Erhöhung gehören. Dem durch diese Elemente bezeichneten Tun und Leiden des Menschen drängt sich auf, worum es beim Leben seines Lebens eigentlich geht. In ihnen liegt der Ernst des Daseins. Da aber der Ernst den Blick auf das Ende und Ziel von allem, das Gute, lenkt, so könnte man meinen, daß alles von ihnen bewegte und mit ihnen beschäftigte Handeln in besonderem Maße zweckhaft ist. Doch das wäre ein Mißverständnis. Denn wer Zweck sagt, denkt an Mittel, die nicht in dem Zwecke selbst enthalten sind. Aber gerade diese instrumentale Unterscheidung ist dem Tun in der Sphäre der Wichtigkeit fremd – schon die Begrenztheit menschlicher Verfügungsgewalt, die in diesem Tun als Begrenzung durch göttliche oder jedenfalls numinose Macht erfahren wird, verbietet seine Instrumentalisierung.

Vielmehr besteht das Ernst-nehmen hier darin, daß das sinn- und richtungsverleihende Ende (das τέλος) vom Anfang des Tuns durch seinen ganzen Verlauf hindurch da und gegenwärtig ist. Da ist nichts bloßes Mittel: in der einfachen Handreichung, in dem Akt der Herstellung, in dem richterlichen Entscheid und in der zeremoniellen Gebärde liegt jeweils das Ganze des Lebens in seiner Schwere und Süßigkeit. Und nur auf Grund solcher Gegenwärtigkeit kann sich der teilhafte Akt, die Herstellung eines Geräts, die besondere Handreichung oder konkrete Mitteilung zur Selbstdarstellung erhöhen, schön werden, jenen anfänglichen Glanz aussenden, der erst im Kunstwerk zu vollem Erstrahlen gelangt; denn was sich da darstellt, ist in Wahrheit nicht das einzelne Ding, das einzelne Tun, die einzelne Verrichtung, sondern in dem Einzelnen das Ganze des menschlichen Daseins in seiner über sich hinausreichenden Wahrheit.

Der Eindruck mag entstehen, als dächten wir an einen primitiven Zustand der Menschheit, den wir überdies in ein idyllisches Licht rückten. Nichts dergleichen ist beabsichtigt. Vielmehr soll, was hier von der Sphäre der Wichtigkeit und des Ernstes gesagt ist, von der menschlichen Gesellschaft schlechthin gelten. Es ist nur so, daß mit der fortschreitenden Entwicklung der Mittel und der wachsenden Verfügungsgewalt des Menschen über die Natur die elementaren Interessen zunehmend verdeckt werden. Daraus ergibt sich ein Versiegen der Kraft der Selbstdarstellung des Lebens in allen seinen Phasen. Die Ansatzpunkte für mögliches Kunst-werden verschwinden. Die ihrem Inhalt nach identisch bleibende Tunsweise verliert, wie man heute sagt, ihren „Ausdruckswert". Einst war sie poetisch. Jetzt ist sie trivial geworden. Ein müder Fremdling setzte sich an den Brunnen, und ein Weib, das dort Wasser schöpfte, gab ihm zu trinken. Nach der Legende war dieser Brunnen von dem Erzvater Jakob gegraben worden, und seitdem hatte er den Durst von Menschen und Vieh mit seinem Trank aus dem Schoß der Erde gelöscht. Nichts scheint uns natürlicher als der Vergleich dieses Wassers mit dem „lebendigen Wasser", das „in das ewige Leben quillt". Auch wir tun das gleiche – leiden Durst und trinken Wasser. Wir drehen den Hahn der Wasserleitung auf und denken dabei – nicht an das Wasser, das selbst zum fließenden Brunnen wird (das wäre lächerlich), sondern an die städtische Wasserversorgung, der wir diese Bequemlichkeit verdanken. Und doch muß sich das technische System der städtischen Wasserversorgung seinerseits von dem Wasser im „Schoß der Erde" versorgen lassen. Sich über den Verlust des poetischen Glanzes zu beklagen wäre vielleicht kindisch. Doch verbirgt sich hinter diesem Verlust die Gefahr der Verdummung des Menschen mit ihren greifbaren Folgen – wobei unter Dummheit verstanden sein soll: die Unfähigkeit, das Wichtige von dem Unwichtigen zu unterscheiden.[5] Es ist ein Symptom und zugleich eine Verschärfung dieser Gefahr, wenn sich heut zwei verschwisterte Philosopheme um die Herrschaft über den öffentlichen Geist streiten: der Technizismus („Nichts *ist,* alles ist machbar") und der Historismus („Der Mensch *ist* nicht, er wird von der Geschichte gemacht"). Wir würden Irrtum auf Irrtum häufen, wollten wir daraus eine „vernichtende" Kulturkritik herleiten – wir, denen Maßstäbe zum Urteilsspruch über Zeitalter und Kulturen vorenthalten sind. Wir stellen fest, daß das Böse in der Geschichte (wenn auch seinem Wesen nach gleichbleibend) seine Erscheinungsform zu ändern scheint. Gottesschändung, die übermächtige Versuchung einst, scheint der Gottvergessenheit Raum zu geben. Aber dies sei nur in Parenthese und mit Vorbehalt gesagt.

Der Ursprungsort der Kunst ist nicht da oder dort; er ist das Leben selbst, sofern es nicht nur in seinem Ernst gelebt, sondern für sich selbst dargelebt werden will – so etwa können wir das vorläufige Ergebnis unserer Überlegungen zusammenfassen. Die Definition der Schönheit als des *splendor veri* beruht nicht auf einer metaphysischen Konstruktion – ihre Richtigkeit bewährt sich in der geschichtlichen Erfahrung der menschlichen Gesellschaft. Das Leben will sich nicht nur vollziehen, sondern sich in seinem auf ein Telos (das Gute) gerichteten und sich ständig an ihm messenden Vollzug zeigen – es will Gestalt, Bild, Gegenstand der Anschauung werden, doch ein Gegenstand *sui generis.* Er läßt sich nicht nur von uns ansehen, und zwar so, daß das Anschauen bei ihm verweilt, sich in ihm beruhigt und sich an ihm sättigt, sondern das Bild sieht uns an. Wir müssen vor ihm zu bestehen suchen. Das von einem unseresgleichen Gebildete erweist sich als Bildungskraft. „Denn da ist keine Stelle, die dich nicht sieht. Du mußt dein Leben ändern".

So Rilke vor dem archaischen Torso Apollos (Neue Gedichte, 1930, S. 117). Nun ist ein weiter Weg von der schön gerundeten Schale, dem Totembild, dem rituellen Tanz bis hin zu dem vollendeten Werk, das uns (so gewaltig ist der Zauber, den es ausübt) zu der Ansicht bereden möchte: wenn das Leben der Menschen nur dazu gut war, solches hervorzubringen, dann soll es uns als gerechtfertigt gelten. Wem dieser verführerische Spruch nicht wieder und wieder zugeflüstert worden ist, hat wohl die Bekanntschaft mit dem Kunstwerk noch zu machen; und eine Theorie, die dieser Erfahrung nicht gerecht wird, verfehlt ihren Gegenstand. Die von uns gewagte Formel muß erst ihre Fähigkeit erweisen, den Anfangspunkt der Genesis mit ihrem entfernten Zielpunkt zu verbinden. Dabei ist das von uns untersuchte „Werden ins Sein“ als Ontogenese, nicht als Historiogenese zu verstehen. Nicht die Entstehungsgeschichte der Kunst als erstes Kapitel der Kunstgeschichte steht in Frage, und noch weniger der künstlerische Schöpfungsakt als psychologisches Phänomen, sondern das „Wesenswerden“, das sich immer vollzieht, wo Kunst wird.

V

Von dem menschlichen Leben als Ganzem leitet das Kunstwerk seinen Ursprung her. Aristoteles folgend unterscheiden wir zwei Arten oder besser, zwei Aspekte dieses Lebens als Ganzen: Praxis und Poiesis. In der Praxis ist der Mensch ganz: sein Eigenstes und Innerstes, die Sicht des Guten und die Entscheidung dafür kommt in ihr zum Vorschein. Sie äußert sich in einzelnen Taten. Unter dem Gesichtspunkt der Praxis darf aber keine Tat oder Handlung für sich genommen werden. Jede einzelne legt Zeugnis ab von dem βίος, dem Lebensganzen, wie sie ihrerseits dazu beiträgt, dies Ganze aufzubauen. Der Erfolg oder Mißerfolg einer Tat kann zwar Licht auf das werfen, was sie in sich selbst ist, aber er kann nicht ihren Wert bestimmen. Sie erfüllt sich und hat ihren Wert in ihr selbst. Das ist die Wahrheit, die in dem Gemeinspruch: „das Gute ist um des Guten willen zu tun“ ausgedrückt wird.

Poiesis ist Machen, Schaffen, Herstellen von etwas. Sie ist Tun unter dem Gesichtspunkt des hervorzubringenden Werkes. Zum Werke gehört, im Unterschiede von der Tat, daß es unabhängig von dem Werkmeister und dem Prozeß der Hervorbringung in sich selbst dasteht. Für die Poiesis liegt daher der Maßstab der Beurteilung nicht in ihr selbst, sondern allein im Werk. Hier zählt der Erfolg und nichts als der Erfolg. Das zeigt aber schon, daß Tun unter dem Gesichtspunkt der Poiesis nicht das konkrete Tun ist, sondern Tun unter Abstraktion von Motiv, Habitus, Lebensganzem. Zwei Ärzte, Werkmeister der Gesundheit, heilen ihren Patienten durch richtige Anwendung der Regeln ihrer Kunst, der eine aus Menschenliebe, der andere aus Gewinnsucht. Unter dem abstrakten Gesichtspunkt der Poiesis sind die beiden Handlungen einander gleich: sie haben beide Gesundheit hervorgebracht. Konkret, d. h. unter dem Gesichtspunkt der Praxis gesehen, sind sie grundverschieden. Das Beispiel macht klar, in welchem Sinn die Poiesis der Praxis untergeordnet ist. Die Poiesis ist vom Werk her zu beurteilen, das Werk aber von der Praxis her. Die Poiesis hat durch ihre Werke der Praxis zu dienen, und die Umkehrung dieses Verhältnisses verkehrt eine natürliche Ordnung.

Wo setzt die Selbstdarstellung des Lebens als Stufe in der Genesis der Kunst an? Die nächstliegende Antwort würde lauten: bei der Poiesis. Denn Kunst ist Poiesis, eine Art von Werk-schaffen. Nichts scheint begreiflicher, als daß sich aus der Freude am Werk die Freude am Darstellerischen des Werkes entfalten könnte.

Dennoch ist die Antwort unzulänglich. Der Weg, den sie zeigt, würde allenfalls zu den bauenden und bildenden oder, wie wir zusammenfassend sagen wollen, den „raumbildnerischen" Künsten führen. Wenn wir aber, diesem Weg folgend, den Künstler als einen über die Grenzen des Handwerks hinausgewachsenen Werkmeister verstehen (der Steinmetz wird zum Bildhauer, oder er steht auf einer Stufe, auf der diese Unterscheidung undeutlich bleibt), dann setzen uns der Gesang, und überhaupt die Musik, der Tanz, das Schauspiel, die Dichtung in Verlegenheit – alle die Künste also, deren Werke keine materiale Dauer besitzen, sondern nur im Vollzug da sind und auf Grund von Erinnerungszeichen (Schrift, Noten, choreographische und szenische Figuren) produziert und reproduziert werden können. Diese „zeitbildnerischen Künste" passen nicht in das Schema und machen uns klar, daß wir im Begriff sind, gerade das zu verfehlen, worauf wir zielen: die Wesensform, die die Künste, jede einzelne von ihnen, erst zur Kunst machen.

Wir kommen der Wahrheit näher, wenn wir den Ansatzpunkt für die raumbildnerischen Künste in der Poiesis, für die zeitbildnerischen Künste in der Praxis suchen. Um mit diesem Gedanken voranzukommen, müssen wir zunächst ein Moment der Abstraktheit, das den beiden aristotelischen Begriffen anhaftet, abstreifen. In der Poiesis, so sahen wir, gilt nur das Werk, das sich von dem Werkschöpfer und seinem Tun als selbständiges Gebilde ablöst. So tritt die Gesundheit als Werk dem „Gesundheitskünstler" mit seiner ärztlichen oder unärztlichen Gesinnung als unabhängig und fremd gegenüber. Das Werk der Poiesis ist depersonalisiert. In Wahrheit aber paßt diese Depersonalisierung nur auf einen idealen Grenzfall. Der Wirklichkeit der Poiesis wird sie nicht gerecht. Sie gilt nur unter der Bedingung einer durchgeführten rationalen Instrumentalisierung, wie sie allenfalls in der modernen Technik verwirklicht worden ist. Der Zweck wird in seiner Besonderheit verallgemeinert, isoliert und ihm werden dann die Mittel zugeordnet. Solange sich aber der Zweck im Kreise des Wichtigkeitsbewußtseins hält, steht er nicht für sich, sondern gehört in das zu besorgende Lebensganze. So wird das werkmeisterliche Tun durchdrungen von dem Ernst des Daseins und getragen von der Größe der zu bewältigenden Aufgabe. Weder ist der Zweck ein Vereinzeltes, noch steht er bloß am Ende des Schaffensvorgangs. Als Aspekt der Gesamtsorge ist er in jedem Moment dieses Vorgangs gegenwärtig und wirksam. Deswegen wird der gute Werkmeister seine Seele in sein Werk legen. Wohl löst sich das Werk von ihm ab, aber als ein Stück seiner selbst. Er selbst, sofern in ihm die Wahrheit des Gesamtdaseins lebte, lebt in dem Werke fort, gleichgültig ob es anonym bleibt oder seinen Namen trägt. Goethe meinte, der Übergang von dem durch Notwendigkeit regierten Handwerk zur Freiheit der Kunst würde bewerkstelligt durch ein „natürliches Gefühl des Gehörigen und Schicklichen". Dies Gefühl, das auch den letzten Meister nicht verlassen darf, „welcher die höchste Stufe der Kunst besteigen will", sorgt dafür, daß wir dem Gebrauchsgegenstand „eine angenehme Gestalt geben, es an einen schicklichen Platz und mit anderen Dingen in ein gewisses Verhältnis setzen können." Dies „gewisse Verhältnis" ist nicht auf die unmittelbare Umgebung oder das Sichtbare zu beschränken, sondern auf das Daseinsganze zu beziehen, wie es sich dem „tiefen unerschütterlichen Ernst" (nach Goethe die Grundlage aller Kunst) offenbart.[6] Aus diesem totalen Bezug und dem dadurch einfließenden Ernst gewinnt das Gebrauchsding, wie es unter den Händen des Werkmanns wird, seine Würde, die sich darstellen und Schönheit werden will.

Auch der aristotelische Begriff der Praxis, großartig in der Konzeption und in gewissen Grenzen unüberbietbar, ist nicht frei von einem Moment der Depersonalisierung. Zwar: „in der Praxis ist der Mensch ganz: sein Eigenstes und Innerstes, die Sicht des Guten und die Entscheidung dafür kommt in ihr zum Vorschein". Wenn wir aber weiterfragen, was dies Eigenste sei, so lautet die Antwort des Aristoteles: ein Göttliches (ϑεῖον), der Geist (νοῦς), der zwar im Menschen wohnt, seine Menschheit begründet, aber doch nicht der Mensch, als einzelner, *ist.* Diese bekannte metaphysische Schwierigkeit interessiert uns hier, sofern sie (im Unterschied zu Plato) eine gewisse Schematisierung des Begriffes der Praxis zur Folge gehabt hat. Praxis wird einseitig unter den Gesichtspunkt des geist- oder vernunftbeherrschten Tuns gerückt. Dadurch wird der Gedanke der Entscheidung verfehlt.[7] Dadurch wird ferner, was vielleicht noch schwerer wiegt, jenes emotionale oder, wie wir lieber sagen, das passionale Element der Praxis verdunkelt, das dann, gegen Aristoteles, von dem Christen und Platoniker Augustin zur Geltung gebracht worden ist. Alles Tun ist zugleich Leiden. Die Praxis, in dem engeren, aktivistisch-rationalen Sinn des Wortes, ist ko-extensiv mit dem „Pathetischen". Dem Tun und Erlangen geht ein Verlangen und eine Sehnsucht nicht nur voraus – es ist vielmehr in jeder Phase von dem Pathos des Sich-ausstreckens nach ... belebt und erfüllt. Entsprechend ist das Nicht-Erlangen im Scheitern des Tuns für den Handelnden nichts weniger als bare Privation: es setzt ein inneres Tun, ein unmittelbar empfundenes Leiden in Bewegung, ein Wogen von Kummer, Schmerz, Verzweiflung. Es ist geradezu so, daß der Privation auf der Seite der *actio* eine Position auf der Seite der *passio* entspricht. Das eigentliche Feld des Gefühlslebens ist die Spannung und das Mißverhältnis zwischen Aspiration und Consummation. Der glatte Vollzug zielbewußten Handelns läßt dem Handelnden keinen Raum für Nachdenken und Gefühl, und insofern gibt es für ihn nichts Unfruchtbareres als den Erfolg. Umgekehrt wirft die Hemmung, das Verfehlen, der Verlust den Handelnden auf sich selbst zurück und gibt ihm die Aufgabe, im Sturm des Gefühls wieder zu sich selbst zu finden.

All diese Beobachtungen lassen sich noch dem Rahmen der aristotelisch gedachten Praxis einfügen. An die Grenze dieses Begriffes gelangen wir erst mit dem Gedanken des reinen, von keinem Erleiden getrübten Tuns, das nach Aristoteles in der Seligkeit der geistigen Schau besteht. Ist nun das Tuende in diesem reinen Tun der Mensch in seiner Eigentlichkeit oder nicht vielmehr das überpersönliche Göttliche? Mit dieser Frage fragen wir schon über Aristoteles hinaus und setzen eine von ihm nicht gesetzte Unterscheidung. Wir denken als das Zentrum der Eigentlichkeit im Menschen „das in ihm, was sich auf Gott richtet." Darin sind wir Schüler der Griechen und des Aristoteles. Aber während Aristoteles diese Formel durch die für ihn gleichbedeutende ersetzen konnte, die da sagt: „das in uns, was sich auf uns selbst richtet", womit er, Gottesliebe und Selbstliebe gleichsetzend, alles Erleiden aus dem eigentlichen Selbst verbannte, werden wir dem christlichen Lehrer folgen, der diese Eigentlichkeit nicht als Nous oder Ratio, sondern als *cor* bezeichnete. Wir werden das Erleiden in die *acies mentis* selbst hineintragen als das entscheidende Merkmal endlicher Personalität (im Unterschied von dem Gedanken des *animal rationale* als eines verendlichten Gottes). Als Prototyp des Tuns des Menschen im Stand der Eigentlichkeit wird uns dann nicht das ungehemmte, aus sich selbst abrollende und sich selbst zum Ziel nehmende Tätigsein zu gelten haben, sondern vielmehr ein Akt der Selbstenteignung – ein geistiges Pathos, wie es in den Zuständen der Eingenommenheit, des Hingerissen-werdens und des Hingegebenseins zum Vorschein kommt. Damit erst wird mit dem oben ausgesprochenen Wort von einem Deckungsverhältnis von Tun und Erleiden ernstgemacht. Und damit ist ferner die Grundlage geschaffen für das Verständnis jener Akte, die von der Früh- und Hochscholastik als „ekstatisch" bezeichnet wurden. In der Liebe, dem Prototyp dieser Akte, ist der Liebende ent-zückt, außer sich, in und bei dem geliebten

Gegenstand. Nicht der Selbstbesitz im Zustand reinen Tätig-seins, sondern reine Selbstentäußerung in der Hingabe an das Hingabewürdigste muß als die höchste Bezeugung des Eigentlich-seins der Person gelten.

Wie kommt nun, im Lichte des modifizierten Begriffes von Praxis gesehen, das menschliche Tun dazu, sich in seinem Vollzug auch noch darzustellen und das bedeutet: einen Ansatzpunkt zu bieten für das Werden von Kunst? Die Antwort wird in Analogie stehen zu der Antwort auf die gleiche Frage, die wir an die Poiesis gerichtet haben.

Zunächst werden wir das uns schon bekannte Kriterium anwenden: wir haben unsere Aufmerksamkeit auf diejenigen Formen des Tuns zu richten, die in hervorragendem Maße in den Kreis des Wichtigen und damit des Daseinsernstes gerückt sind. Wenn z. B. das Schauspiel in der dem bürgerlichen Drama vorausgehenden Zeit die Könige und die Großen der Welt bevorzugte, so geschah das, weil in den Handlungen der Hochgestellten das Wichtige vorherrscht, sofern es mit dem Politischen gleichgesetzt wird. Das Werk der Poiesis *kann,* so sahen wir, wenn es in Kontakt mit der Sphäre des Ernstes ist, über seinen Dienst hinaus sich als bedeutend, als „beseelt" zeigen; es *kann* Ausdruckswert gewinnen. Die Dinge liegen anders im Bereich der Praxis. Die Tat ist hier immer und notwendigerweise Ausdruck. Das Warten des Kindes hat nicht nur Mutterliebe zur Ursache, sondern drückt Mutterliebe aus. Das Vorstürmen des Helden in die feindliche Schlachtreihe ist nicht nur Bewährung, sondern drückt Kampfesmut aus – und damit ist es schon unterwegs zu dem zeremoniellen Schwertertanz; gerade wie das Brüsteschlagen und Wehrufen des Trauernden unterwegs ist zum Threnos. Der Begriff des Aus-drucks gehört seinem Ursprung nach in die Sphäre nicht des Werkbildens, sondern der Praxis. Das, was als Darstellung nach außen tritt, bedrängt im Inneren als Gefühl. Je gefühlsgeladener ein Tun, desto ausdrucksvoller. Und die Gefühlsgeladenheit wiederum findet sich vor allem dort, wo das Leiden und Erleiden überwiegt. Zwar gilt nicht der allgemeine Satz: daß Trauer tiefer ist als Freude. Vielmehr liegt die Freude, die Gefühlsform der Bejahung, allem tätigen Dasein zugrunde. Wohl aber gilt der Satz für das Ausdrucksleben. Die Freude tritt hinter dem freudigen Tun zurück, die Trauer hingegen als ein innerliches Tun tritt als Ausdruck hervor. Deswegen gibt es Trauerspiele, aber kein Freudenspiel. Deswegen darf die bildende Kunst die Trauer festhalten (wie in dem Bild der Melancholia gehen dann Schwermut und Tiefsinn ineinander über), aber sie kann nicht die Freude zu Stein werden lassen. Nur muß Trauer richtig verstanden und von Depression (einer beklagenswerten Gemütskrankheit) unterschieden werden. Trauer läßt sich nur dem Betrauernswerten widmen. Sie ist also eine in Schmerz eingehüllte Freude und zugleich die (vielleicht nie endende) Bemühung, diese Verhüllung zu durchdringen.

Wir sprechen von einer Analogie zwischen Poiesis und Praxis hinsichtlich ihres Darstellungscharakters. Doch kreuzt sich das analogische Verhältnis mit einem Moment der Gegensätzlichkeit. Das Werk der Poiesis mag zunächst wie tot scheinen – so deutlich ist es von dem Werkmeister getrennt, so bereit ist es, sich selbst in seinem Dienst als eigenständiges Gebilde auszulöschen. Dann, als beseelte Darstellung und als Ausdruck, fängt es zu leben an und spricht für seinen Urheber. Die Wandlung, obwohl im Wesen der Poiesis angelegt, grenzt an das Wunderbare. Etwas nahezu Wunderbares erkennen wir auch im Darstellung-werden der Praxis. Nur verläuft die Wandlung in umgekehrter Richtung. Am Anfang steht hier der Ausdruck. Der ganze Mensch zeigt sich als gegenwärtig in seinem passionalen Tun. Aber dies Tun ist doch nur eine Phase im Lebenslauf – was kann sie festhalten? Das Erstaunliche besteht hier also in der Ablösung des lebendigen, aber entgleitenden Ausdrucks zur in sich ruhenden Gestalt. Dieser Vorgang bliebe schlechthin unverständlich, wäre uns nicht das ekstatische Moment des passionalen Lebens bekannt. Was beim Schauspieler zur radikalen Ablösung von der eignen Person und zum Gegenstand künstlerischer Gestaltung innerhalb eines Dramas wird (er agiert nicht aus seiner Personmitte, sondern aus der Mitte des von ihm personifizierten Charakters heraus), das hat seine Vorform einerseits in der repräsentativen Handlung – des Priesters etwa im Vollzug des Ritus, bei dem er „ganz Priester“ wird – oder auch in der histrionischen Versuchung, die wohl jedem Menschen einmal nahetritt und die uns, wenn wir ihr unterliegen, zu Komödianten des Lebens macht. Dann wird das hinreißende Pathos des entflammten Patrioten, des empörten Biedermanns, des leidenschaftlichen Liebhabers zu einer mit Genuß und schließlich mit Routine gespielten Rolle. Das gestaltende Schaffen des Werkmeisters, der Holz bearbeitet oder am Stein meißelt, ist zunächst nüchterne, strenge, sachgebundene Arbeit. Etwas wie ein erleuchtender Blitz muß in sie einschlagen, damit sie Schöpfung wird und das Gestaltete zu atmen beginnt. Das Unbewegte muß bewegt werden. Umgekehrt hebt das zeitbildnerische Tun mit der leidenschaftlichen Gemütsbewegung an, deren Ausdruck durch Distanzierung gegenständlich, bildhaft zu machen ist. Das Bewegte muß durch Gestaltung stillegestellt werden. Die beiden gegenwendigen Bewegungen aber müssen in ein Gleichgewicht gebracht werden. Weder darf die werkmeisterliche Gewissenhaftigkeit hervorstechen – sonst wirkt die Darstellung kalt und unwahr, wenn auch „gekonnt" – noch auch die ekstatische Leidenschaft, die uns als „roh" von der Darstellung ablenkt und zur Abwehr aufruft.

VI

Die Lockerung des Zwangs der bitteren Lebensnotwendigkeit hat, nach Aristoteles, die Entwicklung der „Künste" und damit der Zivilisation möglich gemacht – ein Gedanke, der dann in die Tradition eingegangen und bis zum heutigen Tage lebendig geblieben ist. So findet er sich beispielsweise in der Theorie wieder, die Arnold Toynbee seiner Geschichtsbetrachtung zugrunde legt: nur wenn die Hindernisse, mit denen die Natur zur Gegenwehr herausfordert, ein gewisses Maß an Furchtbarkeit nicht übersteigen, kann eine schöpferische Antwort von seiten des Menschen erwartet werden. Auch wir werden in Verfolg unseres Gedankenzuges auf die aristotelische Beobachtung nicht verzichten können. Denn, so mag man zu bedenken geben, wir stehen immer noch vor einem unaufgelösten Rätsel. Es sei so, daß zwei Werdelinien auf den gleichen Endpunkt hinzielen: die eine, bei der werkmeisterlichen Tätigkeit ansetzend, führt zu raumbildnerischem, die andere führt von der Praxis zu zeitbildnerischem Tun. Aber Poiesis wie Praxis bleiben gefesselt unter dem Zwang der Notdurft des Leibes. Unerklärt bleibt das Erstaunliche: die Befreiung der Werkgestaltung zur Darstellung, der ausdrückenden Geste zum geformten Ausdruck. Auf dieses Bedenken antworten wir: das Medium des erstaunlichen Übergangs, der Triumph über den Lebenszwang, die Polarisierung des Daseins als sich verzehrende Mühe durch das Dasein als sich genießende Gegenwart – all dies findet sich im Fest. Das Fest ist der Ort des Werdens und Fortbestehens der Kunst im Leben. Das Fest ist zugleich der Ort der Begegnung und Eins-werdung des zunächst Getrennten: des zum Leben erwachenden Werkes der Poiesis, der zur Gestalt erhöhten Praxis.

In jüngster Zeit ist viel über Fest und Feier und ihren Zusammenhang mit der Kunst nachgedacht und geschrieben worden. Unsere historische Anschauung ist bereichert und einige der wichtigsten Begriffe sind einer Klärung entgegengeführt worden.[8] Da hier nicht der Ort ist, die Problematik in ihrer Breite aufzurollen und schon Gesagtes wieder zu sagen, beschränke ich mich, in ständigem Hinblick auf unseren ontogenetischen Gedankengang, auf eine schematische Angabe der entscheidenden Gesichtspunkte.

A. Das Fest hat seine eigene Zeitform, die es als „gesteigerte Muße" aus dem Arbeitsleben heraushebt. Diese Zeitform bezeichnen wir als ekstatische Gegenwart. Der immer planend auf die Zukunft gerichtete Zeitfortschritt ist gleichsam zum Stehen gebracht. „Gleichsam", nicht wirklich, denn auch das Fest „verrauscht". Aber in seinem Verlauf bildet es wie Lied oder Drama eine natürliche Zeitgestalt mit Auftakt, Höhepunkt und Ausklang. Zeit wird verinnerlicht: unbeschadet ihres Verrinnens ist sie als erfüllte Zeit in jedem Augenblick ganz da.

B. Das Fest verlangt seinen eignen Raum – einen Festplatz oder Festraum. Die Bereitung des Raumes, etwa durch Errichtung einer soliden Festhalle, gehört wesentlich zur Feier des Festes. Hinsichtlich der Zeitform entspricht sie der Wiederholbarkeit des Festes als einer Institution. Aber nicht jedes Fest ist oder wird Institution. Der Raum kann auch – ein extremer Fall – ganz in das Innere des einzelnen verlegt werden.

C. Die Substanz des Festes ist die Stimmung. Nur dadurch, daß es die Mitfeiernden in die Feststimmung hineinreißt, kann es sich als gesellschaftliche Realität aktualisieren. Nur als Vereinigung von

Hochgestimmten erhebt sich das Fest über die alltägliche Lebensmühe.

D. Das Fest hat zum Anlaß entweder ein sich wiederholendes Ereignis wie das Erwachen der Natur im Frühling oder ein einmaliges Ereignis wie eine Geburt oder einen Sieg. Beide Ereignisarten können zu einem sich periodisch wiederholenden, d. h. institutionalisierten Fest Anlaß bieten. Wenn es seinen Ursprung einem einmaligen Ereignis verdankt, wird das Fest zur Erinnerungsfeier. Das dereinst Geschehene wird wieder vergegenwärtigt als ein fortdauernder Bestandteil des Daseins. Bei aller Vielfältigkeit der Anlässe haben sie doch dies miteinander gemein, daß sie der Zone der Lebenswichtigkeit angehören. Nur wenn sie solcher Art sind, daß sich der Ernst leidenschaftlicher Hoffnung oder leidenschaftlicher Befürchtung an sie knüpft, können sie zu echten Festen werden, die von echter Gemeinschaft Zeugnis ablegen. Staatsfeiern, wie sie von den totalitären Regierungen unserer Tage befohlen werden, sind ihrem Inhalt nach Propaganda, ihrer Form nach eine Entartung der im 18. Jahrhundert entwickelten Militärparade. Allein die Religion, als das Zentrum der Sphäre des Ernstes, ist das Feld, von dem das öffentliche und institutionalisierte Fest nicht vertrieben werden kann. Sonst bleibt ihm nur die Zuflucht in die Innerlichkeit des privaten Lebens.

E. Schon die Tatsache, daß durch das Fest ein bedeutendes Ereignis „begangen" wird, sorgt für die Emporgehobenheit des Begehens über die Alltäglichkeit. Zugleich aber wird dadurch das Erhöhte an das Leben zurückgebunden. Es gliedert den Fluß des Daseins, über den es sich erhebt. Erst durch diese Gliederung nimmt das Dasein eine geordnete Zeitgestalt an.

F. In seiner Herausgenommenheit aus dem Dasein ist das Fest frei vom Lebenszwang. Es kreist in sich selbst. Es ist Spiel. Für die Dauer dieses Spiels vergessen die Spieler sich selbst. Sie sind „wie verzaubert", als Mitspieler in das Spiel entrückt, auch dann, wenn sich ihr Mit-tun auf Zuschauen beschränkt. Dies Zuschauen ist für Zeiten, in denen das Fest blüht, der Inbegriff irdischer Seligkeit. Die Wörter θεωρία und *contemplatio* verdanken solcher Schau ihre Bedeutungsfülle.

Mit dem Spiel und seiner Freiheit ist jedoch nur *eine* Seite des

Sachverhalts beleuchtet. Das Fest ist nicht nur über das Leben erhöht – es ist auch und vor allem erhöhtes Leben. Es ist das Leben, und zwar das besondere, konkrete, von einer Gesellschaft jeweils gelebte Leben noch einmal, um seinen Sinn versammelt und zu ekstatischer Schau gesteigert. Mit anderen Worten, es ist Mimesis. Mimesis, das Leben, das sich für sich selbst darstellt, umfaßt den Menschen und die Welt, die ihn umgibt und nährt. Die uns durch die moderne Entwicklung aufgedrängte Unterscheidung zwischen darstellender und nachahmender Kunst auf der einen, „abstrakter" Kunst auf der anderen Seite droht, uns in einen längst überwundenen Begriff der „Nachahmung" – eine unglückliche Wiedergabe von Mimesis – zurückzustürzen. Mimesis, wie sie aus dem Fest entspringt, ist nicht Abklatsch, sondern ekstatische Re-aktualisierung des Wesens der Dinge. Das Leben ist Kampf – so wird das Fest zum Agon; es ist Bewährung – so kann die Apotheose des Helden zum Inhalt der Feier werden. Aristoteles nannte die Musik, die die Bewegungen des Gemüts im Klang re-aktualisiert, die am meisten mimetische der Künste, und es ist uns heute geläufig geworden, das Moment der Mimesis in der Architektur zu entdecken. Wir sehen den romanischen Dom als Burg des Himmelsherren, die gotische Kathedrale als Darstellung des himmlischen Jerusalem.[9] Am Anfang der Mimesis steht nicht das Verhältnis von Vorbild und Abbild oder Muster und Nachahmung, sondern die Bildwerdung des Vollzugs im Sich-selbst-darstellen. Die feierliche Geste etwa des Abschied-nehmens wird von ihr selbst her zum Bild, das sich von der Realität loslösen kann: die Möglichkeit der Wiederholung des Bildes als Bild durch Re-aktualisierung im Spiel ist in ihm schon ebenso vorgebildet wie sein Gebrauch (im Leben oder in der Kunst) als „Pathosformel". In diesem Sinn ist das Fest „das Leben noch einmal", Mimesis und Ursprungsort mimetischer Kunst. Es ist „Darstellungsfunktion" *in actu*. Es entbindet das Leben, das trächtig ist mit seiner eignen Bildhaftigkeit, zur Geburt eines das Wesen aussprechenden Scheins. Als gespielte Illusion wird eine sonst unverwirklichte Herrlichkeit angeschaut. Dies „sonst unverwirklichte" mag verstanden werden als „nicht mehr wirklich" – das Fest ist dann vorwiegend Erinnerungsfest. Oder es kann gedacht werden als „noch nicht wirklich" – die beiden Möglichkeiten schließen einander nicht aus. Wenn immer ein Mensch sich in einer glücklichen Stunde zu einem hohen Feste ankleidet oder auch verkleidet (die Festtracht ist schon der Übergang zum „Kostüm"), mag er sich die Worte der verkleideten Mignon zueignen:

So laßt mich scheinen, bis ich werde ...

G. Das Spiel und das Anschauen des Spiels gehören im Fest so eng zusammen, daß sie ineinander übergehen. Das Fest reflektiert sich in sich selbst. Die Hymne als Teil des Festes mag das Fest selbst besingen. Der Bildfries an der Tempelwand, die zum Rahmen des Festes gehört, mag, wie der Parthenonfries, den Festzug darstellen.

H. Das Fest ereignet sich nicht, sondern es wird geplant und vollzieht sich nach mehr oder minder streng beobachteten Regeln. Darin ähnelt es einem Schauspiel oder einem künstlerischen Tanz. Die Planung aber wird der Improvisation Spielraum lassen müssen. Denn das in voller Lebenskraft stehende Fest fordert eine Spontaneität, die der theatralischen Aufführung fremd ist. Es unterscheidet sich sowohl von der in Heiligkeit erstarrten Formel des Ritus als auch von dem durchgeformten Drama dadurch, daß in ihm die Ereignishaftigkeit nicht ganz getilgt ist. Darum ist das Feiern eines Festes für die feiernde Gemeinschaft eine Probe und ein Wagnis. Die Störung des Festes kann eine Tragödie auslösen, wie das in Dostojewskis Roman ›Die Dämonen‹ gezeigt wird.

I. Das Fest, über das Leben in seinem zeitlichen Verlauf hinausgehoben und diesen wiederum gliedernd, strahlt zugleich in das Leben aus. Oder, da die Rückwirkung des Festes auf das Leben nicht von dem Anlauf des Lebens zum Fest unterschieden werden kann, ist es vorsichtiger zu sagen, daß es ein Vermittelndes zwischen Alltag und Festlichkeit gibt. Es besteht teils im Zeremoniell mit der ganzen Stufenleiter seiner Formen, teils in der schmuckhaften Herrichtung der Gerätschaften des täglichen Gebrauchs – von Griffel, Tischbesteck und Stuhl bis zu Karosse und Salon. In äußerster Steigerung verbinden sich Zeremoniell, Glanz der Lebensausstattung und Feier zu etwas wie einem permanenten Fest. Man denke etwa an das Leben des französischen Hofes, wie es von Madame de Lafayette in der ›Princesse de Clèves‹ geschildert wird.

Leben und Spiel vermischen sich. Die großen Herren und die großen Damen benehmen sich als wirkliche Personen, die wirkliche Intrigen spinnen, Politik machen und Kriege führen – aber zugleich als scheinhafte Impersonationen der Ritter von König Artus' Tafelrunde, wiedererstanden im Zeitalter der Galanterie, der heroischen Rhetorik und der neurömischen Seelengröße im Stil des Corneille.

J. Das Fest weist über sich selbst hinaus. In ihm wird Etwas gefeiert. Dieser Gegenstand ist nur teilweise identisch mit dem Anlaß. Es liegt im Wesen des Anlasses, auf den Gegenstand hin transparent zu sein. Der Anlässe sind viele, aber sie alle gewähren einen Durchblick auf den unitarischen Gegenstand. Wenn wir eine Geburt feiern, so mag der Anlaß die Wiederkehr des Geburtstages sein, der Gegenstand aber, das, was da gefeiert wird, das Ereignis der Geburt und doch nicht nur dies. In ihm wird zunächst der Geborene gefeiert, dann das Leben, in das er geboren worden ist und schließlich die Quelle und der Herr seines Lebens und alles Lebens. So ist schon mit der Feststellung, daß das Fest einen Gegenstand hat – und zwar den Gegenstand, in welchem sich alles leidenschaftliche Hoffen und Fürchten zu einer überwältigenden Wirklichkeit verdichtet –, der fundamental religiöse Charakter des Fests ausgesprochen. Zwei Züge verbinden sich zu unzertrennlicher Einheit: Selbstposition und Selbst-abdikation. Wir denken dabei in erster Linie an die feiernde Gemeinschaft. Aber was für sie gilt, ist mutatis mutandis auf die Feier der einzelnen Seele zu übertragen. Selbstposition: die Gemeinschaft spricht ein triumphales Ja zu sich selbst, indem sie sich in einer sonst nicht verwirklichten, aber erschauten Herrlichkeit darstellt. Sie wagt es, sich groß zu sehen und mit dem Glanz ihres Festes ihren Ruhm zu verkünden. Mit ihren zu einer festlich-scheinhaften Lebensdarstellung verwandelten und vereinigten Taten und Werken errichtet sie sich ein Monument, dessen Material ihr eignes sich über sich selbst erhebendes Dasein ist. Sie spricht das εὔχομαι εἶναι mit dem Stolz des sich vorstellenden homerischen Helden aus. Selbst-abdikation: auch dies liegt in dem griechischen εὔχεσθαι, das zugleich beten, geloben und sich rühmen heißt. Darstellen wird zum Darbringen. Die Gemeinschaft, die im Fest sich selbst zum Bild wird, stellt sich der Macht anheim, von der ihr Heil abhängt. Mit der festlichen Begehung löst sie ein dem

Gott geschuldetes Versprechen. So vollendet sich die Feier in Spende und Dankopfer, deren Sinn darin besteht, das ganze Fest, das erhöhte Bild des eignen Daseins als stellvertretendes Opfer darzubringen. Nicht nur für sich selbst stellt sich die Gemeinschaft in der Feier dar: ihr festliches Spiel wird zur μυστικὴ παιδιά, vergleichbar dem Spiel der Sophia nach dem Buch der Sprüche (8, 27–31):

> Da spielte ich vor ihm zu aller Zeit,
> spielte auf seinem Erdkreis,
> und Freude über mich war bei den Menschenkindern.

In der festlichen Ekstase wird die Gemeinschaft eins mit sich wie sonst nie, aber nicht nur mit sich, sondern mit Erde und Himmel, Menschen und Gott.

Haben wir mit unserem skizzenhaften Umriß die Wesenheit „Fest“ durch Übersteigerung der Ansprüche in eine unzugängliche Höhe entrückt? Der Verdacht zeigt sich als unbegründet, wenn wir bedenken, daß sich das, was Fest eigentlich ist, am ehesten von seiner höchsten Erscheinungsform ablesen läßt. Doch zum Wesen des Festes und seiner menschlichen Ursprünglichkeit gehört es auch, daß es in vielen Abwandlungen und Entartungsweisen auftritt bis hinunter zur trunkenen Orgie, zur “show” im Dienst des Unterhaltungsgeschäfts, zur Revue oder zum propagandistisch aufgeschmückten Parteitag. Aber noch in der schlimmsten Travestie, der Militärparade totalitärer Macht, erkennen wir die verzerrten Grundzüge des Originals wieder.

Im Rahmen unserer Überlieferung, welche die Werdenslinien der Kunst verfolgen will, leistet die Einordnung des Festes einen zwiefachen Dienst. Das Fest zeigt sich uns als zusammenordnende und als befreiende Macht.

Das Fest, ein vieldimensionales Ganzes, ordnet zusammen. Die Formung einer Bildsäule oder die Errichtung eines Grabmals auf der einen Seite, auf der anderen „das Lied, das aus der Kehle dringt“ – ein Abgrund scheint zwischen den beiden Tätigkeiten zu klaffen. Die eine läßt sich am leichtesten von der Kunst im Sinn von *ars* her verstehen und lädt zu einer Nachahmungstheorie ein, die schon im Altertum ihren populären Kurswert hatte, die andere ermutigt zu einer Ausdruckstheorie etwa im Stil von Benedetto Croce. Nun führen wir die Zweiheit des Raumbildnerischen und des Zeitbildnerischen auf die Zweiheit von Poiesis und Praxis zurück. Poiesis – das ist der Mensch, in Zubereitung und Gestaltung mit der Naturwelt beschäftigt; Praxis – der Mensch, mit der Menschenwelt, mit sich und seinesgleichen beschäftigt. Poiesis und Praxis verwandeln, vollenden und vereinigen sich im Fest. Damit erweist sich das Problem der Verbindung von so Verschiedenem wie bildnerischer Raumkunst und zeitlicher Ausdruckskunst als Scheinproblem. Das Unterschiedene paßt im Fest, dem zum Schein erhöhten Leben, so zusammen, wie es im Leben ursprünglich zusammengehört. Das Fest steht in der Mitte zwischen der natürlichen Ganzheit des Lebens in seinem praktischen Vollzug und der künstlichen Ganzheit des Gesamtkunstwerks – Überhöhung der ersten und Vorzeichnung der zweiten Totalität.

Das Fest, das Leben noch einmal, zum wahren Schein seiner selbst überhöht, befreit das bildnerische Tun von dem gewaltigen Zwang der Lebensnotwendigkeiten. Es ist, so hat sich uns gezeigt (vgl. oben Buchst. J), in seinem Wesenskern nicht bloß Darstellung, sondern schenkende Darbietung, Opfer und damit, nach einem Wort von Josef Pieper, „just das denkbar äußerste Gegenteil von Nutzung" (Muße und Kult, München 1948, Kösel, S. 81). Das Fest selbst freilich ist Zweck für alles, was in seinen Rahmen tritt: die Werke der Bildner und Baukünstler, der Tänzer und Spieler, der Sprecher und der Sänger – sie alle müssen ihm dienen. Aber dieser Dienst ist nicht nur Freiheit, sondern Befreiung. Er erweckt das, was im Werkschaffen und in der Ausdruckgestaltung angelegt ist, zu seinem vollen Leben. Die ekstatische Freiheit des festlichen Daseins ist ebenso Lebenselement für das Werden der Kunst, wie die Zweckgebundenheit unter der Daseinsnot tödlich für sie ist. Im gleichen Sinn ist der Dienst am Fest Freiheit für das bildnerische Leben des Menschen wie der Gottes-Dienst für sein Tun überhaupt. In den Zeiten der Blüte des Festes haben es daher die großen Meister – ein Leonardo, ein Michelangelo, ein Dürer – nicht verschmäht, diesen vergänglichen Dienst abzustatten.

VII

(2) Die erste der drei Fragen, die wir uns gestellt hatten (s. oben S. 93 f.), ist beantwortet. Die beiden übriggebliebenen Fragen beantworten sich damit gewissermaßen von selbst.

Es ist in der Tat so, daß Kunst wird und lebt, ohne von einem Wissen um Kunst als Kunst geleitet zu sein. Und die Unbewußtheit des Werdens ist nicht ein historischer Zufall, sondern ein bedeutendes Moment des von uns betrachteten Vorgangs. Das Kunstbewußtsein, das heißt die Ästhetik und Kunstphilosophie, entsteht mit der „ästhetischen Unterscheidung".[10] Das Kunstwerk wird in seiner negativen Abgrenzung erfahren: es zeigt sich dem ästhetischen Bewußtsein als ein aus aller Zweckmäßigkeit herausgehobenes, in sich ruhendes Sein. Aber diese Erfahrung ist akzidentell und, im Verhältnis zum Kunstwerden, das Ergebnis einer Nach-Schau. Denn nicht in Losreißung von bestimmten Zwecken und konkretem Dienst wird die Kunst zur Kunst, sondern dadurch, daß die Zwecke und der Dienst sich in der Aura des Festes verwandeln, und kraft dieser Verwandlung wird der Zwang der Notwendigkeit zur Bedingung der Freiheit.

Nun ist das Fest selbst noch nicht Kunstwerk, und auch das, was etwa als Tanz, Spiel und bildliche Darstellung in den Aufbau des Festes eingeht, also die Teile des Festes, brauchen nicht Kunstwerke zu sein. Aber das Fest ist bereit, den Teil als Ganzes aus seinem Verbande zu entlassen; oder, anders gesagt, der Teil, sich als Ganzes darstellend, kann den Rahmen des Festes sprengen und sozusagen ins Freie seines eignen Daseins heraustreten. Solches Heraustreten, ermöglicht dadurch, daß hier jeder Teil in ähnlicher Weise das Ganze darstellt wie jede Leibnizsche Monade die Welt, bezeichnet den eigentlichen Augenblick des Kunst-werdens. Er mag sich wie von ungefähr einstellen. Er mag mitverursacht sein durch einen Wandel der gesellschaftlichen Struktur (z. B. ein Wandel, wie er sich mit der Erstarkung des Bürgertums im späten Mittelalter vorbereitet). Oder Einflüsse der Bildungsgeschichte mögen am Werke sein: das nächstliegende Beispiel ist die Rolle des Platonismus im 15. und 16. Jahrhundert. Der wahre Grund aber wird in der Vollkommenheit des gelungenen Werkes zu suchen sein. Die Schönheit, die aus ihm widerstrahlt und alle, die ihm nahen, bezaubert – sie und sonst nichts bewirkt die Emanzipation. Auch ist jenes „Heraustreten" nicht als eine radikale, greifbare und ausgesprochene Entscheidung zu verstehen. Als im Italien des 15. Jahrhunderts die lokale Werkstättentradition durch die große Tafelmalerei aufgebrochen wurde, hörte das Bild noch längst nicht auf, im kultisch-festlichen Rahmen zu dienen. Gerade die neueste Forschung hat gezeigt, in welchem Maße auch die Kunst der Hochrenaissance durch theologische Symbolik gebunden oder, besser gesagt, gehalten war. Selbst dann aber, wenn der Rahmen der kultischen oder kultisch-dynastischen Feier so gründlich zerbröckelt, wie das am Ende des Barockzeitalters geschah, bleibt das „Heraustreten ins Freie" ein übertriebener Ausdruck, wenn mit dem „Freien" das seiner Festlichkeit entkleidete alltägliche Dasein gemeint sein soll. Das Fest ist nicht bloß die Matrix des Kunstwerks, sondern auch die Aura, die das seinem Ursprungsverband entrissene Kunstwerk ausstrahlt. So tritt an die Stelle der Feier, in die sich das Kunstwerk dienend einfügt, die Kunstfeier, in der das Kunstwerk selbst Anlaß und Mittelpunkt ist – das „Festspiel" in dem modernen Sinn des Wortes. Als Behausungen der Kunstfeier sind die „Musentempel" der modernen Zivilisation zu verstehen: das Opernhaus und das Theater, die Konzerthalle und das Museum. Schon die emblematische Bemühung der Musen und die konventionelle Weiterverwendung der Giebelfront über säulengetragener Vorhalle, einer sakralen Bauform, zeigen, daß diesen Kunstfesten etwas von Ersatz anhaftet. Auch hören die aus dem Festverband herausgenommenen Künste nicht auf, zu einer neuen Gemeinschaft im „Gesamtkunstwerk" zurückzustreben, d. h. zu dem als Ganzes in den Kunst-stand erhobenen Fest. So kam es, daß der entschiedenste moderne Versuch der Reintegration, das Musikdrama Richard Wagners, von dem enthusiastischen jungen Philologen Nietzsche als Wiedergeburt der dionysischen Feier und als Anfang der Wiedergeburt des deutschen Mythus gefeiert und – verkannt werden konnte.

Das Kunstbewußtsein, so schließen wir, wird möglich erst mit der Lockerung des festlichen Gefüges und dem Hervortreten der Künste in ihre problematische Freiheit. Es vollendet sich natürlicherweise mit dem Zerfall jenes Gefüges und dem Einrücken der

Kunstfeier in die Stelle der kultischen Feier. In diesem Augenblick der Krise im Leben der Kunst wird die Frage der Autonomie dringlich und erweist sich zugleich als praktisch unauflösbar. Die echte, d. h. inklusive Autonomie ist identisch mit dem Gesetz der Festlichkeit. Genau in dem Maße, als die Inhalte, Zwecke, Interessen des Daseins von dem Lichtbereich möglicher Festlichkeit berührt sind, und das heißt zugleich: soweit sie von dem Zentrum des Ernstes her gewußt und gestaltet werden, bieten sie sich künstlerischer Formung dar, ohne daß dadurch die Eigengesetzlichkeit der Kunst verletzt würde. Die künstlerische Darstellung, auch dann, wenn sie das Dargestellte im Schmerz zerreißt oder dem Gelächter preisgibt, weiß sich selbst als Blüte der sie tragenden und sich in ihr reflektierenden Wirklichkeit. Sie will dem, was ist, zur Sprache verhelfen. Denn: „alles Wirkliche will Gesang werden." Doch gilt auch die entsprechende Verneinung: „nur Wirkliches kann singen." Sobald die Chance und die Not der Existenz „im Freien" über die Kunst gekommen ist, muß sie sich um ihrer Selbsterhaltung willen gegen die sie umwerbenden, aber ihr fremden Interessen und Zwecke zur Wehr setzen. Ihre Wortführer werden dann die Existenznot in Theorie oder besser Ideologie umsetzen und einen exklusiven Begriff von Autonomie formulieren, der auf die zeitliche Notlage der Kunst paßt, obwohl er ihr Wesen verfehlt. So wird die Selbstwehr der Kunst zu ihrer Selbstaufopferung an den Stufen des Altars, auf dem das ästhetische Phantom unserer Zeit errichtet ist: die reine Kunst. In die Isolierung gedrängt und sie zugleich wählend wird die Kunst sich durch Zeit- und Kulturkritik für ihre Ausstoßung rächen; bis sie sich zum härtesten Urteil über ihre Mitwelt entschließt – zum Verstummen.

(3) Mit der Beantwortung der Frage nach der Gültigkeit des Autonomieprinzips ergibt sich auch die Lösung des dritten Problems: Welcher ursächliche Zusammenhang besteht zwischen dem metaphysisch-ästhetischen Irrtum, den wir der idealistischen Ästhetik glaubten nachweisen zu können, und dem pervertierten Autonomiebegriff? Inwiefern sind die Prämissen des Irrwisch-Begriffs der reinen Kunst in der idealistischen Metaphysik zu suchen?

Ein Moment von Unbewußtheit haftet der Ontogenese der Kunst an. Eines wird gewollt, ein anderes hervorgebracht. Gewollt wird das in einem konkreten festlichen Zusammenhang dienende Werk, das Altarbild etwa zum Ruhme der Dreifaltigkeit, ein den Manen des Vaters des Vaterlandes geweihtes Grabmal, ein poetisches Spiel zur Verherrlichung der königlichen Vermählung; hervorgebracht wird ein in seiner Schönheit ruhendes Kunstwerk, vielleicht dazu bestimmt, den festlichen Anlaß und den Ruhm der gefeierten Person um Jahrtausende zu überleben. Dies Moment der Unbewußtheit entspricht aufs genaueste dem Verhältnis der Transzendentalien zueinander: des Seins und des Guten auf der einen, des Schönen auf der anderen Seite. Das Sein als Gutes wird ersehnt, erstrebt, gewollt; das Schöne, seiner Natur nach über allem Streben, ergibt sich als „Glanz“ des seienden Guten wie eine *gratia superveniens.* Die Anschauung aber des Schönen, primär *geistige* Anschauung, tendiert zur Versinnlichung hin, und diese Tendenz als Naturanlage ist grundlegend für die menschliche Bildungs- und Einbildungskraft, für das Wirken der Darstellungsfunktion und seine Kulmination im Fest, für die künstlerische Existenz. Die Abweichung bestand nun darin, daß in idealistischer Deutung aus der Tendenz zur Versinnlichung die wesensmäßige Sinnenhaftigkeit wurde: Schönheit galt als das sinnliche Scheinen der Idee. Diese Theorie ist undenkbar ohne den Glauben an die ästhetische Epiphanie im Griechentum. Die Annahme eines historisch-realen und zugleich absoluten Kanons des Schönen paßt natürlicherweise zu der prinzipiellen Versinnlichung der Schönheit. Aus der Verbindung ergibt sich der klassizistische Dogmatismus. David und Ingres, Canova und Thorwaldsen liefern die enttäuschenden und doch zugleich aufklärenden Illustrationen zur zeitgenössischen Ästhetik: sie produzieren eine metaphysisch gedachte, aber der Transzendenz beraubte Kunst. Die Ausstattung des Tempels der Kunstreligion ist ernüchternd. Sie hat es uns schwer gemacht, heute noch unbefangen von Schönheit zu sprechen.

Wichtiger ist für uns die andere Folgerung, die aus der Gleichsetzung von Schönheit und Inkarnation gezogen worden ist. Die Vorstellung, daß die Schönheit als solche irgendwo sinnlich greifbar geworden ist, ja daß ihr Wesen in dieser Verleiblichung besteht, rückt sie in den Bereich des Strebens und Wollens. Sie wird zu einem künstlerischen Programm und zugleich, wegen seiner fürchterlichen Ausschließlichkeit, zu einem Idol, das Menschenopfer verlangt. In dem Maße, in dem die „schönen Künste", so schreibt Jacques Maritain, „Schönheit zum Gegenstand, *ihrem* Gegenstand machen und, auf Schönheit abzielend, vergessen, daß Schönheit mehr ist als ein operatives Ziel (denn sie ist Ziel über allen Zielen), weichen sie tatsächlich vor der Schönheit zurück und geraten auf den Abweg des Akademismus. Das heißt: sie neigen dann dazu, Schönheit, ein Transcendentale, zu ‚produzieren', so wie ein Werkmeister ein Fahrrad oder eine Uhr produziert . . ." „Ein Dorfschmied, empfindsam an Seele und Händen, vermag, da er einem dichterischen Antrieb gehorcht, Dinge zu schaffen, die an Schönheit nahezu alles übertreffen, was die eifrigen Schüler unserer modernen Kunstschulen zu produzieren fähig sind" (Creative Intuition in Art and Poetry, New York 1953, S. 174). Eine gerade Linie führt von der idealistischen Kunstphilosophie zu E. A. Poe und seinem Essay über ›The Philosophy of Composition‹, der an Hand von ›The Raven‹ die Fabrikation eines Specimen poetischer Schönheit analysiert, zu Strigelius, der bei Jules Romains (in Hommes de bonne volonté) ein Gedicht mittels des Wörterbuches herstellt, und schließlich zu moderner Bildmontage und maschineller Wortkombination.

Es ist verständlich, wenn wir heut in der philosophischen Beschäftigung mit der Kunst dazu neigen, die Wesensfrage hinter der Frage nach dem Werden zurücktreten zu lassen. Die durch die Sache selbst nahegelegte Verwechselung von Wesen und Werkziel hat eine Verwirrung angerichtet, aus der uns freizuarbeiten wir erst im Begriff sind. Eine unvorsichtige Bewegung könnte neuen Schaden anrichten. Die klassizistische Kunstphilosophie hat ihre Bahn durchlaufen. Die nach-klassizistische Ästhetik, die bisher noch in Ansätzen und Fragmenten besteht, wird wohl daran tun, von dem Telos und Wesen der Kunst, der Erzeugung von Schönheit, mit jener Zurückhaltung zu sprechen, mit der wir in der praktischen Theologie den Begriff der Gnade anwenden. Die Zuversichtlichkeit der Behauptung legt schon den Verdacht des Irrtums nahe.

Anmerkungen

[1] Vgl. Max Bense, Bestandteile des Vorüber. Dünnschliffe, Mischtexte, Montagen. Köln, Berlin 1961.

[2] Vgl. hierzu und dem gesamten hier berührten Fragenkomplex: M. Rassem, Gesellschaft und bildende Kunst. Eine Studie zur Wiederherstellung des Problems. Berlin 1960.

[3] Das Kunstwort „Seinsheit" kann nur dann als eine einigermaßen passende Wiedergabe von οὐσία gelten, wenn als Analogie an ein Wort wie „Hoheit" gedacht wird, das zugleich als nomen universale und als nomen singulare (nämlich bei der Titulierung einer Person fürstlichen Standes) dienen kann. Die traditionelle Übersetzung „Substanz" ist ein Zeugnis der logischen Reifizierung des aristotelischen Seins. Vgl. J. Owens, The Doctrine of Being in the Aristotelian Metaphysics. Toronto 1951.

[4] Wenn heute wieder der Versuch gemacht wird, den trinitarischen Gedanken für die Interpretation von Kunst fruchtbar zu machen, so bedeutet das nicht Rückgang auf eine vor-moderne Stufe der Reflexion. Vielmehr wird der moderne Gedanke des Künstlers als alter deus trinitarisch ausgelegt. Vgl. Dorothy Sayers, Homo Creator. Eine trinitarische Exegese des künstlerischen Schaffens. Düsseldorf 1953. Der Titel des Originals lautet: The Mind of the Maker.

[5] Auf die Folgen, welche sich aus der durch die Hypertrophie der Mittel herbeigeführten Vergeßlichkeit im Umgang mit den Naturkräften ergeben, haben eminente Naturforscher unserer Zeit verschiedentlich hingewiesen, z. B. Reinhard Demoll in: Bändigt den Menschen. Gegen die Natur oder mit ihr? 2. Aufl. München 1954, Bruckmann.

[6] ›Kunst und Handwerk‹, Jub.-Ausg. Cotta XXXIII 70. Dazu: ›Maximen und Reflexionen über Kunst‹, XXXV 322.

[7] Vgl. H. Kuhn, Der Begriff der Prohairesis in der Nikomachischen Ethik, in: Die Gegenwart der Griechen im neueren Denken. Festschr. f. H.-G. Gadamer. Tübingen 1960, S. 123–140.

[8] Die Beiträge sind von verschiedenen Wissenschaften geleistet worden: von der Religionswissenschaft (J. Harrison, Art and Ritual, N. Y. 1913; Walter F. Otto, Die Musen u. d. göttl. Ursprung des Singens u. Sagens. Düsseldorf 1951; K. Kerényi, Wesen des Festes, Paideuma 1938); von der Geschichte (Jakob Burckhardt, J. Huizinga); von der Literaturwissenschaft (C. S. Lewis, besonders: A Preface to Paradise Lost, Oxford 1946 und R. Alewyn, Das große Welttheater, Hamburg 1959); von der Kunstgeschichte (Hans Sedlmayr) und von der Philosophie (H.-G. Gadamer, Wahrheit und Methode, Tübingen 1960, S. 117 ff.). Der Verf. hat in einer Reihe von Veröffentlichungen die Beziehungen zwischen Fest und

Kunst zu analysieren versucht: The System of the Arts, Journal of Aesthetics and Art Criticism. 1942, S. 501–510; Artikel "Philosophy of Art" in: Encyclopedia of the Arts, ed. D. D. Runes u. H. G. Schrickel, New York 1946; True Poetry is Praise, in: Theology Today, 1947, S. 238–258; Wesen u. Wirken des Kunstwerks, München 1960; Die Festlichkeit der Kunst, in: Hochland 1961, S. 343–348.

[9] H. Sedlmayr, Die Geburt der Kathedrale, in: Epochen und Werke I, Wien, München 1959, S. 155–181.

[10] Ich bediene mich hier eines handlichen, von H.-G. Gadamer geprägten Terminus; vgl. Wahrheit u. Methode, Tübingen 1960, S. 81 ff.

II

PHÄNOMENOLOGISCHE ÄSTHETIK

Mikel Dufrenne, Phénoménologie et ontologie de l'art. Dans: Les sciences humaines et l'œuvre de l'art (Témoins et témoignages/Actualités). Bruxelles: La Connaissance 1969, pp. 143–160. Übersetzt von Gisela Henckmann.

PHÄNOMENOLOGIE UND ONTOLOGIE DER KUNST

Von Mikel Dufrenne

Es gibt verschiedene Wege, sich einem Kunstwerk zu nähern. Seit Baumgarten und Kant ist die Ästhetik der Schauplatz endloser Wortgefechte zwischen den unterschiedlichsten Doktrinen und Methoden. Seit Beginn des Jahrhunderts, wenn nicht schon mit Husserl, so zumindest mit seinen Schülern, erhebt die Phänomenologie eine gewichtige Stimme in diesem Konzert. In der Tat scheint die Kunst ein bevorzugtes Studienfeld der Phänomenologie zu sein. Das gilt zumindest für eine bestimmte Phänomenologie, jedenfalls schon für diejenige der ›Logischen Untersuchungen‹ mit ihrer Parole: zurück zu den Sachen selbst!, die sich auf eine Eidetik zubewegte. Denn sie wollte das Wesen der Dinge erfassen, aber so, wie man die Dinge erfaßt: durch die Anschauung. Die Anschauung bleibt das Paradigma und das Ziel aller Erkenntnis. Was aber bietet uns die Kunst? Objekte für die Anschauung, deren Wesen, sobald wir es erfassen, uns offenbart, daß sie für die Wahrnehmung bestimmt sind. Gewiß, es ist ein weiter Weg von der eidetischen zur sinnlichen Intuition; aber Husserl hat ihn durchlaufen: „Die Radikalität des Eidos setzt eine fundamentalere Radikalität voraus“ [1]; und so führte die transzendentale Phänomenologie schließlich die Eidetik auf das Sinnliche zurück. Nicht etwa als Rückkehr zum Empirismus, sondern auf dem Umweg einer Untersuchung der Subjektivität, denn „Die Analyse des Werkes der logischen Prinzipien ... führt zu Untersuchungen, die im Subjekt zentriert sind.“ [2] Über dieses Subjekt können wir zweierlei aussagen: Einerseits gibt es, soweit es durch die phänomenologische Reduktion mit apodiktischer Evidenz erfaßt wird, sich selbst nicht so, wie ihm die Sache gegeben ist, es erscheint also irreduzibel und konstituierend, es ist das gebende Bewußtsein, das die ursprüngliche Gebung des Wesens oder

der angeschauten Sache rechtfertigt, und seine transzendentale Existenz ist eine absolute. Andererseits ist dieses transzendentale Subjekt auch ein konkretes Subjekt, verwoben in die Geschichte und in die Intersubjektivität. Wie seine intentionale regressive Analyse zeigt, lebt es zuerst ein vorprädikatives Leben in der erlebten Welt, in der die wahrgenommenen Dinge passive Synthesen darstellen, die allem eigentlichen Wissen vorausgehen. Es lebt also in Symbiose, in einem ursprünglichen Einklang mit ihnen. Ist diese unmittelbare erlebte Welt nicht die natürliche Welt der naiven Erfahrung? Muß man sagen, daß die Vollendung der Epoche eine Widerlegung des letztlich unrealisierbaren Vorhabens mit sich bringt, und daß „die bedeutendste Lehre der Reduktion die Unmöglichkeit einer vollständigen Reduktion“ [3] darstellt? Diese Aporie des Seins in der Welt – Konstitution einer Transzendenz in der Immanenz, aber auch Grundlegung einer Immanenz in der Transzendenz – ist vielleicht unlösbar. Sie findet heute ihren klarsten Ausdruck in der Auseinandersetzung zweier Philosophien: Die eine besteht auf der Beibehaltung des Subjektes oder des Menschen in seinen Rechten (ohne ihn deshalb zwangsläufig zu etwas Absolutem zu erheben, es sei denn als Ziel eines ethischen Wollens); die andere dagegen behauptet, das Subjekt zu vernichten, um alles zum Vorschein zu bringen, was ihm vorausgeht oder was es bedingt und das übrigens nicht so sehr als „Lebenswelt“ wie als System gedacht wird.

Doch kehren wir zum Vorhergehenden zurück. Gemäß ihrem ersten Schritt – der eidetischen Reduktion – übernimmt die Phänomenologie die Aufgabe, die heute die formale (strukturale oder semiologische) Analyse der Kunst beansprucht. Sie setzt sich mit der Vorfrage auseinander, auf die die zeitgenössische Kunst von nun an vielleicht überhaupt eine entschiedene Antwort verbietet, der Frage nämlich, was ist Kunst? Wann kann ein kulturelles Objekt als Kunstwerk bezeichnet werden? In der gleichen Weise wie sich Husserl in ›Ideen II‹ fragt, was ist eine Sache? Was ist ein Lebendiges? Was ist eine Person? Dieses Problem der Ausweitung des Begriffes hat tatsächlich die zeitgenössische Kunst aufgenommen, die sich leidenschaftlich um die Erforschung ihrer eigenen Grenzen bemüht: Ist die Kunst der Wilden noch Kunst? Ist das Happening noch Theater? Ist das Geräusch noch Musik? Ist das aleatorische Zusammentreffen von Monemen noch Poesie? Die Methode der eidetischen Variation wird hier nicht vom Ästhetiker angewandt, sondern vom Künstler selbst: Es ist Sache des Publikums, durch sein Verhalten, nach seinem Interesse oder Vergnügen an diesen Wahrnehmungsexperimenten zu entscheiden, was Kunst ist und was nicht. Eine zweideutige Antwort? Vielleicht, zunächst weil das Objekt gelegentlich mehrdeutig und schwer einzuordnen ist, aber auch, weil die Antwort nicht von einem unverfälschten, sondern einem kulturell bedingten Zuschauer kommt. Wir stellen also bereits hier fest, daß die Eidetik zur Untersuchung der Subjektivität und Intersubjektivität hinführt.

Aber wir dürfen nicht zu rasch vorgehen. Wenn wir uns fragen, ob das Happening noch Theater oder das Geräusch Musik ist, so geschieht das im Namen einer bestimmten Idee von Theater oder Musik: Im Inneren der Kunst setzen wir ein Wesen der Kunst voraus, und im Inneren jeder Kunstart ein Wesen der Gattung. Das Wesen der Künste zu bestimmen wird besonders in dem Augenblick wichtig, wo der Begriff der Kunst durch die Nicht-Kunst oder Anti-Kunst in Frage gestellt wird, und wo die traditionellen Künste sich einander nähern und miteinander verschmelzen und damit neue Künste hervorbringen, wie gestern den Film, heute die kinetische Kunst, die Lichtkunst, die Wohnskulptur. Bereits die traditionellen Künste selbst stellen die Frage nach ihren „Korrespondenzen", wie es Etienne Souriau gezeigt hat: Der Text, die Gestalt, das Volumen, der Klang, gehören sie etwa eigenen ontologischen Regionen an? Welche Relationen können sich zwischen diesen Regionen ergeben, nicht nur wenn die Gestaltung den Text illustriert, sondern erst recht, wenn sie in den Text eindringt, wie bei der Miniatur oder beim Kalligramm? Oder wenn der Text nicht nur in Musik gesetzt, sondern selbst Musik wird wie im „Sprechgesang"?

Ebenso wichtig ist es, im Inneren einer festgelegten Kunst Gattungen zu unterscheiden, selbst wenn die Geschichte ihnen nur eine unsichere Existenz zugesteht. Denn wir können eben, wie Todorov kürzlich beobachtet hat, nur unter der Voraussetzung von Gattungen die Kunstwerke einander gegenüberstellen und in ihnen Geschichte erkennen. Die Werke sind, was sie sind, ein in gewisser Weise geschlossenes Universum, es ist die Gattung, die sich weiterentwickelt, auch wenn ihre Geschichte offen ist und durch die Werke markiert wird. Den Werken kommt insofern Geschichtlichkeit zu, als in ihnen die Gattung zugleich ihre Verkörperung und ihren Widerspruch findet; aber nur die Gattung hat Geschichte: das Epos, die Gelegenheitsdichtung, die große Malerei, das Concerto usw. Die Definition der Gattung setzt voraus, daß man bestimmte treffende Züge heraushebt und andere abweichende Eigenschaften ausklammert; sie hängt damit auch von dem jeweiligen Kulturzeitalter ab: Das gleiche Werk könnte je nach den Epochen verschiedenen Gattungen zugeordnet werden.

So vollzieht sich die Arbeit an der Begriffsbildung, wie sie die Eidetik versteht, im gleichen Sinne wie beim Strukturalismus: Man erfaßt das Wesen, indem man abstrakte Organisationen hervorhebt, die in verschiedener Weise definiert werden (so wie die Künste in einer Klassifikation oder die Gattungen in einer Typologie), und zwar bis zu einem solchen Grade, daß diese Organisationen außerhalb des Systems, dem sie angehören, unverständlich und sogar unvorhersehbar sind. Aber es ist die Frage, ob diese Abstraktion das Ziel der Untersuchung oder einen Umweg darstellt; das ist der Punkt, an dem Formalismus und Phänomenologie auseinandergehen, so wie die Begriffe Struktur und Wesen einander entgegenstehen. Denn der Formalismus möchte eine Wissenschaft entwickeln, und er weist darauf zurück, daß es nur eine Wissenschaft vom Allgemeinen gibt; also darf das Objekt der Poetik nicht etwa ein literarisches Werk sein, sondern das Literarische (« la littéralité »), die Theorie der literarischen Rede [ebenso wie die Theorie des Malerischen (« picturalité ») oder des Musikalischen (« musicalité »)]. Das Werk als solches in seiner Einzigartigkeit gilt hier nur als Zeuge oder Beispiel; das gewonnene Wissen hilft uns nicht, das Werk zu durchdringen, es aus sich selbst und für sich selbst zu verstehen, sondern es soll die Struktur oder das Modell erfassen, die durch das Werk illustriert werden. Mehr noch: Die Theorie dient nicht dem Objekt, sie ist sich selbst ihr eigenes Objekt. Todorov sagt das ausdrücklich:

Es wäre genauer und ehrlicher, wenn man sagte, daß das Ziel des wissenschaftlichen Werks nicht die bessere Kenntnis seines Objekts, sondern die Vervollkommnung der wissenschaftlichen Rede ist. ... Selbst wenn die konkreten Werke das Objekt der Poetik wären, würde sie in dem Maße, in dem ihre Rede theoretisch ist, dieses Objekt unmerklich durch ihre eigene Rede ersetzen. ... Man könnte sagen, daß die Wissenschaft nicht von ihrem Objekt, sondern mit Hilfe dieses Objekts zu sich spricht.[4]

Seltsamer Idealismus, wo der Logos sich selbst sein höchstes Ziel ist, ohne daß ein dialektischer Umschlag eintritt, der ihn wieder zurückkehren läßt in die Natur und der Wissenschaft die Intentionalität ihres Strebens garantiert: Das Universum des wissenschaftlichen Diskurses ist ein geschlossenes Universum. In bezug auf die Kunst mag diese vorgefaßte Meinung sich durch gewisse zeitgenössische Projekte empfehlen: Reflexivität, Konstruktion im Leeren. Dabei scheint uns diese ungenierte Eskamotage des Objektes besonders ungerechtfertigt, wenn es wahr ist, wie man seit Kant weiß, daß das Objekt des Geschmacksurteils immer einzigartig ist. Gewiß kann man – zumindest vorläufig – dem ästhetischen Wert eines Objektes gegenüber indifferent sein, dem dieses Urteil gilt (und kann folglich Odysseus und James Bond, oder wie Bakhtine, Dostojewski und Tschernyschewski, oder auch Jules Verne und Balzac die gleiche Aufmerksamkeit zuwenden). Aber kann man gegenüber dem Sein dieses Objektes genau so indifferent bleiben? Was nun dieses Sein definiert, ist einerseits die radikale Immanenz des Inhalts in der Form (in dem Maße, in dem ein Inhalt, das heißt ein Sinn, vorhanden ist – wir werden darauf zurückkommen); und diese Prägnanz der Form oder der Materie, nämlich des Wortschatzes, der Palette oder der Töne, nötigt dazu, die Einzigartigkeit des Werkes zu beachten. Andererseits rechtfertigt diese Einzigartigkeit die Neuheit, zumindest bei den großen Werken; und die Neuheit wiederum macht es erforderlich, neben den Strukturen, die eine Gattung oder eine Tradition und damit eine Manier bestimmen, auch die Destrukturierungen und Restrukturierungen zu beachten, die den Stil ausmachen.

Die Phänomenologie verrät dagegen keineswegs ihren Grundsatz: „zu den Dingen selbst“, wenn sie nach dem Wesen fragt; nicht nur, weil die Wesenheiten selbst Dinge sind, soweit sie einer Intuition entspringen, sondern auch weil die Erkenntnis des Wesens die Erkenntnis der Dinge einleitet. Sich mit einer Kunst, einer Gattung oder einer ästhetischen Kategorie auseinanderzusetzen, bedeutet durchaus nicht, daß man sich von den Werken abwendet. Das Wesen kann nur über das Objekt erfaßt werden, dem es innewohnt und das es intelligibel macht. Wenn die Phänomenologie bei Husserl in die Versuchung des Idealismus geriet, so ist das ein ganz anderer Idealismus, der aus der Hypertrophie des Subjektes hervorgegangen ist und nicht aus dem Diskurs. Und gerade die Rolle, die er dem Subjekt zuschreibt, unterscheidet den phänomenologischen noch weiter vom strukturalen Zugang. Die Beziehung Subjekt–Objekt ist ein notwendiger Durchgangspunkt für die Reflexion, auch wenn sie die Form einer Aporie annimmt, und die Phänomenologie übernimmt diese Korrelation, indem sie ihre nach der Eidetik eigentliche Methode anwendet, nämlich die intentionale Analyse.

Zu dieser Analyse müssen wir ein Wort sagen. Wie wir später sehen werden, ist es vielleicht ihr Endziel, über diese Subjekt-Objekt-Korrelation hinauszugehen und einen ursprünglichen Zustand des Seins und des Sinns zu bezeichnen, wo die beiden Termini noch nicht unterscheidbar sind. Das ist der Punkt, an dem die Phänomenologie in Ontologie umschlägt. Aber diese Idee eines ursprünglichen Monismus kann nur als Endziel einer am Dualismus orientierten Überlegung angesehen werden; denn die Rationalität fordert den Dualismus als methodologische Hypothese, und diese findet eine Bestätigung in der Erhebung des Menschen, der sich von der Natur zu trennen scheint, um sich seiner selbst zu versichern. Die intentionale Analyse ist daher eine doppelte: noetisch-noematisch. Diese Dualität ist im übrigen seit Beginn des Jahrhunderts mit einer oft antagonistischen Unterscheidung zwischen „Ästhetik" und „Kunstwissenschaft" eingeführt worden; die eine bevorzugte das psychologische Studium des Subjektes, die andere das formale Studium des Objektes. Die Phänomenologie, um so mehr als sie sich von Brentano herleitet, findet ihr Heil wieder in der Psychologie und gerät vielleicht in die Versuchung, die noetische Analyse zu isolieren und stärker zu betonen, mit der wir uns kurz näher befassen wollen. Aber man kann nicht genug unterstreichen, daß die noetische und die noematische Analyse immer solidarisch sind, auch wenn sie getrennt durchgeführt werden: Die Analyse des Sehenden setzt die Untersuchung des Sichtbaren voraus, und umgekehrt setzt die Untersuchung des Sichtbaren die Untersuchung der Sichtweise und das Bewußtsein der gewählten Einstellung voraus. Ohnehin hat sich die Phänomenologie seit ihrem Beginn mit Conrad und Geiger und etwas später mit Ingarden keineswegs nur auf die noetische Analyse beschränkt, sondern selbständig die Arbeiten der Schule der „Sichtbarkeit" wiederaufgenommen. Heute bedient sie sich gleichermaßen der sogenannten immanenten Analyse, ob sie nun struktural ist oder nicht, und z. B. des semiologischen Zugangs, der zu vielseitigen und fruchtbaren Untersuchungen anregt, so wie wir sie gerade die eidetische Analyse der Künste, der Gattungen und Stile haben aufgreifen sehen. Die einzige mögliche Unterscheidung zwischen einer bestimmten Semiologie und der Phänomenologie beruht auf der Schwierigkeit der Phänomenologie, stets die noetische mit der noematischen Analyse zu verbinden, d. h., das Subjekt nicht unberechtigterweise einzuklammern. Daher kommt es, daß sie die Semiologie vor einer zu leichten Unterordnung unter die Linguistik warnt, zumindest soweit diese die Berücksichtigung des Sprechakts (parole) zugunsten der Sprache (langue) ausschließt; sie erinnert daran, daß Kunst nicht Sprache (langue), sondern Sprechen (langage) ist, wie es Metz vom Film gesagt hat; durch das Werk hindurch spricht jemand zu jemand anderem, und diese Kommunikation fordert, daß man sowohl dem Sender wie dem Empfänger Beachtung schenkt.

Dem Empfänger, weil die werkimmanente Analyse immer die Wahl einer bestimmten Lektüre durch ein bestimmtes Subjekt voraussetzt. Beginnen wir mit der Wahl, die die Wissenschaft vornimmt, denn der wissenschaftliche Diskurs ist weder völlig anonym noch zeitlos: die Einheiten, die er unterscheidet, die Kategorien, die er erarbeitet, die Wesenheiten, die er definiert, hängen von einem bestimmten Wissensstand ab; die Wissenschaft selbst beruft sich auf eine Phänomenologie der Wissenschaft. Aber das gleiche gilt auch für die Lektüre des Liebhabers: Es gibt verschiedene Arten der Lektüre ein und des gleichen Werkes, je nach Aufmerksamkeit und auch Kompetenz des Lesers, je nachdem, ob er es nur mit den alltäglichen Wahrnehmungscodes aufschlüsselt, ob er daran Technik oder Stil schätzt, oder ob er darin ein Dokument des Zeitgeistes sucht. Ein Werk analysieren bedeutet niemals, es in seinem An-sich zu erfassen. Es bedeutet vielmehr, es entweder für einen selbst zu begreifen, so z. B. in Beziehung auf das Konzept oder die Methode, die man gewählt hat, oder in Beziehung auf andere, so z. B. auf den Zeitgenossen der Entstehungszeit des Werkes; auch das kann ein Gegenstand der Wissenschaft werden, nämlich der sogenannten Kunstsoziologie. Denn tatsächlich ist im Universum der Kunst wie der Wissenschaft jeder Text von einem Kontext abhängig: jeder Stil von einer Ecriture, jedes wissenschaftliche Verfahren von einer erkenntnistheoretischen Voraussetzung, kurz, jedes Werk von einer Kultur. Auch da noch kann die Phänomenologie die beachtliche Arbeit fortsetzen oder wiederaufgreifen, die bereits von den Kunsthistorikern seit Riegl bis Panofsky und Francastel geleistet worden ist, die auf ihre Weise bereits eine intentionale Analyse durchführen. Allerdings nur unter der Bedingung, daß der Mensch nicht systematisch der Geschichte, das Individuum dem System geopfert wird: Die Phänomenologie lehnt es ab, in der Kultur die Handlung eines unbewußten Geistes zu sehen, sei es in der Kunst, der Wissenschaft oder den Institutionen. Sie behauptet vielmehr, daß die Kultur von Individuen interiorisiert und angenommen und die Intersubjektivität von Subjekten gelebt werden muß. Sie hält also an der Korrelation zwischen Subjekt und Objekt fest.

Diese Korrelation kann nun zwei Aspekte annehmen, je nachdem ob das Subjekt das Objekt hervorbringt – das Schaffen des Werks durch den Künstler – oder ob das Subjekt das Objekt aufnimmt – das Betrachten des Werkes durch den Zuschauer –; es bieten sich der noetischen Analyse zwei verschiedene ästhetische Erfahrungen an, an denen wir festhalten wollen, denn darin liegt, weit mehr als in der noematischen Analyse, erst die eigentliche Leistung der Phänomenologie. Sind nun diese beiden Erfahrungen so verschieden?

Man ist zunächst versucht, sie einander entgegenzusetzen als Erfahrungen des Alles oder des Nichts: das Alles der Gegenwart, das Nichts der Abwesenheit. Das Schaffen wäre dann tatsächlich immer ein Schaffen ex nihilo, und das Betrachten immer das Empfangen von etwas Gegebenem. Aber ist es wirklich so? Was wäre die Erfahrung des Nichts für den Künstler? Er findet sich in einer reichen Welt voller Werke, die bereits geschaffen und z. T. sogar berühmt sind, durchpulst von den verschiedensten und bisweilen leidenschaftlichsten Strömungen. Wenn ihn das Verlangen ergreift, etwas zu schaffen, so würde das Nichts für ihn nicht darin bestehen, Nichts zu schaffen; das einzige Sein des Nichts wäre im Gegenteil in dem „Zu-schaffen", nämlich in dem „Noch-nicht" des Projektes. Darin liegt die positive Kraft eines Appells; auch ich werde Maler – das sagt zugleich: Ich bin durch eine bestimmte Erfahrung dazu gereizt und: Es gibt noch etwas zu malen. Das Hauptinteresse der Phänomenologie besteht hier vielleicht in der Suggestion, daß das Werk nicht der Ausdruck und das Produkt einer sich selbst überlassenen Subjektivität ist. Die Subjektivität mag sich in ihrem Tun ausdrücken, das Werk mag z. B. auch die Erfüllung eines Verlangens sein, gewiß: Die psychoanalytische Interpretation der Kunst ist immer möglich. Aber das Verlangen ist gegenstandsbezogen, es zielt auf seine Weise auch immer auf etwas Erwünschtes, so wie das Bedürfnis immer des komplementären Objektes zu seiner Befriedigung bedarf. Der Psychoanalytiker wird uns entgegenhalten, das Objekt des Verlangens sei immer ein verborgenes Objekt, das es nicht kennt, weil es ihm verboten ist, es zu erkennen und einzugestehen. Aber wenn dieses Verlangen nun doch einen Ausdruck findet, wenn nicht sogar auf Umwegen eine Befriedigung, und wenn es sich dabei nicht etwa um Halluzinationen handelt, so entsprechen diese Wege anderen Wünschen, deren Korrelat von der Wirklichkeit angeboten wird. Die Subjektivität ist freilich unbeugsam und das Phantasma ist ihr ganz eigen, aber das Subjekt kann nicht davon absehen, daß es in der Welt ist, gereizt durch das Realitäts- wie durch das Lustprinzip, und das Phantasma trifft in dieser Welt auf Bilder und Gestalten, in denen es sich verkörpern kann, indem es sich ihnen angleicht. Auf eben diese Präsenz in der Welt weist uns die Phänomenologie unaufhörlich hin. Mag also die künstlerische Schöpfung eine List des Verlangens und dadurch Ausdruck einer Innerlichkeit sein, so muß sie doch auch als Antwort auf einen Appell von außen verstanden werden.

Dieser Appell vermischt immer das Subjekt und die Welt: Eine Berufung offenbart sich nicht nur, wenn man in sich bestimmte Kräfte spürt, sondern auch, wenn man in der Welt eine Leere entdeckt, die es zu füllen gilt, oder vielmehr ein Sein, das zu einem besseren Sein erhoben werden müßte. Denn diese Leere ist kein

Nicht-Sein, es ist ein Gesicht der Welt, das fasziniert und provoziert; es gibt Wesen, die existieren wollen, so wie die Dinge existieren, und mitten unter ihnen. Das Projekt ist also eine Antwort: die Statue antwortet auf den Appell des Steines ebenso wie auf den schöpferischen Willen Michelangelos; das Denkmal antwortet auf den Appell des Ortes oder der Stadtlandschaft, das Gedicht auf den Appell der Sprache und jedes Werk auf den Appell einer Kulturwelt: ohne Provokation keine Vokation. Auch wenn der Künstler, wie Maritain sagt, beim Schaffen von Werken ein geistiges Abenteuer zu erleben glaubt, wenn er mehr auf das achtet, was ihm widerfährt, als auf das, was er macht, so muß ihm doch die Welt den Weg öffnen, den er beschreitet. Das Vokabular ist hier allerdings recht verwirrend: Das, was wir Welt nennen, kann das 'corpus' der Werke sein – das Werk von Chateaubriand für Hugo, von Tintoretto für El Greco, eine Landschaft, der Berg Sainte Victoire für Cézanne, ein Vogelgesang für Messiaen, ein historisches Ereignis oder eine gesellschaftliche Situation. Und das Zeichen, das die Welt dem Künstler gibt, kann sehr verschiedene Formen annehmen: als technisches Problem, das es zu lösen gilt, wie die Darstellung einer verkürzten Perspektive für den Picasso der Desmoiselles d'Avignon, die Anwendung der Chromatik für Wagner, die Entwicklung eines decasyllabischen Rhythmus für den Valéry des Cimetiére Marin, als eine Botschaft, die zu übermitteln, oder als eine Position, die zu vertreten ist, ohne daß man genau ihr Ergebnis kennt, deren Wichtigkeit man aber spürt und für die man sich verantwortlich fühlt. Ungewollte Verantwortung ohne die Vorrechte der Freiheit, das ist für Lévinas der Urstatus der Kreatur; und gerade auch der Schöpfer wird selbst geschaffen, nicht nur im nachhinein durch seine Schöpfung, sondern zunächst durch diesen Appell, der an ihn gerichtet ist. Der Künstler schafft nicht eigentlich, was er will (noch was er nicht will, auch dann nicht, wenn er gegenüber seinem Bewußtsein eine List gebraucht und sich dem Zufall überläßt), er tut das, was von ihm erwartet wird. Unter all diesen möglichen Forderungen ist es Sache der Phänomenologie, diejenige nachzuweisen, die überwiegend bei diesem oder jenem Künstler dominiert. Weil er beeindruckt ist von diesem Gesicht der Welt, von jener Tiefe im Herzen der Dinge, von diesem Problem aus der Praxis des Metiers oder von jenem Gut in dem oft ungeordneten Reich der Werte, wird er diese Geste gestalten oder jenes Thema ausdrücken, wird er selbst dieses oder jenes Zeichen erfinden. So ist es verständlich, daß dies nicht ex nihilo geschehen kann. Wenn der Künstler weiß, wohin er geht und wann er anhalten muß, so deshalb, weil ihm das zu schaffende Objekt in irgendeiner Weise, noch dunkel aber unabweisbar, in der Welt vorgegeben ist. Natürlich keineswegs als ein Modell, das nur nachzuahmen wäre, sondern vielmehr als Gegenmodell in dem Sinn, wie man von einem Gegenbeispiel spricht, das ihm solange suggeriert, daß es noch nicht das Richtige ist, bis er es endlich gefunden hat; er weiß nicht, was er finden muß, bis er es gefunden hat, aber er weiß zumindest bis zum Schluß, daß er es noch nicht gefunden hat.

Dieses 'Noch nicht' unterscheidet sicherlich den schaffenden Künstler vom Betrachter, aber nicht total. Denn der Schöpfer ist in jedem Augenblick Betrachter des entstehenden Werkes, indem er es mit dem Anspruch vergleicht, der ihm durch seinen zukünftigen Platz in der Welt der Werke vorgegeben ist. Dennoch ist das Urteil, das er an den Entwurf heranträgt, nicht das Geschmacksurteil, das der Betrachter über das vollendete Werk fällt. Es besteht vielmehr in dem Entschluß, die Kluft zwischen dem, was ist, und dem, was sich herausbilden möchte, zu überbrücken. Wahrnehmen bedeutet für ihn eine Aufforderung, etwas zu gestalten oder zu vollenden. An den Zuschauer stellt sich natürlich ein anderer Anspruch: er steht vor einem vollendeten Werk, und es handelt sich für ihn darum, diesem Werk durch eine rechte Wahrnehmung gerecht zu werden. Das Werk erwartet nur eine Aufnahme, die es zum ästhetischen Objekt erhebt. Zumindest kann man sagen, daß der Betrachter, indem er dem Werk eine solche Erhöhung zusichert, den Akt des Schöpfers bestätigt und ihn sogar erst vollendet; denn wenn das Werk immer für ein Publikum da ist, so existiert es nur wahrhaft in der Erscheinung des Sinnlichen, auf dem Schnittpunkt des Gesehenen und des Sehenden, des Gehörten und des Hörenden. Für den Zuschauer und den schaffenden Künstler ist der Unterschied zwischen dem, was sie provoziert, nicht etwa ein Unterschied zwischen dem Alles und Nichts, denn das Werk ist für den Betrachter immer noch ein Appell oder eine Aufgabe: Das ästhetische Objekt existiert in vollem Sinne als ein sinnliches und signifikantes Objekt nur, wenn er es bestätigt. Ohne das existiert es nur wie die unsichtbare Seite des Mondes, solange sie keine Kamera für uns sichtbar gemacht hat. Und das Kunstwerk ist nicht für diese verborgene Existenz bestimmt, es möchte erscheinen und aufblühen, sei es auch nur für einen Augenblick, im vollen Licht der Gegenwart wie eine strahlende Erscheinung, die den Horizont gewaltig erweitert.

Aber vielleicht ist der Zuschauer noch tiefer mit dem Schöpfungsakt verbunden, wenn er im Grunde selbst von dem Wunsch zu schaffen beseelt ist. Für die Universalität dieses Wunsches könnte man genügend Zeugnisse finden in all den Basteleien oder dem, was Dubuffet « art sauvage » nennt: Graffiti, Klecksereien, Klangimprovisationen usw. Und die Phänomenologie kann diese Universalität durch entsprechende Analysen rechtfertigen. Die eine geht auf die Psychoanalyse zurück: Weil die Wünsche ein verlorenes Objekt außerhalb ihres Erwartungshorizontes erstreben, suchen sie einen Ausdruck und eine Kompensation in einem Objekt, zu dem man sich bekennen und über das man verfügen kann; es handelt sich dabei weniger um den Besitz als um das Schaffen. Das Ich befreit sich von einer Zwangsvorstellung, die es beherrscht, indem es sich von seiner Schöpfung beherrschen läßt. Die andere Richtung läßt sich von Croce herleiten, der die Formel „nascitur poeta" in „homo nascitur poeta" [5] umwandelt. Das bedeutet, daß sich die Intuition überall in einer spontan lyrischen Sprache auszudrücken sucht, also interesselos und enthusiastisch; der Mensch spielt, ehe er arbeitet, ehe er zum Sklaven reduziert wird, und der schöpferische Akt erfordert eine noch spielerische Arbeit, so mühevoll sie auch sein mag. Zwar erwartet Croce nicht von jedem Menschen schöpferische Leistungen, sondern nur, daß er die durch das Werk ausgedrückte Intuition reaktivieren und nachvollziehen kann. Das Werk wahrnehmen bedeutet also, an seiner Schöpfung teilzunehmen und sie zugleich zu vollenden, es bedeutet, dieses Verlangen, etwas zu schaffen, oder diesen „Hunger nach Bildern", der jedes Bewußtsein erfüllt, für einen Augenblick zu befriedigen. So überläßt sich Bachelard der Freude, mit der Dichtung zu träumen. Ist er damit selbst Dichter? Das nicht, aber Komplize des Dichters.[6] So kann man die Idee Valérys interpretieren, es sei Aufgabe oder Wirkung des Gedichtes, im Leser einen poetischen Zustand hervorzurufen. Valéry versteht darunter nicht, daß der poetische Zustand die Ursache für die Entstehung des Gedichtes im Dichter ist: die Arbeit des Schreibens ist nicht die des Lesens, und so aktiv die Aufnahme des Werkes auch sein mag, ihre Aktivität läßt sich mit der handwerklichen Arbeit der Produktion nicht vergleichen. Das mag sein, aber wichtig ist doch, daß der poetische Zustand den Zuschauer verwandelt und ihn irgendwie mit dem Werk gleichsetzt; die Verehrung des Werkes, die Vollendung des Objekts durch die Wahrnehmung, das bedeutet doch in gewisser Weise die Genese des Werkes in sich zu wiederholen; eine imaginäre Genese, gewiß, denn alles ist bereits gegeben, aber dieses Gegebene wird aufgenommen wie man im Chor einen Refrain aufnimmt oder einen Text, um ihn erneut zu schreiben. Das Auge, das ein Bild unaufhörlich durchläuft, um zu sehen, wie es gemacht ist, schafft es auf seine Weise noch einmal, auch wenn die Hand es nicht schaffen könnte.

Auch hier kann uns die zeitgenössische Kunst etwas lehren, denn sie untersagt uns anzunehmen, die Kontemplation sei die ästhetische Haltung par excellence. Sie appelliert entschlossener als je zuvor an die Mitarbeit des Zuschauers. Sie lädt ihn zu einem Fest ein, zu einer Zeremonie ohne Zeremoniell, wo er gleichzeitig Akteur, wo die Betrachtung des Werkes zugleich Ausführung und Aneignung sein soll. Die Theaterbühne läßt sich in einem Saal einrichten, wo das Publikum nicht mehr den Schemata Albertinischer Perspektive unterworfen ist. Das Schauspiel hört auf, Repräsentation zu sein, um eine neue Weise der Vergegenwärtigung durch Vermittlung eines Schauspielers einzuführen, der Kostüme, Sitten und Gebräuche ablegt und mit seinem Körper wie mit seiner Stimme spielt. Die Malerei setzt das Auge in einer sehr viel gebieterischeren Weise in Bewegung, sie setzt sich selbst in Bewegung im Film, und, kinetische Kunst geworden, schickt sie sich an, auf die Straße hinabzusteigen, um dort den Gang der Vorübergehenden zu rhythmisieren und sie auf ihrem Spaziergang zu begleiten. Sie verbindet sich mit der Architektur, die den Raum, in dem sich die Menschen bewegen, formen will wie die Skulptur die Leere, und dem Bewohner bewegliche Orte anbieten, wo er nach seiner Weise leben und sein eigener Architekt sein kann. Die Musik gibt der Initiative des

Ausübenden Raum wie auch der des Zuhörers, sie hört auf, ein Klangschauspiel zu sein, um das Ohr noch viel subtiler zu fordern. Und die erzählenden Künste, Roman und Film, erzählen uns keine Geschichten mehr, die uns eine Stunde des Vergessens schenken sollen; sie lassen uns vielmehr unseren Hunger, sie stacheln ihn noch an, und alle diese opaken Punkte, die die Leerstellen in der Geschichte ausmachen, provozieren uns, sie wieder durchzugehen, um sie zu verstehen. Die zeitgenössische Kunst wird also in ihrer Weite und ihrem ganzen Wert der Phänomenologie zur Aufgabe; sie soll die vielfältigen Fäden aufknoten, die den Empfänger an das ästhetische Objekt binden, um zu zeigen, wie sich das Objekt in dieser Rezeption selbst konstituiert. Die noematische Werkanalyse kann – formal oder semiologisch – diese Forschung vorbereiten, indem sie zeigt, welche Angebote das Werk der Wahrnehmung macht, wie diese Farbe das Auge leitet, dieser Klang oder Rhythmus das Ohr berührt, dieses Thema gewisse Bilder oder Gefühle weckt. Die Analyse ließe sich sogar auf die ästhetische Erfahrung des Künstlers anwenden, wenn auch mit einigen Vorbehalten; denn es ist nicht sicher, ob der Künstler bewußt und kontrolliert geschaffen hat, welche Themen ihn z. B. fasziniert oder welche Traditionen ihn geleitet haben; er kann sich sogar entschlossen haben, etwas zu schaffen, ohne es recht zu wissen, und schließlich selbst von dem Geschaffenen überrascht sein. Auf alle Fälle ist es immer eine Wahrnehmung – seine eigene oder die des Kritikers – die die Präsenz der Themen, die Linien der Entwürfe, die Wirkung der Verfahrensweisen erkennt: die noematische Analyse impliziert bereits die noetische. So sehr sind Objekt und Subjekt in diesem gemeinsamen Akt der ästhetischen Erfahrung solidarisch. Um so mehr – um noch einmal darauf zurückzukommen – als heute das Engagement des Subjekts nicht nur für die Umwandlung des Werkes in ein ästhetisches Objekt gefordert wird, sondern mitunter selbst für die Ausarbeitung des Werkes. Der Zuschauer ist um so mehr engagiert und um so mehr verantwortlich, als er freier, d. h. weniger zu einer zeremoniellen und ehrfürchtigen Haltung gegenüber dem Werk verpflichtet ist. Die Phänomenologie kann in seiner Einstellung gegenüber dem Werk eher Zeichen von Familiarität als von Respekt nachweisen, und ebenso muß sich das

Vergnügen, das er empfindet, aus Unbeteiligtsein und sinnlicher Erregung zusammensetzen. Ein frischerer Wind dringt entsakralisierend und belebend in die Museen und Theater ein, und wir stehen vor dem Werk wie die Alpinisten vor dem Gipfel, den sie erklimmen müssen, um sich daran zu erfreuen. Unsere Beziehung zum Kulturellen ist natürlicher geworden, und vielleicht sind wir dabei, den verlorenen Sinn des Festes wiederzugewinnen. So gibt die Kunst heute freier denn jemals zu, daß sie Zerstreuung ist. Aber wir denken nicht mehr wie Pascal: Wenn die Kunst uns von etwas ablenkt, so ist das für uns nicht mehr von der Suche nach Gott, sondern vom Verbot alles Suchens, von der Unbeweglichkeit, die uns auferlegt ist unter dem lächerlichen Fanal des Fortschritts von einer repressiven und eroberungswütigen Zivilisation, deren Waffe die Wissenschaft, deren Werte Maß und Ordnung und deren Fundamente Arbeit und Polizei bilden. Und wohin führt uns diese Kunst? Auf das Imaginäre zu. Hieße das: zum Irrealen, zum Sinnlosen, zum Tod? Gewiß nicht. Aber um diese Zuflucht zum Imaginären und die Bedeutung der Kunst zu verstehen, muß jetzt die Phänomenologie zur Ontologie werden.

Vielleicht liegt gerade in dieser Bewegung die Originalität der Phänomenologie. Gewiß, sie legt wieder, wie wir schon sagten, einen positiven Zugang zur Kunst frei, als soziologische Untersuchung oder immanente Analyse; aber darin liegt nicht ihre eigentliche Initiative. Im Grunde ist ihr Projekt nicht wissenschaftlich, sondern philosophisch; sie strebt nach etwas, das jenseits des bloßen Wissens liegt. Mit allen Risiken und Gefahren, denn das ist keine strenge Wissenschaft mehr, und es ist vielleicht vergeblich: Man kann ihr immer entgegenhalten, die Kunst könne sehr gut selbst sagen, was sie sagen will, und es sei unmöglich und unnötig, es auf andere Weise zu sagen. Aber das, was die Phänomenologie zu klären versucht, ist nicht so sehr die Botschaft des Werkes wie die Möglichkeit einer solchen Botschaft. Das ist zweifellos der Weg, den Merleau-Ponty verfolgt: Ausgehend von der intentionalen Analyse der Wahrnehmung gelangt er zur Reflexion über das intentionale Leben als Sein. Denn die Analyse enthüllt eine so enge Verbindung zwischen Subjekt und Objekt, daß die Intentionalität, weit davon entfernt, die Struktur eines seiner selbst sicheren und sich affirmierenden Bewußtseins zu sein, zugleich Bewußtsein und Welt umfaßt. Man kann diese Relation unmöglich nur auf einen dieser Momente gründen, wenn sie als unbezüglich (irrelativ) aufgefaßt werden.

Das Unbezügliche ist nun nicht mehr die Natur an sich noch das System der Aneignungsweisen des absoluten Bewußtseins und ebensowenig der Mensch, sondern diese 'Teleologie', von der Husserl spricht – und die in Anführungszeichen geschrieben und gedacht werden muß – als Gelenke und Glieder des Seins, das sich durch den Menschen hindurch vollendet.[7]

Warum sollte man dieses Sein, das dem Menschen, der daraus hervorgeht, als Welt erscheint, nicht „Natur" nennen?

Die Kunst kann die Reflexion auf diesen Weg führen; sei es – um nur zwei Beispiele anzudeuten –, daß sie durch Erweiterung der semiologischen Analyse nach dem im Werk angebotenen Sinn oder nach dem Bild und dem Eingebildeten, dem Imaginären fragt. In allen Fällen erscheint tatsächlich die Korrelation zwischen Subjekt und Objekt als die ursprüngliche, besonders in bezug auf das Subjekt: Nicht etwa, daß man den Tod dieses Subjektes zugunsten des Systems ausrufen müßte, wozu uns der Anti-Humanismus bringen will, der dem Menschen seine Zukunft verweigert; aber man muß einsehen, daß das Subjekt in der „Natur" verwurzelt ist, aus der es hervorgeht. Soweit es sich zunächst um den Sinn handelt, weist die Kunst den Anspruch der Subjektivität, unbeschränkt konstituierend zu sein, zurück, sei es auch unter der abgegriffenen Form einer Sinngebung: Wenn es einen Sinn gibt, so ist er natürlich für mich – darin bin ich auf meinem Posten als Funktionär der Natur unersetzlich – aber er ist nicht durch mich, er ist keine freie Zugabe von mir an etwas in sich Indifferentes und Bedeutungsloses. Aber was ist hier unter Sinn zu verstehen? Die Logiker unterscheiden oft Bedeutung und Referenz oder auch grammatikalische oder referentielle Bedeutung: Ein beliebiges Zeichen – ein Algorithmus, ein Wort – hat einerseits einen Sinn, indem es identifizierbar und den Regeln innerhalb eines Systems unterworfen ist, wobei der Sinn auf die Gültigkeit der korrekt formulierten Aussagen abzielt und sich vom Nicht-Sinn unterscheidet, andererseits, indem es eine äußere Realität widerspiegelt, wobei der Sinn sich als Bezeichnung definiert, die auf Wahrheit als Adäquation abzielt und sich von Unwahrheit unterscheidet. Im ersten Fall – dem der formalen Wissenschaften – ist der wissenschaftliche Diskurs sich selbst sein eigenes Objekt und sein eigenes Ziel (wenn die Formalisierung wenigstens jeden intuitiven Inhalt und gleichzeitig jede Beziehung, sei es auf irgendein Objekt oder eine „formale Region", ausschalten könnte – aber das steht auf einem anderen Blatt. Möglicherweise gibt es gar keine grammatikalische ohne referentielle Bedeutung). Im zweiten Fall – demjenigen der empirischen Wissenschaften oder der Umgangssprache – beansprucht der wissenschaftliche Diskurs, etwas über die Welt auszusagen. Diese beiden Versionen von Sinn können für das Kunstwerk gelten, je nachdem ob man es unter einer semiologischen Perspektive betrachtet oder ob man es als Diskurs ansieht, der unterscheidbare Einheiten zusammenfügt. Man kann daher von der grammatikalischen Bedeutung einer bestimmten farbigen Form auf einer Leinwand sprechen, die in Beziehung zu anderen Bildelementen steht, und von einer referentiellen Bedeutung, insoweit diese Form eine Lilie innerhalb einer Verkündigung darstellt. Man könnte hinzufügen, daß die gegenständliche Kunst den zweiten Sinn von Sinn bevorzugt, die nichtgegenständliche den ersten. Aber das Werk gibt sich uns nicht nur als Diskurs, d. h. als Folge oder Zusammenhang von Zeichen; es bietet sich der ästhetischen Wahrnehmung als „Objekt" an – ein Ausdruck, den die Künstler heute gern verwenden – und es soll, wie Kant oft genug gesagt hat, „den Schein der Natur haben". Damit eröffnet uns dieses Objekt eine dritte Bedeutung von Sinn; denn es hat einen Sinn in sich selbst, ohne uns, wie das Zeichen, auf andere Zeichen oder auf eine äußere Realität zu verweisen. Es ist auch nicht als natürliches Zeichen aufzufassen, wie z. B. eine Wirkung, die auf eine Ursache zurückweisen. Nein, sein Sinn ist ihm völlig immanent: Es trägt in sich, was Kant die ästhetische Idee nennt; die Lilie der Verkündigung enthält die Idee der Unschuld, eine Idee, die der sinnlichen Erscheinung so immanent und die zugleich so wenig expliziert ist, daß sie nicht als Begriff, sondern als Gefühl zu verstehen ist. Zweifellos ist die Lilie nur ein Element des Bildes; aber gerade jede Analyse, die alle unartikulierbaren Elemente des Werkes unterscheidet, mag sie noch so sehr ins einzelne,

z. B. bis zum Farbtupfen, zum Strich, zum Klang oder zum rhythmischen Schema hinabsteigen, entdeckt Einheiten, die immer schon eine Bedeutung haben, die also keine zweite Artikulation im Sinne der Linguisten bilden, die aber auch wieder nicht signifikant sind wie die Wörter eines Lexikons, nämlich beziehungsmäßig, denn sie bezeichnen nur sich selbst, und doch sprechen sie bereits; sie haben nicht nur eine unterscheidbare Identität, sondern eine Personalität: Sie lassen sich nicht nur erkennen, d. h. unterscheiden und identifizieren, sie geben uns etwas zu wissen oder besser zu fühlen. Das Flammen von van Gogh ist eine bestimmte Leidenschaft, wie der rechte Winkel von Mondrian den Seelenfrieden bedeutet.

Überdies haben diese Einheiten in den Künsten nicht, außer vielleicht in der Musik vor dem „glissandi" und den "clusters", eine so kenntliche und offizielle Existenz wie in der Sprache.[8] Und so muß sich besonders ihre Untersuchung, die sich übrigens über beide paradigmatische Gebiete der Stilistik und Thematik erstrecken kann, an einer vorausgehenden Erfahrung des Werkes als einer Totalität orientieren: Wenn wir das Werk van Goghs vorher nicht wie einen Schrei empfunden hätten, würden wir dann den Sinn des Flammens verstehen? Der Sinn eines Einzelelements ist das Echo eines zuvor erfahrenen globalen Sinns. Wir wollen nicht nur sagen, daß das Element nur Sinn hat durch das Ganze des Systems, denn die Relation des Elementes zu den anderen Elementen innerhalb eines Systems definiert die grammatikalische Bedeutung, sondern daß das Element nur Sinn hat im Ganzen des Werkes. Aber umgekehrt bietet das Ganze des Werkes der Wahrnehmung einen Sinn, weil diese Wahrnehmung, so naiv sie auch sein mag, vom Sinn der einzelnen Elemente her erfaßt worden ist. Wenn die vorhergegangene Wahrnehmung der Totalität die Unterscheidung der Elemente bestimmt, so wurde sie selbst durch deren Gegenwart inspiriert. Anders ausgedrückt: Der Sinn ist nicht von einem Nicht-Sinn her konstituiert worden. Schließlich kann man sagen, daß sich auch die Elemente selbst als Ganzheiten darstellen, zunächst in dem, was sie sein können, wie sie um ihrer selbst willen wahrgenommen werden, dann aber auch darin, daß der Inhalt hier noch ein Ganzes mit der Form bildet, so daß der Sinn in jedem Teil enthalten ist.

Und darin beruht das Geheimnis des Ausdrucks. Es gibt ausdrucksvolle Objekte, an ihrer Spitze die ästhetischen. Daß sie nicht die einzigen sind, daß es auch natürliche Objekte sein können, selbst wenn sie 'auf dem Grunde des Meeres versteckt' liegen, wie Kant sagt, das ist ein anderes Problem, das Kant zu Recht interessiert hat. Oder eine weitere Frage: Ist nicht jedes Objekt in einem gewissen Grad ausdrucksvoll? Die Kunst selbst kann uns zu dieser Frage anregen, z. B. die 'ready-made'. Aber nichts verbietet uns, auch unsererseits der Kunst eine Frage zu stellen: Dort, wo sie nur 'Kuriositäten' hervorbringt – seltene, unwahrscheinliche, aber bedeutungslose, ich möchte sagen, ausdruckslose Objekte – ist das noch Kunst? Wohlverstanden setzt diese Frage voraus, daß Kunst durch Ausdruck definiert wird, und diese Definition ist gewiß ungenügend. Aber welche Antworten auch auf diese Fragen gegeben werden, wichtig ist für uns, daß die Phänomenologie des Ausdrucks in die Ontologie mündet. Wir sind im Sinn und leben darin. Der Sinn ist etwas Vitales.

Wahrscheinlich sieht man schon an den geringen Beispielen, die wir ausgewählt haben, daß die Analyse des Ausdrucks bald an das Unausdrückbare grenzt, aber dieses Unausdrückbare ist eben gerade das Ausgedrückte! Wir begegnen hier, am anderen Pol der Semantik, dem gleichen Paradox wie Wittgenstein: Wie die Formel nicht aufs Neue formulierbar ist, wenn es keine Metasprache gibt, um sie anders zu begründen als sie sich in sich selbst begründet, so gibt es keinen Ausdruck, um die Ausdruckshaftigkeit adäquat auszudrücken, wenn sie sich uns zeigt; wir können den logischen Diskurs, in dem bereits jeder logische Ablauf enthalten ist, nicht mehr übersteigen als den expressiven Nicht-Diskurs, in dem der ganze ästhetische Ausdruck enthalten ist. Aber im Unterschied zum logischen Sinn kann man wohl noch sagen, daß der expressive Sinn gering ist; er erklärt sich nur in einer zweifelhaften, unzusammenhängenden und durch Affektivität verwirrten Sprache, er kann die hohlste Rhetorik hervorrufen, und es ist kaum möglich, daß er sich durch strenge Formulierungen erfassen läßt. Das ist der Haupteinwand, den man gegen die Phänomenologie erheben könnte: Wenn sie zur Analyse des Ausdrucks übergeht, so ist sie ohne Rückhalt und sollte zweifellos dem Werk das Wort lassen anstatt darüber zu schwafeln. Und selbst die Lektüre des Werkes belehrt uns nicht, vermittelt uns weder Wissen noch Können, ganz im Gegensatz zum rein wissenschaftlichen Vorgehen, bei dem das Objekt in ein Zeichen und die Interpretation des Zeichens in eine Erklärung überführt wird. Die Emanzipation des Menschen, das Auftreten eines klaren und verständlichen Denkens, die Beherrschung der Natur sind nicht an die Empfindungsfähigkeit, an das Ausgedrückte gebunden. Und doch leben wir von diesem ausgedrückten Sinn: Die Welt ist für uns nicht nur ein Schauspiel zur Betrachtung oder eine Bühne für unsere Handlungen, sie ist vertraute Gegenwart; einige Objekte ergreifen und berühren uns, sie sprechen zu uns bevor sich die Sprache einstellt, unsere erste Verbindung mit ihnen ist Einverständnis und unsere erste Antwort Rühmen. Wir sind in der Welt zu Hause.

Die Unmittelbarkeit des Sinnverstehens gibt hier der Ontologie die Orientierung, überwindet den Dualismus von Objekt und Subjekt, wie sie zuvor die Anmaßung des Idealismus zurückweist. Gewiß muß das Subjekt sinnfähig sein (was eine Theorie des a priori ins Spiel bringt). Wenn der Säugling für die Sanftheit der mütterlichen Brust sensibel ist, so bedeutet das, daß er sich nicht so ernährt wie der Sand das Wasser aufsaugt, nicht einmal wie das Kalb am Euter saugt, denn es gibt kein anorektisches Kalb. Also läßt sich das Objekt durch das, was es ausdrückt, identifizieren; so identifizieren wir Mozart oder Debussy, ohne ihre Schreibweise kennen zu müssen. Aber was das Subjekt den Sinn verstehen läßt, läßt es nicht den Sinn konstituieren. Das Verlangen, das es erfüllt, überträgt sich nicht auf das Objekt, es macht nur offen auf das Subjekt hin. Das a priori, was es auch sei, ist Fähigkeit zu empfangen. Für denjenigen, der empfangen kann und nicht gleichgültig sein will, ist der Sinn gegeben. Diese Gebung impliziert eine Affinität zwischen Mensch und Welt, wie ein Entgegenkommen der Natur an unser Erkenntnisvermögen. Sie kann noch mehr bewirken. Einerseits, daß der Mensch im Dienst des Sinnes steht, weil sich in ihm das Objekt vollendet, weil sich ihm das Objekt offenbart. Andererseits, daß dieser Sinn, der ja dem Objekt nicht willkürlich hinzugefügt wird, sondern es eigentlich erst konstituiert, sich mit dem Sein identifiziert, und daß so die Reflexion ein ursprüngliches Sein erfassen muß, nicht das rohe Wesen der Materie, sondern Sinnmächtigkeit, die darauf wartet, erkannt zu werden. Die Ausdruckstheorie führt also schließlich zu dem Gedanken, daß es die Natur ist, die sich durch das Ausgedrückte hindurch ausdrückt: Sie manifestiert sich mit Unterstützung des Menschen als signifikante Welt. Der Ausdruck ist die eigene Tat des Objekts, aber insoweit das Objekt mehr ist als ein Entgegengeworfenes („ob-jet“), das in sich selbst leblos vor mir liegt, insoweit es nämlich Wirkung und Zeuge der Natur ist und daher von gleicher Herkunft wie ich.

Es ist nur allzu wahr, daß hier das ästhetische Objekt exemplarisch erscheint; man wird entgegenhalten, daß es diesen Abstieg ins Vor-Menschliche nicht rechtfertigen kann, weil es von einem Menschen für Menschen geschaffen ist: Man kann nicht von der Schönheit der Werke auf die Schönheit der Dinge schließen. Aber vielleicht kann die Phänomenologie der schöpferischen Erfahrung gerade diese Ontologie rechtfertigen. Tatsächlich haben wir gesagt, daß der Schöpfer selbst geschaffen wurde. Das läßt sich auf zweierlei Weisen verstehen. Für uns ist er zunächst geschaffen durch sein Werk selbst: Er entspricht dem Bild seines Werkes wie der Gott Voltaires dem Bilde des Menschen. Er existiert nur durch sein Werk, und über sein Werk kennen wir ihn. Für ihn selbst ist er aufgerufen durch das zu schaffende Werk, durch ein Projekt, das beinahe die Autorität eines Objektes hat: Er ist nur wirklich Schöpfer – und seine Werke sagen uns das unzweideutig – wenn er inspiriert ist. Von wem aber inspiriert, wenn nicht von der Natur? Etwas möchte gesagt sein, ein möglicher Sinn, eine mögliche Welt wollen ausgedrückt werden, und er ist das Instrument dieses Ausdrucks. Dennoch pflegt man zu sagen, er drücke sich selbst aus, er befreie sich von sich selbst. So drückt Leonardo nach Freud sein Heimweh nach einer phallischen Mutter aus; aber dieses Bild der Mutter, das ihn verfolgt und das sich selbst durch andere Bilder ausdrückt wie z. B. das des Geiers, schafft eine einzigartige Welt, die ein Bild der Natur ist. Leonardos Verlangen bedeutet, abgesehen davon, daß es durch eine gewisse Bindung an die Mutter und an die Welt erregt wird, die Öffnung eines bestimmten Blicks auf die Welt, schafft ihn als Künstler, d. h. als einen, der für einen bestimmten Sinn verantwortlich ist. Der Künstler ist der Mensch, der den Sinn sich sammeln und hervorbringen läßt.

Deshalb kehrt er zur Natur zurück; oder er hat sich vielmehr niemals gänzlich von ihr getrennt. Selbst wenn er Natur hervorgebracht und ersonnen hat, wenn er am intellektuellen und technischen Abenteuer des Menschen teilhat, wenn er in einer Welt von domestizierten und verfügbaren Objekten lebt, so ist er doch sensibel geblieben für die hervorbringende Kraft des Möglichen, für den Anruf des Sinns, der aus dem Herzen des Seins emportaucht. Sich in der Nähe des Ursprünglichen zu halten, bedeutet auch, den Bildern verhaftet zu bleiben. Und die Reflexion über das Bild ist ein anderer Weg für die Ontologie der Kunst. Das Bild läßt sich zugleich in seiner Beziehung zur Sprache verstehen. Wenden wir uns zunächst dem Imaginären, dann dem Imaginierten zu. Der höchste Sinn des Bildes ist nicht, daß es gemacht, sondern daß es gegeben wurde, imaginär, ohne deshalb aufzuhören, real zu sein, aber imaginär darin, daß das Reale es gewissermaßen beauftragt, um exemplarisch vertreten zu sein. Diese Wogen vor mir sind das Bild des Meeres, dieses Massiv das Bild des Gebirges, wie solch ein Gesicht das Bild der Güte selbst sein kann. Das Bild ist derjenige Aspekt des Objektes, durch den es ein Sein offenbart oder der Sinn, der es konstituiert, diese Ausdrucksgestalt seiner Anwesenheit. Das Imaginäre widerspricht dem Realen nur insofern, als das Reale alltäglich ist, durch die Repräsentation verflacht, unserem Gebrauch ausgeliefert, weil wir gerade durch die Verbindung mit ihm von ihm abgerückt sind; das Imaginäre ist das Reale, von dem wir uns noch nicht abgesondert haben, ein Überwirkliches voll von Sinn und reich an Möglichkeiten, die das imaginierende Bewußtsein nützt. Die Imagination ist die Seele der Wahrnehmung; sie ist jene reichere und ergreifendere Wahrnehmung, durch die die Natur sich uns ankündigt. In diesem Sinne ist es die Natur, die imaginiert.

Wer für diese Bilder empfänglich ist und dafür Zeugnis ablegen möchte, der greift auf die Sprache der Bilder oder eine bildhafte Sprache zurück. Das ist die Sprache der Kunst, und zunächst der Künste, die nicht auf der verbalen Sprache beruhen. Wir können von einer nicht-verbalen Sprache nur in metaphorischem Sinne sprechen: Es ist eine Sprechweise ohne Sprache, d. h. ohne Code. Aber diese Sprache ist aus zwei Gründen von Vorteil: Zunächst ahmt sie die „Sprache“ der Natur nach, und darin liegt zweifellos die Rechtfertigung für die berühmte Mimesis-Theorie. Wenn die Kunst die Natur nachahmt, so nicht, indem sie sie produziert, sondern indem sie wie die Natur Bilder hervorbringt, die hörbare oder sichtbare Bilder sein können (ein Ton ist ein hörbares Bild, wenn er aufhört, wie das Geräusch für die prosaische Wahrnehmung, ein Zeichen oder ein Signal zu sein, wenn er vielmehr sich selbst bezeichnet, wenn er die Ausdruckskraft des Realen gewinnt). Die Werke sind solche Bilder, trächtig, glanzvoll, schwer von Sinn. Zudem führt diese Sprache zur Natur zurück oder bleibt in ihrer Nähe; die Bilder sind natürlicher als der Diskurs, das heißt, weniger künstlich; die Zeichen, die sie setzen, sind weniger willkürlich. Auch wenn sie nicht durch Ähnlichkeit motiviert sind wie in der gegenständlichen Kunst, so haben sie doch eine Schwere und Dichte, eine Körperlichkeit, die ihnen einen Anstrich von Naturhaftigkeit verleihen. Die Graffiti von Hartung oder die Linienzüge von Mathieu haben nicht den blutleeren Charakter und die abstrakte Räumlichkeit der linearen Sequenzen des geschriebenen Textes. Es ist ein genießendes Auge, das die Bilder liest, und nicht der Verstand, es ist ein Ohr aus Fleisch und Blut, das der Musik lauscht. Die Sinne spielen das freie Spiel der Imagination, und wenn der Verstand in der ästhetischen Erfahrung mit der Einbildungskraft verbunden ist, wie Kant meint, so bezeugt diese Rehabilitation der Sinne, daß wir mit der Körperlichkeit der Natur in Verbindung stehen: Wir reintegrieren die Natur, und wir sind in dem Sinn wie man sagt: Ich bin der Ihrige.

Auch wenn die Kunst sich der verbalen Sprache bedient, so führt sie hier das Bild ein, um sie in eine bildhafte Sprache zu verwandeln. Sie überschreitet die Konvention, um die Natur einzuführen. Sie läßt fühlen, einen ausgedrückten Sinn ergreifen, wo es vorher um das Verstehen ging, denn sie vergewaltigt die grammatische und vielleicht sogar die referentielle Bedeutung, die der Einbruch des Imaginären in Verwirrung stürzt. Die Trope löst die Struktur auf: Sie stülpt die syntagmatische und paradigmatische Ordnung um, sie zwingt den verbalen Sequenzen eine andere Räumlichkeit auf, anarchischer, sinnlicher: wahrhaftig ein Spiel-Raum, auch für die Wörter, die selbst ihre Körperlichkeit, ihre Musik und gelegentlich, wie bei den Kalligraphen oder Miniaturen, ihre visuelle Form zurückgewinnen; das Singen und Schauen dringt in das Wissen ein. Man könnte zwar sagen, die Poesie habe, wie Musik und Malerei, gelegentlich einen sehr strengen Formalismus angenommen, und es ist durchaus wahr, daß alles Machen eine Technik oder Manier, bestimmte Verfahren und Regeln voraussetzt. Aber man darf nicht vergessen, daß die Manier für diejenigen, die sich in die Schule eines Meisters begeben, die Degeneration eines Stils bedeutet. Und man muß die Bestimmung der Regeln recht verstehen: Sie sind nicht nur gemacht, oder sagen wir erfunden, um übertreten zu werden, sondern schon um ihrerseits der Alltagssprache Gewalt anzutun; und schließlich sind sie im Dienst einer inspirierten Poesie das Mittel, um den Wörtern ihre Fülle und ihre Freiheit, ihre tiefe Natürlichkeit wiederzugeben. Das Bild, das aus ihrem unvorhersehbaren Zusammentreffen entsteht, gibt der Welt die Sprache zurück, die vom Menschen kommt; sie führt die Sprache wieder zu ihrem Ursprung. Ein Ursprung, der nicht nur in der Institution, d. h. im Menschen, liegt, sondern der auch der Ursprung des Menschen, nämlich die Natur ist.

Eine Philosophie der Natur ist vielleicht nicht aussprechbar. Aber die zeitgenössische Kunst ahnt und beschwört sie: Sie versucht selbst die Ontologie zum Ausdruck zu bringen, die ihren Weg erhellen könnte. Man hat genug von ihrer Reflexivität gesprochen, und es ist wahr, daß der Künstler, sobald er seiner selbst bewußt geworden ist, nicht aufhört, sich Fragen zu stellen, und zwar weniger über seinen Schaffensakt als über dessen Ursprung. So spricht Klee von der natura naturans, aber was der Künstler sagt, zählt wenig; das Wesentliche ist das, was er lebt, und was sich in seinem Werk offenbart. Zwar ist das Abenteuer, das er lebt, nicht das eines konstituierenden Bewußtseins, das sich selbst besitzt, oder das einer souveränen Praxis, die sich vollkommen unter Kontrolle hat: Es ist nicht das Abenteuer der Wissenschaft. Er wagt es vielmehr, sich in der Ekstase der Geste oder des Wortes zu verlieren, oder er vertraut sich dem Zufall an, der für ihn das wahre Gesicht der Notwendigkeit ist; er hält sich bereit für diesen Zufall, er findet zur Unschuld der Spontaneität zurück. Und er will uns in dieses Abenteuer hineinziehen, indem er uns eine neue Welt zu leben gibt. Neu? Es ist die älteste der Welten, eine, die wir immer schon vergessen haben, abgesunken unter dem Gewicht der Ablagerungen der Kultur – die Welt des ersten Blicks und des ersten Verlangens, eine Welt voll drängenden Sinns, vielfältig, unanalysierbar, die sich in uns reflektiert, sogar bevor wir reflektieren können. So nahe und doch so fern... Unwiederbringlich? Und doch wohnt die Kunst in dieser Welt, und die Phänomenologie der Kunst hilft uns, uns dessen bewußt zu werden. Denn indem sie das Problem des im Ausdruck aufleuchtenden Sinns aufwirft, indem sie uns untersagt, das Werk lediglich als Objekt zu behandeln, veranlaßt sie uns, die Dualität von Subjekt und Objekt zu überwinden, und führt uns in die Ursprungstiefen, in die Stille eines werdenden Sinns, in die Morgenröte des Erscheinens, wohin die Kunst ewig zurückkehrt, um dort ihre Bleibe zu finden.

Anmerkungen

[1] Lyotard, J. F., La Phénoménologie, Paris [6]1967, S. 17.

[2] Husserl, Formale und transzendentale Logik, Halle 1929, S. 203.

[3] Merleau-Ponty, Phänomenologie der Wahrnehmung. Aus dem Französischen übersetzt und eingeführt durch eine Vorrede von R. Boehm, Berlin 1966, S. 11.

[4] Todorov, Poetik, in: Einführung in den Strukturalismus, herausgegeben von F. Wahl, Frankfurt 1973, S. 175.

[5] Croce, B., Ästhetik als Wissenschaft vom Ausdruck und allgemeine Sprachwissenschaft, übertr. v. H. Feist u. R. Peters, Tübingen 1930, S. 17.

[6] Bachelard gibt uns eine nützliche Anleitung zum Lesen: Er liest zu seinem Vergnügen! Wenn er aus seiner Lektüre – die eine Phänomenologie ist – eine Theorie macht, dann weniger, um uns Wissen zu vermitteln, als um uns zu rechtem Gebrauch der Poesie nach seinem Beispiel einzuladen.

[7] Merleau-Ponty, Signes, Paris 1960, S. 228.

[8] Vgl. Dufrenne, L'art est-il langage? in: Esthétique et Philosophie, Paris 1967.

Aachener Kunstblätter 40 (1971), S. 194–214.

POP-ART UND LEBENSWELT

Von WALTER BIEMEL

Aron Gurwitsch zum 70. Geburtstag

Wir wollen etwas verstehen, was schon offen vor unsern Augen liegt. Denn das scheinen wir, in irgend einem Sinne, nicht zu verstehen.
Wittgenstein: Philosophische Untersuchungen.

In der zweiten Hälfte unseres Jahrhunderts hat plötzlich ein Umschlag in der Kunst stattgefunden, der so überraschend kam, daß er nicht nur verblüffte, sondern weite Kreise ratlos werden ließ, und zwar gerade Kreise, die der Kunst sehr zugetan waren. Allerdings ist das insofern nicht erstaunlich, als sich diese neue Kunst gerade als eine Anti-Kunst verstand, eine Gegenspielerin zur herrschenden Kunst. Es sollte eine Art Kunstrevolution demonstriert werden: ein Umsturz in der Art der Darstellung, dem Inhalt des Dargestellten, und das heißt zugleich ein Umsturz in bezug auf die Einstellung zur Kunst, was einschließt den Umsturz in bezug auf das Publikum, an das sich diese neue Kunst wandte.

Die Zeit, die diesem Umsturz (oder Umsturz-Versuch) voranging, war zweifellos geprägt durch die Herrschaft der ungegenständlichen Kunst. Ein faszinierendes Phänomen, vielleicht das faszinierendste Phänomen unseres Jahrhunderts. Daß die Kunst nicht durch den dargestellten Gegenstand zur Kunst wird, das hatte Kant schon 150 Jahre früher theoretisch durchdacht – aber es dauert manchmal lange, bis ein Gedanke zur prägenden Wirkung gelangt. Und wenn das geschieht, ist oft der eigentliche Urheber vergessen. Aber nicht darauf kommt es an, sondern daß der Gedanke in der Tat ein eigenes Leben gewinnt, den Urheber überlebt und wirkt.

Die ungegenständliche Kunst gewann mehr und mehr an Einfluß, ohne (und das ist gerade das Erfreuliche in der Vielfalt der künstlerischen Äußerungen) doch andere Ausdrucksmöglichkeiten unmöglich zu machen. Matisse, Braque, Picasso z. B. fanden ihren Weg auf einer anderen Ausdrucksebene. Die ungegenständliche Kunst entwickelte in ihren mannigfachen Versuchen und Verwirklichungen Werke, die sich an eine immer kleinere Gruppe von wirklichen Kennern wandte, die alle Variationen und Entfaltungsmöglichkeiten zu verfolgen und in gewissen Grenzen zu beurteilen imstande waren – Spreu vom Weizen scheiden konnten. Die ungegenständliche Kunst wurde mehr und mehr zu einer esoterischen Kunst, was keineswegs ihren Charakter als Kunst antastet.

Zugleich mit dieser Entwicklung geschah aber etwas anderes; das Interesse an Kunstausstellungen erfaßte immer größere Kreise (die Besucherzahlen bei den großen Retrospektiven erreichten unglaubliche Höhen). In dieser widersprüchlichen Situation: Voraussetzung der exklusiven Kennerschaft zur Beurteilung und zunehmendes Interesse breiter Schichten der Bevölkerung am Kunstleben – geschah plötzlich der Umsturz: Eine Kunst für die breite Masse, für das Volk: Popular-Art oder Pop-Art meldete sich zu Wort.

War der Gegenstand aus der Kunst verbannt, so tauchte er nun wieder auf, ergriff so energisch Besitz vom Bild, daß er oft in seiner vollen dinglichen Gegenständlichkeit Raum beanspruchte und nicht etwa bloß als Abbildung oder Darstellung. Die höchst nuancierte Farb- und Formgebung wurde durch primitiv erscheinende, sich ausdrücklich primitiv gebende Darstellungsmittel verdrängt. Das Verhaltene, ja Introvertierte einer Kunst äußerster Diskretion, einer Kunst, die nur von der Nuance lebte (wenn wir an Wols denken), wurde nun durch eine laute, hemdsärmelige, beinahe marktschreierische Äußerungsform verdrängt. Mußte man bei der ungegenständlichen Kunst sehr lange nach möglichen Zeichen, nach dem möglicherweise zur Sprache Kommenden sinnen (im Grunde genommen suchte jeder Künstler nach einer ganz persönlichen, einmaligen Sprache), so bediente sich die neue Kunst der vertrauten Gegenstände für ihre Sprache, so tauchte plötzlich ein Wurstbrötchen auf, ein Stück Pastete, ein vergrößertes Leitungsrohr (Oldenburg).

Das breite Publikum fühlte sich nicht mehr ausgeschlossen, ja vor den Kopf gestoßen, hier fand es wieder ... Was fand es wieder? Unsere These lautet: In dieser Kunst findet der Betrachter seine gewohnte Lebenswelt wieder. Die Pop-Kunst ist eine Kunst, in der die Lebenswelt sich plötzlich vorstellen kann, präsentieren kann, sich selbst behaupten kann.

Lange Zeit herrschte die Meinung, zwischen der Welt, in der wir leben, und der Welt der Kunst klaffe ein Hiatus. So beschränkt, bescheiden, ja unglücklich die Welt des Durchschnittsmenschen ist, in der Kunst konnte er sich davon erholen, in die Kunst konnte er sich flüchten, um da die Freude zu finden, die ihm in der gelebten Welt versagt geblieben war. Ja, es konnte so weit gegangen werden, daß erst von der Kunst her das gelebte Leben seinen Sinn erhielt. Was Hegel schon im vergangenen Jahrhundert in seiner Ästhetik herausgestellt hatte, daß uns die Natur durch die Kunst zugänglich wird – hatte seine Wirkung getan. Der Umschlag der falsch verstandenen Aristotelischen Auffassung, daß die Kunst eine Nachahmung der Natur sei (woran Jahrhunderte festgehalten hatten), war radikal vollzogen worden. Nun ereignete sich aber etwas Unerwartetes, das wir bewußt einen Umschlag genannt haben – das gelebte Leben fand sich in der esoterisch gewordenen Kunst nicht wieder. Zugleich aber herrschte die Auffassung, daß Kunst notwendig zum Leben gehöre und nicht das Privileg einiger weniger Sachkenner sei. Die esoterische Kunst schien dem Menschen sein Leben nicht verständlich zu machen, es war auch nicht möglich, in dieser Kunst eine Ausflucht aus dem Leben zu finden – da erstand plötzlich eine Kunst der Lebenswelt, eine Kunst, die dem Verlangen der breiten Masse nach Wiedererkennen, nach Verständnis, nach möglicher Identifikation entgegenkam. Damit dies möglich wurde, dazu war allerdings wiederum eine Besinnung nötig, die von Philosophen vollzogen wurde, und zwar in verschiedenen Denksphären. Das sei kurz erläutert.

1927 war in ›Sein und Zeit‹ erstmals in einem philosophischen Werk eine systematische Analyse unserer Umwelt gegeben worden. Es ging darum freizulegen, was an Verstehen vorausgesetzt werden muß, damit es für den Menschen eine vertraute Umwelt geben kann, und zwar nicht an explizitem theoretischen Verstehen, sondern an unmittelbar vollzogenem Verstehen. Heidegger zeigte bei seinen Analysen, wie wir nicht weiterkommen, wenn wir das theoretische Verstehen, ausgehend vom bloßen Betrachten, als Modell nehmen.

Es gilt vielmehr das eigenartige Verstehen zugänglich zu machen, das vor-prädikativ im konkreten Umgang mit den Gebrauchsdingen unserer Umwelt (Zeug-Welt) realisiert wird, die eigenartige Sicht dieses Verstehens explizit zu machen, um so zu begreifen, wie sie in unserer Alltagswelt im Spiel ist. Das Aufdecken der Verstehens-Strukturen konnte nicht einer unmittelbaren empirischen Schilderung entnommen werden, sondern geht hinter die Empirie zurück, zeigt allererst ihre Ermöglichung.

Husserl hat – wahrscheinlich durch die Lektüre und Auseinandersetzung mit ›Sein und Zeit‹ angeregt – zu Beginn der dreißiger Jahre in seinem philosophischen Vokabular einen neuen terminus geprägt – den Begriff der Lebenswelt. Unter Lebenswelt versteht er die Welt, die durch ein anonymes Leisten des Subjekts konstituiert wird, ohne daß das Subjekt sich dieses Leistens bewußt würde, vielmehr trifft es immer nur auf das schon Geleistete, eben die ihm zugängliche Umwelt, in der es lebt. Diese Welt ist auch für den wissenschaftlichen Weltentwurf die Voraussetzung. Die wissenschaftliche Welt baut auf der Lebenswelt auf, setzt sie voraus. Die Lebenswelt ist – worauf A. Gurwitsch eigens hinwies – eine geschichtlich-soziale Welt, in der ein jeweiliges geschichtliches Menschentum in Vergemeinschaftung lebt. Die Lebenswelt ist durchaus einem Wandel unterworfen, aber wir dürfen sie aus diesem Grund nicht gering einschätzen gegenüber der scheinbar fixen Welt der Wissenschaften. Sie ist vielmehr die Welt, die immer schon vorausgesetzt wird auch für den Wissenschaftler. Husserl hat in der ›Krisis‹-Arbeit besonders eingehend das geschichtliche Moment der Neuzeit untersucht, in dem die thematische Wandlung der Lebenswelt durch die wissenschaftliche Betrachtung erfolgt ist, und zwar bei Galilei. Der Paragraph 9 der ›Krisis‹ wurde von ihm immer wieder überarbeitet und ausgeweitet, weil er hier eine ganz fundamentale Wandlung innerhalb der Neuzeit erkennt. (Es sei hier auf die eingehende Besprechung von A. Gurwitsch in: Philosophy and Phenomenological Research Bd. XVII, Nr. 3, März 1957 hingewiesen: "Discussion: The last work of Edmund Husserl (The Lebenswelt)."

Wittgenstein, der (soweit mir bekannt ist) weder Heidegger noch Husserl durch unmittelbare Textlektüre wirklich kannte, hat in seinen ›Philosophischen Untersuchungen‹ (1945) plötzlich auch die unmittelbar gelebte Erfahrung als Ausgangspunkt für seine Sprachanalysen genommen, die hier in Form von Sprachspielen vorgeführt werden. Das sei durch einige Zitate kurz in Erinnerung gerufen.

Nr. 432 „Jedes Zeichen scheint allein tot. Was gibt ihm Leben? – Im Gebrauch lebt es. Hat es den lebenden Atem in sich? – Oder ist der Gebrauch sein Atem?“ Und Nr. 43 „Man kann für eine große Klasse von Fällen der Benützung des Wortes ‚Bedeutung‘ – wenn auch nicht für alle Fälle seiner Benützung – dieses Wort so erklären: Die Bedeutung eines Wortes ist sein Gebrauch in der Sprache.“ Diese Erläuterung der Bedeutung durch den unmittelbaren Gebrauch, der natürlich immer intersubjektiv verstanden ist, kehrt wie ein Leitmotiv im Werk Wittgensteins immer wieder.

Im Gegensatz zum ›Tractatus‹, wo nach einer exakten, formalisierbaren Idealsprache gesucht wird, entdeckt Wittgenstein später, daß wir diese Idealsprache zum Leben gar nicht nötig haben, daß das wissenschaftliche Ideal der Exaktheit ein ganz begrenztes Problem ist; so wichtig und unentbehrlich es für die Wissenschaften auch sein mag, im unmittelbaren Leben kommen wir ohne es aus und es wäre verfehlt, die Sprache zu verwerfen, die keine „mathematische“ Exaktheit besitzt. Im Zusammenhang mit der Erläuterung des Begriffs Spiel heißt es in den ›Philosophischen Untersuchungen‹ (Nr. 71) „Ist das Unscharfe nicht oft gerade das, was wir brauchen?“ Dreißig Jahre vorher hatte Heidegger bei seiner Hermeneutik der Umwelt sehr ähnliche Gedanken ausgesprochen – durch ein konsequentes phänomenologisches Sehen dessen, was sich in unserer Alltagswelt tatsächlich ereignet, wobei es galt, die Voreingenommenheit des „rein theoretischen“ Betrachtens zu überwinden.

In den ›Philosophischen Untersuchungen‹ lesen wir noch: Nr. 241 „Richtig und falsch ist, was Menschen sagen; und in der Sprache stimmen die Menschen überein. Dies ist keine Übereinstimmung der Meinungen, sondern der Lebensform.“ Und Nr. 23 „Das Wort ‚Sprachspiel‘ soll hier hervorheben, daß das Sprechen der Sprache ein Teil ist einer Tätigkeit, oder einer Lebensform.“

Im Begriff der Lebensform denkt Wittgenstein etwas Entsprechendes zu dem, was Husserl die Lebenswelt nannte und was Heidegger bei seiner Umweltanalyse in der spezifischen Weise des In-der-Welt-seins des Daseins zu fassen bestrebt war, dessen eigentümliche Sicht er herausstellte, im Gegensatz zum rein Theoretischen. Deswegen kann Wittgenstein dann auch seine zunächst paradox klingende Behauptung zu Recht aufstellen: „Wir führen die Wörter von ihrer metaphysischen wieder auf ihre alltägliche Verwendung zurück." (Nr. 116)

Diese Hinweise sollen nicht als unmittelbare Einflüsse verstanden werden (was unmittelbarer Einfluß ist und was nicht, kann hier nicht verfolgt werden), es kommt darauf an, daß mit ›Sein und Zeit‹ und dann durch die ›Krisis‹-Arbeit und im angelsächsischen Raum durch Wittgensteins ›Philosophische Untersuchungen‹ etwas gedacht und ausgesprochen wurde, was Früchte trug, was in das „epochale Bewußtsein" trat. Und wir sind der Auffassung, daß diese Vorbereitung eine Voraussetzung dafür war, daß plötzlich eine Kunstform auftreten konnte, die sich nun der Lebenswelt eigens zuwendet. Die Wirkung der Philosophen hatte der Lebenswelt eine Bedeutsamkeit verliehen, die sie darstellbar machte, ja eine Zuwendung zu ihr rechtfertigte.

Nach diesen einleitenden Überlegungen sei nun versucht, sozusagen in Anwendung der phänomenologischen Schau auf die Kunst selbst, freizulegen, welche Momente der Lebenswelt in der Kunst zum Vorschein gelangen – in der Kunst, die sich Pop-Kunst nennt. Anders formuliert: wie die Lebenswelt beschaffen ist, in der die heutigen Künstler existieren und die sie fasziniert. Es kommt nicht darauf an, ob in dieser Kunst alle wichtigen Momente in Erscheinung treten, aber es ist signifikant, welche Momente die Künstler als wichtig bezeichnen, nicht in einer theoretischen Überlegung, sondern im Schaffen, im Hervorbringen ihrer Werke. Die folgenden Überlegungen verstehen sich als Erläuterung dessen, was in der Kunst selbst geschieht. Es kann durchaus sein, daß diese Erläuterung unangemessen, unzulänglich, ja geradezu falsch ist, aber wir kommen um einen Versuch der Erläuterung nicht herum, wenn wir Kunst ernst nehmen wollen. Wie weit die Erläuterung führt und ob sie überhaupt irgendwohin führt, das wird sich daran zeigen, ob sie uns hilft, in die „Form" dieser Kunst hineinzugelangen, das anfängliche Befremden ihr gegenüber zu überwinden.

Pop-Art und Werbung

Das erste Moment, das aus der Lebenswelt, als sie bestimmend gefaßt wird, ist die Werbung. Wir müssen deswegen versuchen, Klarheit zu schaffen, wie die Werbung in Erscheinung tritt.

Es wird immer wieder behauptet, die Pop-Kunst habe etwas Plakathaftes. Aber was bedeutet das? Zunächst einmal kann es besagen, daß zur Lebenswelt die Reklame gehört. Die hochindustrialisierte Gesellschaft begnügt sich nicht zu produzieren, sie muß ihre Produkte auch an den Mann bringen. Deswegen ist ein großer Wirtschaftszweig gar nicht der Produktion gewidmet, auch nicht der Verteilung der Güter, sondern ihrer Anpreisung. Es wird systematisch für die Produkte geworben. Um werben zu können, muß auf die Mentalität des möglichen Käufers eingegangen werden. Eine möglichst breite potentielle Käuferschicht soll angesprochen werden. Es geht dabei nicht darum, überhaupt Kenntnisse von der Psyche des Käufers zu gewinnen, sondern es kommt darauf an, die Mentalität des Publikums in einer ganz bestimmten Absicht und aus einer ganz bestimmten Hinsicht zum Thema zu machen, nämlich in der Absicht der möglichen Beeinflußbarkeit. Das geht so weit, daß in dem fortschrittlichsten industriellen Land, den USA, die Wahl des mächtigsten Mannes konsequent auch als eine Frage der Werbung betrachtet werden kann. Nicht der Fähigste wird gewählt, sondern wer die Mittel der Werbung am besten handhabt. (Vgl. ›The selling of the President‹ von Joe McGinnis.)

Bei der Werbung haben wir den eigenartigen Sachverhalt, daß die Fakten, die gewonnen werden, den Betroffenen nicht zugänglich gemacht werden, wie das sonst im Bereich der Wissenschaft der Fall ist, z. B. in der Wissenschaft von der Psyche, die sich als Psychoanalyse etabliert hat, wobei durch die Kenntnisse der Prozeß der Aufhebung der Neurosen in Gang gebracht werden soll, sondern diese Kenntnisse sollen eigens verschwiegen werden, da mit dem Zur-Kenntnis-Nehmen der gewonnenen Einsichten in diesem Fall zu befürchten ist, daß die betreffenden Personen sich der Einflußnahme zu entziehen trachten, daß Abwehrmechanismen ausgelöst werden.

Aus welchem Grund kann das geschehen? Weswegen ist ein Sichsträuben zu befürchten, sobald sich der Betreffende über die Mittel der Werbung klargeworden ist? Weil mit der Bekanntgabe der gewonnenen Kenntnisse plötzlich offenbar wird, wie verletzlich, wie ausgeliefert der Mensch bestimmten Einflüssen gegenüber ist. Deswegen soll nicht offen dargelegt werden, was die Untersuchungen zutage gefördert haben, sondern es gehört zu einer guten Wirkungsmöglichkeit, daß der Zu-Beeinflussende gerade nicht weiß, wie, wodurch, wann er beeinflußt werden kann.

Die Werbung ist eine Art geheimer Besitzergreifung. Der die Ware Wählende soll den Eindruck haben, als ob er in seiner Entscheidung ganz frei sei, während er faktisch den Werbeeinflüssen unterliegt. Dieser Sachverhalt erklärt die Notwendigkeit des Verbergens der Mittel, des Vorgehens, überhaupt des ganzen Prozesses der Einflußnahme als Besitzergreifung. Letzten Endes handelt es sich um ein Problem der Macht. Aber um eine Macht, die als solche gerade nicht zutage treten soll; während es sonst zur Macht gehört, daß sie sich als Macht aufspielen will, um Eindruck zu erwecken und einzuschüchtern, ist diese Macht eine gewollt versteckte, geheime Macht.

Das ist der eine Grundzug – der nächste betrifft nicht den Machtcharakter der Werbung, sondern ihr Vorgehen, sozusagen ihre Methode. Um zu wirken, muß die Macht auffallen. Das kann auf verschiedenste Weise realisiert werden. (Die Detailanalyse sei hier gespart.) Zum Auffallen gehört dann auch, daß in möglichst kurzer Zeit dem, der beeinflußt werden soll, klargemacht werden muß, worum es geht. Die Werbung darf nicht zu kompliziert und langatmig sein. (Wenn in den Ostblockstaaten am Straßenrand Tafeln angebracht sind, in denen die unverbrüchliche Treue mit der brüderlichen Sowjetunion angepriesen wird, in der üblichen bombastischen Sprachregelung, so ist das keine Werbung, erstens kann beim Vorbeifahren mit dem Automobil sowieso nur ein Teil der Sprüche gelesen werden, und es wird wohl niemand deswegen halten – und zweitens ist denen, die die Anbringung dieser Tafeln angeordnet haben, wohl klargewesen, daß sie damit nicht viel erreichen werden. Statt Werbung ist es hier eher ein ideologisches Glaubensbekenntnis, das sich dann auch im Laufe der Jahre wandeln kann, wie das der Fall war.)

Das Leben wird immer gehetzter, besonders in den großen Bevölkerungzentren, der Großstädter wird zugleich immer abgestumpfter, weil ihn eine Fülle von Eindrücken überfallen. Darum muß etwas Ausgefallenes und spontan Wirkendes gesucht werden. Da andererseits immer wieder eine Gewöhnung an das Ungewöhnliche eintritt und die anderen Werber bei Erfolgen sofort nachahmen wollen, ist der Prozeß der Nivellierung im Sinne der Gewöhnung und Anpassung der Werbemethoden ständig im Gange. Dazu kommt noch, daß die Werbung durch Querverbindungen versucht, besonders empfindliche Punkte anzurühren. Herrscht beispielsweise in einem Land eine nationalistische Atmosphäre, so wird die Werbung versuchen, unter diesem Zeichen das jeweilige Produkt anzupreisen. Herrscht ein besonderes Interesse an Sex, so wird ein Sex-Untergrund oder auch Vordergrund mit ins Spiel gebracht.

Die Methode des Vorgehens bei der Werbung ist weithin bestimmt durch das angestrebte Ziel. Es geht darum, eine ideale Vorstellung, wir könnten auch sagen eine illusionäre Vorstellung vom betreffenden Produkt zu erzeugen. Es kommt nicht darauf an, ob das Produkt der Vorstellung von ihm entspricht, sondern daß die erzeugte Vorstellung für wahr gehalten wird, daß der Konsument dazu überredet wird, daß dieses Produkt seinen Wünschen entspricht. Denn dann wird er dieses Produkt wählen. Das bedeutet nichts anderes, als daß die Werbung darum bestrebt ist, eine Schein-Welt aufzubauen. Wir sind an Platonische Verhältnisse erinnert: Die Scheinwelt als die Welt der bloßen Meinung. Das trifft auf die Welt der Werbung zu.

Aber was hat das alles mit Pop-Art zu tun? Wir gingen von der Behauptung aus, die Pop-Art habe etwas von der Plakatkunst. Diese Behauptung ist nur sinnvoll, wenn wir uns Rechenschaft geben, was es mit dem Plakathaften der Werbung auf sich hat. Das sollte aufgedeckt werden. Denn – wie wir sahen – hat die Werbung selbst keinerlei Interesse, ihre Methoden und ihre Ziele aufzudekken, da sie sich dadurch selbst schaden würde. Die Werbung als Errichtung einer Scheinwelt fürchtet nichts so sehr als die Aufhebung des Scheines, da dies ihrer Selbstaufhebung gleichkäme. Dessen müssen wir uns bewußt sein, wenn wir nun das „Plakathafte“ der Pop-Art in Betracht ziehen wollen.

Unsere These lautet: die Pop-Kunst ist eine Anti-Plakat-Kunst. Damit wird die gängige Behauptung auf den Kopf gestellt. Das sei kurz erläutert. Hat die Pop-Kunst es mit der Lebenswelt zu tun, ist sie die Kunst der Lebenswelt par excellence (wozu gerade auch gehört, daß sie sich als Anti-Kunst versteht) – wird andererseits die Lebenswelt in zunehmendem Maße durch die Werbung beherrscht, dann muß dieser Vorgang auch in der Pop-Kunst zum Vorschein kommen.

Das scheint jedoch der gerade formulierten These zu widersprechen. Sehen wir näher zu. Es ist unbestreitbar, daß manche Pop-Bilder den Reklame-Bildern der Werbung sehr nahe kommen. Wir könnten geradezu eine Skala der Annäherung aufstellen, bis zum extremen Fall, wo ein Reklame-Bild geradezu zitiert wird in der Pop-Kunst (Campbell-Suppe, Abb. 1, VW, Coca-Cola u. v. a.). Und doch, selbst wenn wir eine solche Wiedergabe im Sinne der Wiederholung haben, handelt es sich um etwas anderes. Worin besteht der Unterschied?

Habe ich eine Campbell-Suppen-Reklame und habe ich ein Bild mit einer Campbell-Suppen-Reklame, so habe ich zwei verschiedene Sachen. Worin besteht die Verschiedenheit? Zunächst kann man sagen: Die Reklame soll für den Kauf dieses Produktes werben, indem sie darauf aufmerksam macht, es dem möglichen Käufer vor Augen führt usw.; ist das auch beim Bild der Fall? Offenbar nicht. Das Bild ist selbst ein verkäufliches Produkt. Es wirbt nicht für etwas anderes. Sollte das mit dazukommen, dann nur auf beiherspielende Weise. Die Reklame ist um so besser, je besser sie von sich selbst auf das Produkt verweist; das Bild ist um so besser, je mehr wir an es selbst gefesselt werden.

Aber es kann doch nicht bestritten werden, daß Reklame-Momente mitverarbeitet oder einfach übernommen werden. Wird dadurch das Bild nicht doch zur Reklame, zum Plakat? Wenn wir Beispiele aufzeigen, in denen ganz einfach eine Reklame-Darstellung wiedergegeben wird, ist dann nicht doch das Bild zum Mittel der Werbung geworden?

Machen wir uns den Sachverhalt klar. Wir haben einerseits ein bestimmtes Produkt (z. B. eine Suppe), dann haben wir das Plakat, das für diese Suppe wirbt, und dann haben wir das Bild, das dieses

Abb. 1

Plakat wiedergibt. Wir sagten schon: Bild und Plakat fallen nicht zusammen, selbst wenn eine inhaltliche Übereinstimmung in bezug auf das Dargestellte feststellbar ist. Wir sind versucht, an die Platonische Unterscheidung zu erinnern: Urbild (Idee des Tisches z. B.) – Nachbild (dieser bestimmte Tisch) und Abbild (Bild dieses Tisches). Aber es handelt sich hier doch um etwas anderes. Wir haben nicht, was Platon im 10. Buch des Staates der Kunst vorwirft, eine zunehmende Entfernung von dem eigentlich Seienden, dem Urbild, der Idee – sondern wir haben hier, wie Husserl sagen würde, eine Wandlung der Intention.

Bei der Reklame sollen wir nicht an der Darstellung kleben, sondern das Dargestellte soll uns ganz und gar auf die angepriesene Sache verweisen, je besser ihr das gelingt, um so besser ist sie. (Das ist gerade das Kriterium für ihr Gut-sein.) Bei dem Bild mit dem Reklame-Inhalt geht es um etwas ganz anderes – jetzt sind wir nicht mehr bei der Sache, dem Markenartikel, jetzt verweist die Darstellung nicht mehr auf etwas anderes (z. B. die Suppe), sondern gerade durch die Wiederholung der Reklame geschieht ein sonderbarer Blickwechsel – die Reklame verweist auf sich selbst. Wenn wir im Bild eine VW-Reklame haben (Abb. 2), dann sollen wir

Abb. 2

nicht an den möglichen Kauf dieses Autotyps denken, sondern an die Reklame selbst. Das ist etwas ganz und gar Ungewohntes, genauer gesagt, das steht in krassem Gegensatz zum Wesen der Reklame.

Die Reklame soll zwar fesseln, aber nicht indem sie ausspricht, was Reklame ist, sondern durch den Inhalt, auf den sie verweist. Wir sahen ja, daß die Werbung, indem sie wirbt, gerade verschweigt, was Werbung ist. Sobald man ihr auf die Schliche kommt, wird sie ohnmächtig. In der Pop-Kunst wird die Werbung selbst zum Thema. Der Betrachter soll sich der Werbung stellen, der Betrachter soll sich Rechenschaft geben, was in der Werbung geschieht, wie er durch die Werbung geleitet (verführt) wird. Das kann nicht mit theoretischen Mitteln geschehen, der Alltagsmensch verabscheut die Theorie, sie bleibt ihm radikal fremd. Soll er doch beeinflußt werden, so daß eine Wandlung bei ihm in die Wege geleitet wird, so muß das mit der unmittelbaren Sprache der bildlichen Darstellung geschehen.

Die Wiederholung der Werbung steht in der Pop-Kunst also nicht im Dienste der Werbung, sondern soll Reflexion auf die Werbung in Gang bringen, soll das Alltagsbewußtsein aus seiner Unmittelbarkeit herausreißen. Das ist die Pop-Kunst als Anti-Plakat-Kunst. Sie kann nur durch die Mittel der Plakatkunst, die unmittelbar anspricht, aus der Unmittelbarkeit herausreißen, die Gefahr der Werbung vor Augen führen.

Wir haben hier also ein entscheidendes Moment aus der modernen Lebenswelt, das in der Pop-Kunst sichtbar gemacht wird: die Macht der Werbung als unentbehrliches Mittel der Konsum-Gesellschaft. Der Betrachter soll sich als Konsument erfahren und nicht nur unmittelbar als Konsument leben, ohne sich dessen Rechenschaft zu geben, was das heißt. Eine bestimmte Anonymität soll aufgehoben werden. Wer reflexionslos an diese Bilder herantritt, sieht darin bloß den Spiegel des Vertrauten und freut sich darüber, wie das Kind, wenn es Bekanntes wiederfindet; wer wissen will, was hier vor sich geht, sieht im Spiegel sich selbst und sein Verhalten – seine Lebenswelt.

Wir müssen uns darüber im klaren sein: die Pop-Kunst richtete sich ursprünglich nicht an den ästhetisch Gebildeten – dieser wurde vielmehr von ihr als von einer Antikunst abgestoßen –, sondern an den Alltagsmenschen. Man kann sagen, die Pop-Kunst ist Ausdruck des Aufstandes der Massen gegenüber der Elite, der Massen-Kunst gegenüber der esoterischen Kunst (der Abstraktion). Um das sein zu können, muß sie mit solch naiven Mitteln wirken, an die der Alltagsmensch gewöhnt ist. (Es ist kein Zufall, daß die Pop-Kunst in den angelsächsischen Ländern entstanden ist, bei denen der Durchschnittsmensch tonangebend ist.) Aber die Naivität der Pop-

Kunst ist eine Schein-Naivität. Wäre die Pop-Kunst nur ein Abklatsch der Reklame-Welt, die uns ständig umgibt, dann wäre sie ganz und gar überflüssig, Reklame haben wir auch ohne sie genug. Sie ist vielmehr eine Schein-Welt, dazu berufen, den Schein aufzuheben, durchschaubar zu machen. In ihrer naiven Ausdrucksweise will sie die Naivität zugleich aufheben. Wenn das gelingt und insofern das gelingt, ist sie über die Naivität hinaus.

Sie ist die Einsicht in die Verstricktheit und Ausgeliefertheit der Naivität und damit die Überwindung der Naivität. (Deswegen bei manchen Pop-Künstlern wie Vostell der Verweis auf die Medien der Meinungsbildung, immer wieder Collagen mit Zeitungsausschnitten.) Die Pop-Kunst sagt in scheinbar naiver Sprache, wie es mit der Naivität bestellt ist. Um das sagen zu können, muß schon Reflexion vollzogen sein. Wenn Wesselmann in einem Bild eine Kücheneinrichtung wiedergibt – Eisschrank, Uhr, Blumenvase, Coca-Cola-Flasche, so soll ja gerade durch die Wiedergabe Distanz zum Wiedergegebenen gewonnen werden, sonst wäre so etwas einfach sinnlos.

Um diese Kunst zu verstehen, die sich ganz natürlich gibt, müssen wir zur Naivität zurückfinden und zugleich die Naivität überwunden haben. Das Durchschauen des Scheines, in dem die Naivität steht, ist ihre Wirkung. Einmal durchschaut, wird der Schein machtlos. Zugleich hebt sich mit dieser Wirkung die Kunst selbst auch auf, denn sie ist nicht mehr als diese Wirkung.

Aus diesem Sachverhalt wird verständlich, wie die Pop-Kunst in doppelter Weise ihre Wirkung ausüben kann. Einmal, wie gerade gesagt, indem der Betrachter in der naiven Ebene verbleibt und Freude am Wiederfinden des Bekannten hat (eine der naivsten Freuden), das möchte ich zugleich ihre effektlose Wirkung nennen; und dann die eigentliche Wirkung, die ein Erfassen der Lebenswelt ist und der Mächte, die verborgen an ihrer Gestaltung mitwirken und damit zugleich ein Durchschauen dieser Mächtigkeit. Die Lebenswelt wird bei dieser Betrachtungsweise nicht verlassen, bloß die anonymen Kräfte, die sie mitgestalten, werden plötzlich sichtbar. Das ist nun allerdings eine ganz andere Anonymität, als die, von der Husserl sprach, wenn er den Plan einer zu entfaltenden Ontologie der Lebenswelt entwickelte; Husserl meinte das anonyme

Leisten des transzendentalen Ego, hier ist es das bewußt anonym bleiben wollende Leisten einer Art sozialen Über-Egos.

Pop-Kunst und Sex

Ein zweites Moment aus der Lebenswelt, wie wir sie heute erfahren, ist das Hochspielen des Sexus.

Die moderne Lebenswelt ist erfahren in der gedoppelten Aufteilung von Arbeitszeit und Zeit zur Entspannung. Der technisierte Fortschritt bringt Entlastung von Kraftaufwand, aber die Monotonie der Arbeitsleistung bleibt im großen und ganzen bestehen. Deswegen wird die Freizeit ersehnt als die Zeit, wo nichts verrichtet werden muß. Aber die Schwierigkeit ergibt sich nun, daß das Bewußtsein, durch die Monotonie eingeschläfert und abgestumpft, in der Freizeit keineswegs eine Gegenform zur vorherigen Seinsweise findet, vielmehr die Monotonie auch in die Freizeit hinübernimmt. Die Freizeit ist so keineswegs die Zeit, da das Individuum zu sich selbst findet, sondern die Zeit, die irgendwie totgeschlagen werden muß.

Es entsteht ein großer neuer Industriezweig, die sogenannte „Zerstreuungs-Industrie". Je genauer das Leben reglementiert wird, desto größer ist der Drang nach Freiheit, der jedoch gar nicht verwirklicht werden kann, da der Spielraum von Seinsmöglichkeiten nicht vorgegeben ist, sondern vom Individuum erschlossen werden muß. Die Flucht aus der Eintönigkeit, die sowohl die Zeit der Arbeit wie die Zeit der Entspannung immer mehr ausfüllt, geschieht im Triebleben. Allerdings stellt sich bald heraus, daß Triebhaftigkeit ohne „Geistigkeit" (Sexus ohne Eros) selbst wiederum eintönig wird.

Um die Eintönigkeit und die in der puren Triebbefriedigung steckende Unbefriedigung zu überspielen, muß der Gegenstand der Triebbefriedigung reizvoll erscheinen, verlockend, verführerisch. So kann eine Vielfalt vorgetäuscht werden in der Monotonie der Triebbefriedigung. Die Reduzierung der Liebe auf Triebbefriedigung ist das factum, mit dem das Individuum nicht fertig wird. Worin findet dieser Sachverhalt seinen Niederschlag? In der Darstellung der Frau.

Die Frau ist kein ebenbürtiger Partner, mit dem eine Auseinandersetzung nicht nur möglich ist, sondern ständig stattfindet, die Frau wird zum Lustobjekt. Sie kann auch zum Prestige-Objekt werden, durch das in der Gesellschaftshierarchie der Rang fixiert wird und das deswegen beim sozialen Aufstieg gewechselt werden muß, für jede Rangstufe das entsprechende Haus, die entsprechende Frau. Sie wird als Objekt betrachtet. So kostbar ein Objekt auch sein mag, die Beziehung zu ihm kann nicht das ersetzen, was die Beziehung zwischen zwei Menschen zu geben vermag. Deswegen das baldige Abstumpfen und Veröden, die Eintönigkeit und Leere, die solch eine Objektbeziehung belastet.

Es muß nun gezeigt werden, ob dieser kurze Aufriß in der Pop-Kunst seine Bestätigung findet, was insofern von Bedeutung ist, als unsere These lautete, daß die Pop-Kunst eine Darstellung der Lebenswelt ist im Sinne einer Auseinandersetzung mit ihr und nicht der Entwurf einer idealen Welt.

Wir gehen von der Darstellung der Frau aus, wie sie bei Tom Wesselmann zu finden ist. In der Reihe ›The great american nude‹ steht im Mittelpunkt immer ein Akt. Betrachten wir die in Aachen hängende Ausführung (Nr. 54, von 1964, Abb. 3), so fällt zunächst der Gegensatz auf zwischen der provozierenden Haltung der Frau und dem spießigen, kleinbürgerlichen Milieu des Zimmers, das durch konkrete Gegenstände repräsentiert wird: Blumenstrauß, Eisbecher, Tisch, Stuhl, Vorhang, Telefon, Zentralheizung. Die Frau liegt mit gespreizten Beinen da, zum Sexualakt auffordernd. Zugleich ist die Gestik so stereotypisiert, daß sie jedes Aufreizende und Verführerische verliert. Es ist nichts Einmaliges, Erregendes dargestellt, sondern gleichsam die gewohnte Gestik der Lustbefriedigung, die beinahe etwas Mechanisches verrät.

Das Gesicht der Frau ist ganz neutral gehalten, es ist kein Individuum, das auf dem Bett liegt, keine von Liebe erregte Person, die den Partner freudig erwartet. Deswegen stört es gar nicht, daß kein Gesicht gemalt ist bzw. das Gesicht nur angedeutet bleibt, der Leib soll verführen, das Gesicht ist nebensächlich. Hier liegt kein Individuum mit einer Lebensgeschichte, die in den Gesichtszügen ihre Prägung gefunden hat, sondern ein bloßes Lust-Objekt. Deswegen ist der elegante Körper mit den hübschen Brüsten das Wich-

Abb. 3

tige und die Geste der Empfangsbereitschaft. Der Partner ist nicht dargestellt, denn er ist der Betrachter, er ist das Subjekt, für das die Frau sich hinräkelt.

In ›Bathtub Collage‹ (Nr. 3, von 1963, Abb. 4) ist der gleiche schlanke Frauentyp präsentiert, in der gleichen Neutralität, die Atmosphäre ist hier durch das saubere Badezimmer geprägt. Was diese Aktbilder von Wesselmann gemeinsam haben, das ist die Kühle, die Leidenschaftslosigkeit, ja Neutralität, die eben durch die Objekthaftigkeit der dargestellten Frau, die ein Gegenstand unter anderen ist, erzeugt wird. Deswegen haben diese Bilder auch nichts Obszönes, obgleich besonders im zuerst analysierten die Verweisung auf den Sexualakt unverkennbar ist. Aber der Sexualakt wird als eine Handlung antizipiert, die zum Alltagsablauf gehört, wie das Sichwaschen, das Autofahren und Essen. Nichts Erregendes haftet ihm an.

In einem anderen Bild von Wesselmann (Great american nude Nr. 98, Abb. 5) ist von der Frau nur ein Teil präsentiert: eine Brust

Abb. 4

mit übertriebener Brustwarze, ein Teil des Kopfes, an dem nur die knalligen roten Lippen und die strahlend weißen Zähne wiedergegeben sind, sowie eine blonde, den Kopf umrahmende Mähne – sonst ist noch dargestellt ein Aschenbecher mit rauchender Zigarette, eine leuchtende Orange und eine Packung Kleenex-Tücher. Das Bild hat eine befremdende Starre. Alles ist hygienisch steril dargestellt und zugleich ist ein Schritt weiter vollzogen zum Objekt-werden der Frau.

Was von ihr sichtbar wird, unterscheidet sich nicht von den anderen Objekten. Ein Moment der Lebendigkeit kommt nur der Apfelsine zu, ihrem Strahlen, alles übrige ist kühl, distanziert, fixiert. Die geöffneten Lippen der Frau, die hervorstechen, haben nichts Verführerisches, sie sind zur Grimasse erstarrt – die Brust

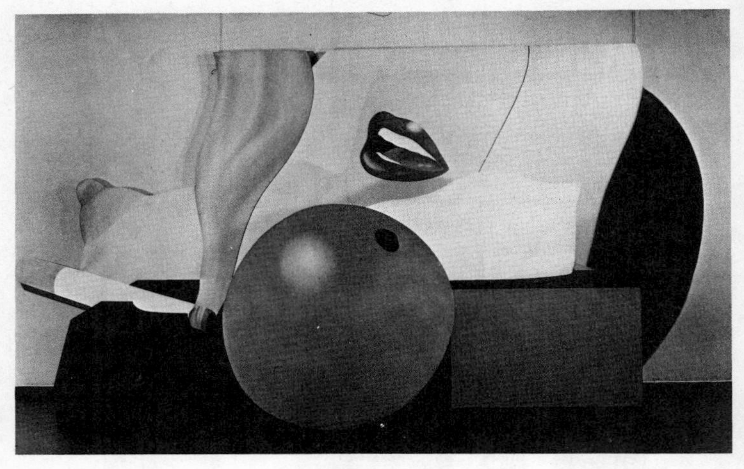

Abb. 5

scheint auch eher ein Ding zu sein als ein Sexualmerkmal. So erfüllt dieses Bild eine Atmosphäre der Langeweile und des Überdrusses. Es ist der Überdruß vor dem bloßen Sex-Objekt, ein Überdruß an der Grenze des Ekels. Gerade die so hygienisch saubere Darstellungsweise, auf die der Künstler aus ist, wirkt a-sexuell, unterkühlt. In solch einem Medium kann nichts vom Verzehrenden einer Liebe aufkommen, deswegen erhält nur die Apfelsine eine wirklich lebendige Tönung, hier ist noch etwas von Natur präsent, nicht bei der Person.

Wenn der Partner zum beliebig austauschbaren Objekt wird, ist die Beziehung als solche in den Bereich der Beliebigkeit versetzt, in den Bereich der Machbarkeit und Verfügbarkeit, der dann gar nicht so sehr von dem Arbeitsbereich unterschieden ist – in beiden herrscht die Stimmung der Eintönigkeit. Die Darstellung der Frau in ›Bathtub Collage‹ gerät plötzlich in die Nachbarschaft der sauber verpackten hygienischen Utensilien, deren wir zum gesunden Leben bedürfen. Wir stoßen hier auf eine Verdinglichung, die kaum zu übertreffen ist. Deswegen sind diese Bilder, selbst wenn sie aufreizende Gesten darstellen, gar nicht mehr aufreizend – denn die pure Geste macht es nicht aus.

Die Geste ist vielmehr das Gleichartige, besonders, wenn sie zur puren Geste erstarrt ist, bar jeden Ausdrucks. Das ist aber genau der Sachverhalt, auf den wir beim Versuch der Analyse der Alltagswelt gestoßen waren.

Der paradoxe Vorgang, daß mit der Annäherung, der Übertreibung der Distanzverminderung zugleich eine zunehmende Objekt-Werdung stattfindet, ist im Bild ›Seascape‹ (Nr. 18, 1967) deutlich sichtbar. Hier ist das Bild von zwei überdimensionierten Brüsten auf tiefblauem Hintergrund ausgefüllt. Wären die Brustwarzen nicht so deutlich dargestellt, so könnte es sich um eine bergige Erhebung vor dem Meereshintergrund handeln.

Dieses Bild gibt nicht nur unterkühlten Sex, sondern Verleugnung des Sex durch Übertreibung eines natürlichen Geschlechtsmerkmales ins Riesige, in ein Naturobjekt, deswegen ist der Titel des Bildes zu Recht ›Seascape‹, es könnte allerdings auch ›Breastscape‹ heißen. Diese Brustlandschaft ist alles Verführerischen, Anlockenden, Zärtlichen bar – es ist ein totales Objekt, ja ein erstarrtes Objekt, mit dem wir nichts anfangen können, das uns nichts zu sagen hat: die letzte Konsequenz des alles verdrängenden Triebes, der seines Objektes überdrüssig geworden ist.

Nun gibt es allerdings auch andere Darstellungen der Frau im Bereich der Pop-Kunst, z. B. bei Allan Jones. Im Bild ›Number 1‹ (What do you mean, what do you mean?, 1968) ist das Sex-Moment stärker betont als bei Wesselmann, ohne daß der Objekt-Charakter sich gewandelt hätte. Der sinnliche Reiz ist geradezu herauspräpariert. Durch den enganliegenden Strumpf soll das Moment der Spannung überbetont werden. Die übertrieben hochgestöckelten Schuhe sollen genauso provozierend wirken wie die drallen Brüste mit den erregten Spitzen. Aber zugleich hat der metallische Effekt, der von dem Strumpf-Bein ausgeht, etwas abweisend Kühles. Die erschreckte Grimasse der Frau wirkt auch abweisend statt anziehend. Das ist keine Person, sondern eine Mischung von Pin-up-Puppe und Schaufenster-Figur.

Das Zum-Objekt-Werden der Frau ist in den 1969 entstandenen Figuren, die Sexmobiliar genannt werden könnten, am krassesten ausgedrückt (Abb. 6). Einerseits soll die dargestellte Frau durch provozierende Posen und entsprechende Be- bzw. Entkleidung reizen, zugleich wird der Reiz aber aufgehoben durch die pure Dienlichkeitsfunktion, die er als Teil eines Gebrauchsgegenstandes erfüllt (Stuhl, Tisch). Während sonst bei der aufreizenden Zurschaustellung der Sexualität der Objektcharakter den Beteiligten nicht unmittelbar bewußt ist und erst durch Reflexion und Analyse klargemacht werden muß, ist er hier ganz unmittelbar unüberschaubar verwirklicht. Hier überschlägt sich die Pansexualisierungstendenz

Abb. 6

unserer Lebenswelt und wirkt komisch. Allerdings würde dieser Effekt erst in dem Augenblick eintreten, wenn diese Gebilde nicht zum Anschauen dargeboten werden, sondern zum tatsächlichen Gebrauch. Dann würde nämlich der Gebrauch dieser Gegenstände die Sinnlosigkeit der Sex-Darstellung unmittelbar vor Augen führen. Wir befinden uns hier am äußersten Gegenpol der puritanistischen Einstellung, die die Beine des Konzertflügels verschämt bekleidet, um nicht unerlaubte Assoziationen aufkommen zu lassen. Hier sind Tisch-Beine wirkliche Beine einer möglichst realistisch dargestellten Frauensperson, die ausdrücklich ihren Beruf zu erkennen gibt, so daß keine Täuschung möglich ist.

Allan Jones hat am konsequentesten den Objekt-Charakter der Frau als Sexperson bloßgestellt, indem er sie in der Tat zu einem Gebrauchsgegenstand werden läßt – damit aber auch zugleich den Unsinn, um nicht zu sagen die Perversion, dieser Richtung aufgedeckt. Diese Objekte könnten geradezu Sex-Besessene von ihrer Besessenheit heilen und Nicht-Besessene davor bewahren.

In Lindners ›Leopard Lilly‹ (1966, Abb. 7) ist eine Kombination von maschineller Versachlichung mit monströser Verunstaltung des weiblichen Körpers. Auf die abstoßend angeschwollenen Schenkel

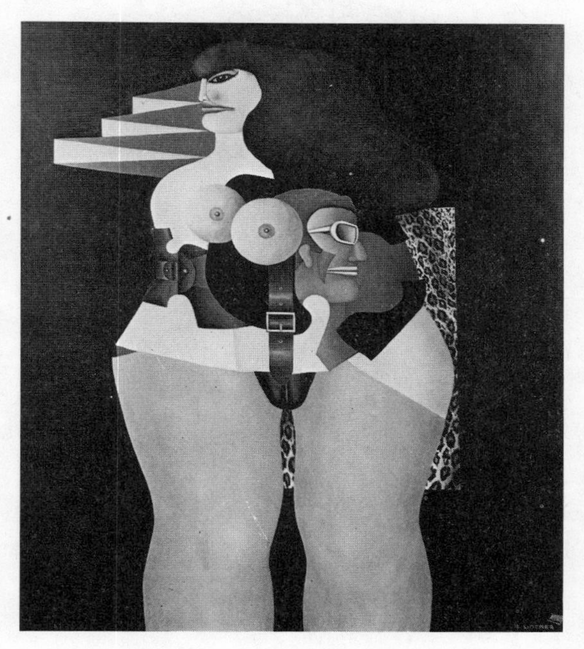

Abb. 7

mit der Darstellung des Geschlechts sind Utensilien aus der technischen Umwelt aufgesetzt, die die Gestalt dann auch zur Puppe werden lassen, zum zusammengebastelten Objekt.

Bei Vostell finden wir in seinen Collages häufig Sex-Elemente,

Abb. 8

aber dabei handelt es sich eher um Zitate aus der Alltagswelt, diese Verweise sind eingeordnet in die verschiedenen Fetzen von Massenmedien, auf die wir tagtäglich stoßen, von den politischen Meldungen bis zu Pin-up-Reproduktionen. In den späteren Bildern tritt die politische Aussage in den Vordergrund, so ist im Bild ›Miß Amerika‹ (1968, Abb. 8) die Frau nur eine Kontrastgestalt, um den Gegensatz des harmlosen Miß-Betriebes mit einer Erschießungsszene aus Vietnam herausspringen zu lassen.

In den Bildern Roy Lichtensteins tritt die Frau in anderer Weise in Erscheinung, nicht als Sex-Objekt (Abb. 9). Wenn wir uns ihre Erscheinungsweise klarmachen, stoßen wir zugleich auf ein neues

Abb. 9

Moment der Lebenswelt, um die es uns ja bei dieser Analyse geht. Es ist die Gleichförmigkeit. Hier nun nicht die Gleichförmigkeit von Arbeits-Zeit und Frei-Zeit, sondern die Gleichförmigkeit der Personen und Situationen.

Die Lebenswelt erscheint als der Raster, den wir nicht gewählt haben, in den wir durch die heute herrschenden Zustände hineingezogen werden. Deswegen ist jedes Individuum jedem anderen Individuum gleich, jedes macht die gleiche Erfahrung, hat die gleichen Hoffnungen, Wünsche, Enttäuschungen, Resignationen. Zugleich ist aber dieses Moment der Uniformierung gekoppelt mit dem Moment, auf das wir schon bei der Werbung gestoßen waren, nämlich der „Idealisierung“.

Lichtenstein wählt immer den gleichen mädchenhaften Frauentyp, der sich leicht begeistert, sich leicht in Tränen auflöst, verzweifelt ist und dann wieder hoffnungsvoll, sentimental und auch etwas überlegend – bei dem jedoch alles um den Zustand der Verliebtheit kreist, es ist eigentlich ein Backfisch. Es ist das idealisierte Durchschnittsmädchen. Die Verkoppelung der Idealisierung und Verdurchschnittlichung scheint mir für seine Frauendarstellungen das Kennzeichnende zu sein. Die Person soll nichts Außergewöhnliches sein, da mit dem Außergewöhnlichen eine Identifizierung schwerfällt, und es soll doch eine Person sein, die schöner ist, sensibler, mitfühlender und umworbener als der Durchschnittstyp. Die Lebenswelt ist hier gegenwärtig in der Weise der Typisierung. Das Mädchen, das auf seinen Geliebten wartet, ist ein Durchschnittsmädchen, der Geliebte ein Durchschnittsgeliebter, sie sehen so aus, wie der Durchschnittsmensch sich ein Mädchen, eine Geliebte und die dazugehörige Situation ausmalt.

Die Verbindung mit den Comic-strips besteht nicht nur in der Weise der Darstellung, mit dem Raster und den Sprechblasen und der Farbwiedergabe, wie sie beim Druck üblich ist, sondern vor allem in der Weise der Identifizierung, die hier vom Betrachter erwartet wird. Wir sollten nicht übersehen, daß die Comic-strips eine Welt der Tagträume ist (mit dem Superman, der entführten und bedrohten Frau, die befreit werden muß, wie im Märchen – hier steht der Bösewicht an der Stelle der Hexe), wo sich jeder idealisiert wiederfinden kann, woran sich jeder verlieren kann, um aus der Monotonie des Gelebten zu entfliehen.

Aber zugleich sollten wir nicht übersehen – was schon bei der Analyse der Reklame der Fall war –, daß es sich hier nicht einfach um eine Wiederholung der Comics auf einer etwas kultivierteren und maßstabmäßig vergrößerten Ebene handelt, sondern zugleich um ein Durchschauen des Mechanismus.

Es geht um ein Aufdecken der Scheinwelt der Idealisierung des Durchschnittsmenschen, ein Aufdecken der Flucht in die ewig erscheinende Jugend (die Frauen sind immer jung, hübsch, zärtlich) und zugleich ein Aufdecken der Lebenswelt als einer stereotypen Welt.

Diese Bilder können auch verschieden gelesen werden, in der

naiven Weise, in der die Identifizierung für echt genommen wird (dann sind sie in der Tat nur monumentale Comics) oder in der Weise des Aufdeckens des Scheins, dann führen sie zur kritischen Distanz, zur Reflexion. Die Freude daran ist dann nicht mehr unmittelbar, sondern ein Belächeln der vorherigen Unmittelbarkeit. In diesem Lächeln steckt ein leichtes Sich-Grausen vor der Welt, in der alle Personen gleich aussehen müssen, das Gleiche fühlen und das Gleiche sagen, sich das Gleiche wünschen, am Gleichen verzweifeln.

Um den Eindruck der Naivität erwecken zu können, muß die Ebene der Naivität radikal durchbrochen sein. Wenn diese Bilder auf die Dauer eintönig wirken, so steckt dahinter die Intention des Künstlers, daß unsere gemeinschaftliche Lebenswelt der Gefahr der Uniformierung ausgesetzt ist. Ein Gedanke, den wir schon in ›Sein und Zeit‹ finden, bei der Analyse der Öffentlichkeit und des Verfallenseins. Ein Grund für die Jugendrevolte, wie sie gerade in den Vereinigten Staaten ihren Ausgang nahm, ist zweifellos die Rebellion gegen diese Uniformierung.

Es sei nun gestattet, auf einen Künstler aus dem Bereich der Pop-Kunst hinzuweisen, bei dem die Verbindung des Reklamehaften mit der Sexwelt ganz unübersehbar ist – und so die Verbindung mit dem vorher Abgehandelten herzustellen –, ich meine Mel Ramos.

Wir sahen, wie die moderne Werbung darauf aus ist, durch alle Mittel den Käufer zu ködern. Dabei werden alle möglichen Assoziationen ins Spiel gebracht – Assoziationen, die nichts mit der Qualität oder dem spezifischen Gebrauch des Konsumartikels zu tun haben, wichtig ist nur das Reizhafte daran, das Ansprechen auf den Reiz. Am leichtesten ansprechbar ist die Sphäre des Triebhaften, besonders in einer Gesellschaft, die gerade im Begriff ist, sich von alten Tabus zu lösen; – das, was jahrhundertelang verdrängt wurde oder nur versteckt geäußert werden konnte, ist plötzlich aussprechbar, ausdrückbar geworden und (wie oben gesagt) ist zugleich der Sex als „Hobby“ für die Freizeit als Gegengewicht zur lustlosen Arbeit propagiert.

In der Kunst von Mel Ramos (besonders in der zweiten Hälfte der sechziger Jahre) wird systematisch Sex mit Werbung verkoppelt. „Klassische“ Pin-up-Gestalten treten als Werbe-Reiz-Mittel in Erscheinung, in deutlicher Pop-Manier, nicht durch Foto-Montagen, sondern durch realistische Darstellungen. (Z. B. Tomato-Catsup, 1965; Colgate, 1965; Lucky-Strike, 1965; Velveta, 1965). Die nackte Dame in der Catsup-Reklame, die sich zärtlich an die mit Tomatenmark gefüllte Flasche schmiegt, als ob es ihr Liebhaber sei, hat nur die Funktion des Blickfanges. Denn weder wird Catsup aus nackten Mädchen hergestellt, noch besonders für sie. Und beim ›Colgate‹-Bild soll der Betrachter durch die barbusige Person angezogen werden und die Zahnpasta dann mit in Kauf nehmen. Die schlanke liegende Pin-up-Gestalt auf dem Velveta-Käse benützt diesen Käse sicher nicht zur Haut- oder Haarpflege und der Geschmack des preiswerten Käses erinnert den Konsumenten auch nicht an das teure Mädchen.

Ein Wort zur Pin-up-Atmosphäre. Die ganze Pin-up-Industrie könnte sich nicht so unglaublich entfalten und fabulöse Umsätze machen, neue Berufe entstehen lassen, wie den des Photomodells, wenn es in unserer Gesellschaft nicht eine große Kategorie unbefriedigter Menschen gäbe, die sich durch die Pin-up-Darstellungen eine Scheinbefriedigung schaffen wollen, eine Ersatzbefriedigung. Denn während sonst im Bereich der Reklame-Kunst durch die Reklame der Kauf der Ware angeregt werden soll, ist das hier gar nicht möglich und auch gar nicht beabsichtigt. Die Pin-up-Industrie ist kein großangelegter Mädchenhändler-Industriezweig. Die Mädchen, die gezeigt werden, sind nur zum Anschauen da. Genauer gesprochen, sie werden auch nicht leibhaft vorgeführt (wie das beim Striptease der Fall ist), sondern nur die Wiedergabe ihres Abbildes wird zum Verkauf angeboten. Es wird also eine Schein-Sex-Welt konstruiert, für eine Scheinbefriedigung. Sagten wir vorher, in der modernen Sex-Atmosphäre werde die Frau zum puren Lust-Objekt degradiert, so sind wir hier noch eine Stufe weiter – die Frau wird zum Schau-Lust-Objekt. Was eigentlich nur in unmittelbarem Erleben erfahren werden kann, wird nun transponiert und reduziert auf das Schauen, und zwar das Schauen des Abbildes. Um dabei zu einer Ersatzbefriedigung zu gelangen, muß das, was an unmittelbarer körperlicher Präsenz fehlt, durch Entblößung des Dargestellten ersetzt werden. Das Modell muß jugendlich sein, muß reizvolle Formen aufweisen, muß schwindeln, als ob es sich nach dem Betrachter (den es gar nicht kennen kann) sehnte.

Aber die Schwierigkeit, die sich aus dieser bildlichen Präsenz ergibt, ist die sich bald einstellende Monotonie. Denn da das Zur-Schau-Gestellte möglichst den Durchschnittsbetrachter befriedigen muß, den Betrachter, der nicht mit Problemen konfrontiert werden will, gerade auch im Bereich des Sex nicht, muß das Modell reizvoll, aber auch zugleich harmlos, nichtssagend sein. Da die Positionen der Darstellung durch die Zensur oder was der verbleibende Anstand gebietet, auch begrenzt sind, ist binnen kurzem der Bereich möglicher Darstellbarkeit erschöpft. Die immer lächelnde, freundliche Frauengestalt, mit den vom Publikum bevorzugten Durchschnittsmaßen, wirkt genauso stereotyp, wenn nicht noch stereotyper als die Frauen von Roy Lichtenstein. Da war immerhin noch eine größere Variationsbreite der Situationen, die an Gelebtes erinnerten, es evozierten. Hier ist von der Lebenswelt nur ihr Ersatz gegenwärtig, die Flucht in Scheinbefriedigung mit Schein-Lust-Objekten, die sich nur zum Schein anbieten. Ihre „Gegenwart" läßt ihr tatsächliches Fehlen nur um so deutlicher werden. Die fehlende Befriedigung im Alltag wird durch die Flucht zu diesen zum bloßen Ansehen reduzierten Objekten nicht überwunden, sondern gerade besonders deutlich spürbar.

Das Gesagte ist leicht mit Beispielen von Mel Ramos zu belegen. In seiner Pin-up-Darstellung wird das Sinnlose dieser Flucht zum Schein eines Scheines unmittelbar vorgeführt.

Durchschnittlichkeit im Schein des bloßen Scheines, Stereotypie, das erzeugt Langeweile, Überdruß. Manchmal geht Ramos so weit, daß er ausgesprochen Vulgarität präsentiert – käuflichen Schein-Sex. Auch hier sind wir der Ansicht, daß diese Art der Sex-Darstellung die Funktion hat, die Überdrüssigkeit an dieser Art von Sex sichtbar zu machen. Das Wählen des gleichen Modells, z. B. ›Blue Coat‹ 1966 und ›The Pause that refreshes‹ 1967, läßt den Betrachter unmittelbar die Grenzen der Darstellbarkeit erfahren.

Die Unsinnigkeit dieser Sex-Vorführungsreklame wird dann unübersehbar, wenn das Pin-up-Modell nackt auf ein riesiges belegtes Brötchen gesetzt wird (›Virnaburger‹ 1965). Entweder besagt das, daß die Person zum alsbaldigen Verzehr bestimmt ist, wie das mit rohem Fleisch belegte Brötchen, oder daß sie so leicht verderblich ist, wie das hier Angepriesene. In beiden Fällen ist das Ganze nicht sehr appetitanregend; so wie diese Art von Sex-Werbung überhaupt. Wenn die bekannte Coca-Cola-Reklame ›The Pause that refreshes‹ so illustriert wird, daß ein überbusiges nacktes Pin-up sich ein überdimensioniertes Cola-Abzeichen vor den Leib hält, ist die Ironie dieses entspannenden Pause-Machens nicht zu übersehen. Denn die Pause soll ja nicht mit der dargestellten Person verbracht werden, so ausgezogen sie auch dastehen mag, sondern zum Genuß des Reklame-Artikels anregen.

Was Mel Ramos in seinen Darstellungen bloßstellte, hat seither solche Ausmaße in der Werbung angenommen, daß das, was 1965 noch als entlarvend angesehen werden konnte, heute durch die kon-

Abb. 10

krete Werbung überrundet wurde. Es ist so nicht überraschend, wenn er in seinen späteren Bildern plötzlich die Pin-ups mit Tieren kombiniert, die Werbe-Effekte ohne Werbe-Marken präsentiert (Abb. 10). Dies ist wohl weniger ein Hinweis auf antike Mythen als einer auf das Animalische, in dem sich diese Welt der Pin-ups bewegt, aber auch ein sinnloses Animalisches, wenn dadurch nicht ein Zug zur Perversion sichtbar gemacht werden soll, eine Perversion, die den angeödeten Sex-Betrieb neu anregen soll.

Die verschiedenen Möglichkeiten der Ebene des Betrachtens, die wir immer wieder bei der Pop-Kunst feststellen konnten, läßt sich auch bei Mel Ramos leicht nachweisen. Wer seine Sex-Werbeplakate in Hinblick auf Sex betrachtet, findet in ihnen einen Ersatz für die schon scheinhafte Ersatz-Welt der Pin-ups. Wer sie, mit Husserl zu sprechen, nicht in der Geradehin-Einstellung anstaunt, für den wirken sie enthüllend, eine Konsum-Welt bloßstellend, der jedes Mittel gut ist, um den Käufer anzulocken und zum Kauf zu verführen.

Die sexuelle Unbefriedigung des Durchschnittsmenschen bietet eine günstige Angriffsfläche, wobei nicht übersehen werden darf, daß die Unbefriedigung durch diese „Sex-Industrie" noch bewußt gesteigert wird. Die Person, mit der man zusammenlebt, die altert, auch krank sein kann, von Sorgen geplagt, wird dem immer gepflegt erscheinenden Pin-up-Modell gegenübergestellt, wobei dem einfachen Menschen nicht sofort klar wird, wie leer und konventionell dieses Modell letzten Endes doch wirkt und daß der eigentliche Grund für die Unbefriedigung die Degradierung der Liebe zum Sex ist. Diese Degradierung, auf die wiederholt hingewiesen wurde, soll nicht etwa überwunden werden, der ganze Sex-Rummel will sie vielmehr endgültig fixieren.

Wieweit der Künstler sich darüber Rechenschaft gibt, sich darüber bis zu den letzten Konsequenzen im klaren ist, muß offenbleiben. Daß Mel Ramos in einer neuen Phase seines Wirkens den Überdruß an dieser Art Pin-up-Darstellung selbst durchgemacht hat, scheint in der Tat der Fall zu sein. Im Bild ›Judy and the Jaeger‹ (1969), das seiner neuen Serie angehört, ist der weibliche Akt entfremdet. Es ist kein sich zur Schau stellendes Pin-up-Girl mehr, vielmehr eine in blauen Tönen gehaltene Gestalt, in einer surrealistischen Atmosphäre des Fliegens, während der Vogel davor realistisch in den natürlichen Farben dargestellt ist, als ob er einem ornithologischen Werk entnommen wäre.

Die Gegenstände der Pop-Kunst

Wenn die Hinwendung zur Lebenswelt ein Grundzug der Pop-Kunst ist, wie wir das zu interpretieren versuchen, dann ist es geboten, das Präsentieren der Gegenstände zu analysieren.

Wir stoßen dabei auf Versuche, die Gegenstände in ihrer unmittelbaren Alltäglichkeit zu präsentieren, wie z. B. Wesselmann im ›Interieur Nr. 4‹ (Abb. 11), und zwar nicht darstellend, sondern in ihrer unmittelbaren Dinghaftigkeit, durch Plastik-Collagen. Die Wiederholung des alltäglichen Lebens wirkt hier durch die Herauslösung eines Ensembles: Eisschranktür – Telephon – Blumenvase – Uhr – Coca-Cola-Flasche aus dem Raum, in den es gehört und der durch diese Gegenstände seinen besonderen Charakter erhält. Wir müssen wieder auf ›Sein und Zeit‹ verweisen und die Umwelt-Analysen Heideggers. Es geht ihm darum, das Vorverständnis freizulegen, das wir immer schon haben müssen, damit so etwas wie die vertrauten Beziehungen zu unserer Umwelt möglich sein können und wir so überhaupt eine Umwelt haben können. Das Verständnis über den Platz, der einem Zuhandenen zukommt, und über die Weise des Umgangs mit ihm, setzt das Wissen von einer Reihe von Verweisungen voraus (eine Art strukturelles Schema), aber ein Wissen, das nicht thematisch ist, sondern im konkreten Umgang mit den Dingen impliziert ist. Durch das Herauslösen gewisser Dinge aus diesem Kontext geschieht zweierlei: Distanz und Nähe. Im tagtäglichen Gebrauch sehen wir das, womit wir umgehen, gar nicht, wir sehen es weder in seiner Häßlichkeit noch in seiner Hübschheit – in dem Augenblick, wo der Umgang unterbrochen ist, sind wir gezwungen, uns dem Ding als Sehobjekt zu stellen.

Wir können die Türe des Eisschranks in Wesselmanns Gebilde nicht öffnen, um aus dem Schrank etwas herauszunehmen – dabei achten wir nicht auf die Türe, sind nicht bei der Türe, sondern bei dem, was wir aus dem Eisschrank brauchen – in diesem Augenblick, wo die Eisschranktür keine Tür zum Öffnen ist, erscheint sie als eigenständiger Gegenstand. Jetzt, wo der Gebrauch unterbunden ist, erscheint sie als etwas Zu-betrachtendes. Wir stellen fest, ob sie hübsch aussieht, protzig, dürftig – wir achten auf ihre Maße, auf ihre Gestalt. Aus dem Umgang herausgelöst wird sie zum „ästheti-

Abb. 11

schen Objekt" – also zu einem für die Sinne zugänglichen Gegenstand des bloßen Betrachtens. Heidegger hatte uns gezeigt, daß wir die Dinge unserer Umwelt im Umgang kennenlernen, deswegen gab er ihnen den Namen des „Zuhandenen". Jetzt wird einerseits dieser Umgang unmöglich gemacht, aber die Dinge sollen doch als Dinge, die für den Umgang bestimmt waren, präsentiert werden. Es geschieht also eine Wandlung im Hinblick auf die Verlagerung der Bedeutung.

Die Dinge sind nicht mehr verwendbar, sondern da, um betrachtet zu werden; zugleich sollen sie aber betrachtet werden als für den Umgang bestimmte Dinge und nicht etwa als Kunstwerk. Es geschieht also eine Distanzierung, die aber nicht zur Entfremdung führt (auf diese Möglichkeit kommen wir gleich zurück). Der Eisschrank erscheint als Eisschrank, den ich aber nun betrachte, über dessen Aussehen ich mir Rechenschaft gebe. Das danebenstehende Telephon wird auch zu einem Gegenstand des Betrachtens. Sonst bin ich doch immer bei der Person, mit der ich spreche und nicht beim Aussehen des Telephons, ja, ich sehe es, betrachte es faktisch so gut wie gar nicht. Wenn ich es genau schildern müßte, käme ich in Verlegenheit. Das gleiche gilt von den anderen Gegenständen dieses Bildes. Wir erfahren hier die Möglichkeit, Gegenstände aus unserer Umwelt möglichst unverändert zu übernehmen, wobei sie doch nicht als Gebrauchsgegenstände fungieren, weil das Gewicht vom Gebrauch auf das bloße Betrachten verlegt wurde.

Diese Weise des Sehens kann dazu führen, daß wir zu unserer Umgebung ein kritischeres Verhältnis bekommen, denn das gewöhnlich Nicht-gesehene wird nun zum Gegenstand des Sehens, es muß einem neuen Kriterium standhalten. Kitsch kann z. B. nicht mehr durch Übersehen entschuldigt werden, sondern wirkt jetzt, wo die unmittelbare Dienlichkeitsfunktion in Klammern gesetzt wurde, abstoßend oder lächerlich.

Bei dieser Art der Darstellung, durch die unmittelbare Präsenz der Dinge, ereignet sich also doch eine Wandlung im Bezug zu den Dingen: sie werden uns ferngerückt (Ausschalten des Gebrauchs) und zugleich besonders nahegebracht, da wir uns ihnen nun aus der Perspektive des bloßen Betrachtens stellen müssen. Es ist also keine pure Repetition, die diese Art der Darstellung vollzieht, sondern sie fordert uns heraus, einmal auf unsere unmittelbare Umgebung eigens zu blicken und sie einer Prüfung zu unterziehen. Wir sollen nicht nur in unserer Lebenswelt leben, wir sollen zu Gesicht bekommen, was sie ausfüllt, und wir sollen auf dies Aussehen reflektieren.

In derselben Richtung liegt die Ding-Darstellung von Jim Dine. Als Beispiel sei das Bild ›6 große Sägen‹ analysiert. Während im Beispiel von Wesselmann eine Gruppe von Gegenständen, die zusammengehören, aus einer Umwelteinheit (Wohnküche) gelöst wurde, aber so, daß auf diese Einheit verwiesen wird, isoliert Dine einen einzigen Gegenstand und bringt ihn in verschiedenen Variationen. Man kann sofort fragen, was für einen Sinn hat diese Repetition? Aber es ist keine Repetition im Sinne des Noch-einmal, sondern es sind fünf Variationen über das Thema Handsäge.

In der 2. Darstellung wird die Säge als der konkrete Gebrauchsgegenstand selbst auf das Bild fixiert, die fünf anderen Darstellungen sind Abwandlungen in der bildnerischen Darstellungsmöglichkeit. Zuerst die Zeichnung einer alten Säge, die einen großen Teil ihrer Zähne verloren bzw. verbogen hat, die nächste Variation zeigt die intakte Säge mit anderer Farbe des Griffes und anderem Hintergrund; die folgende gibt einen andern Griff und die Säge selbst gezeichnet, wobei auf die Zeichnung Gewicht gelegt wird und nicht auf den Gegenstand; die nächste Variation gibt den gleichen Griff wie bei der konkreten Säge und den Rest als Schwarz-Weiß-Zeichnung; schließlich die gleiche Säge, mit schwarzem Griff, in anderer Wendung und auf getöntem Hintergrund.

Man kann sagen, es handle sich hier einfach um eine Spielerei, aber hätte es für eine Spielerei nicht genügt, einfach fünf dingliche Sägen aufzumontieren? Es ist wohl ein Spielen, aber ein Spielen, bei dem das, was gerade über Wesselmann gesagt wurde, konsequenter durchgeführt wird. Wir sind gezwungen, den Gegenstand aus seiner Gebrauchswelt herauszulösen und daraufhin anzusehen, was ihm an Formmöglichkeiten zukommt, indem verschiedene Darstellungsweisen vorgeführt werden.

Das Spielerische ist die Variation – zugleich gelangen wir durch dieses Spielerische zum Sehen. Wir sind gezwungen, die Variationen nachzuvollziehen, wir gelangen so zum bildnerischen Sehen, wie ein Gegenstand sich abwandelt, je nach der Darstellungsweise. Abgesehen von der ersten Säge, die gerade die alte ist, die abgenützte, sind die anderen alle in bezug auf den Gegenstand identisch, aber nicht identisch hinsichtlich der Darstellungsmöglichkeit. So lernen wir auch die konkrete Säge sehen und fassen sie nicht bloß als Ding zum Schneiden auf. Gerade das Absehen vom Farbmoment – die „reale" Säge ist ja die farbigste – führt uns zu einem Auffassen des Form-Momentes. Wir verlassen bei dieser Darstellung unsere Lebenswelt nicht – entdecken aber neue Sichtweisen, die uns bis dahin verborgen geblieben waren. Wir entdecken, daß wir nicht in eine andere, künstliche Welt übersiedeln müssen, um Formen zu finden, die sich zu betrachten lohnt. Bei Klaphek treffen wir auch auf vertraute Gegenstände – allerdings des technischen Alltags. Gegenstände, die zu unserer technischen Zivilisation gehören: die

Abb. 12

Schreibmaschine (Abb. 12), die Rechenmaschine, die Nähmaschine u.ä. Die Darstellungsweise ist sehr sorgfältig. Es findet eine doppelte Verwandlung statt, einmal zwischen Originalgegenstand und Wiedergabe und dann zwischen Dargestelltem und seiner Benennung.

Die Darstellung des Gegenstandes ist vereinfachend. Die Tendenz zur Findung einer sachlichen, einheitlichen, ja ganzheitlichen Form dominiert. Ähnliche Farbgebung zeigt die Tendenz auf Einheitlichkeit. Jeder Gegenstand weist eine bestimmte Grundfarbe auf, die zufällige Beleuchtung und die daraus entstehenden Effekte sind ausgeklammert. Wir könnten sagen, eine gewisse technische Idealisierung finde statt. Die maschinellen Gegenstände erhalten eine rationale, funktionale und zugleich ästhetische Form. Sie weisen keine Gebrauchsspuren auf, auch die weitere Umgebung, zu der sie gehören, ist ausgeschaltet. Wir haben eine zeitenthobene Darstellung, die geradezu platonisierend ist. Wenn der Ort, an dem die Gegenstände stehen, nicht näher gekennzeichnet ist, so könnte man darauf schließen, daß hier die Maschine Ort und Raum bestimmt.

Die Benennung bringt ein neues Moment hinzu. Die exakt-idealisierende Darstellung einer Schreibmaschine wird ›Supermann‹

(1962) betitelt, eine andere mit überdimensioniertem Wagen ›Athletisches Selbstbildnis‹ (1958), eine andere ›Andacht‹ (1959), Nähmaschinen ›Soldatenbräute‹ (1967), eine Säge ›Die Scheidung‹, eine phantastische Rechenmaschine ›Diktator‹ (1967). Wir stoßen auf ein Moment der Ironie, die zugleich enthüllend ist. In dieser Welt bestimmen die Maschinen. Um den Kontakt mit ihnen zu „vermenschlichen" (im Grunde wird ja der Mensch hier von der Maschine bestimmt, unterwirft sich ihr, nur so kann er sie richtig gebrauchen), wird die maschinelle Welt personifiziert. Je weniger menschliche Bezüge gelten, desto mehr werden Maschinen zum Schein vermenschlicht. Bei dem Bild ›Diktator‹ kommt etwas Unheimliches, Drohendes zum Vorschein. Die glatten Flächen der Maschine, durch die sie von der Außenwelt abgeschirmt wird, haben hier einen abweisenden Charakter, deuten auf etwas Verborgenes, dem man preisgegeben ist, ohne es durchschauen zu können. Vertrautes wird plötzlich befremdlich. Der aus der Maschine herausreichende Hebel wirkt angsterregend. Hier stoßen wir auf einen Zug, der schon an der Grenze der Pop-Kunst steht bzw. über die Pop-Kunst hinausweist.

Eine andere Möglichkeit des Präsentierens der Gegenstände unserer Umwelt wird uns von Claes Oldenburg demonstriert, ja bei ihm haben wir gleich mehrere Variationen der Darstellbarkeit.

Beginnen wir mit der Darstellung der Speisen, die dem Durchschnittsamerikaner am vertrautesten sind, wobei die verschiedenen Arten von belegten Brötchen (Hamburger u. ä.) bevorzugt werden. Diese Speisen werden möglichst plastisch reproduziert, also nicht auf die zweidimensionale Ebene übertragen, sondern dreidimensional präsentiert. Das Entscheidende dabei ist ihre provozierende Vergrößerung – ein Brötchen wächst bis zur Größe eines Menschen. Was soll dadurch erreicht werden? Sagten wir bei Dine, daß er nach dem Aufweis der ästhetischen Gestalt der Alltagsgegenstände strebt – was trotz aller Verschiedenheit auch bei Klaphek nachweisbar ist –, so werden wir bei Oldenburg durch die makroskopisierende Darstellung auf das gestoßen, was uns immer umgibt und was wir gerade deswegen kaum noch perzipieren. Aber jetzt ist es keine ästhetische Funktion, die freigelegt werden soll, sondern es kommt auf den Akt der Entlarvung an.

Das kaum gesehene, in Eile hinuntergeschlungene Essen wird so aufgedunsen, daß wir uns an ihm stoßen müssen. Es wird unverzehrbar, unverdaulich, unbekömmlich. Es erhält einen künstlichen Charakter, besonders wenn die Farben noch ausdrücklich grell werden, wie bei der „dänischen Pastete". Wir haben also einen Prozeß der Heranführung und zugleich der Verfremdung. Der Charakter des Appetitlichen, der jeder Speise zukommen sollte, geht verloren, ja er kann sogar umschlagen ins Ekelerregende. Wir müssen sehen, was wir sonst nicht für ansehenswert hielten. Dabei werden wir aber nicht an es gefesselt, sondern abgestoßen. Anders ausgedrückt: Wir werden so sehr mit der Nase auf unseren Teller gestoßen, daß die Speise, die da ist, uns plötzlich nicht mehr genießbar erscheint, aber wir kommen auch nicht von ihr los. Wir müssen versuchen, sie als Kunstobjekt zu betrachten, aber dafür ist sie zu vulgär und zu sehr an ihre vergängliche Funktion gebunden.

Diese Tendenz der Vergegenständlichung ist meiner Auffassung nach ausgesprochen entlarvend. Wir sollen durch die Popkunst etwas aus seinem ursprünglichen Lebenswelt-Bezug herauslösen, um uns ihm dann besser stellen zu können. Wir sollen uns Rechenschaft geben, wie un-appetitlich das ist, was wir tagtäglich hinunterschlingen. Nicht- oder Kaum-Gesehenes wird plötzlich überdimensional unübersehbar. Speise verwandelt sich in einen Gegenstand, dargestellt durch Holz, Kunststoff, Tuch: alles ungenießbare Materien. Denn zu dieser Darstellungsweise gehört, daß das verwendete Material als solches eigens in Erscheinung tritt. Der Prozeß des beinahe automatischen Verzehrens wird plötzlich gehemmt. Die gewöhnliche Umwelt wird nicht mehr fraglos hingenommen. Mir scheint bei dieser Darstellungsweise der Gegenstände und bei dieser Auswahl das Moment der inhärenten Kritik das Ausschlaggebende zu sein.

Bei Oldenburg folgt dieser Darstellungsmöglichkeit eine andere, idealisierende, aber auch nicht kritiklose Darstellung des modernen Wohnstils, als Beispiel sei ›Bedroom‹ (1963) angeführt. Das übergepflegte Moderne des Schlafzimmers wirkt geradezu penetrant. War zuvor der kleine Durchschnittsbürger angesprochen, so ist es hier der Wohlhabende und auf seine Wohlhabenheit Stolze. Der Aufdeckung der Vulgarität folgt die Aufdeckung der neureichen „Gepflegtheit", ja des Angeberischen.

Danach schafft sich Oldenburg wiederum eine neue Darstellungsmöglichkeit durch die Weich-Gegenstände. Die Verfremdung geschieht hier durch die Reproduktion bestimmter Gegenstände, die ihrer Bestimmung nach aus festem Material bestehen müssen, in verformbarem Material (Leinen, Stoff, Kapok u. a.). Es wird vom Betrachter erwartet, daß er diese Gegenstände berührt und durch die Berührung neue Formen erzeugt. So sehen wir die Gegenstände als eine bestimmte Möglichkeit unter einer Vielfalt von Möglichkeiten. Gelegentlich kombiniert Oldenburg das makroskopische

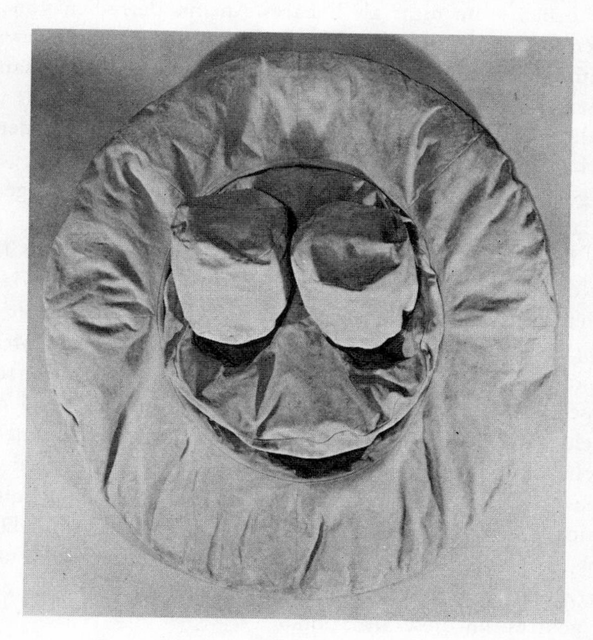

Abb. 13

Sehen mit der Auflösung der festen Form, z. B. beim ›Giant soft swedish light switch‹ (1966, Abb. 13), er zwingt uns dadurch zum genauen Hinsehen. Gerade ein Gegenstand wie ein Lichtschalter wird zwar ständig gebraucht, aber geradezu „blind", ohne angesehen zu werden. Vielleicht steht hinter diesem Versuch der Darstellung von Gegenständen aus unserer Alltagsumwelt die Absicht, das Erstarrte, ja die Gefahr der Erstarrung und Uniformierung sichtbar zu machen.

Die zwischenmenschlichen Beziehungen

Dieser Versuch einer Wesensbestimmung der Pop-Kunst als Kunst der Lebenswelt sei abgeschlossen mit einem Hinweis auf die zwischenmenschlichen Beziehungen und das Moment der Aktualität.

Das Leben kann nicht als lineares Aneinanderreihen von Jetztpunkten verstanden werden. Wir befinden uns vielmehr jeweils in bestimmten Situationen. Eine Verflechtung und ein Sichzusammenschließen dieser Situationen bildet eine Einheit, die durchaus widersprüchlich sein kann und die wir Leben nennen, wobei der Entwurfscharakter oder das Wählenkönnen von Möglichkeiten genauso dazu gehört wie das Verkraftenmüssen des faktisch Gegebenen, über das wir keine Verfügungsgewalt haben.

Die Bedeutung des Situationscharakters scheint mir im Mittelpunkt der Pop-Kunst von Segal zu stehen. Er stellt nicht dar, was die Menschen als Gegenüber haben, die Gegen-stände, mit denen sie umgehen, auf die sie tagtäglich treffen, sondern den Menschen selbst in typischen Situationen, und zwar Alltagssituationen. Wir verlassen also keineswegs den Bereich der Lebenswelt, sondern sind vielmehr ganz explizit in ihn versetzt. Im Grunde genommen können wir die Gegenstände, die gewöhnlich dargestellt werden, nur verstehen, weil wir sie immer schon im Zusammenhang mit einer Situation gelebt haben, d. h. mit ihnen umgegangen sind. Die Isolierung der Gegenstände ist immer nur eine Scheinisolierung, im Hintergrund ist das Wissen um die zugehörige Situation präsent. Segal geht es um diese Situation.

Im Mittelpunkt steht der Mensch, das Wesen, für das es allein so etwas wie Situationen geben kann. Seine Gestalten werden durch Übertragung von Gipsabgüssen lebender Personen gewonnen. Man kann sagen, diese Prozedur sei wenig künstlerisch, da es ja beinahe eine mechanische Übertragung ist, die vorgenommen wird. In der Tat ist das Element des Künstlerischen hier auf eine ganz bestimmte Ebene verlagert. Künstlerisch ist das Auffinden der sprechenden

Situation und ihre Darstellung mit einem Mindestmaß an Mitteln; genauer gesagt, durch die Haltung der beteiligten Person ist nicht nur die Person selbst präsent, sondern zugleich die ganze gelebte Situation. Und in der Situation spiegelt sich nicht nur das Leben dieser bestimmten Person, sondern zugleich ihr Bezug zu den Mitmenschen. Was an Gesten, Bewegungen, Haltungen wirklich sprechend ist, zu sehen und dann zu isolieren und reproduzieren, das ist die eigentliche Tat – alles übrige steht im Dienste dieses Fundes, dieser Einsicht.

In ›Motel‹ ist die ganze Atmosphäre des „Seitensprungs" präsent, vom Erregenden bis zum Deprimierenden, im ›Café‹ (Abb. 14)

Abb. 14

die Trennung und Isoliertheit, die Stimmung des Wartens auf eine Erfüllung, die nicht eintritt, in ›The Dry Cleaning Store‹ (1964) die typische Geste, die die Tätigkeit der Angestellten festhält, die vielen Utensilien sind eigentlich überflüssig, in der gebückten Geste der Schreibenden ist der ganze Prozeß gesammelt, so wie in der

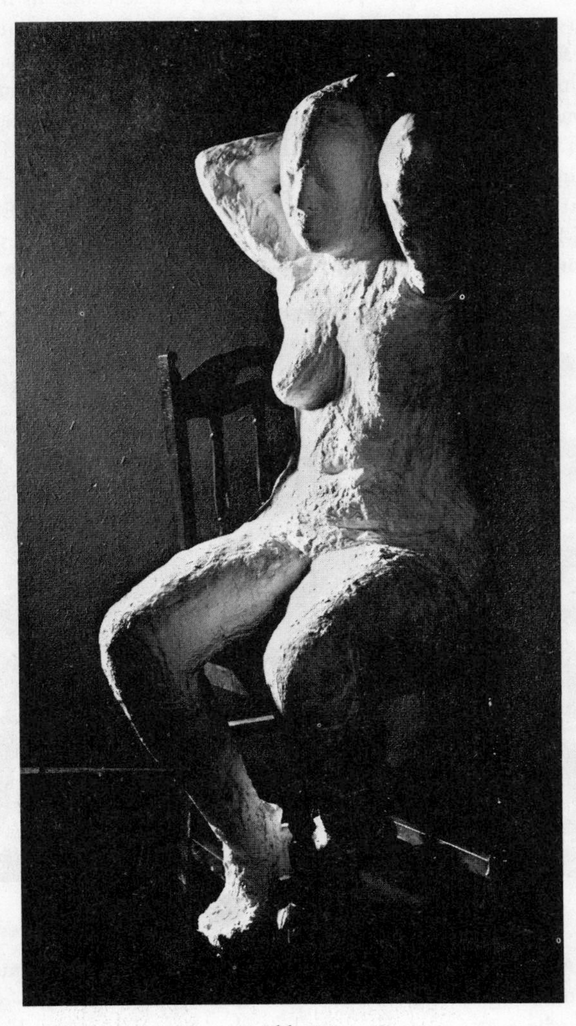

Abb. 15

Geste des Mädchens, das seine Haare aufsteckt ›Girl putting up her hair‹ (Abb. 15), nicht nur das ganze Zimmer gegenwärtig ist, ohne daß es eigens gezeigt werden müßte, sondern eine bestimmte Phase des Lebens.

Nun könnte man sagen, um Situationen sei es auch Roy Lichtenstein zu tun. Seine Mädchen-Bilder geben typische Situationen wieder. Aber bei Lichtenstein ist – wie wir sahen – etwas von Backfischhaftigkeit als Hintergrund, etwas schwärmerisch Illusionshaftes, etwas Tagträumerisches, das ist bei Segal ganz geschwunden. Im Fragment ist das Ganze präsent und dieses Ganze ist ganz nüchtern und sachlich gesehen. Die Lebenswelt ist hier wirklich die gelebte Welt des Durchschnittsmenschen und nicht die Phantasie der Lebenswelt. Segal liebt ausdrücklich die Durchschnittsgeste, die Durchschnittssituation, wir könnten sagen, die Desillusionierung. Die Frau ist nicht das idealisierte, anbetungswürdige Geschöpf, sondern die Person, die sich z. B. im Waschbecken lässig die Füße wäscht, und der Mann kein verherrlichtes Individuum, sondern der müde Busfahrer oder der gedrückt Daherschreitende. Ich möchte sagen, die Quintessenz dieser Kunst läßt sich auf die Formel bringen: Was wir selbst leben, sollen wir nicht nur leben, sondern eigens erfassen und es uns so einsichtig machen.

Zu den zwischenmenschlichen Beziehungen gehört auch die politische Aussage, die Stellungnahme zu politischen Ereignissen. Es sei hier auf Rauschenberg verwiesen, der häufig aktuelle Geschehnisse in seine Bilder einarbeitet, und auf Vostell, der prononciert politisch ist in seinen Bildern. Die Funktion dieser Aussage hat die schon herausgestellte Bedeutung der Hinführung zur Reflexion, des Durchbrechens des Sich-treiben-Lassens im politischen Bereich. Dadurch unterscheidet sie sich deutlich von der bloß propagandistischen Handhabung politischer Thesen, wie sie aus dem sogenannten sozialistischen Realismus zum Überdruß bekannt ist.

Die versuchte Erläuterung eines begrenzten künstlerischen Phänomens könnte – trotz ihrer Beschränktheit – nicht überflüssig sein, wenn sich dabei gezeigt haben sollte, daß ein Zugang von der Philosophie zur Kunst und eine Rückkehr von der Kunst zur Philosophie möglich ist, weil in der Kunst selbst letzten Endes Philosophisches am Werk ist.

III

ANALYTISCHE ÄSTHETIK

Morris Weitz, The Role of Theory in Aesthetics. In: The Journal of Aesthetics & Art Criticism. Baltimore: The American Society for Aesthetics 15 (1956/57), pp. 27–35.
Übersetzt von Hans Gerd Schütte.

DIE ROLLE DER THEORIE IN DER ÄSTHETIK *

Von Morris Weitz

Die Theorie ist immer von zentraler Bedeutung in der Ästhetik gewesen, und steht auch heute noch im Mittelpunkt des Interesses in der Philosophie der Kunst. Ihr Ziel ist und bleibt die Bestimmung des Wesens der Kunst, die sich in einer Definition niederschlagen soll. Definitionen werden in diesem Zusammenhang als Aussagen über notwendige und hinreichende Eigenschaften dessen aufgefaßt, was definiert werden soll, als prinzipiell wahre oder falsche Aussagen über das Wesen der Kunst, die sie charakterisieren und von allem anderen unterscheiden sollen. Jede der großen Kunsttheorien – formalistische, voluntaristische, emotionalistische, intellektualistische, intuitionistische und organizistische Theorien – versucht, die definitorischen Eigenschaften der Kunst zu formulieren. Jede behauptet, die wahre Theorie zu sein, weil sie das Wesen der Kunst richtig in einer Realdefinition wiedergegeben habe, und daß alle anderen falsch seien, da sie irgendeine notwendige oder hinreichende Eigenschaft unterschlagen haben. Viele Theoretiker sind der Ansicht, daß ihr Unternehmen keineswegs eine intellektuelle Spielerei ist, sondern eine absolute Notwendigkeit für jedes Verständnis der Kunst und ihre richtige Bewertung darstellt. Sie meinen, wenn wir nicht wissen, was Kunst ist, wenn wir ihre notwendigen und hinreichenden Eigenschaften nicht kennen, dann können wir nicht angemessen auf Kunst reagieren oder sagen, warum ein bestimmtes Kunstwerk gut oder besser als ein anderes ist. Die ästhetische Theorie ist deshalb nicht nur an sich wichtig, sondern auch als Grundlage der Würdigung und der Kritik der Kunst. Philosophen, Kritiker und sogar Künstler, die über Kunst geschrieben haben, stimmen darin überein, daß das Wichtigste in der Ästhetik eine Theorie über das Wesen der Kunst ist.

Ist ästhetische Theorie im Sinne einer korrekten Definition oder einer Sammlung notwendiger und hinreichender Eigenschaften der Kunst überhaupt möglich? Wenn nichts anderes, so sollte die Geschichte der Ästhetik selbst uns außerordentlich nachdenklich stimmen. Denn trotz aller Theorien scheinen wir unserem Ziel nicht näher gekommen zu sein als zur Zeit Platons. Jedes Zeitalter, jede künstlerische Bewegung, jede Philosophie der Kunst versucht immer wieder dem Ideal näher zu kommen, nur um durch eine neue und revidierte Theorie abgelöst zu werden, die wenigstens teilweise auf der Ablehnung ihrer Vorgänger beruht. Selbst heute hegt fast jeder, der sich für Fragen der Ästhetik interessiert, im tiefsten Herzen die Hoffnung, daß die einzig richtige Theorie der Kunst eines Tages da sein wird. Wir brauchen nur an die zahlreichen neuen Bücher über Kunst zu denken, in denen neue Definitionen angeboten werden, oder besonders hierzulande einen Blick in die Lehrbücher und Anthologien werfen, um festzustellen, welchen Vorrang die Kunsttheorie genießt.

Dieser Aufsatz ist ein Plädoyer gegen die Problemstellung selbst. Ich möchte zeigen, daß es „Theorie" im klassischen Sinne in der Ästhetik nie geben wird, und daß wir als Philosophen besser daran tun, die Frage nach dem Wesen der Kunst durch andere Fragen zu ersetzen. Die Antworten auf diese Fragen werden uns ein so weitgehendes Verständnis der Kunst ermöglichen, wie es überhaupt möglich ist. Ich möchte zeigen, daß die Unzulänglichkeiten der Theorien nicht in erster Linie von legitimen Schwierigkeiten, wie zum Beispiel von der großen Komplexität der Kunst herrühren, die durch weitere Untersuchungen und Forschungen beseitigt werden könnten. Ihre Unzulänglichkeiten gehen vielmehr auf ein fundamentales Mißverständnis der Kunst selbst zurück. Die ästhetische Theorie beruht im Ganzen auf dem grundsätzlichen Irrtum, daß eine korrekte Theorie überhaupt möglich ist, weil sie die Logik des Begriffs „Kunst" völlig mißversteht. Ihre Grundüberzeugung, daß „Kunst" einer realen oder irgendeiner Art von zutreffender Definition zugänglich sei, ist falsch. Der Versuch, die notwendigen und hinreichenden Eigenschaften der Kunst zu entdecken, ist logisch völlig verfehlt, und zwar einfach deshalb, weil es eine solche Gruppe von Eigenschaften und infolgedessen auch Aussagen darüber nie geben wird. Wie die Logik des Begriffs zeigt, weist Kunst keine bestimmte Anzahl notwendiger und hinreichender Eigenschaften auf. Deshalb ist eine Kunsttheorie nicht nur faktisch schwierig, sondern logisch unmöglich. Ästhetische Theorie versucht etwas zu definieren, was im erforderlichen Sinn nicht definiert werden kann. Aber indem ich dafür plädiere, ästhetische Theorie zu verwerfen, behaupte ich nicht, wie nur zu viele, daß ihre logischen Ungereimtheiten sie sinnlos oder wertlos machen. Im Gegenteil, die Neubewertung ihrer Rolle und ihres Beitrages soll zeigen, daß sie von größter Bedeutung für unser Kunstverständnis ist.

Wir wollen uns nun einen Überblick über berühmte ästhetische Theorien verschaffen, um zu sehen, ob sie richtige und angemessene Aussagen über das Wesen der Kunst beinhalten. Jede geht von der Annahme aus, daß sie eine korrekte Aufzählung der definitorischen Eigenschaften der Kunst bietet und impliziert, daß frühere Theorien falsche Definitionen in den Mittelpunkt gestellt haben. Wenden wir uns zunächst einer berühmten Version der formalistischen Theorie zu, die von Bell und Fry vorgeschlagen wurde. Es trifft zwar zu, daß beide in ihren Schriften im wesentlichen die Malerei behandeln, aber beide behaupten, ihre Befunde seien verallgemeinerungsfähig. Sie sind der Ansicht, das Wesen der Malerei bestehe in der Beziehung ihrer räumlichen Elemente zueinander. Ihr Definiens sei die „signifikante Form", das heißt, bestimmte Kombinationen von Linien, Farben, Formen und Raum – alles was man auf der Leinwand sieht, außer den darstellenden und abbildenden Elementen –, die eine spezifische Reaktion (auf solche Kombinationen) hervorrufen. Malerei kann als gestalterische Organisation definiert werden. Ihre Theorie besagt, das Wesen der Kunst, das was sie *wirklich* ist, sei eine einzigartige Kombination bestimmter, aufeinander bezogener, beschreibbarer, räumlicher Elemente. Alle Kunst ist signifikante Form, und was nicht Kunst ist, weist diese Form nicht auf.

Der Emotionalist pflegt darauf zu antworten, daß die wirklich essentielle Eigenschaft der Kunst vernachlässigt worden ist. Tolstoi, Ducasse und jeder andere Vertreter dieser Theorie meinen, daß die relevante definitorische Eigenschaft nicht die signifikante Form ist, sondern der Ausdruck des Gefühls in irgendeinem allgemein zugänglichen, sinnlich wahrnehmbaren Medium. Ohne die Projektion von Emotionen in ein Stück Stein, in Worte oder Töne usw., kann es keine Kunst geben. Kunst ist in Wirklichkeit eine Verkörperung von Emotionen. Dies ist das Spezifische der Kunst, und jede wahre, wirkliche Definition als Bestandteil einer angemessenen Kunsttheorie muß zu einer solchen Definition gelangen.

Der Intuitionist lehnt sowohl Emotion wie Form als definitorische Eigenschaften ab. In der Version Croces wird beispielsweise Kunst nicht mit einem physischen, allgemein sichtbaren Objekt identifiziert, sondern mit einem spezifisch schöpferischen, kognitiven und spirituellen Akt. Kunst ist in Wirklichkeit eine erste Stufe der Erkenntnis, in der bestimmte menschliche Wesen (Künstler) ihre Bilder und Intuitionen zum lyrischen Ausdruck oder zur Klarheit bringen. In dieser Hinsicht ist sie ein nichtbegriffliches Bewußtsein der einzigartigen Individualität der Dinge, und weil sie unter der Ebene der Begriffsbildung oder des Handelns existiert, ist sie ohne wissenschaftlichen oder moralischen Gehalt. Croce hält dieses erste Stadium geistigen Lebens für das eigentliche Wesen der Kunst, und schlägt als philosophische wahre Definition oder Theorie dessen Identifizierung mit der Kunst vor.

Der Organizist meint dazu, daß Kunst in Wirklichkeit eine Gruppe von organischen Ganzheiten ist, die aus unterscheidbaren, wenn auch untrennbaren Elementen in ihren kausal wirksamen Beziehungen bestehen, die in einem sinnlich wahrnehmbaren Medium repräsentiert sind. Bei A. C. Bradley, in bestimmten Bereichen der Literaturkritik oder der allgemeinen Fassung dieser Lehre in meiner ›Philosophie der Kunst‹ wird angenommen, daß jedes Kunstwerk seinem Wesen nach ein einzigartiger Komplex von untereinander verbundenen Teilen ist; in der Malerei etwa stehen Linien, Farben, Formen, Sujets usw. an jedem Punkt einer gemalten Fläche in Wechselwirkung. Zeitweise erschien mir diese organische Theorie in der Tat die einzige wahre und wirkliche Definition der Kunst darzustellen.

Mein letztes Beispiel ist unter logischen Gesichtspunkten das interessanteste. Es handelt sich um die voluntaristische Theorie Parkers. In seinen Schriften zur Kunst stellt Parker die traditionellen einfältigen Definitionen der Ästhetik in Frage. „Jeder Philosophie der Kunst liegt die Annahme der Existenz irgendwelcher gemeinsamer Wesensmerkmale aller Künste zugrunde.“ [1] „Alle diese populären Kurzdefinitionen der Kunst – ‘signifikante Form’, ‘Ausdruck’, ‘Intuition’, ‘objektiviertes Vergnügen’ – sind fehlerhaft, entweder weil sie auch auf vieles zutreffen, was nicht Kunst ist, und deshalb Kunst nicht von anderen Dingen unterscheiden, oder weil sie einen wesentlichen Aspekt der Kunst vernachlässigen.“ [2]Aber statt sich gegen den Versuch einer Definition der Kunst selbst zu wenden, besteht Parker auf der Notwendigkeit einer komplexen an Stelle einer einfachen Definition. „Die Definition der Kunst muß daher auf einen Komplex von Merkmalen Bezug nehmen. Alle bekannten Definitionen leiden darunter, daß sie dies nicht erkannt haben.“ [3] Seine eigene Version des Voluntarismus ist die Theorie, daß Kunst ihrem Wesen nach dreierlei ist: Verkörperung von Wünschen, die in der Einbildung befriedigt werden, Sprache als Merkmal des öffentlichen Charakters der Kunst, und Harmonie als Einheit von Sprache und imaginativen Projektionen. Für Parker besteht daher die wahre Definition der Kunst darin: „... daß sie Befriedigung durch Imagination, soziale Bedeutung und Harmonie gewährt. Ich behaupte, daß nur Kunstwerke alle drei Merkmale besitzen.“ [4]

Nun sind alle diese Theorien in vielerlei Hinsicht unzulänglich. Jede gibt vor, vollständige Aussagen über die Definitionsmerkmale aller Kunstwerke zu formulieren, und trotzdem vernachlässigt jede etwas, was in den anderen als zentral gilt. Einige sind tautologisch wie die Bell-Fry-Theorie der signifikanten Form, die teilweise durch unsere Reaktionsweisen auf signifikante Formen definiert wird. In einigen Theorien wird bei der Suche nach notwendigen und hinreichenden Eigenschaften eine Reihe von Eigenschaften unterschlagen. Das gilt (wiederum) für die Bell-Fry-Definition, welche die repräsentationalen Elemente in der Malerei wegläßt, oder die Theorie Croces, welche das wichtige Merkmal des allgemein zugänglichen, materiellen Charakters beispielsweise der Architektur nicht berücksichtigt. In anderen Fällen ist die Theorie zu allgemein und trifft sowohl Kunstwerke als auch Gegenstände, die nichts mit Kunst zu tun haben. Dazu gehört sicher auch die organizistische Theorie, weil man sie auf *jede* kausale Einheit in Natur wie Kunst anwenden kann.[5]

Andere Theorien wiederum beruhen auf ungesicherten Voraussetzungen, wie etwa Parkers Behauptung, daß Kunst eher imaginative als wirkliche Befriedigung gewährt, oder Croces Hinweis auf nicht-begriffliches Wissen. Wenn also vorausgesetzt wird, daß Kunst durch eine bestimmte Anzahl von notwendigen und hinreichenden Eigenschaften charakterisiert werden könnte, dann hat jedenfalls keine der von uns genannten, und generell überhaupt keine bekannte Theorie der Ästhetik diese Anzahl zur Befriedigung aller Beteiligten aufgezählt.

Aber es gibt noch weitere Schwierigkeiten. Im Sinne von Realdefinitionen müßten diese Theorien ja Beobachtungen widerspiegeln. Müssen wir dann nicht fragen, ob sie empirischen Charakters und der Bestätigung oder Widerlegung zugänglich sind? Wie könnten wir die These von der Kunst als signifikanter Form, als Verkörperung von Emotionen oder als schöpferischer Synthese von Bildern bestätigen oder zurückweisen? Es gibt offenbar nicht einmal einen Hinweis auf diejenige Art von Evidenz, die vielleicht zur Prüfung dieser Theorie geeignet wäre, und man fragt sich, ob es sich am Ende nicht um Quasidefinitionen handelt, um Vorschläge von Redefinitionen im Lichte bestimmter, *ausgewählter* Anwendungsbedingungen, statt um wahre oder falsche Berichte über die Wesenseigenschaften der Kunst.

Aber alle diese Einwände gegen die traditionellen Theorien der Ästhetik – daß sie tautologisch, unvollständig, nicht prüfbar, daß sie pseudo-empirisch sind, oder daß es sich um verkappte Vorschläge zur Bedeutungsänderung von Begriffen handelt – sind schon immer erhoben worden. Ich möchte jedoch darüber hinaus zu einer Grundsatzkritik vorstoßen und zeigen, daß es sich bei der Theorie der Ästhetik um einen logisch fehlerhaften Versuch handelt zu definieren, was nicht definiert werden kann, die notwendigen und hinreichenden Eigenschaften dessen zu formulieren, was keinerlei Eigenschaften dieser Art aufweist, und den Begriff „Kunst“ als geschlossen aufzufassen, während doch seine Verwendung selbst seine Offenheit fordert und enthüllt.

Unser Problem heißt zunächst nicht: „Was ist Kunst?“, sondern: „Welche Art von Begriff ist Kunst?“ In der Tat besteht das Kernproblem aller Philosophie in der Erklärung der Beziehung zwischen der Verwendungsweise bestimmter Begriffe und den Bedingungen ihrer richtigen Anwendung. Um einmal Wittgenstein zu paraphrasieren: Wir dürfen nicht fragen, was ein philosophisches x seiner Natur nach ist, oder, wie ein Semantiker fragen würde, 'Was bedeutet x'. Das führt zu der unglücklichen Interpretation von „Kunst" im Sinne einer Bezeichnung einer angebbaren Gruppe von Gegenständen. Vielmehr müssen wir fragen: „Wie pflegt x verwendet zu werden?" oder: „Welche Funktion hat x in der Sprache?" Meiner Ansicht nach steht diese Frage am Beginn, wenn nicht am Ende aller philosophischen Probleme und Lösungen. Daher ist auch in der Ästhetik unser erstes Problem die Klärung der tatsächlichen Verwendungsweise des Begriffs „Kunst", einer logischen Beschreibung der tatsächlichen Funktion des Begriffs einschließlich einer Beschreibung der Bedingungen, unter denen wir ihn oder seine Korrelate richtig benutzen.

Mein Modell dieser Art von logischer Beschreibung oder Philosophie stammt von Wittgenstein. Er hat in seiner Ablehnung philosophischen Theoretisierens als Konstruktion von Definitionen philosophischer Entitäten der zeitgenössischen Ästhetik ein Sprungbrett für zukünftige Entwicklungen geliefert. In seinen ›Philosophischen Untersuchungen‹ [6] stellt Wittgenstein die Frage „Was ist ein Spiel?" Die traditionelle Philosophie würde sich bemühen, eine Reihe von Eigenschaften aufzuzählen, die allen Spielen gemeinsam sind. Dazu meint Wittgenstein, was nennen wir eigentlich „Spiele"?

> Ich meine Brettspiele, Kartenspiele, Ballspiele, Olympische Spiele und so weiter. Was ist ihnen allen gemeinsam? – Sagen Sie nicht: Es *muß* etwas Gemeinsames geben, sonst würden wir nicht von Spielen sprechen, sondern wir wollen erforschen, ob sie etwas gemeinsam haben. Denn wenn wir der Sache auf den Grund gehen, dann werden wir nicht auf etwas stoßen, was *allen* gemeinsam ist, sondern auf Ähnlichkeiten und Beziehungen, und das in erstaunlichem Maße ...

Kartenspiele sind in mancher, aber nicht in jeder Hinsicht wie Brettspiele. Nicht alle Spiele sind unterhaltsam, und sie sind auch nicht alle durch Gewinn oder Verlust, oder durch Wettbewerb gekennzeichnet. Einige Spiele ähneln anderen in mancher Hinsicht – das ist alles. Wir stoßen nicht etwa auf notwendige und hinreichende Eigenschaften, sondern auf „ein kompliziertes Netz von einander überschneidenden Ähnlichkeiten“, so daß wir von einer Familie von Spielen mit Familienähnlichkeiten, aber ohne ein gemeinsames Merkmal sprechen können. Wenn jemand danach fragt, was ein Spiel ist, dann suchen wir uns Beispiele, beschreiben sie und setzen hinzu: „Diese und *ähnliche Dinge* nennt man 'Spiele'. Das ist aber auch alles, was wir brauchen, und alles, was irgend jemand von uns über Spiele weiß. Wissen, was ein Spiel ist, heißt keinesfalls, eine Realdefinition oder eine Theorie zu kennen, sondern in der Lage sein, Spiele zu identifizieren, zu erklären und entscheiden zu können, welche imaginären oder neuen Beispiele man „Spiele“ nennen würde, und welche nicht.

Wenigstens in folgender Hinsicht ähnelt das Problem des Wesens der Kunst dem der Natur von Spielen: Wenn wir überlegen, was wir eigentlich Kunst nennen, dann werden wir auch hier keine gemeinsamen Eigenschaften finden, sondern Bereiche von Ähnlichkeiten. Kunst verstehen heißt nicht, latente oder manifeste Wesensmerkmale zu kennen, sondern in der Lage sein, vermittels dieser Ähnlichkeiten das, was wir Kunst nennen zu identifizieren, zu beschreiben und zu erklären.

Aber die grundlegende Ähnlichkeit zwischen diesen Begriffen besteht in ihrer offenen Struktur. Man kann versuchen sie durch bestimmte – paradigmatische – Beispiele zu erklären, die ohne jeden Zweifel als „Kunst“ oder „Spiel“ gelten können, aber eine erschöpfende Aufzählung von Beispielen ist nicht möglich. Man kann einige Fälle anführen, einige Bedingungen der richtigen Verwendungsweise des Begriffs „Kunst“ angeben, aber eben nicht alle, einfach deshalb, weil dauernd unvorhersehbare oder neuartige Bedingungen auftauchen.

Um einen Begriff mit offener Struktur handelt es sich dann, wenn seine Anwendungsbedingungen korrigierbar und verbesserungsfähig sind. Das ist dann der Fall, wenn eine Situation auftritt, oder doch gedacht werden kann, die zu *Entscheidungen* über die Ausweitung der Verwendungsweise des Begriffs nötigt, seine Abgrenzung oder die Notwendigkeit einen neuen Begriff zu erfinden, um mit dem neuen Fall und seinen neuartigen Eigenschaften fertig zu werden. Wenn für einen Begriff notwendige und hinreichende Anwendungsbedingungen angegeben werden können, dann weist er eine geschlossene Struktur auf. Das ist jedoch regelmäßig nur in der Logik oder Mathematik der Fall, wo wir es mit konstruierten und vollständig definierten Begriffen zu tun haben. Bei empirisch-deskriptiven und normativen Begriffen kann dieser Fall jedoch nur dann eintreten, wenn wir uns entschließen, willkürlich die Reichweite ihres Gebrauchs festzusetzen.

Ich möchte die offene Struktur des Begriffs „Kunst" durch einige Beispiele belegen, die sich auf Teilaspekte beziehen. Betrachten wir etwa Fragen wie „Ist Dos Passos' ›U.S.A.‹ ein Roman?", „Ist V. Woolfs ›To the Lighthouse‹ ein Roman?", „Ist Joyces ›Finnegans Wake‹ ein Roman?" Nach traditioneller Lehre beziehen sich diese Fragen auf Sachprobleme und müssen mit Ja oder Nein beantwortet werden, je nachdem ob bestimmte Eigenschaften gegeben sind oder nicht. Derartige Fragen pflegen jedoch nicht in dieser Weise beantwortet zu werden. Sobald sie auftauchen, wie etwa in der Entwicklungsgeschichte des Romans von Richardson bis Joyce („Ist Gides ›Schule der Frauen‹ ein Roman oder ein Tagebuch?"), dann geht es nicht um eine empirische Analyse notwendiger und hinreichender Eigenschaften. Vielmehr geht es um die Entscheidung darüber, ob ein bestimmtes Werk anderen, die man üblicherweise als Romane bezeichnet, in bestimmter Hinsicht ähnlich ist, und infolgedessen die Anwendung des Begriffs auf den neuen Fall rechtfertigt. Das neue Werk hat vielleicht erzählenden Charakter, ist Dichtung, enthält Charakterzeichnungen und Dialoge, weist jedoch keinen regulären Handlungsablauf auf, oder ist mit aktuellen Zeitungsberichten durchsetzt. Es ähnelt den anerkannten Romanen A, B, C ... in einigen Aspekten, aber nicht in anderen. Aber auch B und C ähnelten A nicht in jeder Hinsicht, als man sich entschied, den auf A angewendeten Begriff auf B und C auszuweiten. Weil das Werk (N + 1) – ein brandneues Werk – in mancherlei Hinsicht (A, B, C ... N) entspricht, wird die Bedeutung des Begriffs ausgeweitet, und eine neue Phase des Romans ist da. Die Frage, ob (N + 1) ein Roman ist, bezieht sich eher auf ein Entscheidungs- als ein Beschreibungsproblem. Es kommt eben darauf an, ob wir die Anwendungsbedingungen für unseren Begriff erweitern wollen oder nicht.

Was auf Romane zutrifft, trifft meiner Ansicht nach auch auf andere Unterbegriffe von „Kunst" zu: Tragödie, Komödie, Malerei, Oper usw. und auf „Kunst" selbst. Keine Frage wie „Ist X ein Roman, ein Bild, eine Oper, ein Kunstwerk usw.?" läßt eine definitive Antwort im Sinne einer Einordnung von Sachverhalten zu. Die Frage, ob eine *Collage* ein Stück Malerei ist, bezieht sich nicht auf irgendwelche notwendigen und hinreichenden Eigenschaften der Malerei, sondern auf die Entscheidung – die wir ja getroffen haben –, den Ausdruck Malerei auch in diesem Fall anzuwenden.

„Kunst" selbst ist ein Begriff mit offener Struktur. Neue Bedingungen und Tatbestände sind immer wieder aufgetaucht, und werden weiter auftauchen, genauso wie neue Kunstformen und künstlerische Bewegungen. Und diese werden den professionellen Kritikern Entscheidungen darüber abverlangen, ob eine Begriffserweiterung eintreten soll oder nicht. Kunsttheoretiker dürfen Ähnlichkeitsbedingungen formulieren, aber keine notwendigen und hinreichenden Bedingungen korrekter Anwendung des Begriffs. Die Anwendungsbedingungen für „Kunst" können nie erschöpfend aufgezählt werden. Man kann sich immer neuartige Fälle vorstellen, sie können von Künstlern geschaffen werden oder sogar von der Natur, und irgend jemand muß entscheiden, ob der alte Begriff eine Bedeutungserweiterung oder -verengung erfahren soll, oder ob ein neuer gefunden werden muß (z. B. „Das ist keine Skulptur, sondern ein Mobile").

Ich meine also, daß der expansive, abenteuernde Charakter der Kunst und ihr schöpferischer Wandel es logisch unmöglich macht, ein für alle Male definitorische Eigenschaften zu fixieren. Selbstverständlich können wir uns zu einer Begriffsabgrenzung entschließen. Aber gerade bei „Kunst", „Tragödie" oder „Porträtkunst" wirkt das lächerlich, weil die Bedingungen schöpferischer Kunst hier hinwegdefiniert werden.

Natürlich gibt es in der Kunsttheorie legitime und nützliche Begriffe mit geschlossener Struktur. Aber hier handelt es sich immer darum, daß ihre Grenzen auf eine *besondere* Zielsetzung hin abgesteckt worden sind. Betrachten wir beispielsweise den Unterschied zwischen „Tragödie" und (gegebener) „griechischer Tragödie". Der erste Begriff ist offen, und muß es auch bleiben, um das Auftreten neuartiger Erscheinungen berücksichtigen zu können, etwa von Dramen, deren Helden nicht adelig sind, oder Schauspielen ohne Helden, aber mit Elementen, die auch in Dramen vorkommen, die wir gewöhnlich als „Tragödien" bezeichnen. Der zweite Begriff weist eine geschlossene Struktur auf. Die Dramen, auf die man ihn anwenden kann, sowie seine Anwendungsbedingungen sind genau dann gegeben, sobald wir wissen, daß es sich um „griechische" Dramen handelt. Hier darf der Kritiker in der Tat eine Theorie oder Realdefinition formulieren, die sich auf die gegebenen Eigenschaften griechischer Tragödien bezieht. Die Definition des Aristoteles, die als allgemeine Theorie der Dramen des Aeschylos, des Sophokles und Euripides falsch ist, weil sie auf einige zu Recht als Tragödien bezeichnete Dramen nicht zutrifft [7], läßt sich als – wenn auch falsche – Realdefinition dieses Begriffs deuten. Sie kann aber unglücklicherweise auch, wie das immer wieder geschehen ist, als angebliche Realdefinition von „Tragödie" aufgefaßt werden. In diesem Fall leidet sie unter dem logischen Fehler, daß hier versucht wird, etwas zu definieren, was nicht definierbar ist, und einen offenen Begriff in eine Formel für einen geschlossenen Begriff zu verfälschen.

Wenn der Kritiker nicht in Verwirrung geraten soll, ist es sehr wichtig, sich über die Auffassung von Begriffen im klaren zu sein. Sonst beginnt er nämlich damit, „Tragödie" usw. zu definieren, und endet bei einer willkürlichen Abgrenzung von Begriffen nach bestimmten Eigenschaften, die er dann in einer Empfehlung zusammenfaßt, so als ob es sich um eine Realdefinition eines offenen Begriffs handeln würde. So fragen viele Kritiker und Ästhetiker „Was ist Tragödie?", wählen Beispiele mit gemeinsamen Eigenschaften, und dann machen sie aus dem Bericht über eine Gruppe von Beispielen eine wahre Definition oder Theorie der gesamten offenen Kategorie der Tragödie. Dies ist meiner Meinung nach der logische Mechanismus, der den meisten Teiltheorien der Kunst zugrunde liegt, die sich mit Tragödien, Komödien, Romanen usw. beschäftigen. In Wirklichkeit läuft diese subtile Täuschung auf eine Transformation von vernünftigen Maßstäben zur *Identifizierung* bestimmter und legitimerweise geschlossener Kategorien von Kunstwerken in *Bewertungsmaßstäbe* mutmaßlicher Elemente dieser Kategorien hinaus.

Die primäre Aufgabe der Ästhetik ist nicht die Suche nach einer

Theorie, sondern die Klärung des Begriffs „Kunst". Und das heißt vor allem, die Bedingungen richtiger Verwendung dieses Begriffs zu charakterisieren. Definition, Rekonstruktion und Analyse sind hier fehl am Platz, weil sie die Sachlage verzerren, und zu unserem Kunstverständnis nichts beitragen. Was aber ist dann die Logik von „X ist ein Kunstwerk"?

Wir verwenden den Begriff „Kunst" nun tatsächlich sowohl deskriptiv (wie „Stuhl") wie auch wertend (wie „gut"). Manchmal sagen wir „Dies ist ein Kunstwerk", um etwas zu beschreiben, und manchmal, um etwas zu bewerten. Niemanden überrascht dieser Sprachgebrauch.

Was ist nun die Logik von „X ist ein Kunstwerk", wenn wir dabei an Beschreibung denken? Was sind die Bedingungen, unter denen solche Äußerungen angemessen erscheinen? Notwendige und hinreichende Bedingungen gibt es nicht, aber Ähnlichkeiten, also Bündel von Eigenschaften, die nicht unbedingt gegeben sein müssen, wenn wir irgend etwas als ein Kunstwerk charakterisieren, die aber häufig zusammen auftreten. Ich werde hier von „Identifizierungsmaßstäben" für Kunstwerke sprechen. Sie haben alle die Rolle von Definitionsmerkmalen in traditionellen Theorien der Kunst gespielt, und wir sind mit ihnen vertraut. Wenn wir von Kunstwerken sprechen, dann doch regelmäßig unter der Bedingung, daß es sich um Artefakte handelt, um Produkte menschlicher Geschicklichkeit, Erfindungsreichtums und der Phantasie, die in einem allgemein zugänglichen, sinnlich faßbaren Medium – Stein, Holz, Klänge, Worte usw. – bestimmte unterscheidbare Elemente und Relationen beinhalten. Einige Theoretiker würden dazu neigen, Bedingungen wie die Befriedigung von Wünschen, die Objektivierung oder den Ausdruck von Emotionen oder den Vorgang der Einfühlung usw. hinzuzufügen. Aber hier scheint es sich um Nebensächlichkeiten zu handeln, die dem einen Betrachter wesentlicher erscheinen als dem anderen, wenn es um die deskriptive Charakterisierung von Kunstwerken geht. „X ist ein Kunstwerk, und enthält *keinerlei* Emotion, Ausdruck, Akt der Einfühlung, Befriedigung usw." ist ein durchaus sinnvoller Satz, und wird sogar häufig wahr sein. Die Sätze „X ist ein Kunstwerk ohne Künstler", oder „. . . existiert nur im Geiste, und nicht in einem allgemein zugänglichen Medium", oder „. . . entstand zufällig, als er Farbe über die Leinwand verschüttete" sind ebenfalls sinnvolle Behauptungen, und unter Umständen wahr, obwohl hier bestimmte normale Bedingungen geleugnet werden. Kein Maßstab der Identifizierung weist den Charakter hinreichender oder notwendiger Bedingungen auf, denn es gibt Kunstwerke ohne eine dieser Eigenschaften, selbst ohne die nach traditioneller Lehre so grundlegende Eigenschaft, ein Artefakt zu sein. Ein Beispiel ist „Dies Stück Treibholz ist eine hübsche Skulptur". Wenn wir von einem Kunstwerk sprechen bedeutet das nur, daß *irgendeine* dieser Eigenschaften gegeben sein muß. Man würde X kaum als Kunstwerk auffassen, wenn X nicht ein Artefakt wäre, eine Menge von Elementen in einem wahrnehmbaren Medium repräsentieren, oder ein Produkt menschlicher Geschicklichkeit sein würde. Wenn keine dieser Bedingungen gegeben wäre, wenn es also keine Maßstäbe der Identifizierung von Kunstwerken gäbe, dann würden wir auch nicht von Kunst sprechen. Aber auch dann handelt es sich weder im Einzelfall noch in der Gesamtheit der Fälle um notwendige oder hinreichende Bedingungen.

Die Klärung der deskriptiven Verwendung des Begriffs „Kunst" bereitet keine großen Schwierigkeiten, während die Klärung von Wertmaßstäben nicht so einfach ist. Besonders für Theoretiker ist der Satz „Dies ist ein Kunstwerk" nicht nur eine Beschreibung, sondern stellt ein Lob dar. Die Verwendungsregeln dieses Satzes beziehen sich offenbar auf bestimmte erwünschte Eigenschaften der Kunst. Ich werde diese „Bewertungsmaßstäbe" nennen. Nehmen wir ein typisches Beispiel für diese Art der Bewertung, nämlich die Überzeugung, daß es sich bei einem Kunstwerk um eine gelungene Harmonisierung von Elementen handeln müsse. Viele ehrende Definitionen der Kunst oder von Kunstgattungen weisen diese Form auf. Es handelt sich hier darum, daß „Kunst" als Wertbegriff aufgefaßt wird, der entweder mit Wertmaßstäben identifiziert oder dadurch legitimiert wird. Der Begriff „Kunst" wird durch wertende Begriffe (z. B. durch „gelungene Harmonisierung") definiert. Von diesem Standpunkt aus bedeutet „X ist ein Kunstwerk" soviel wie 1. „X ist eine gelungene Harmonisierung" („Kunst ist signifikante Form") oder 2. ein Lob *wegen* gelungener Harmonisierung. Aber die Theoretiker machen nie deutlich, ob (1) oder (2) gemeint ist. Im allgemeinen sind sie in erster Linie an (2) interessiert, also an den Merkmalen der Kunst, die sie zu Kunst im Sinne eines Lobes machen, und dann wenden sie sich (1) zu, der Definition von „Kunst", die ihre Identifizierung erlaubt. Und das ist eine Verwechslung von Wert- und Sachurteilen. Die wertende Feststellung „Dies ist ein Kunstwerk" kann nicht gleichbedeutend sein mit dem Satz „Dies ist eine gelungene Harmonisierung von Elementen", außer im Sinne einer Konvention. Wenn man „Dies ist ein Kunstwerk" als Werturteil auffaßt, dann handelt es sich um eine lobende Hervorhebung, und nicht um eine affirmative Begründung.

Der wertende Gebrauch des Kunstbegriffs hängt eng mit den Verwendungsbegriffen zusammen, aber er ist nicht damit identisch. Wenn man „Dies ist ein Kunstwerk" im Sinne eines Lobes sagt, dann wird der Wertmaßstab (gelungene Harmonisierung) als Identifizierungsmaßstab gedeutet. Deshalb impliziert das Werturteil „Dies ist ein Kunstwerk" auch „Dies weist P auf", wobei P irgendeine deskriptive Eigenschaft ist. Wenn man also den Begriff „Kunst", wie das häufig geschieht, im wertenden Sinne verwendet, und zwar so, daß „Dies ist ein Kunstwerk, aber es ist nicht (ästhetisch) gut" eine sinnlose Aussage ist, dann schließt dieser Gebrauch es aus, irgend etwas Kunst zu *nennen,* wenn es nicht bestimmten Wertmaßstäben entspricht.

Es spricht nichts gegen ästhetische Wertungen, und es gibt in der Tat gute Gründe für die lobende Verwendung des Begriffs „Kunst". Aber keineswegs sind Werttheorien der Kunst wahre und reale Definitionen ihrer notwendigen und hinreichenden Eigenschaften. Statt dessen handelt es sich schlicht und einfach um Ehrentitel, die bestimmte Gesichtspunkte in der Form von Definitionen zum Ausdruck bringen.

Was sie nun so außerordentlich wertvoll macht, sind nicht die Empfehlungen, die mit ihnen verbunden zu sein pflegen, sondern die *Diskussionen* über die Gründe des Wandels von Wertmaßstäben, die in die Definitionen eingehen. Ob man die großen Theorien der Kunst nun in dem eben angedeuteten Sinne oder zu Unrecht als Realdefinitionen auffaßt, in jedem Fall sind die *Argumente* für die Wahl bestimmter Wertmaßstäbe von ausschlaggebender Bedeutung. Gerade die permanente Debatte über Wertkriterien verleiht der

Geschichte der Kunsttheorie ihren Rang. Die Bedeutung ästhetischer Theorien liegt in dem Versuch der Setzung und Legitimierung von Maßstäben, die vernachlässigt oder einseitig akzentuiert wurden. Nehmen wir noch einmal die Bell-Fry-Theorie als Beispiel. Natürlich kann man „Kunst ist signifikante Form" nicht als wahre Aussage akzeptieren, und gewiß hat der Satz in dieser Ästhetik die Funktion einer Realdefinition der Kunst auf der Basis bestimmter Eigenschaften signifikanter Form. Die Bedeutung für die Theorie der Kunst besteht in dem, was sich hinter der Formel verbirgt: In einer Zeit, in der die literarischen und darstellenden Elemente in der Malerei dominant geworden sind, bedarf es der Besinnung auf ihre räumlichen Elemente. Die Aufgabe der Theorie besteht nicht in der Konstruktion von Definitionen, sondern in dem fast epigrammhaften Gebrauch definitorischer Formen, die unsere Aufmerksamkeit wieder auf die räumlichen Elemente in der Malerei lenken.

Sobald wir als Philosophen den Unterschied zwischen Formeln und dem, was sich hinter ihnen verbirgt, verstehen, ist es nicht mehr als recht und billig, großzügig mit den traditionellen Theorien der Kunst zu verfahren, denn sie enthalten Argumente für die Wichtigkeit oder Zentralität bestimmter Aspekte von Kunst, die unberücksichtigt geblieben sind oder verzerrt wurden. Wenn wir ästhetische Theorien wörtlich nehmen, brechen sie alle, wie wir gesehen haben, zusammen. Aber wenn wir sie nach ihrer Funktion befragen und als ernsthafte und durchdachte Empfehlungen auffassen, uns auf bestimmte Wertmaßstäbe zu konzentrieren, dann sehen wir, daß sie alles andere als unnütz sind. Für unser Kunstverständnis werden sie dann so zentral wie nichts anderes in der Ästhetik, denn sie zeigen uns, worauf wir in der Kunst achten und wie wir es sehen müssen. In allen Theorien sind die Auseinandersetzungen über den Rang von Kunstwerken die dominanten Elemente – Auseinandersetzungen über emotionale Tiefe, künstlerische Wahrheit, natürliche Schönheit, Genauigkeit, Frische der Auffassung usw. als Wertmaßstäbe – und all das führt uns zu der Frage, was ein Kunstwerk zu einem guten Kunstwerk macht. Die Aufgabe der Theorie der Ästhetik besteht nicht in der Konstruktion von Definitionen, die aus logischen Gründen zum Scheitern verurteilt sind. Man muß sie als Zusammenfassung ernsthafter Vorschläge lesen, sich in bestimmter Weise bestimmten Zügen der Kunst zu widmen.

Anmerkungen

* Dieser Aufsatz erhielt 1955 einen Preis der Marchette-Stiftung.

[1] D. Parker, The Nature of Art, in: E. Vivas und M. Krieger, The Problems of Aesthetics, New York 1953, S. 90.

[2] Ibid., S. 93–94.

[3] Ibid., S. 94.

[4] Ibid., S. 104.

[5] Vgl. M. Macdonalds Besprechung meiner Philosophy of the Arts, in: Mind, Oktober 1951, S. 561–564, die eine brillante Auseinandersetzung mit diesem Einwand gegen die organizistische Theorie enthält.

[6] L. Wittgenstein, Philosophical Investigations, Oxford 1953, übersetzt von E. Anscombe. – Vgl. besonders Kap. I, Abschnitt 65–75. Alle Zitate stammen aus diesen Abschnitten.

[7] Vgl. H. D. F. Kitto, Greek Tragedy, London 1939, zu dieser Frage.

Joseph Margolis, The Identity of a Work of Art. Mind 67 (1959), pp. 34–50. Republished with some alterations in: Joseph Margolis, The Language of Art and Art Criticism. Detroit 1965, pp. 49–63, 184–185. By permission of the Basil Blackwell Publisher, Oxford, and of the Wayne State University Press, Detroit. Nach der zweiten Fassung übersetzt von Heinrich Pfannkuch.

DIE IDENTITÄT EINES KUNSTWERKS

Von JOSEPH MARGOLIS

Wir sprechen gewöhnlich von der Übersetzung eines Gedichts, haben aber große Mühe mit der Erklärung, in welchem Sinne das Gedicht in der Übersetzung das gleiche ist, oder mit der Entscheidung, daß ein neues Gedicht ist, was Übersetzung sein will – und dann, in welcher Beziehung es zum anderen steht. Ob das Übersetzungsproblem in entsprechender Form in den anderen Künsten auftritt, ist auch nicht klar. Welches Verhältnis besteht zum Beispiel zwischen dem Text und der Inszenierung eines Bühnenstücks, die ihn verwendet, und welches zwischen zwei Inszenierungen, die nach Interpretation und verwendeter Version oder Kurzfassung eines gemeinsamen Grundtextes verschieden sind? Oder kompliziert sich die Frage noch weiter für nicht nur literarische Künste wie Drama und Oper, wenn sie Übersetzungen eines Originaltextes verwenden? Gibt es vergleichbare Probleme in den sogenannten darstellenden Künsten, wo das Medium nicht die gleiche diskursive Funktion hat wie die Sprache in literarischer Kunst? Wie verhält sich ein Wechsel der Tonart in einer Aufführung zur Originalpartitur? Welche Beziehung besteht zwischen zwei Aufführungen einer Partitur, einer in Tonart oder Rhythmus des Originals, der anderen mit Abwandlungen? Welche zwischen zwei Aufführungen, einer in der originalen, der anderen in abgewandelter Instrumentierung? Teilen die Übersetzung eines Gedichts und die Aufführung der Transkription einer musikalischen Komposition wichtige Eigenschaften miteinander? Wie steht es mit der Tanzkunst, wo man gegenwärtig nur eine unvollständige Notierung erreicht hat? Sind zwei Aufführungen eines Tanzes mit gegebenem Titel durch den gleichen Künstler, die anscheinend gleich sein sollen, wirklich der gleiche Tanz? Wie steht es mit Aufführungen durch verschiedene Tänzer? In welcher Beziehung steht die Reproduktion eines Gemäldes zum Original?

Hier stellen sich natürlich zu viele Fragen, und wir wissen, daß sie sich endlos vermehren lassen. Die eigentliche Frage gilt offensichtlich der Identität eines Kunstwerks, unseren Verfahren, Kunstwerke zu individualisieren. Man kann nur annehmen, daß, wer auf diese Frage eine solide Antwort sucht, Problemen, wie den gerade aufgeworfenen, nachgeht. Wir verlangen von ihm nicht mehr als eine Reihe von Anhaltspunkten oder einige Lösungsmodelle. Das übrige ist Sache des Fleißes.

Daß wir Kunstwerke nicht individualisieren wie physikalische Objekte, geht nicht nur daraus hervor, daß wir vom gleichen Werk sprechen, das in wesentlich verschiedener Weise aufgeführt wird, sondern auch daraus, daß wir anscheinend unvereinbare Darstellungen eines gegebenen Werkes (das Gegenstück zur Beschreibung eines physikalischen Objekts) gelten lassen.[1] Einige typische Bemerkungen aus einer Buchbesprechung werden andeuten, wie gebräuchlich dieses Verfahren ist:

Das eigentlich Neue in dieser anregenden Untersuchung über die Tragödie des Sophokles ist die Annahme, Oedipus solle Athen repräsentieren, nicht nur in übertragenem Sinne als Predigttext, sondern im Sinne buchstäblicher Gleichsetzung. . . . Diese Zusammenfassung ist zu knapp, um der Überzeugungskraft der Beweisführung von Mr. Knox oder den wertvollen Einsichten, welche er beiläufig gewinnt, gerecht werden zu können. Seine Interpretationen sind dankbar zu begrüßen, wenn wir nur andere Interpretationsweisen nicht ausschließen (wie er zweifellos darauf bestehen würde, daß wir es nicht tun sollten).[2]

Den Ausdruck „andere Interpretationsweisen“ nehme ich als Hinweis auf die Überzeugung des Rezensenten, daß seine Untersuchung des ›Oedipus‹-Zyklus und der kritischen Literatur dazu ihn zu dem Schluß führt, daß es mehrere plausible Interpretationen des Zyklus gibt, unter denen einige, so jetzt auch die von Knox, sich nicht auf andere zurückführen oder anderen unterordnen lassen.

Angenommen, wir denken an solche Interpretationen, wenn wir von ästhetischem Interesse an einem Kunstwerk sprechen, so gefährdet gerade unser ästhetisches Interesse unseren Versuch, ein Kunstwerk als Objekt für ein Publikum zu identifizieren. Ließe man entgegengesetzte Beschreibungen eines gewöhnlichen Naturobjekts, zum Beispiel einer Eiche, gelten, so müßten wir darauf bestehen, daß die Beschreibungen auf zwei verschiedene Objekte zuträfen. In dieser Weise sprechen wir von Kunstwerken offenbar nicht. Der einzig gangbare Weg scheint darin zu bestehen, hinsichtlich der Gültigkeit einen anderen Maßstab anzulegen als den einfacher Wahrheit und Falschheit.[3] Ziehen wir wenigstens den Schluß, daß die ästhetische Komposition, das *design,* obwohl sie das Besondere eines Kunstwerks ausmacht, es uns nicht erleichtern kann, von einem einzelnen Werk zu sprechen, wo wir es möchten, wie bei den Fragen zu Beginn. Das Argument treibt uns zu der Annahme, daß Kunstwerke sich fundamental von Naturobjekten unterscheiden; und im Hinblick auf gewisse Schwierigkeiten philosophischer Art bei ästhetischen Erörterungen ist das wirklich ein willkommener Vorschlag.[4] So scheinen wir teilweise die Umstände aufgenommen zu haben, unter denen wir zum Beispiel von deutlich verschiedenen Aufnahmen der „Brandenburgischen Konzerte“ Bachs sprechen möchten. Daß diese verschiedenen Aufnahmen sich in der ästhetischen Komposition und sogar in der Instrumentierung unterscheiden werden, zwingt uns noch nicht zu verneinen, daß in diesen Aufnahmen die „Konzerte“ interpretiert werden; so geht unsere Diskussion insgesamt gut aus. Tatsächlich sagt man im alltäglichen Sprachgebrauch etwa: „Wie anders Horowitz es spielt als Rubinstein“, und sogar: „Du wirst viel üben müssen, wenn du es spielen willst wie Horowitz“.

Wenden wir uns von dem, was das Besondere eines Kunstwerks ausmacht, zu dem, woraus es irgendwie geformt ist, so sind weitere Fragen zu erwägen. Im Prinzip können wir die Eigenschaften eines physikalischen Systems, das als Medium einer Kunst dient, beschreiben, ohne entgegengesetzte Darstellungen zuzulassen; aber ein solches System ist noch kein Kunstwerk. Es scheint fast, als müsse das Kunstwerk uns entgehen. Aber in Wirklichkeit können wir einen Schritt vorwärts tun und hinsichtlich der Identität eines Kunstwerks einen ersten Vorschlag machen, indem wir verbinden, was wir schon über die Komposition wissen und was wir gerade über das Medium bemerkt haben. Ein Kunstwerk zu bezeichnen, muß bedeuten, ein physikalisches Objekt oder Objekte zu bezeichnen, die sich als Medium einer Kunst deuten lassen, denen, heißt das, eine ästhetische Komposition zuzuordnen sich rechtfertigen läßt, wie das nun auch geschehen mag. Gehen wir nur so weit, können wir sagen, daß, wenn wir dem Medium alternative und sogar entgegengesetzte Kompositionen zuordnen, wir bloß doppelt zur Geltung bringen, daß wir ein Kunstwerk vor uns haben – wir können auf das System verweisen, das als gemeinsames Medium für alle diese Kompositionen dient.[5]

Dieser Vorschlag bringt den wichtigsten Fortschritt. Was man sonst noch sagen kann, soll präzisieren und konzedieren, Detail- und Einzelprobleme lösen.

Die Ambiguitäten, die bei der Rede von Kunstwerken auftreten, werden alle die einschließen, welche allgemein gewöhnliche Objekte in der Natur oder den Gebrauch von Termini in unserer Sprache betreffen. Unsere Aufmerksamkeit kann sich deshalb auf die besonderen Schwierigkeiten beschränken, die bei der Rede von Kunstwerken auftreten. Diese Ökonomie schlage ich vor, weil C. L. Stevenson in einem neueren Aufsatz die Unterscheidung von Peirce zwischen Zeichenvorkommnis und Typ, zwischen *token* und *type*, mit einigem Nutzen auf Ambiguitäten angewandt hat, die bei unserer Rede von einem Gedicht auftreten – obwohl er im Hinblick auf dessen Stellung als Objekt ästhetischen Interesses indifferent bleibt.[6] In dieser Hinsicht untersucht er Bemerkungen wie „Es gibt viele Gedichte, die sich auf die klassische Mythologie beziehen“ und „Jeder Student sollte das gleiche Gedicht niederschreiben, das der Lehrer vortrug“.[7] Sie werfen sicherlich berechtigte Fragen auf, aber wir könnten leicht Aussagen dafür einsetzen, in denen die gleichen Ambiguitäten aufträten und jeder Bezug auf Kunst verschwände.[8] Die Probleme, welche Stevenson aufwirft, stellen sich wirklich in subtilerer Form, auf die er bei seiner Diskussion der Übersetzung eines Gedichts selbst zu sprechen kommt.[9] Ich möchte von Stevensons Version der Ambiguität von Zeichenvorkommnis und Typ gern Gebrauch machen, ihrer Vorzüge wegen, aber mit wesentlichen Vorbehalten. Nehmen wir folgende Formulierung auf, wobei wir den vollständigen Kontext der Aussagen unberücksichtigt lassen:

> Soll nun von diesen [Zeichenvorkommnissen eines Gedichts] die Rede sein, so haben wir offensichtlich mehrere andere Termini zur Verfügung; solche wie „Manuskript eines Gedichts“, „Exemplar eines Gedichts“, „Vortrag eines Gedichts“ und so weiter. Anscheinend sollten wir daher den

Terminus „Gedicht" selbst dem entsprechenden Typ vorbehalten. ... man behielte einen klaren Sinn, in dem die Exemplare und so weiter *zu* dem Gedicht gehören. Sie gehören *zu* ihm in dem Sinne, wie verschiedene Individuen *zu* einer gewissen Art gehören, wobei das Verhältnis das der Zugehörigkeit zu einer Klasse ist.[10]

Peirce, das muß man festhalten, betrachtete Zeichenvorkommnisse und Typen als Zeichen: Wir wollen hinsichtlich der Angemessenheit einer semiotischen Kunsttheorie neutral bleiben.[11]

Zur Lösung der Übersetzungsfrage führt Stevenson einen dritten Begriff ein, den „Megatyp":

Zwei Zeichenvorkommnisse gehören zum gleichen Megatyp, wenn und nur wenn sie annähernd die gleiche Bedeutung haben; so ist nicht notwendig, daß die Zeichenvorkommnisse zur gleichen Sprache gehören oder Gestalt- oder Klangähnlichkeit sie zum gleichen Typ gehören läßt. So gehören ein Zeichenvorkommnis von „Tisch" und irgendeins von „mensa", obwohl nicht zum gleichen Typ, dennoch zum gleichen Megatyp. Die Unterscheidung braucht sich natürlich nicht auf einzelne Worte zu beschränken, sondern läßt sich auf größere sprachliche Einheiten, darunter Gedichte, ausdehnen.[12]

Um nun hinsichtlich der semiotischen Kunsttheorie neutral zu bleiben und sowohl die Eigentümlichkeiten der schönen Kunst aufzunehmen, die wir vorher beobachtet haben, als auch weiteren Schwierigkeiten einigermaßen vorzubeugen, werden wir folgende Präzisierungen vornehmen müssen: *(a)* Man lese unter Anpassung der Grammatik „eine Komposition zuordnen" statt „die Bedeutung haben von"; [13] und *(b)* man nehme an, daß zwei Zeichenvorkommnisse zum gleichen Megatyp gehören, wenn und nur wenn sie eine von alternativen und sogar entgegengesetzten Kompositionen annähernd miteinander teilen, die jedem zuzuordnen sich rechtfertigen läßt; oder wenn es sich rechtfertigen läßt, bei aller Verschiedenheit die Kompositionen beider dem Megatyp zuzuordnen, den eine Kunst-Notation bezeichnet. Ferner, um Peirce zu paraphrasieren – und seine Termini semiotisch neutral zu mißbrauchen – „damit man einen Typ oder Megatyp gebrauchen kann, muß er in einem Zeichenvorkommnis verkörpert sein; ein solches Zeichenvorkommnis ist ein *Fall* des Typs oder Megatyps" [14].

Die Begriffe sind nun sehr passend bestimmt. Bei einem Gedicht möchten wir uns normalerweise auf den Text eines kritischen Manuskriptes stützen; terminologisch können wir es nicht nur einen Fall des Gedichts nennen, sondern den Musterfall. Dieses Verfahren beim Gedicht entspricht sicherlich der Praxis historischer und kritischer Untersuchungen zu Dichtungen. Andere Drucke, einschließlich abweichender Fassungen und Übersetzungen, können dann weitere Fälle des Megatyps bilden. Wir können sogar in nicht wertendem Sinne von guten und schlechten Übersetzungen sprechen, wenn wir uns über den Musterfall eines Gedichts verständigen; erforderlich ist nur, ein Verfahren für die Anwendung von *(b)* anzugeben. Wir mögen uns nicht über einen Musterfall verständigen wie bei der Sammlung von Volkslied-Varianten, aber die Anwendung von *(b)* wird uns erlauben zu entscheiden, in welchem Maße zwei Zeichenvorkommnisse eines Liedes Fälle des gleichen Megatyps sind.

Der Begriff des Musterfalles ist ferner in den bildenden Künsten außerordentlich wichtig, aber in einer neuen Weise. Reproduktionen entsprechen entweder Zeichenvorkommnissen eines Exemplars, wie bei mehreren Güssen einer Skulptur oder Radierungen von der gleichen Platte, oder Zeichenvorkommnissen einer Übersetzung, wie bei verkleinerten Farblithographien nach großen Gemälden.[15] Im Falle des Gusses einer Skulptur oder der Radierung kann man präzisieren. Wir brauchen nicht wirklich auf einem einzelnen Musterfall zu bestehen; es gibt einen kausalen Faktor, auf den man zurückgreifen kann, um dadurch eine Reihe von Musterfällen zu bezeichnen. Hier wird dennoch ein wichtiger Unterschied sichtbar. In den literarischen Künsten dient der Musterfall nur zur Prüfung der Zeichenvorkommnisse, die man für einen gegebenen Megatyp aufzählen kann. Wir sind geneigt, *das* Gedicht mit dem Megatyp des Gedichts zu identifizieren und in der Form eines annehmbaren Zeichenvorkommnisses zu *gebrauchen.* Selbst wenn wir die erste Quarto- und die erste Folio-Ausgabe von Shakespeares ›King Lear‹ vor uns haben, sprechen wir dennoch in dieser Weise; das heißt, selbst wenn wir Musterfälle vor uns haben. Zur Illustration dieser Redeweise lasse man mich aus den Bemerkungen eines Fachmannes über die ›Lear‹-Manuskripte zitieren:

Es gibt zwei selbständige Ausgaben [d. h. Ausgaben, „die sich ihrem wesentlichen Charakter nach nicht von irgendeiner anderen vorhandenen

Ausgabe herleiten"] des ›King Lear‹ – die erste Quarto-Ausgabe, erschienen 1608, und die erste Folio-Ausgabe, erschienen 1623. In Kapitel II der Einleitung zu meiner Ausgabe des Stückes habe ich argumentiert, wir müßten die Ansicht akzeptieren, daß der F-›Lear‹ nach einem Exemplar von Q gedruckt wurde, welches ein Schreiber in allgemeine Übereinstimmung mit einem authentischen Bühnenmanuskript, zweifellos einem Regiebuch, gebracht hatte. Und in Kapitel II, Abschnitt (i) habe ich argumentiert, wir müßten die Ansicht akzeptieren, daß der Text von Q in irgendeinem Stadium aus dem Gedächtnis weitergegeben wurde, d. h. daß er ein Bericht ist. Also müssen wir in jedem gegebenen Fall verschiedener Lesarten in Q und F annehmen, daß die von F echt ist und die von Q korrupt, *wenn es nicht in dem besonderen Fall einen bestimmten Grund für die Annahme gibt, das sei nicht so.*[16]

Wenn wir eine Skulptur oder ein Gemälde betrachten, identifizieren wir *das* Kunstwerk mit dem Megatyp der Skulptur oder des Gemäldes, wie er *im* Musterfall wirklich verkörpert ist; und selbst wenn wir von Originalexemplaren einer Radierung sprechen, was uns anscheinend zu früherem Sprachgebrauch zurückbringt, wollen wir den gerade angegebenen beibehalten. Dieser Kontrast ist von Interesse, weil er klar zeigt, daß wir ein Kunstwerk in den verschiedenen Künsten nicht in genau der gleichen Weise identifizieren.

Und es genügt nicht, den Unterschied mit Gründen wie dem Marktwert zu erklären, weil ein ›Lear‹ in der ersten Quarto-Ausgabe sich so leicht wie ein Originalgemälde als wertvoller Besitz erweisen kann. Der Schlüssel zu dem Unterschied scheint in der Bedeutung zu liegen, welche die wirklichen physikalischen Merkmale jedes Zeichenvorkommnisses für seinen Megatyp haben. Der Unterschied zwischen einem gedruckten Gedicht und einem Gemälde ist in dieser Hinsicht sehr wesentlich. Es ist möglich, das gedruckte Gedicht als *Notation* für *das* Gedicht zu sehen; es ist nicht möglich, ein Originalgemälde als solche Notation zu sehen. Dies heißt nicht, daß ein Gedicht kein physikalisches Medium erforderte; sicherlich ist ein Gedicht auf das angewiesen, was wir Klang oder Stimme nennen können, gerade wie ein Gemälde auf Farben.[17]

Selbst Benedetto Croce hat im Gegensatz zur verbreiteten Ansicht anscheinend nicht leugnen wollen, daß die Phantasie des Künstlers handwerksgebunden ist, wenn er auch irrtümlich denkt, sie unterschiede sich von der eines anderen graduell.[18] Übrigens ist nicht ohne Ironie, daß Joyce Cary, der als Verfasser von ›The Horse's Mouth‹ sicherlich die Bedeutung sah, welche die Handwerksgebundenheit der Phantasie des Künstlers hat – das heißt, die Deutung der Dinge mit den Materialien seines Handwerks: eine Szene als Farbenanordnung auf einer Leinwand oder gelegentlich gesprochene Worte –, als Ästhetiker seine Einsicht nur formulieren konnte, indem er Croces Irrtum vergrößerte.[19] Housman, sagt er zum Beispiel, „mußte an die Arbeit gehen und Worte finden, Bilder, einen Reim, welche verkörperten, was ihn der Baum empfinden ließ" – und besteht so auf zwei unterschiedenen Momenten künstlerischen Schaffens, die eine unüberbrückbare Kluft trennt.[20] In Samuel Alexanders Darstellung liegt eine noch subtilere Irreführung. Obwohl er sieht, daß „die äußere Arbeit organischer Teil im schöpferischen Prozeß" ist, schließt er: „Bis auf die Züge, die den künstlerischen Akt schöpferisch machen, ist der Art nach kein Unterschied zwischen der Entdeckung des Baumes durch die Wahrnehmung und der des Sklaven im Block oder Hamlets in der englischen Sprache. Das Schöpferische des Künstlers verbirgt uns seine reale Passivität." [21]

Um aber zu unserem Hauptthema zurückzukehren, die Farben lassen sich nur als konstitutiv für das Gemälde ansehen, während die geschriebenen Worte einer Seite Dichtung ambivalent sind und sich als konstitutiv für ein Gedicht auffassen lassen, wie im wirklichen Zeichenvorkommnis eines Gedichts, oder nur als Notation dessen, was jeden Fall konstituieren würde. Der gleiche Unterschied wird durch Reproduktionen oder Übersetzungen in der jeweiligen Kunst gestützt. Bei der literarischen Kunst nehmen wir *Bezug* auf einen Musterfall, um andere Fälle etwa zum Megatyp eines Gedichtes zu bestimmen; und jeder dieser Fälle wird dann dem Musterfall gleichstehen. Bei Malerei und Skulptur aber *meinen* wir mit einem Gemälde *nur* den Megatyp des Gemäldes, wie er im Musterfall verkörpert ist; nichts anderes wird genügen. Ich denke, das bestätigt unsere Umgangssprache. Ein Student mag die Aufgabe haben, ein Gedicht zu lesen, und er wird das tun, indem er vor der Alternative aufs Geratewohl irgendeinen von vielen Drucken benutzt – manchmal, wie bei Shakespeare, sogar eine voneinander abweichender Ausgaben; man kann eigentlich überhaupt nicht sagen, er benutze eine Wiedergabe des Gedichts. Aber wir haben eine Menge Redewendungen, die davor warnen sollen, die billige Reproduktion eines Gemäldes mit dem Gemälde selbst zu identifizieren – z. B. „Lassen Sie mich Ihnen ein Diapositiv der ›Sonnenblumen‹ von van Gogh zeigen; es gibt das Original nicht ganz wieder, in den Blütenblättern ist zu viel Zitronengelb und nicht genug Orange", oder „Eine Vorstellung von dem Gemälde kann Ihnen diese Postkarte geben". Der springende Punkt ist, und er ist für die Einschätzung von Kunst gewiß wesentlich, daß, was wir als Kunst des Dichters schätzen, seine Anordnung von Worten ist, die interessante ästhetische Kompositionen trägt, nicht eine physikalische Notation des Gedichts in ihrer Zufälligkeit.[22] Die Kunst des Malers oder Bildhauers ist gerade, was das Gegenstück zur Notation des Dichters oder Herausgebers sein würde, sich aber nicht mehr als solches betrachten läßt; es ist seine Ausführung *in* Farbe und Stein, die zählt.

Die Unterscheidung läßt sich so zusammenfassen: Wir können ein Gedicht gebrauchen, indem wir Fälle des Gedichts, ein Gemälde aber nur, indem wir Musterfälle des Gemäldes lokalisieren. Ich spreche hier vom *Identifizieren* eines Kunstwerks, dem *Lokalisieren* und dem *Gebrauchen von Fällen* eines Kunstwerks und dem *Bezeichnen* des Mediums, von dem jeder Fall abhängt, und *Verweisen darauf*. Sie alle sind natürlich Unterscheidungen in der Bezeichnung.

Die Unterscheidung zwischen Gedichten und Gemälden erlaubt uns, Übersetzungen und lithographische Wiedergaben ebenso einzuordnen. Übersetzung und lithographische Wiedergabe können Zeichenvorkommnisse zu Megatypen eines Kunstobjekts sein, aber nicht zu Typen eines Kunstobjekts. Bei einem Gemälde (ich denke hier an Stevensons Vorschläge im Hinblick auf Gedichte) fordern wir, daß Zeichenvorkommnisse sowohl zum gleichen Typ als auch zum gleichen Megatyp gehören, wenn sie Fälle des gleichen Gemäldes heißen sollen; gewöhnlich wird es ein einziges Objekt geben. Selbst abgesehen von Übersetzungen jedoch ist die Forderung der Dichtung nicht ganz angemessen. Und dieses Sprachgebrauches wegen sprechen wir, selbst wenn Übersetzungen die Komposition des Megatyps eines Gedichts teilweise nicht berücksichtigen, weiter von englischen Übersetzungen etwa der ›Odyssee‹ als Fällen des

Gedichts, wie wir es auch von ursprünglich griechischen Versionen oder französischen und deutschen Übersetzungen tun würden.

Man läßt sich hier leicht irreführen. Daß Sprache sich im allgemeinen übersetzen läßt und ästhetisches Interesse an literarischer Kunst aus plumper Gewohnheit zuerst auf das achtet, was an dichterischer Sprache übersetzbar ist, bringt uns dazu, von Übersetzungen zu sprechen, wie wir es gerade getan haben. Interessieren wir uns aber mit dem New Criticism für die „Textur“ des Gedichts, „seine Qualität über den rationalen Inhalt, der sich nur paraphrasieren läßt, hinaus; das heterogene Detail der Situation, einschließlich Metapher und Metrum“, so müssen wir unsere Darstellung der Lokalisierung des Falles eines Gedichts revidieren durch Revision unserer Sicht der Elemente in der Komposition eines Gedichts.[23] Ein Unterschied bleibt trotzdem zwischen Malerei und Dichtung, obwohl nun nicht nur dem Wort, sondern auch dem physikalischen Klang und Rhythmus nach aufgefaßt wird, was der Dichter ausführt, eine Auffassung, die sich mit kritischem Sprachgebrauch etwas besser verträgt. Der Unterschied, welcher jetzt sichtbar ist und anregende Konsequenzen für andere Künste hat, ist folgender: Weil der Dichter hauptsächlich mit Worten arbeitet, kann man sagen, daß er sein Material *aus* einem vorher wohldefinierten und wohlgeordneten (Sprach-)Vorrat *wählt* – schöpferisch ist er hauptsächlich in der *Anordnung* dieses Materials. Dagegen kann ein Maler nicht auf solchen wohlgeordneten Vorrat verweisen – schöpferisch ist er in seiner ursprünglichen *Vorbereitung* des Materials selbst, das er schließlich anordnet.

Es gibt natürlich einen Sinn, in welchem sich Gemälde, Zeichnungen, Radierungen und selbst Skulpturen als Notationen ansehen lassen. Ein Aquarell Cézannes dient häufig als vorbereitende Studie für ein Ölgemälde; ein Holzschnitt von Munch für eins seiner Ölbilder; eine Zeichnung von Henry Moore für eine Skulptur; einige Federstriche mit hinzugefügten Farbnamen für einen van Gogh. Sie sind jedoch alle fundamental verschieden etwa von der einer Gruppe verwandter Gemälde El Grecos (der verschiedenen Fassungen zum Beispiel der ›Vertreibung der Wechsler aus dem Tempel‹). El Grecos Komposition mag sich von Gemälde zu Gemälde vervollkommnen; aber dennoch sieht man jedes als vollständiges Gemälde und nicht als Notation. Sieht man eine Plastik als Notation, muß man damit aufhören, sie als Kunstwerk zu sehen; daher tritt unsere Frage nicht auf. Frank Lloyd Wrights Skizze zu einem geplanten Gebäude kann natürlich als Kunstwerk unsere Aufmerksamkeit auf sich ziehen; dann sehen wir sie nicht mehr als bloße Notation für ein *anderes* Kunstwerk. Der Gegensatz zur Dichtung ist klar.

Die Architektur fügt sich hier ausgezeichnet ein. Bei der Konstruktion, wo direkte Erfindung im Material unsere Aufmerksamkeit fesselt wie bei mittelalterlichen Kathedralen, sind wir geneigt, die Gebäude etwa wie Gemälde und Skulptur zu behandeln und Musterfälle hervorzuheben. Bei moderner Architektur aber, wo mechanische Ausführung die direkte Erfindung weitgehend verdrängt hat, sind wir oft bereit, verschiedene Gebäude als Fälle des gleichen Megatyps zu sehen; in diesem Fall tendieren architektonische Notationen zur Vollständigkeit; und entsprechend verweist die Ausführung des Zeichenvorkommnisses irgendeines Gebäudes auf die *Anordnung* vorher wohlgeordneten Materials durch den Künstler.[24] Die Ähnlichkeit zwischen solcher Architektur und Dichtung sticht in die Augen.

Eine seltsame Konsequenz ergibt sich für die Musik. In der Geschichte der Ästhetik ist die Musik häufig als die schöne Kunst *par excellence* aufgefaßt worden, der vollständigen Einheit von Form und Inhalt und ihrer Unübertragbarkeit wegen (die Auffassung zum Beispiel von Walter Pater).[25] In dieser Hinsicht würden wir zu der Vermutung neigen, daß wir ein Musikstück eher wie ein Gemälde als wie ein Gedicht identifizieren. Aber die geringste Reflexion zeigt, daß wenigstens zum Teil das entgegengesetzte Verfahren vorherrscht. Normalerweise können wir bei Konzertmusik nicht von einem Musterfall sprechen. Alles, was wir haben, ist eine Partitur; und eine Partitur ist im Gegensatz zu einem Gedicht unzweideutig eine Notation. Unsere Individualisierung eines Musikstücks, wie die eines Gedichts, setzt vorgängig einen wohldefinierten und wohlgeordneten Vorrat an Material voraus. Weil eine Partitur Notation ist, Zeichen eines Kunstwerks und nicht Kunstwerk selbst, und weil unsere Bewunderung für den Komponisten sich auf seine *Anordnung* vorgängig definierter und geordneter Noten bezieht, fungiert jedes Zeichenvorkommnis einer Aufführung zum Megatyp des Werkes, notiert in der Partitur, als annehmbarer Fall der Musik. Damit soll nicht geleugnet werden, daß einige Musik sich überhaupt nicht notieren läßt, zum Beispiel elektronische, komponiert durch Schneiden und Zusammenfügen von Tonbändern. Solche Musik wird individualisiert etwa wie Skulptur und Radierung; das Fehlen einer Klaviatur ist entscheidend. Bei konventioneller Musik aber, wie auch bei Dichtung, gebrauchen wir die musikalische Komposition, wie irgendein zufälliges Zeichenvorkommnis, etwa eine Aufnahme oder eine direkte Aufführung, sie verkörpert. Obwohl die Organisation des physikalischen Materials in der Musik der Vollständigkeit näher kommt als in der Dichtung, sind wir geneigt, eine musikalische Komposition in gleicher Weise zu identifizieren wie ein Gedicht, im Kontrast zu unserem Verfahren, Malerei und Skulptur zu identifizieren. Wir können sagen, daß es für Musik typisch ist, daß wir keinen Musterfall und statt dessen eine Musternotation für mögliche Zeichenvorkommnisse haben.

Musik ist jedoch etwas komplizierter, als wir zugestanden haben. Der Grund wurde schon angegeben: Es ist typisch, daß wir nur auf eine Partitur verweisen können; wir haben keine wirkliche musikalische Komposition. Selbst wenn wir eine Aufführung als Musterfall hätten und keine Partitur, würden wir gewöhnlich geneigt sein, danach eine Musterpartitur zu konstruieren und sie sogar der Aufführung durch den Komponisten selber vorzuziehen. Interessant zu bemerken ist, daß genau die gleiche Haltung sich beim Tanz, wo ein Notationssystem nun langsam sichtbar wird, und bei der dramatischen Kunst findet. Selbst als schwierige Ballette nicht notiert, sondern nur durch maßgebende Mitglieder einer Truppe weitergegeben wurden, selbst als man einsah, daß verschiedene Tänzer einen gegebenen Tanz doch mit der Eigenart ihres Körpers und Temperaments interpretieren mußten, blieb die Vorstellung erhalten, daß solche Aufführungen bei allem Spezifischen sämtlich den gleichen Tanz darboten. Wenn freilich auch die fundamentalen Bewegungsabläufe einiger alter Ballette hoffnungslos verloren sind, so daß neue Produktionen, die von einem Ballett, an das man sich erinnert, den Namen und einige grobe Züge beibehalten, in Wirklichkeit neue Tänze sind, ist die Intention wenigstens klar; Individualisierung wurde im Hinblick auf eine Notation aufgefaßt, auch wo sie fehlte.

Nun sind dies alles ausgeprägter darstellende Künste als Dichtung, Erzählung, Malerei und Skulptur. Ist ein Musterfall eines Gedichts gegeben, so können wir beurteilen, ob und in welchem Maß irgendein anderes Zeichenvorkommnis eines Gedichts, Variante oder Übersetzung, ein Fall des gleichen Megatyps eines Gedichtes ist. Ist aber das Zeichenvorkommnis einer musikalischen Aufführung, eines Tanzes oder der Aufführung eines Dramas gegeben, so stehen wir vor weiteren Schwierigkeiten. Wir scheinen sogar abgeneigt, bei diesen Künsten von einem Musterfall zu sprechen; daher können wir wesentliche Unterschiede zwischen ihnen und literarischer Kunst erwarten. Wiederum muß ich die elektronische Musik ausnehmen, die wesentlich eine Aufführung nicht zuläßt.

Die Sache ist die, daß, wenn wir in irgendeiner Kunst von einem Musterfall ausgehen können, wir in der Lage sind zu entscheiden, ob irgendein anderes Zeichenvorkommnis zum gleichen Megatyp gehört; wir müssen nur alle Kompositionsweisen bestimmen, die sich dem Musterfall zuordnen lassen. Und sollte die Übersetzung eines Gedichts eine spezifische Komposition zulassen, so müssen wir nur untersuchen, ob und in welchem Maße diese Komposition sich ebenso dem Musterfall zuordnen läßt. Wenn wir nur von einer Musternotation ausgehen und Musterfälle gar nicht gelten lassen, können wir die Identität des Kunstwerks nicht in der gleichen Weise prüfen.

Den wesentlichen Anhaltspunkt für unsere Akzentverschiebung bildet hier der Beitrag des ausführenden Künstlers; es ist klar, daß er für Musik, Tanz und Drama viel mehr bedeutet als für die anderen Künste, die wir schon betrachtet haben. Wir erkennen an, daß der Ausführende der Komposition, die in der Partitur oder Notation skizziert ist, etwas Spezifisches *hinzufügt;* gleichzeitig wollen wir den Sinn bewahren, in dem zum Beispiel zwei ›Macbeth‹-Aufführungen Fälle des gleichen Megatyps sind. Das heißt, gerade weil der Ausführende eher einer künstlerischen Schöpfung etwas *hinzufügt,* als daß er eine *schüfe,* wollen wir den Sinn bewahren, in dem Aufführungen mit bedeutenden Unterschieden Fälle des gleichen Megatyps sein können. Unser Versuch, ein Kunstwerk zu identifizieren, braucht jedoch nicht unserem primären ästhetischen Interesse zu entsprechen – zum Beispiel kann uns die Originalität des Ausführenden allein interessieren. Daher hängt bei den darstellenden Künsten die Leichtigkeit, mit der wir das Zeichenvorkommnis einer Aufführung als Fall eines gegebenen Megatyps lokalisieren können, davon ab, wie leicht wir das identifizieren können, dem sie ihren spezifischen Eigenbeitrag hinzufügt.

Das Drama nimmt unter diesen Künsten eine Sonderstellung ein, weil es die ganz präzise Identität besitzt, die der literarischen Komposition zukommt, von der es abhängt. Ohne Rücksicht auf die Variation von Dramenaufführungen untereinander wird, läßt sich die individuelle Aufführung als Fall des Megatyps einer literarischen Komposition ansehen, all ihr dramatisch Neues wenig zählen. Das heißt, es wird in dem Sinn wenig zählen, daß weite Abweichung des dramatisch Neuen nicht ausschließen wird, daß Aufführungen Zeichenvorkommnisse des gleichen Dramas sind; *nicht* wenig zählen wird es in dem Sinne, daß wir gerade auf Grund dieses Neuen über die literarische Komposition hinaus von einem Drama sprechen. Daher ist es wesentlich, einen geschriebenen Text als Partitur aufzufassen, wenn wir an Dramen denken. Inszenierung und Spiel ziehen uns primär in der Aufführung eines Dramas an; aber Orson Welles' ›Julius Caesar‹ in moderner Kleidung ist nicht weniger ein Fall zum Megatyp des Dramas als eine Aufführung des Old Vic, ohne Rücksicht darauf, welche wir vorziehen mögen; die des Old Vic ist um nichts weniger ein solcher Fall als die Aufführung des Globe Theatre, die sicherlich ganz anders gewesen sein muß. Weil wir jedoch beim Drama gewöhnlich einen Musterfall der literarischen Komposition besitzen, können wir bei der Frage mehr ins einzelne gehen, in welchem Maße zwei Zeichenvorkommnisse eines Bühnenstücks Fälle des gleichen Megatyps sind. Wir können immer entscheiden, in welchem Maße zwei Aufführungen besonders dramatische Züge miteinander teilen; wir können zwei Aufführungen nicht nur dahingehend bestimmen, daß sie Fälle des gleichen Megatyps eines Dramas, sondern daß sie Fälle etwa zum Megatyp der Old-Vic-Aufführung des Megatyps dieses Dramas sind.

Nun ist wichtig zu beachten, daß wir bei Betrachtung einer literarischen Komposition als Notation für ein Drama geneigt sind, Bühnenanweisungen und dergleichen extrem wenig genau zu nehmen. Diese Freiheit bestärkt, was wir bemerkten, daß es genügt, das Zeichenvorkommnis einer Aufführung als Fall des literarischen Megatyps anzusehen. Es kommt darauf an, der Begabung derer den größten Spielraum zu geben, die eine wirkliche Aufführung inszenieren sollen – beim Drama unser Hauptinteresse. Es bereitet uns deshalb keine Schwierigkeit, Laurence Oliviers Verfilmungen Shakespearescher Bühnenstücke als Fälle dieser Stücke zu sehen.

Bei Musik und Tanz jedoch fehlt uns der Musterfall, den das Drama auf Grund seiner Abhängigkeit von literarischer Kunst besitzt. (Kunstformen wie die Pantomime ähneln dem Tanz natürlich in den betrachteten Einzelheiten.) Es ergibt sich, daß wir bestenfalls nur eine Musternotation haben. Fehlt es daran, wie gewöhnlich bei Volksmusik und Volkstanz, so können wir nur bestimmen, in welchem Maße zwei Aufführungen Fälle des gleichen Megatyps sind. Hierin liegt zum Beispiel der Unterschied zwischen Identifikationen eines Präludiums von Rachmaninoff und des Volksliedes ›Barb'ry Allen‹. Die gleichen Einschränkungen wie für Volkskunst gelten häufig für noch weiter formalisierte Aufführungen von Balletten und modernem Tanz.

Was Musik und Tanz auszeichnet, können wir vielleicht fixieren, wenn wir den folgenden Gegensatz zwischen Aufführungen eines Dramas und eines Tanzes betrachten. Gewöhnlich verwendet der Tanz Musik, wie das Drama literarische Texte verwendet; aber obwohl wir ein Drama durch Bezugnahme auf seinen literarischen Text identifizieren können, ist uns das gleiche für den Tanz nicht möglich. Zwei verschiedene Tänze können für die gleiche musikalische Komposition choreographiert sein, wie es zum Beispiel bei Musik Purcells geschehen ist; in dieser Weise würden wir jedoch nicht einmal von so abweichenden Aufführungen, wie Stanislavski sie von Tschechows Bühnenstücken geschaffen zu haben scheint, und solchen, die mit Tschechows Sicht seiner eigenen Bühnenstücke übereinstimmen würden, sprechen. Das Medium des literarischen Dramas *schließt* das Medium der entsprechenden Literatur *ein;* das der Musik nicht das des Tanzes, noch das Medium des Tanzes das der Musik. Tanz und Musik teilen miteinander Typen physikalischer

Eigenschaften, Rhythmus zum Beispiel, auf Grund deren sie einander *begleiten* können. Wir sind sogar bereit, von einem Tanz ohne Begleitung als einem Fall des gleichen Megatyps zu sprechen, zu dem ein Tanz mit musikalischer Begleitung ein Fall ist. Beim Drama ist damit nichts zu vergleichen, wenn es sich nicht um die pantomimische Version eines Dramas handelt, die wir in gleicher Weise identifizieren wie einen Tanz und nicht wie ein Gedicht.

Bei Kammertanz und Volksmusik, wie wir schon angedeutet haben, fehlen nicht selten Musterfall und Musternotation. Es ist sogar denkbar, daß man zwei anonyme Zeichenvorkommnisse eines Gedichts aus der griechischen Klassik entdeckt und sie, obwohl in verschiedenen Dialekten geschrieben, als Fälle des gleichen Megatyps beurteilt. Auch hier könnten uns Musterfall und Musternotation fehlen; aber im Einklang mit unserer früheren Diskussion wäre es für uns kaum schwierig zu entscheiden, daß die Zeichenvorkommnisse des Gedichts Fälle des gleichen Megatyps sind. Beim Drama können, wie wir gesehen haben, zwei Aufführungen, die keine Komposition miteinander teilen, dennoch Fälle des gleichen Megatyps heißen, wenn ihre jeweilige Komposition der literarischen Komposition zugeordnet werden kann, von der sie abhängen. Das Element der Aufführung, das muß man festhalten, fügt der Komposition etwas hinzu. Beim Tanz tendiert die Erfindung in Körperbewegungen dazu, jeder Aufführung etwas Spezifisches zu geben; selbst beim Drama räumt man regelmäßig ein, daß jede Aufführung sich von allen anderen unterscheidet. Gliche der Tanz der Malerei und der Skulptur, so würden wir nur sagen, jeder Tanz sei ein einzigartiges Kunstwerk; aber Tanzen ist darstellende Kunst in einem Sinn, der es von diesen anderen Künsten unterscheidet. Selbst wenn es die direkte Ausführung durch jeden Tänzer ist, was uns beim Tanz interessiert, sind wir immer geneigt, von Aufführungen eines Tanzes so zu denken, daß sie wenigstens potentiell auf einer Partitur oder Notation beruhen.

Da eine Tanz-Notation nun zur Verfügung steht, können wir mehr und mehr erwarten, daß für einzelne Tänze eine Musternotation geschaffen wird; in dem Fall wird die Identifikation beim Kammertanz der einer musikalischen Komposition sehr ähneln.[26] Kurz, es ist noch möglich, wenn wir wollen, von verschiedenen Zeichenvorkommnissen einer Aufführung als Fällen des gleichen Megatyps eines Tanzes zu sprechen. Und dennoch kann es scheinen, wenn jede Aufführung etwas ganz Spezifisches hat, daß wir hier in eine Sackgasse geraten, da die Komposition einer jeden nicht der anderen zugeordnet werden kann. *Wenn* wir jedoch die Auffassung vertreten wollen, daß zwei Aufführungen Fälle des gleichen Megatyps eines Tanzes sind, müssen wir bereit sein, eine Tanz-Notation zu formulieren, für die jede von beiden Aufführungen als Zeichenvorkommnis plausibel ist. Die Beziehung wird dann fast der zwischen alternativen Aufführungen eines Dramas gleichen.

Um zu sehen, wie spezifisch die darstellenden Künste in dieser Hinsicht sind, müssen wir nur in Betracht ziehen, daß es durchaus möglich ist, eine Notation zu formulieren, für welche die drei Fassungen von El Grecos ›Vertreibung der Wechsler aus dem Tempel‹ als Zeichenvorkommnisse plausibel sein würden; es erscheint fast möglich, etwas Derartiges für verschiedene Gemälde der De-Stijl-Gruppe oder sogar für Picassos ›Ma Jolie‹ und Braques ›Mann mit Gitarre‹ zu versuchen. Dennoch versagen wir uns durchaus, Gemälde und Skulpturen in dieser Weise zu individualisieren. Die Sache ist die, daß wir beim Tanz manchmal die Wahl haben und daß es gewöhnlich wichtige Gründe dafür gibt, einzelne Aufführungen eher als Fälle eines gemeinsamen Megatyps zu betrachten denn als Musterfälle ihrer eigenen spezifischen Megatypen. Beim Drama haben wir gesehen, daß ein gemeinsamer Text genügt; bei der Volkskunst genügt allein die kulturelle Homogenität und Solidarität; beim Kammertanz kann die Gegenwart einer Truppe mit ihrem Repertoire oder irgendein derartiger Grund genug sein. Gewiß werden Faktoren wie die Komplexität der Zeichenvorkommnisse, die einander ähneln, und die spezifische Weise, die für unsere Identifikation von Werken dieser oder jener allgemeinen Kunstgattung jeweils typisch ist, das Ihre beitragen.

Um kurz zusammenzufassen: Wir identifizieren Kunstwerke nicht immer in der gleichen Weise. Manchmal (so typisch bei den bildenden Künsten) identifizieren wir ein Werk, indem wir einen Megatyp identifizieren, wie er in einem Musterfall wirklich verkörpert ist. Es ist ein interessanter Gedanke, daß, könnten wir von einem Gemälde durch irgendeinen mechanischen Prozeß wirklich eine völlig genaue Reproduktion herstellen, wir die strenge Forderung wahrscheinlich fallenließen; das heißt, unsere Identifikation von Gemälden würde sich ein wenig der von Gedichten oder Radierungen nähern. Manchmal (so typisch bei den literarischen Künsten) identifizieren wir ein Werk, indem wir den Megatyp eines Musterfalles identifizieren und diesen Megatyp bei jedem passenden Fall gebrauchen. Manchmal (so typisch bei der Musik) identifizieren wir ein Werk, indem wir den Megatyp identifizieren, den eine Musternotation bezeichnet, und diesen Megatyp bei jedem passenden Fall gebrauchen. Manchmal (so typisch beim Drama) identifizieren wir ein Werk, indem wir die Musternotation, von der es abhängt, und den Megatyp, den diese Notation bezeichnet, identifizieren und den Megatyp bei jedem passenden Fall gebrauchen, der die allgemeinen Eigenschaften der Kunstgattung (Typ) aufweist, zu der das fragliche Werk gehören soll (z. B. Drama, Tanz, Musik, Dichtung). Manchmal (so typisch bei Tanz und Volkskunst) identifizieren wir ein Werk, indem wir eine Notation konstruieren, die einen Megatyp bezeichnet, der uns erlaubt, gegebene Zeichenvorkommnisse als Fälle dieses Megatyps zu gebrauchen; deshalb ist die Identifikation verhältnismäßig unbestimmt.

Nach diesem Katalog unserer verschiedenen Verfahren, Kunstwerke zu individualisieren, ist wichtig, daß wir Beschreibung, Interpretation und Wertung von Kunstwerken als durchaus selbständige Geschäfte der Kritik verstehen. Mit einem Blick auf diese Dinge haben wir einfach eine Quelle möglicher Verwirrung aufgenommen, die unsere Behandlung unverträglicher Urteile beeinträchtigen kann. Wir haben keine reale Beschreibung unserer Verfahren gegeben, wie wir wirklich Kunstwerke individualisieren; wir haben eher eine Sprachalternative für die Individualisierung konstruiert, eine Parallelsprache zu unserem wirklichen Gebrauch, die seine logischen Züge klarer zeigt, eine Sprache aber, die kaum bequemer anzuwenden ist. Die Wahrheit ist, daß wir von der Übersetzung eines Gedichts, den numerierten Exemplaren einer Radierung und den Aufführungen einer musikalischen Komposition sprechen und daß Ausdrücke wie diese die individualisierenden Unterscheidungen fixieren, die wir fordern. Dennoch fügen sie sich nicht bequem in eine systematische Ordnung, mittels derer wir die Wesensverschiedenheit der Individualisierungsregeln, die wir für die verschiedenen Künste verwenden, auf den ersten Blick erkennen können. Das Schema, das wir angewandt haben, bietet den doppelten Vorteil, die Ordnung im Bereich unseres Sprachgebrauchs mittels der Unterscheidung zwischen Zeichenvorkommnis und Typ (die von größtem Interesse ist, wenn man von der Individualisierung von Kunstwerken spricht) zu klären und das fundamentale Problem der Ambiguität zu markieren, mit dem wir uns bei Beschreibung, Interpretation und endlich Wertung von Kunstwerken auseinandersetzen müssen.

Anmerkungen

[1] Siehe The Language of Art & Art Criticism, Analytic Questions in Aesthetics (Detroit 1965) [im folgenden: LAAC – Anm. d. Übers.], Kap. V. Describing and Interpreting Works of Art, S. 67–83.

[2] Moses Hadas, Besprechung von Bernard M. W. Knox, Oedipus at Thebes (New Haven 1957), New York Times Book Review, 16. Juni 1957.

[3] Siehe LAAC, Kap. VI. The Logic of Interpretation, S. 85–94.

[4] Man vergleiche dem Typ nach, was Paul Ziff über Kunstwerke sagt, Art and the 'Object of Art', in: William Elton (Hrsg.), Aesthetics and Language (Oxford 1954), S. 182–186, mit dem, was Margaret Macdonald sagt, Some Distinctive Features of Arguments Used in Criticism of the Arts, in: Elton, op. cit., S. 125–128.

[5] Im wesentlichen stützt dies Paul Ziffs Versuch, „jenes Gespenst der Ästhetik, das mysteriöse ästhetische Objekt“ zu Grabe zu tragen; vgl. Ziff, op. cit., S. 186. Dagegen scheint er beim Angriff auf die Ästhetik des Idealismus zu stark zu vereinfachen; vgl. LAAC, Kap. V. Describing and Interpreting Works of Art, S. 67–83.

[6] On 'What is a Poem?', in: Philosophical Review, LXVI (Juni 1957), S. 330–333. Ich sehe, daß Richard Rudner in einer interessanten Untersuchung über die Behandlung verwandter Schwierigkeiten bei C. I. Lewis auf die Terminologie von Peirce Bezug genommen hat; vgl. The Ontological Status of the Esthetic Object, Philosophy and Phenomenological Research, X (März 1950), S. 380–388, besonders S. 385. Vgl. auch Stevenson, Interpretation and Evaluation in Aesthetics, in: Max Black (Hrsg.), Philosophical Analysis (Ithaca 1950), S. 347, 353; und Rudner, op. cit., S. 387. Vgl. ebenfalls Margaret Macdonald, op. cit., S. 123; außerdem Macdonald, Art and Imagination, teilweise abgedruckt in Melvin Rader

(Hrsg.), A Modern Book of Esthetics (3. Ausgabe; New York 1960), S. 215–219.

[7] Stevenson, op. cit., S. 331–332.

[8] Stevenson gibt das implizit zu; vgl. op. cit., S. 330.

[9] Ebd., S. 336–338.

[10] Ebd., S. 331.

[11] Vgl. Collected Papers of Charles Sanders Peirce, hrsg. v. Charles Hartshorne und Paul Weiss (Cambridge 1933), IV, Par. 537, zitiert von Stevenson. Stevensons Diskussion der semiotischen Theorie kann man für ambiguos halten – beispielsweise seine Schlußbemerkungen; vgl. aber Stevenson, Symbolism in the Nonrepresentative Arts, in: Paul Henle (Hrsg.), Language, Thought and Culture (Ann Arbor 1958). Vgl. auch LAAC, Kap. III. The Definition of a Work of Art, S. 37–47.

[12] Stevenson, op. cit., S. 337.

[13] Vgl. LAAC, Kap. III. The Definition of a Work of Art, S. 37–47.

[14] A. a. O.

[15] Vgl. Jeanne Wacker, Particular Works of Art, Mind, LXIX (April 1960), S. 223–233.

[16] George Duthie, Elizabethan Shorthand and the First Quarto of 'King Lear' (Oxford 1949), S. 1 (Kursivierung von mir).

[17] Vgl. Margaret Macdonald, Art and Imagination, a. a. O.; auch Bernard Bosanquet, Three Lectures on Aesthetic (London 1915), Kap. II.

[18] Vgl. Aesthetics (2. Ausgabe; London 1922), S. 8–11.

[19] Darum geht es in gewissem Sinne dem ganzen Roman (New York 1944); zum Beispiel vorletzter Absatz von Kap. VII.

[20] Art and Reality (New York 1958); Auszug in: Rader, op. cit., S. 104–115, besonders S. 104–105.

[21] Beauty and Other Forms of Value (London 1933); Auszug in: Eliseo Vivas und Murray Krieger (Hrsg.), The Problems of Aesthetics (New York 1953), S. 143, 153. Vgl. auch Lawrence S. Kubie, Neurotic Distortion of the Creative Process (Porter Lectures, ser. 22, Lawrence, Kansas, 1958), S. 140, wegen einer ähnlichen Verzeichnung unter psychoanalytischen Gesichtspunkten.

[22] Den Begriff der „Komposition“ braucht man durchaus nicht eng zu verstehen. Religiös orientierte Kritik zum Beispiel kann er leicht aufnehmen. Vgl. Nathan A. Scott Jun., The Collaboration of Vision in the Poetic Art, Christian Scholar, XL (Dezember 1957), S. 277–295; auch Stanley Romaine Hopper, Spiritual Problems in Contemporary Literature (New York 1957). Vgl. LAAC, Kap. VI. The Logic of Interpretation, S. 85–94.

[23] Vgl. den Artikel “texture” in: William Elton, A Guide to the New

Criticism (Chicago 1953, verb. Ausg.); wir brauchen uns nicht der vorliegenden Version der Auffassung von Textur im New Criticism anzuschließen, nur der Anerkennung einer Qualität, welche sich nicht durch Paraphrase reduzieren läßt. Im formellen Jargon des New Criticism heißt der Irrtum, auf dem die vorhergehende Auffassung der Übersetzung beruht, die Häresie der Paraphrase (vgl. den Artikel "paraphrase, heresy of," im Guide); interessant ist, daß das Glossar unter "translation" keinen besonderen Artikel enthält.

[24] Vgl. zum Beispiel die Berichte von Abbot Suger über die Erneuerung und Erweiterung der Kirche von Saint-Denis, in: Elizabeth Gilmore Holt (Hrsg.), Literary Sources of Art History (Princeton 1947), S. 20–44; und die allgemeinen Bemerkungen von Siegfried Giedion, Mechanization Takes Command (New York 1948).

[25] Vgl. The School of Giorgione, in: The Renaissance.

[26] Vgl. zum Beispiel Ann Hutchinson, Labanotation (New York 1954).

Frank Sibley, Aesthetic Concepts. The Philosophical Review (1959), pp. 421–450. Deutsche Fassung (Übersetzung: Rosalinde Sartorti) entnommen aus: Materialien zu Kants ›Kritik der Urteilskraft‹, hrsg. v. Jens Kulenkampff. Frankfurt am Main: Suhrkamp Verlag 1974, S. 337–370.

ÄSTHETISCHE BEGRIFFE

Von FRANK SIBLEY

Vielerlei Art sind die Aussagen, die wir über Kunstwerke machen. Ich möchte in diesem Aufsatz zwei große Gruppen unterscheiden. Wir sagen, der Roman stellt eine große Anzahl von Charakteren dar und handelt vom Leben in einer Industriestadt; bei dem Gemälde wurden blasse Farben verwendet, vornehmlich Blau- und Grüntöne, und im Vordergrund befinden sich Personen, die niederknien; das Thema einer Fuge erscheint an einem bestimmten Punkt in der Umkehrung und am Schluß als Engführung; die Handlung eines Stückes erstreckt sich über den Zeitraum eines Tages, und im fünften Akt findet die Versöhnungsszene statt. Jeder Mensch mit Augen und Ohren und von durchschnittlicher Intelligenz kann derartige Bemerkungen machen oder kann auf derartige Merkmale hingewiesen werden. Andererseits sprechen wir auch davon, daß ein Gedicht straff gespannt oder stark beeindruckend ist; daß ein Bild Ausgewogenheit vermissen läßt oder eine gewisse Heiterkeit und Ruhe ausstrahlt oder die Anordnung der Personen eine starke Spannung vermittelt; daß die Charaktere eines Romans niemals richtig lebendig werden oder daß eine bestimmte Episode nicht den richtigen Ton trifft. Solche Aussagen erfordern Geschmack, besondere Aufmerksamkeit oder Sensibilität, ästhetische Urteilskraft und ein entsprechendes Auge. Demgemäß will ich ein Wort oder einen Ausdruck dann als *ästhetischen* Terminus oder Ausdruck bezeichnen, wenn seine Anwendung Geschmack oder besonderes Wahrnehmungsvermögen erfordert, und werde entsprechend von ästhetischen Begriffen oder Geschmacksbegriffen sprechen.[1]

Die ästhetischen Termini umfassen einen großen Bereich verschiedener Typen, und man könnte sie in mehrere Gruppen und Untergruppen einteilen. Es ist jedoch nicht der Zweck meiner Arbeit, irgendeine Einteilung dieser Art zu versuchen, sondern mich interessiert, was ihnen allen gemeinsam ist. Ihre nahezu endlose Vielfalt wird durch die folgende Aufzählung ausreichend demonstriert: *einheitlich, ausgewogen, integriert, leblos, heiter, düster, dynamisch, mächtig, lebendig, zart, rührend, platt, sentimental, tragisch.* Diese Liste ist selbstverständlich nicht auf Adjektive beschränkt; andere Ausdrücke aus ästhetischen Zusammenhängen wie „sprechender Gegensatz", „baut eine Spannung auf", „vermittelt ein Gefühl von" oder „hält zusammen" sind ebenso gute Beispiele. Die Liste schließt Termini mit ein, die sowohl vom Laien als auch vom Kritiker gleichermaßen benutzt werden, wie auch einige, die hauptsächlich zum Inventar der professionellen Kritiker und Spezialisten gehören.

Meine Beispiele für ästhetische Ausdrücke beziehe ich in erster Linie aus dem kritischen und wertenden Diskurs über Kunstwerke, da sie gerade dort besonders reichlich zu finden sind. An dieser Stelle jedoch möchte ich mein Thema erweitern. Termini, deren Gebrauch Geschmack erfordert, verwenden wir nicht nur bei Diskussionen über Kunst, sondern ziemlich häufig auch in der allgemeinen Umgangssprache. Bei den oben gegebenen Beispielen handelt es sich um Ausdrücke, die im Kontext einer Kritik in den meisten Fällen, wenn nicht gar immer, ästhetisch verwendet werden; außerhalb von kritischen Abhandlungen wird die Mehrzahl von ihnen in einer anderen, nicht mit Geschmack verbundenen Weise gebraucht. Viele der Ausdrücke erfüllen jedoch in der Alltagssprache eine doppelte Funktion, indem sie manchmal als ästhetische Ausdrücke verwendet werden und manchmal nicht. Andere Wörter wiederum, ganz gleich, ob in alltäglicher Sprache oder in kunstkritischen Texten, haben nur oder überwiegend die Funktion ästhetischer Termini, so z. B. *graziös, fein, zart, stattlich, anmutig, elegant, grell.* Schließlich gibt es, im Gegensatz zu den vorangegangenen Beispielen, eine Menge Wörter, die fast nie als ästhetische Termini verwendet werden: *rot, laut, salzig, klamm, quadratisch, gelehrig, gebogen, flüchtig, intelligent, treu, baufällig, saumselig, wunderlich.*

Bei der Verwendung von Wörtern als ästhetische Termini schaffen oder benutzen wir natürlich oft Metaphern, d. h. wir drängen den Wörtern eine Funktion auf, die sie normalerweise nicht haben. Sicherlich sind auch viele Wörter durch irgendeine metaphorische

Übertragung zu ästhetischen Termini *geworden,* wie zum Beispiel die Wörter „dynamisch", „melancholisch", „ausgewogen", „straff gespannt", die normalerweise, ausgenommen in künstlerischen und kritischen Schriften, keine ästhetischen Termini sind. Aber man darf nicht glauben, das ästhetische Vokabular bestehe nur aus Metaphern. Viele Wörter, die gängigsten eingeschlossen *(reizend, hübsch, schön, fein, graziös, elegant),* werden bei ihrer Verwendung als ästhetische Termini zweifellos nicht metaphorisch gebraucht, aus dem guten Grund, daß sie vorrangig oder ausschließlich so verwendet werden und sie keinen nicht-ästhetischen Gebrauch haben. Und obwohl Ausdrücke wie „dynamisch", „ausgewogen" usw. durch die metaphorische Verschiebung zu ästhetischen Termini *geworden* sind, kann ihre Verwendung in der Kunstkritik höchstens als quasi-metaphorisch bezeichnet werden. Sind sie auch anfangs in der Sprache der Kunstkritik und Kunstbeschreibung Metaphern gewesen, so gehören sie jetzt doch zum Standardvokabular dieser Sprache.[2]

Die von mir als ästhetische Termini bezeichneten Ausdrücke machen keinen unbedeutenden Teil unserer Rede aus. Allerdings zeigen Menschen von normaler Intelligenz und mit gutem Seh- und Hörvermögen häufig einen Mangel an Sensibilität, die für die Anwendung dieser Wörter erforderlich ist. Ein Mensch braucht weder dumm zu sein noch schlechte Augen zu haben, um unfähig zu sein, etwas als anmutig zu erkennen. Somit sind Geschmack oder ästhetische Sensibilität seltener anzutreffen als andere menschliche Fähigkeiten. Leute, die eine außergewöhnlich verfeinerte Sensibilität erkennen lassen, gehören zur Minderheit. Über die Anwendung dieser ästhetischen Termini gibt es berühmt-berüchtigte Auseinandersetzungen und Streitgespräche ohne Ende. Doch ist fast jeder Mensch in der Lage, Geschmack in bestimmtem Maße und in einigen Fällen zu beweisen. Es ist deshalb überraschend, daß die ästhetischen Termini so weitgehend vernachlässigt werden. Im Zusammenhang mit anderen Diskussionen über Ästhetik sind sie bislang nur gestreift worden, haben aber noch nicht die Aufmerksamkeit erhalten, die ihnen als derart umfassender Kategorie gebührt.

Im vorhergehenden habe ich das Gebiet meines Diskussionsgegenstandes abgegrenzt. Es sollte vielleicht eine Warnung gegeben werden. Wenn ich in diesem Aufsatz von Geschmack spreche, dann behandle ich keinerlei Fragen, die sich auf Ausdrücke wie „eine Frage des Geschmacks" beziehen (d. h., eine Frage der persönlichen Vorliebe oder Neigung), sondern ich befasse mich mit der Fähigkeit, Dinge zu *bemerken* oder zu *unterscheiden.*

I

Um die Zuschreibung eines ästhetischen Terminus zu stützen, beziehen wir uns oft auf Merkmale, deren Erwähnung andere ästhetische Termini miteinschließt: „es ist von außerordentlicher Vitalität, weil es in so freiem und kräftigem Stil gezeichnet ist", „anmutig im weichen Fließen der Linien", „zart durch die Feinheit und Harmonie der Farbgebung". Dies ist genauso üblich, wie den Gebrauch eines Epithetons, das eine geistige Fähigkeit bezeichnet, durch andere Epitheta des gleichen allgemeinen Typs zu rechtfertigen, *intelligent* durch *ingeniös, erfinderisch, scharfsinnig* usw.

Bei der Verwendung ästhetischer Termini hingegen begründen wir dies häufig unter Bezugnahme auf Merkmale, zu deren Erkennen kein ausgebildeter Geschmack notwendig ist: „Zart durch die pastellfarbenen Schatten und gebogenen Linien" oder „es besteht ein Mangel an Ausgewogenheit, weil eine Personengruppe so weit links steht und so auffallend hell ist". Wird keine Erklärung dieser Art gegeben, dann ist es legitim, nach einer zu fragen oder zu suchen. Eine befriedigende Antwort zu geben, kann manchmal schwierig sein, doch kann man die Frage gewöhnlich nicht zurückweisen. Wenn wir selbst kaum sagen können, welche nicht-ästhetischen Merkmale etwas graziös, unausgewogen, kraftvoll oder ergreifend machen, verweist der gute Kritiker oftmals auf etwas, was uns als die richtige Erklärung einleuchtet. Kurz gesagt, letztlich werden ästhetische Wörter wegen des Vorhandenseins von Merkmalen angewendet, und ästhetische Qualitäten hängen letztlich von diesen Merkmalen ab, die wie gebogene oder eckige Linien, Farbkontraste, Anordnung von Figuren oder Schnelligkeit der Bewegung sichtbar, hörbar oder auf andere Weise wahrnehmbar sind, unabhängig von Geschmack oder besonderer Sensibilität. Ganz gleich, welcher Art diese Abhängigkeit ist – und es gibt verschiedene Beziehungen zwischen ästhetischen Qualitäten und nicht-ästhetischen Merkmalen –, möchte ich in diesem Abschnitt zeigen, daß es keine nicht-ästhetischen Merkmale gibt, die als *Bedingung* für die Anwendung ästhetischer Termini fungieren. Ästhetische Begriffe oder Begriffe des Geschmacks sind in dieser Hinsicht von keinerlei Bedingungen abhängig.

Man ist kaum versucht anzunehmen, ästhetische Termini würden Wörtern wie „quadratisch" ähneln, die in Übereinstimmung mit einer bestimmten Anzahl von notwendigen und hinreichenden Bedingungen verwendet werden. Denn während ein Quadrat stets aufgrund derselben Bedingungen ein Quadrat ist (vier gleiche Seiten und vier rechte Winkel), haben ästhetische Termini für äußerst verschiedene Objekte Gültigkeit. Ein Ding ist anmutig wegen dieser, ein anderes wegen jener Merkmale, und so könnte es fast endlos fortgeführt werden. Vor nicht allzu langer Zeit haben die Philosophen den Bann des strengen Modells der notwendigen und hinreichenden Bedingungen damit durchbrochen, daß sie viele alltägliche Begriffe aufzeigten, die nicht von dieser Art sind. Statt dessen beschrieben sie verschiedene andere Begriffsarten, die in weitaus geringerem Maße von bestimmten Verwendungsbedingungen abhängig sind. Da diese neueren Modelle viele gängige Begriffe in befriedigender Weise erfassen, könnte man annehmen, daß ästhetische Begriffe ähnlicher Art sind und daß sie in ähnlicher Weise in geringerem Maße von Bedingungen abhängig sind. Ich möchte beweisen, daß sich ästhetische Begriffe auch radikal von diesen anderen Begriffen unterscheiden.

Zu den Begriffen, denen wir gerade unsere Aufmerksamkeit gewidmet haben, gehören jene, für die keine *notwendigen* Bedingungen angegeben werden können, für die es aber eine Anzahl relevanter Merkmale – A, B, C, D, E – gibt, so daß das Vorhandensein verschiedener Gruppen oder Kombinationen dieser Merkmale für die Anwendung eines Begriffes *hinreichend* ist. Die Liste dieser Merkmale kann offen sein, d. h., bei gegebenem A, B, C, D, E schließen wir die mögliche Relevanz anderer, nicht aufgeführter Merkmale nach E nicht aus. Beispiele solcher Begriffe könnten sein: „saumselig", „unhöflich", „besitzergreifend", „kapriziös", „erfolgreich", „intelligent" (s. aber unten S. 240). Beginnen wir, eine Liste von Merkmalen, die für „intelligent" relevant sind, z. B. mit der Fähigkeit, verschiedene Arten von Instruktionen aufnehmen und danach handeln zu können, der Fähigkeit, Sachverhalte völlig zu durchschauen und alle Indizien in einen entsprechenden Zusammenhang zu bringen, mathematische oder Schachaufgaben zu lösen, so könnten wir diese Liste ins nahezu unendliche erweitern.

Nun, obwohl auch bei Begriffen dieser Art Entscheidungen getroffen werden müssen und Urteilskraft eine Rolle spielt, ist es doch immer möglich, ausgehend von Fällen, die *bereits* klar *entschieden sind,* eine Reihe von Merkmalen oder Bedingungen, die in diesen Fällen als hinreichend erachtet wurden, auszusondern und festzuhalten. Diese relevanten Merkmale, die ich Bedingungen nenne, sind – und das sollte hervorgehoben werden – auch dann von einigem Gewicht und zielen nur in eine Richtung, wenn sie *allein* nicht hinreichend sind und der Verbindung mit anderen Merkmalen bedürfen. Die Eigenschaft, ein guter Schachspieler zu sein, kann nur *für* und nicht *gegen* Intelligenz sprechen. Deshalb kann die Erwähnung dieser Eigenschaft sinnvoll verbunden werden nur mit anderen Bemerkungen wie „Ich halte ihn für intelligent, weil ..." oder „der Grund, weshalb ich ihn für intelligent halte, ist ..." und nicht dazu benutzt werden, negative Formulierungen zu bilden, wie „ich halte ihn für *un*intelligent, weil ...". Was ich jedoch bei den Merkmalen, die als Bedingungen für einen Terminus fungieren, besonders betonen möchte, ist, daß eine *bestimmte* Gruppe oder Reihe dieser Merkmale *hinreicht*, um die Anwendung dieses Terminus völlig sicherzustellen oder zu rechtfertigen. Ein Individuum, das sich durch einige Merkmale dieser Art auszeichnet, kann – das steht außer Frage – z. B. noch nicht als faul oder intelligent usw. bezeichnet werden. Aber man braucht nur weiter eine (unbestimmte) Zahl solcher Charakterisierungen hinzuzufügen, um zu einer hinreichenden Bestimmtheit zu gelangen. Es gibt Individuen, die über eine Reihe dieser Merkmale verfügen, und man kann nicht leugnen, sondern muß zugeben, daß sie intelligent sind. Wir haben den Fall der Bedingungen, die zugleich notwendig und hinreichend sind, ausgelassen, befinden uns aber immer noch bei der Frage der Verwendungsbedingungen.

Ästhetische Begriffe sind jedoch noch nicht einmal in dieser Weise von Bedingungen abhängig. Es gibt keine hinreichenden Bedingungen, keine nicht-ästhetischen Merkmale derart, daß das Vorhandensein einer Reihe oder einer gewissen Anzahl von ihnen die Anwendung eines ästhetischen Terminus rechtfertigen könnte. Es ist unmöglich, irgendeine Aussage zu machen (abgesehen von einigen wenigen Ausnahmen, s. S. 243 f.), die vergleichbar wäre mit einer Aussage, wie wir sie für bedingungsabhängige Wörter machen können. Wir können sagen: „Wenn es stimmt, daß er dies und das und auch das andere tun kann, dann kann man nicht leugnen, daß er intelligent ist" oder „wenn er A, B und C tut, kann ich unter keinen Umständen leugnen, daß er faul ist", aber wir können *keinerlei* allgemeine Aussage folgender Art machen: „Wenn die Vase blaßrosa ist, ein wenig gebogen, leicht gesprenkelt usw., dann ist sie zart, muß sie zart sein." Ebensowenig kann man behaupten: „Größe und Schlankheit *allein* genügen nicht, um zu garantieren, daß eine Vase zart ist, aber ist sie z. B. auch noch leicht gebogen und blaß getönt (und so weiter), so kann man nicht leugnen, daß sie zart ist." Die Dinge können uns mit nicht-ästhetischen Termini so ausführlich wie nur möglich beschrieben werden, aber wir werden dadurch nicht in die Lage versetzt, zugeben zu müssen oder nicht leugnen zu können, daß die Dinge zart, anmutig, prachtvoll oder ungewöhnlich ausgewogen sind.[3]

Zweifellos gibt es einige Hinsichten, in denen ästhetische Termini doch von Bedingungen oder Regeln abhängig sind. Es wäre zum Beispiel unmöglich, ein Ding als grell zu bezeichnen, wenn es nur in blassen Pastelltönen gehalten ist, oder als flammend, wenn alle Linien gerade sind. Es kann durchaus Beschreibungen mit ausschließlich nicht-ästhetischen Termini geben, die unvereinbar sind mit Beschreibungen, die bestimmte ästhetische Termini verwenden. Erzählt man mir von einem Bild im Nebenzimmer, das nur aus ein oder zwei blaßblauen und sehr hellgrauen Streifen besteht, die auf hellbraunem Grund im rechten Winkel angeordnet sind, so kann ich sicher sein, daß das Bild weder feurig noch grell oder flammend ist. Nach einer Beschreibung dieser Art sind bestimmte ästhetische Termini unbrauchbar oder unangemessen. Wenn ich aus dieser Beschreibung den Schluß zöge, daß das Bild feurig, schreiend bunt oder flammend ist oder sein könnte, so würde ich damit zeigen, daß ich den Sinn dieser Wörter nicht verstanden habe. Ich möchte deshalb nicht bestreiten, daß Geschmacksbegriffe negativ von Bedingungen abhängen.[4] Was ich dagegen betonen möchte, ist, daß sie nicht jene gebrauchsleitenden Bedingungen haben, von denen viele andere Begriffe abhängen. Obwohl wir beim *Anblick* eines Bildes berechtigterweise sagen können, es sei zart oder heiter, ruhig, matt oder geschmacklos, können wir aus keiner *Beschreibung* mit nicht-ästhetischen Wörtern den Anspruch ableiten, daß diese oder jene ästhetischen Termini in jedem Fall darauf angewendet werden müssen.

Wenn sich ein Objekt *ausschließlich* durch eine bestimmte Art von Merkmalen auszeichnet, kann dies – wie ich bereits ausgeführt habe – der Anwendung bestimmter ästhetischer Begriffe widersprechen. Sind jedoch nur *ein paar* dieser Merkmale vorhanden, so muß dies nicht ausschlaggebend sein. Andere Merkmale können jene überwiegen, die für sich die Anwendung des ästhetischen Terminus ausschließen würden. Ein Bild kann auch dann grell sein, wenn viele blasse Farben verwendet wurden. Diese Tatsachen lenken die Aufmerksamkeit auf ein weiteres Merkmal der Geschmacksbegriffe. Es *können* allgemeine Merkmale oder Beschreibungen gefunden werden, die in gewisser Weise nur in eine Richtung zielen – entweder nur *für* oder nur *gegen* die Anwendung bestimmter ästhetischer Termini. Eckigkeit, Dicke, Hochglanz oder Starkfarbigkeit sind charakteristischerweise nicht mit Zartheit oder Anmut verbunden. Schlankheit, Leichtigkeit, sanfte Kurven, Fehlen von Farbintensität sind mit Zartheit verbunden, nicht aber mit Prunk, Erhabenheit, Größe, Pracht oder Grellheit. Dies zeigt sich z. B. auch an dem üblichen Ausspruch, sie ist so anmutig, *weil* sie so leicht ist, aber: *obwohl* sie ziemlich eckig oder stark gebaut ist; und an dem entsprechenden abwegigen Ausdruck, daß etwas anmutig sei, *weil* es so schwer und kantig ist, oder zart *wegen* der leuchtenden und intensiven Farbgebung. Dies mag sich ähnlich anhören wie das, was ich zu den Bedingungen ausgeführt habe; doch bestehen hier signifikante Unterschiede. Obwohl Schlankheit, Leichtigkeit, Fehlen von Farbintensität usw. in einem bestimmten Sinn nur für und nicht gegen Zartheit sprechen, kann von diesen Merkmalen höchstens gesagt werden, daß sie in *typischer* oder *charakteristischer*

Weise für Zartheit sprechen. Sie sprechen nicht in gleicher Weise dafür, wie Bedingungsmerkmale für Faulheit oder Intelligenz sprechen.

Zur Verdeutlichung dieser Eigenart soll darauf hingewiesen werden, in welcher Weise Merkmale, die offensichtlich mit einem ästhetischen Terminus verbunden sind, in ähnlicher Art mit anderen, recht unterschiedlichen ästhetischen Termini assoziiert sein können. „Anmutig" und „zart" stehen einerseits in scharfem Gegensatz zu Termini wie „gewaltig", „stattlich", „feurig", „grell" oder „massig" – Termini, die charakteristische nicht-ästhetische Merkmale haben, die von denen für „anmutig" und „zart" sehr verschieden sind. Andererseits können sie auch als Kontrast zu ästhetischen Termini gebraucht werden, die ihnen viel näher stehen, wie z. B. „schlaff", „schwach", „ausgewaschen", „schmächtig", „anämisch", „bleich", „fade"; das Feld von charakteristischen Merkmalen für *diese* Eigenschaften, blasse Farben, Schlankheit, Leichtigkeit, Fehlen von Kanten und scharfen Kontrasten, ist im wesentlichen identisch mit dem Feld von „anmutig" und „zart". Ganz ähnlich sind auch viele der normalerweise mit „fröhlich", „feurig", „robust" oder „dynamisch" assoziierten Merkmale identisch mit denen, die mit „grell", „laut", „turbulent", „aufgeputzt" oder „chaotisch" verbunden werden. Somit kann sich ein sehr ausführlich, aber ausschließlich mit für Zartheit charakteristischen Termini beschriebenes Objekt bei genauerer Betrachtung als keineswegs zart herausstellen, sondern als anämisch oder fade. Daß Anfänger und künstlerisch Ungebildete in ihren Versuchen fehlschlagen, beweist, daß eine relativ große Ähnlichkeit in der Linienführung, Farbgebung oder Technik noch keine Garantie für Anmut oder Zartheit bedeutet. Ein mißlungener und ein erfolgreicher Versuch in der Manier von Degas können in ihren nicht-ästhetischen Qualitäten miteinander mehr Ähnlichkeit haben als beide mit einer gelungenen Fragonard-Imitation. Es ist jedoch gar nicht nötig, so weit auszuholen, um meinen Punkt klarzumachen. Ein Bild, das nur über solche Merkmale verfügt, die man mit Kraft und Energie assoziieren würde, das aber dennoch weder kräftig noch energisch ist, *muß* nicht irgendeine andere Eigenschaft haben, muß nicht statt dessen z. B. grell oder chaotisch sein. Es kann ihm jegliches besondere Charakteristikum fehlen. Es kann in leuchtenden Farben gemalt sein, ohne auch nur im geringsten besonders lebendig oder kräftig zu sein; und man könnte sich zugleich außerstande sehen, es als chaotisch, grell oder gar auffallend zu beschreiben. Es fehlt einfach etwas Charakteristisches (obwohl darin natürlich auch ein ästhetisches Urteil besteht; Geschmack zeigt sich auch in der Beobachtung, daß ein Bild nichts Charakteristisches aufweist). Es gibt natürlich viele Merkmale, die nicht in dieser Weise charakteristisch für oder gegen bestimmte ästhetische Qualitäten sprechen. Das eine Gedicht hat Stärke und Kraft aufgrund der Regelmäßigkeit von Metrum und Reim; ein anderes ist wegen des regelmäßigen Metrums und Reims monoton und läßt Schwung und Kraft vermissen. Wir halten es nicht für nötig, neben denen für „weil" noch Beispiele für „trotz" zu geben. Nun, ich habe mich auf Merkmale konzentriert, die in charakteristischer Weise mit ästhetischen Qualitäten assoziiert sind: Denn wenn man Beispiele für die Ansicht sucht, daß Geschmacksbegriffe doch von Bedingungen abhängig sind, so kommen diese wohl am ehesten als verwendungsregelnde Bedingungen für ästhetische Begriffe in Frage. Aber die Aussage, daß Merkmale nur in *charakteristischer Weise* mit einem ästhetischen Terminus assoziiert sind, *bedeutet* eben, daß sie keine Bedingungen sind. Keine noch so vollständige Beschreibung, selbst unter Verwendung der für Anmut charakteristischen assoziierten Termini, stellt es außer Frage, daß etwas anmutig ist, so wie durch eine Beschreibung außer Frage gestellt werden kann, daß jemand faul oder intelligent ist.

Ich beschränke mich nicht auf die Behauptung, für Geschmacksbegriffe könnten keine hinreichenden Bedingungen angegeben werden. Denn wäre dies alles, so möchten sich Geschmacksbegriffe am Ende nicht von einem Begriffstyp unterscheiden, der erst kürzlich diskutiert wurde. Sie könnten nämlich vielleicht bei den Begriffen untergebracht werden, die Professor H. L. A. Hart „anfechtbar" genannt hat; charakteristisch für anfechtbare Begriffe ist, daß wir keine hinreichenden Bedingungen für sie angeben können, denn zu jeder angebotenen Reihe existiert eine (offene) Liste gegenteiliger Bedingungen, von denen eine jede die Anwendung des Begriffs ausschließen kann. Das einzige, was man über einen anfechtbaren Begriff schematisch aussagen kann, ist, daß z. B. A, B und C zusammen für die Anwendung des Begriffes hinreichen, *solange nicht* eine Eigenschaft auftritt, die die anderen über den Haufen wirft oder sie aufhebt. Was ich jedoch betonen möchte, ist gerade die Tatsache, daß die *Möglichkeit*, so etwas zu sagen, uns zeigt, daß wir uns soweit noch immer im Bereich der Bedingungen befinden.[5] Die Merkmale, von denen anfechtbare Begriffe abhängen, können normalerweise nur in einer Richtung Gültigkeit haben, *entweder* dafür *oder* dagegen. Mit Harts Beispiel hieße das, „Angebot" und „Annahme" können nur auf die Existenz eines gültigen Vertrages hinweisen und bewußt falsche Darstellung, Nötigung und Wahnsinn nur dagegen sprechen. Und selbst bei anfechtbaren Begriffen können wir – vorausgesetzt, daß keine annullierenden Merkmale vorhanden sind – wissen, daß eine bestimmte Anzahl von Bedingungen oder Merkmalen A, B, C ... reicht, um zum Beispiel – bei unserer Voraussetzung – zu garantieren, daß es sich um einen Vertrag handelt. Der bloße Begriff eines „anfechtbaren" Begriffs scheint zu fordern, daß eine Gruppe von Merkmalen hinreichend sein *würde*, wenn keine aufhebenden Gegenmerkmale gegeben sind. Den anfechtbaren Begriffen fehlen zwar *hinreichende* Bedingungen, sie sind aber immer noch in dem beschriebenen Sinne von Bedingungen abhängig. Meine Behauptung über Geschmacksbegriffe geht weiter: Sie sind in keiner Weise, es sei denn negativ, von Bedingungen abhängig. Wir könnten, selbst bei Abwesenheit aller „annullierenden" oder nicht-charakteristischen Merkmale (nichts Eckiges und dergleichen), nicht den Schluß ziehen, daß ein Objekt zweifelsfrei anmutig sein muß, wie vollständig es uns auch immer als ein Objekt mit den für Anmut charakteristischen Merkmalen beschrieben worden sein mag.

Meine Argumente und Beispiele sind bislang ziemlich schematisch gewesen. Viele Begriffe, einschließlich der von mir verwendeten Beispiele (*intelligent* usw., s. S. 234), sind bei weitem komplexer und offener als meine Beispiele nahelegen. Nicht nur, daß es eine offene Liste relevanter Bedingungen geben kann, es kann auch unmöglich sein, anzugeben, wie viele Merkmale in welchen Kombinationen einen Satz hinreichender Bedingungen ergeben. Gleichermaßen mag es unmöglich sein, Regeln zu formulieren, die eindeutig festlegen, in welchem Ausmaß und Grad solche Eigenschaften in bestimmten Kombinationen realisiert sein müssen. Vielleicht müssen wir jeden Versuch, Bedingungen zu beschreiben und Regeln zu formulieren, als unnütz verwerfen und uns mit einer sehr allgemeinen Erklärung eines Begriffs zufriedengeben, indem wir uns auf Beispiele, ähnliche Fälle oder Präzedenzfälle beziehen. Wir können die Begriffe nicht allein deshalb verstehen oder anwenden, weil sie mit einer Liste von Bedingungen versehen oder weil sie mit zwar komplexen, aber jederzeit anwendbaren Prozeduren oder Regeln ausgestattet sind. Denn um zu zeigen, daß wir einen dieser Begriffe verstehen, müssen wir in der Lage sein, ihn selbständig in einem neuen individuellen Fall korrekt anzuwenden, zumindest in zentralen Fällen; bei jedem neuen Fall kann es sich um ein Unikat handeln, wie z. B. gerade jedes intelligente Kind und jeder intelligente Student sich in wichtigen Punkten von anderen unterscheidet und eine spezifische Kombination von Leistungen und Fähigkeiten verschiedener Art und in verschiedener Ausprägung repräsentiert. Bei der Behandlung neuer Fälle wären mechanische Regeln und Verfahren nutzlos. Statt dessen müssen wir, gestützt auf eine Reihe von vielfältigen Beispielen und Präzedenzfällen, Urteilskraft beweisen. Hier nun besteht eine auffallende, aber oberflächliche Ähnlichkeit mit ästhetischen Begriffen. Beim Gebrauch ästhetischer Termini lernen wir von Mustern und Beispielen, nicht von Regeln, und müssen sie gleichfalls ohne Orientierung an Regeln oder jederzeit geeigneten Prozeduren in neuen und einzigartigen Fällen anwenden. Beide Begriffstypen gestatten keine „mechanische" Verwendung.

Eines jedoch sollte nicht vergessen werden. Bei der Anwendung von Wörtern wie „faul" oder „intelligent" auf neue und einmalige Fälle wird gesagt, wir seien genötigt, *Urteilskraft* zu beweisen, doch es wäre in der Tat seltsam zu sagen, wir bewiesen *Geschmack*. Die Funktion der Urteilskraft besteht darin, das Pro und Contra abzuwägen und vielleicht manchmal zu entscheiden, ob eine ganz neu auftretende Eigenschaft auf der einen oder auf der anderen Seite zählt. Aber das zeigt gerade, daß wir zwar eher von Mustern und Präzedenzfällen lernen und uns eher auf sie als auf eine Reihe feststehender Bedingungen stützen können, uns aber nicht außerhalb des Bereichs allgemeiner Bedingungen und Leitprinzipien befinden. Muster und Präzedenzfälle schließen notwendigerweise das komplexe Netz relevanter und verwendungsleitender Bedingungen ein, und wir benutzen sie gerade dazu, dieses zu illustrieren. Präzedenzfälle können nur dann von Nutzen sein, wenn wir sie verstanden haben, wir müssen von Fall zu Fall argumentieren. Darin besteht gerade die Funktion von Präzedenzfällen, daß sie es ermöglichen, auch bei diesen nur locker von Verwendungsbedingungen geleiteten Begriffen zu klaren und beispielhaften Bestimmungen eines Einzelfalls zu kommen und zu sagen: „dies ist X, weil ...", wobei in der Erklärung Merkmale angegeben werden, die den Fall eindeutig entscheiden.

Etwas derartiges ist bei ästhetischen Termini nicht möglich. Beispiele tragen entscheidend dazu bei, daß wir solche Begriffe erfassen können, aber wir können von diesen Beispielen keine noch so komplexen Bedingungen und Prinzipien ableiten, auf die wir uns bei der Anwendung der Termini auf neue Fälle konsequent und eindeutig stützen könnten. Erzählt mir jemand etwas über einen Gegenstand, der ja ohne Frage anmutig oder ausgewogen oder straff gebaut sein kann, den ich aber nicht gesehen habe, warum dieser Gegenstand so beschaffen ist, und welche Merkmale dies bewirken, so bleibt mir doch immer die Möglichkeit zu bezweifeln, daß der Gegenstand trotz dieser Merkmale tatsächlich anmutig, ausgewogen usw. ist.

Meine Argumentation kann folgendermaßen bekräftigt werden: Ist jemand unfähig, das Wesen von Geschmacksbegriffen zu verstehen, oder ist er sich seiner mangelnden Sensibilität in ästhetischen Fragen bewußt, möchte diesen Mangel aber nicht offenbar werden lassen, so könnte er sich durch beharrlichen Fleiß und scharfe Beobachtung einige Regeln und Generalisierungen zu eigen machen; durch Induktion und intelligentes Raten kann er dann häufig das Richtige äußern. Er könnte allerdings nicht über großes Selbstvertrauen oder große Sicherheit verfügen. Eine geringfügige Veränderung am Objekt könnte seine Vermutungen jederzeit unvorhergesehen zunichte machen, und er könnte ebensogut richtig wie falsch getippt haben. Mit welcher Sorgfalt er auch eine Reihe folgerichtiger Prinzipien und Bedingungen ausgearbeitet haben mag, er wird in seiner Situation nur annehmen können, daß das Objekt aller

Wahrscheinlichkeit nach zart ist. Bei Begriffen wie *faul, intelligent* oder *Vertrag* würde jemand, der verständige Regeln formuliert und durch sie oft genug zu richtigen Ergebnissen kommt, damit zeigen, daß er diese Begriffe zu erfassen beginnt; die andere Person aber hat noch nicht einmal begonnen, auch nur eine Vorstellung von Zartheit zu entwickeln. Auch wenn sie gelegentlich das Richtige sagt, hat sie nicht erkannt, sondern nur erraten, daß das Objekt zart ist. Wie intelligent diese Person auch sein mag, wir könnten ihr ohne weiteres weismachen, daß etwas zart sei und ihr „erklären" warum, ohne daß sie je in der Lage wäre, den Betrug zu entdecken. (Ich übergehe jetzt die Komplizierung durch negative Bedingungen.) Würden wir das gleiche jedoch mit dem Wort „intelligent" tun, so könnte die betreffende Person zumindest in vielen Fällen Widersprüchlichkeiten oder ähnliches aufdecken, das einer Erklärung bedürfte. In einer Welt von Individuen ihresgleichen gäbe es keine Verwendung für Begriffe wie Zartheit. Diese Begriffe würden eine völlig andere Rolle in ihrem Leben spielen. Sie würde ebensowenig Grund für die Auswahl geschmackvoller Objekte, Bilder usw. haben, wie ein Tauber Grund hat, laute Plätze zu meiden. Man könnte sie nicht für ihren guten Geschmack, sondern höchstens für ihren Erfindungsgeist und ihre Intelligenz loben. Beim „Abschätzen" von Bildern, Statuen und Gedichten würde unsere Person etwas völlig anderes tun als andere, die ein Geschmacksurteil fällen.

An dieser Stelle möchte ich beiläufig bemerken, daß es manchmal so aussieht, als könnte ein ästhetisches Wort einer Regel entsprechend angewendet werden. Ich möchte nur einen der vielen verschiedenen Fälle anführen. Bei der Verwendung des Wortes „zart" in bezug auf Glas könnte man sagen, daß Glas – bei gleichbleibenden anderen Eigenschaften – um so zarter ist, je dünner es ist. In gleicher Weise könnte man vielleicht bei Stoffen, Möbeln usw. manchmal davon ausgehen, daß der eine oder andere ästhetische Terminus mit um so größerer Gewißheit zutrifft, je dünner, geschmeidiger oder glänzender sie sind. In solchen Fällen könnte man eine Regel formulieren, nach der ein Terminus auf eine gegebene Reihe von künstlichen Gegenständen angewandt werden könnte. Dabei kann es jedoch manchmal geschehen, daß das verwendete Wort gar kein ästhetischer Terminus ist. Wendet man also das Wort

„zart" auf Glas an, so mag es oftmals nicht mehr als „dünn" oder „zerbrechlich" bedeuten. Aber das ist sicher nicht immer der Fall. Die Leute *beweisen* häufig auch dann einen guten Geschmack, wenn sie ein Glas deshalb als sehr zart bezeichnen, weil es so dünn ist, und wissen, daß es weniger zart, je dicker, und um so zarter ist, je dünner es ist. Die Beispiele, bei denen Regeln zu existieren scheinen, sind Randfälle für den Gebrauch ästhetischer Termini. Wendet jemand nur eine Regel an, so würden wir nicht davon sprechen, daß er Geschmack zeigt. Wir würden mit dem Eingeständnis, daß er wirklich eine Vorstellung von Zartheit hat, solange warten, bis er uns an anderen Beispielen, bei denen die Regel nicht anwendbar ist, seine Fähigkeit, die ästhetische Qualität zu erkennen, hinreichend bewiesen hat. Auf jeden Fall bleiben die Gelegenheiten, die die Anwendung ästhetischer Wörter nach einer Regel gestatten, Ausnahmen und sind keineswegs typisch oder zentral.[6]

Es wäre falsch anzunehmen, die Tatsache, daß wir keinerlei Bedingungen (außer negativen) für die Anwendung ästhetischer Termini angeben können, resultiere aus einer zufälligen Armut der Sprache oder einem Mangel an sprachlicher Präzision, oder daß es sich einfach um einen Fall von ungeheurer Komplexität handele. Zwar ermöglichen Wörter wie „rosa", „bläulich", „gebogen", „gesprenkelt" nicht die genaue Bezeichnung jeder einzelnen Variante eines Schattens, eines Bogens, einer Sprenkelung oder Färbung. Aber auch dann, wenn wir in viel freierem Maß als wir selber oder gar Spezialisten es tun, spezielle Bezeichnungen erfinden müßten (und es gibt zweifellos nicht übersteigbare Grenzen) oder wenn wir anstelle von Bezeichnungen eine große Anzahl von Mustern und Beispielen besonderer Schattierungen, Formen, Flecken, Linien und Konfigurationen benutzen müßten, wäre es dennoch, und zwar aus den gleichen Gründen unmöglich, irgendwelche Bedingungen anzugeben.

Sprechen wir über ein Kunstwerk, so interessieren uns seine individuellen und spezifischen Merkmale. Wir bezeichnen es nicht einfach deshalb als zart,weil es in blassen Farben gehalten ist, sondern wegen *dieser* blassen Farben, und als anmutig, nicht weil die Konturen leicht gebogen sind, sondern wegen *dieses* besonderen Bogens. Wir verwenden Ausdrücke wie „wegen *dieser* blassen Farbgebung", „wegen *dieser* hellblauen Flecke", „weil die Linien auf *diese* Weise zusammenlaufen", immer dann, wenn eindeutig feststeht, daß wir uns nicht auf allgemeine Merkmale beziehen, sondern auf sehr spezifische oder besondere. Es ist jedoch klar, daß sogar mit Hilfe präziser Bezeichnungen oder gar Beispielen und Illustrationen für besondere Farbschattierungen, Linien und Konturen, jeglicher Versuch, Bedingungen anzugeben, zwecklos wäre. Schließlich könnte ein und dasselbe Merkmal, sei es eine Farbe, Form oder Linie besonderer Art, das das eine Kunstwerk auszeichnet, ein anderes sehr leicht verderben. „Es würde ziemlich zart sein, wenn nicht an dieser Stelle die blasse Farbe wäre" könnte über die gleiche Farbe gesagt werden, die in einem anderen Bild für dessen zarte Eigenschaften maßgebend ist. Anders gesagt heißt das natürlich, die Merkmale, die etwas zart oder anmutig usw. erscheinen lassen, sind in einer außergewöhnlichen und einmaligen Weise miteinander verbunden, und daß die ästhetische Qualität eben von dieser individuellen oder einmaligen Kombination dieser spezifischen Farben und Schattierungen abhängt, so daß eine noch so geringfügige Veränderung der Sache ein völlig anderes Gesicht geben kann. Nichts ist durch den Versuch zu erreichen, einzelne Merkmale zu isolieren und von ihnen aus zu verallgemeinern.

Ich habe jetzt dargestellt, daß Geschmacksbegriffe nicht von Bedingungen oder Regeln abhängig sind oder sein können.[7] Eines ihrer wesentlichen Merkmale besteht darin, daß sie nicht derartig abhängig sind. Um diese These zu erhärten, habe ich zunächst die allgemeine Behauptung aufgestellt, daß nicht-ästhetische Merkmale nicht als Bedingungen in Frage kommen, dann habe ich die „charakteristischen", mit ästhetischen Begriffen assoziierten Merkmale betrachtet und dann den Fall des Objekts mit ganz spezifischen individuellen Eigenschaften. Ich habe nicht den Versuch unternommen, die Beziehung zu untersuchen, die die individuellen Merkmale zu ästhetischen Qualitäten haben. Eine Prüfung der Redensarten, die wir bei einer Erklärung oder Bekräftigung unserer Verwendung eines ästhetischen Terminus gebraucht haben, bestätigt mit linguistischer Evidenz die Tatsache, daß wir sie ganz offensichtlich nicht als erklärende oder rechtfertigende *Bedingungen* verwenden. Werden wir gefragt, warum wir eine bestimmte Person für intelligent, faul oder mutig halten, so sollen wir antworten, aufgrund wovon wir sie so *nennen*. Unsere Antwort lautet, „wegen der Leichtigkeit, mit der er dieses oder jenes Problem löst“ oder „wegen seiner Angewohnheit, regelmäßig seine Arbeit unerledigt zu lassen“ usw. Wenn wir aber gefragt werden, warum unserer Meinung nach ein Bild Ausgewogenheit vermissen läßt oder von düsterer Farbgebung ist, warum ein Gedicht streng gegliedert ist oder uns anspricht, dann verfahren wir ganz anders. Vielleicht verwenden wir ähnliche Redewendungen: „Seine Verse sind von großem Reichtum und großer Kraft *wegen der Art und Weise*, wie er das Metrum behandelt und die Zäsuren setzt“ oder „Es ist von edler Strenge *wegen* des Fehlens von Details und der zurückhaltenden Farbgebung“. Aber wir können uns bei dem, was wir sagen wollen, auch anderer Ausdrücke bedienen: „Es ist die Behandlung des Metrums und der Zäsur, die für die Strenge und den Reichtum des Gedichts *ausschlaggebend* ist“, „die edle Strenge *beruht* auf dem Fehlen von Details und der Verwendung zurückhaltender Farben“, „der Mangel an Ausgewogenheit *resultiert* aus der Betonung der Figuren auf der linken Seite“, „diese Moll-Akkorde *machen* das Stück sehr ergreifend“, „diese zusammenlaufenden Linien *geben* dem Bild eine außerordentliche Geschlossenheit“. Auf den Fall von „intelligent“ oder „faul“ können wir solche Redewendungen nicht übertragen. Etwas darüber zu sagen, was ihn faul *macht*, was für seine Faulheit *verantwortlich* ist, worauf sie *beruht*, hieße auf eine völlig andere Frage antworten.

In den jüngsten Auseinandersetzungen ist von den einzelnen Autoren durchweg behauptet worden, daß ästhetische Urteile nicht „mechanisch“ seien: „Kritiker formulieren keine allgemeinen Standards und wenden diese auch nicht mechanisch auf alle Kunstwerke oder auf Klassen von Kunstwerken an.“ „Technische Fragen können sehr schnell durch die Anwendung von Regeln gelöst werden“, wohingegen ästhetische Fragen „nicht durch irgendeine mechanische Methode gelöst werden können“. Diese Autoren betonen statt dessen, daß es keinen „Ersatz für das individuelle Urteil“ mit seiner ganzen „Spontaneität und Spekulation“ gäbe und daß „der eigentliche Standard . . . das Urteil des persönlichen Geschmacks (ist)“.[8] Das Überraschende ist, daß niemand, obwohl Ähnliches noch und noch wiederholt wurde, gesagt hat, was unter „Geschmack" oder dem Wort „mechanisch" zu verstehen sei. Neben jenen Beurteilungen, die Geschmack erfordern, gibt es eine Menge, die „Spontaneität" und „individuelle Urteilskraft" verlangen und keineswegs „mechanisch" sind. Ohne einen ausführlichen Vergleich können wir nicht erkennen, auf welche spezifische Weise *ästhetische* Urteile nicht „mechanisch" sind, oder wie sie sich von anderen Urteilen unterscheiden, noch können wir zu erklären versuchen, was Geschmack ist. Das aber habe ich versucht. Beurteilungen, die ästhetische Termini enthalten, zeichnen sich insbesondere dadurch aus, daß sie sich in dem ausgeführten Sinn nicht auf Bedingungen stützen können.[9] Dies halte ich für ein allgemeines logisches Merkmal für ästhetische oder Geschmacksurteile, obwohl ich in diesem Zusammenhang nur den begrenzten Bereich von Urteilen erörtert habe, die ästhetische Termini verwenden. Dies ist ein Teil dessen, was „Geschmack" bedeutet.

II

Über Geschmacksbegriffe muß noch viel nachgedacht werden. In dem folgenden Teil dieses Aufsatzes werde ich ein paar weitere Überlegungen anstellen, die zu ihrem besseren Verständnis beitragen sollen.

Vergegenwärtigen wir uns, daß ästhetische Begriffe nicht von Bedingungen abhängig sind, so mag rätselhaft sein, wie es uns gelingt, diese Wörter in unserer ästhetischen Sprache anzuwenden. Wenn wir keine Regeln befolgen und uns nicht auf Bedingungen stützen können, wie wissen wir dann, wann sie anwendbar sind? Eine sehr naheliegende Entgegnung auf diese Frage bestünde in dem Hinweis, daß es auch noch einige andere Arten von Begriffen gibt, die nicht von Bedingungen abhängig sind. Bei der Verwendung einfacher Farbwörter folgen wir auch nicht irgendwelchen Regeln oder Prinzipien. Wir erkennen, daß das Buch rot ist, weil wir es sehen, ebenso wie wir bemerken, daß der Tee süß ist, weil wir es schmecken. So könnte man auch sagen, daß wir einfach sehen (oder auch nicht sehen), daß die Dinge zart, ausgewogen oder ähnliches sind. Dieser Vergleich zwischen der Bildung eines Geschmacksurteils und dem

Gebrauch der fünf Sinne ist uns sehr vertraut. Allein der Gebrauch des Wortes „Geschmack" zeigt, daß dieser Vergleich uralt und sehr natürlich ist. Doch ganz gleich welcher Art diese Ähnlichkeiten sind, so bestehen doch gleichzeitig große Unterschiede. Ein genauer Vergleich kann an dieser Stelle nicht vorgenommen werden, obwohl er sehr wertvoll wäre. Bestimmte Unterschiede sind jedoch besonders augenfällig und Autoren, die betont haben, daß die Bildung ästhetischer Urteile nicht „mechanisch" erfolgt, haben manches darüber geschrieben und gerätselt. Zum einen sind viele Leute, obwohl unsere Fähigkeit ästhetische Merkmale usw. wahrzunehmen von unserem guten Gehör, Sehvermögen usw. abhängt, nicht in der Lage, trotz normaler Sinne und normaler Auffassungsgabe, diese Dinge zu erkennen. „Die Leute, die ins Konzert gehen, eine Galerie besuchen, ein Gedicht lesen, können zwar ziemlich ähnliche Sinneswahrnehmungen haben, einige nehmen jedoch ein Großteil mehr wahr als andere", schreibt Macdonald; aber sie fügt hinzu, daß sie „bei dem bestimmten Merkmal ‚des Objekts', das nur von einem besonders qualifizierten Betrachter gesehen werden kann, vor einem Rätsel steht", und fragt „Worin besteht dieses ‚bißchen Mehr'?".[10]

Dieser Unterschied zwischen ästhetischen und Wahrnehmungseigenschaften ist es, der teilweise zu der Ansicht führt, daß „Kunstwerke esoterische Objekte sind ... keine einfachen Objekte der Sinneswahrnehmung".[11] Aber es gibt keinen triftigen Grund, ein Objekt einfach deshalb als esoterisch zu bezeichnen, weil wir ästhetische Qualitäten an ihm wahrnehmen. Die *Objekte*, auf die wir ästhetische Wörter anwenden, sind von höchst unterschiedlicher Art und keineswegs esoterisch: Menschen und Gebäude, Blumen und Gärten, Vasen und Möbel, sowie Gedichte und Musik. Auch gibt es keinen triftigen Grund, die *Qualitäten* selbst als esoterisch zu bezeichnen. Es stimmt zwar, daß jemand mit gutem Seh- und Hörvermögen sie vielleicht nicht wahrnimmt, aber trotz allem sprechen wir davon, daß wir sie *wahrnehmen* oder *bemerken* („Hast Du bemerkt, wie außergewöhnlich anmutig sie war?", „Hast Du die ungewöhnliche Ausgewogenheit in all seinen Bildern bemerkt?"). Sie sind uns tatsächlich vertraut. Schon in früher Jugend lernen wir den Gebrauch vieler ästhetischer Wörter, obwohl sie vermutlich, da sie von unserer Fähigkeit zu sehen, zu hören, Farbunterschiede wahrzunehmen und ähnlichem abhängen, nicht zu den allerersten Wörtern gehören, die wir lernen, und die Beherrschung und Differenzierung ihres Gebrauchs entwickelt sich parallel zu unserem übrigen Wortschatz. Sie stellen keine Raritäten dar, denn viele von ihnen werden in der täglichen Umgangssprache regelmäßig verwendet.

Der zweite nennenswerte Unterschied zwischen der Bildung eines Geschmacksurteils und dem Gebrauch unserer fünf Sinne besteht in der Art, wie wir die Urteile, in denen wir ästhetische Begriffe anwenden, bekräftigen. Obgleich wir diese Begriffe ohne Regeln oder Bedingungen anwenden, verteidigen oder bekräftigen wir unsere Urteile und überzeugen andere von ihrer Richtigkeit durch Äußerungen; „Auseinandersetzungen um Kunst sind nicht nutzlos", wie Macdonald meint, denn Kritiker „versuchen eine Art der Erklärung von Kunstwerken mit der Absicht, korrekte Beurteilungen abzugeben".[12] Also genügt, obwohl diese Auseinandersetzung nicht in „deduktiven oder induktiven Folgerungen" oder „Begründungen" besteht, allein ihre Existenz, um zu demonstrieren, in welch starkem Maße sich diese Art von Urteilen von denen simpler Wahrnehmung unterscheiden.

Nun besteht, was der Kritiker sagt, natürlich oft darin, diejenigen Merkmale, darunter auch leicht unterscheidbare nicht-ästhetische Merkmale, von denen ästhetische Qualitäten abhängen, hervorzuheben. Aber die Frage bleibt offen, auf welche Weise der Kritiker durch die Erwähnung dieser Merkmale sein Urteil rechtfertigt oder stützt. Diese Frage ist von einer Reihe neuerer Autoren beantwortet worden. Stuart Hampshire zum Beispiel schreibt:

Man nimmt an Diskussionen um ästhetische Fragen teil, um etwas erstmals zu sehen ... hat jemand gelernt zu sehen, was es an einem Objekt zu sehen gibt, dann ist der Zweck der Diskussion erreicht ... Das Anliegen besteht darin, die Leute zum Wahrnehmen dieser Merkmale zu bringen.[13]

Was der Kritiker sagt, dient oftmals dazu, die von ihm getroffenen Urteile in besonderer Weise zu stützen. Er bringt uns dazu zu *sehen*, was er gesehen hat, nämlich die ästhetischen Eigenschaften des Objekts. Aber selbst dann, wenn Übereinstimmung darin besteht, daß dies die Hauptarbeit des Kritikers ausmacht, so scheint die

Ratlosigkeit erneut bei der Frage aufzutreten, *wie* er es macht. Wie kommt es, daß wir durch das Sprechen über (vornehmlich nicht-ästhetische) Merkmale eines Kunstwerks andere zum Wahrnehmen von etwas bringen können, das sie vorher nicht wahrgenommen haben? „Was für eine Begabung ist es, die im *Gespräch* modifiziert werden kann? . . . Eine Diskussion verbessert weder Seh- noch Hörvermögen“ (Hervorhebung von mir).[14]

Jedenfalls gelingt uns die Anwendung ästhetischer Termini, und es gelingt uns häufig durch Sprechen (durch eine bestimmte Art von Hinweisen und Gebärden), den anderen zum Wahrnehmen dessen zu bringen, was wir sehen. Die Vermutung liegt nahe, daß die Verwunderung darüber, wie es uns möglich ist, so etwas zu vollbringen, wie auch die Verwunderung über den „esoterischen“ Charakter ästhetischer Qualitäten damit zusammenhängt, daß wir philosophische Modelle vor Augen haben, die hier nicht angemessen sind. Ist jemand nicht in der Lage zu erkennen, daß das Buch auf dem Tisch braun ist, können wir ihn auch durch Sprechen nicht davon überzeugen. Folglich erscheint es verwunderlich, jemanden durch Sprechen dazu zu bringen, eine Vase als anmutig zu sehen. Wenn es unsere Aufgabe ist, diese .Verwirrung zu zerstreuen und die ästhetischen Begriffe und Qualitäten als das zu erkennen, was sie sind, dann müssen wir alle unpassenden Modelle beiseiteschieben und untersuchen, wie wir diese Begriffe tatsächlich verwenden. Bei einem so großen Interesse an der Arbeit des Kritikers und dem allgemeinen Konsens über das, *was* er macht, könnte man erwarten, daß Beschreibungen darüber, *wie* er es macht, bereits vorliegen. Es ist jedoch bislang sehr wenig darüber gesagt worden, und all das, was gesagt worden ist, ist unbefriedigend.

Macdonald [15], z. B., ist auch der Ansicht, daß es die Aufgabe der Kritiker sei, zu vergegenwärtigen, „was einem flüchtigen Hinsehen oder einem ungeschulten Auge entgeht“, und sie stellt die Frage: „Welcher Art sind die Erwägungen *und wie* geschieht es, um das Verdikt eines Kritikers zu rechtfertigen?“ (Hervorhebung von mir). Aber sie fährt nicht fort, die Frage zu beantworten. Statt dessen wendet sie sich einer anderen, wenn auch damit verbundenen Frage zu, der Frage der Interpretation von Kunstwerken. Bei komplexen Werken erheben verschiedene Kritiker den oftmals berechtigten

Anspruch, unterschiedliche Merkmale zu erkennen. Daraus zieht Frau Macdonald den Schluß, der Kritiker bringe uns im kritischen Diskurs dazu, zu sehen, was er sieht, in dem er uns neue Interpretationen anbietet. Aber wenn die Frage lautet, „was (der Kritiker) macht und wie er es macht“, dann kann er nicht als jemand dargestellt werden, der ausschließlich oder auch nur hauptsächlich neue Interpretationen liefert. Seine Aufgabe besteht ziemlich häufig darin, uns das Verständnis für bestimmte Qualitäten zu vermitteln, die andere Kritiker schon in den von ihm besprochenen Werken entdeckt haben. Mit der Betonung der neuen Interpretationen lassen wir die Frage unberücksichtigt, wie er es uns durch seine Ausführungen ermöglicht, *entweder* die neu entdeckten ästhetischen Eigenschaften *oder* die alten wahrzunehmen. In jedem Fall gibt es, neben sehr komplexen Gedichten oder Theaterstücken mit vielen möglichen Interpretationen, auch relativ einfache. Es gibt ferner Vasen, Gebäude und Möbel, zu schweigen von Gesichtern, Sonnenuntergängen und Landschaften, die keine Interpretationsfragen aufkommen lassen, sondern von denen wir alle in ähnlicher Weise sprechen und ein ähnliches Urteil fällen. Somit bleiben die „verwirrenden“ Fragen bestehen: worauf stützen wir unsere Urteile, und wie erreichen wir es, daß andere sehen, was wir sehen?

Hampshire [16], der auch die Meinung vertritt, ein Kritiker veranlasse uns „zu sehen, was es an einem Objekt zu sehen gibt“, versucht zu erklären, wie der Kritiker dabei vorgeht. „Die größte Leistung des Kritikers“ besteht darin, „bestimmte Merkmale eines bestimmten Objekts, die dieses Objekt häßlich oder schön *machen*“ hervorzuheben, zu isolieren und ins Zentrum der Aufmerksamkeit zu rücken; denn es ist „schwierig, all das, was es zu sehen und zu hören gibt, zu sehen und zu hören“, und es ist ein simples Vorurteil, anzunehmen, daß es, während „die Dinge tatsächlich Farben und Formen haben ... nicht wirklich und objektiv Farbzusammenklänge, wahrgenommene Rhythmen und Ausgewogenheit der Formen gebe. Diese „außergewöhnlichen Qualitäten“ jedoch, die der Kritiker „gesehen haben mag (‚gesehen‘ im weiteren Sinne), sind Qualitäten, die nicht unmittelbar von praktischem Interesse sind“. Um uns zum Wahrnehmen dieser Qualitäten zu bringen, bedient sich der Kritiker „bei seiner Beschreibung eines unnatürlichen Gebrauchs der Wörter“, „das gewöhnliche, für praktische Zwecke geschaffene Vokabular obstruiert jede interesselose Wahrnehmung von Gegenständen“, und aus diesem Grunde werden diese Eigenschaften „normalerweise metaphorisch beschrieben, und zwar durch Übertragung von Termini aus dem umgangssprachlichen Vokabular“.

Hampshire hat in vielem, was er sagt, recht. Aber eine Fehleinschätzung besteht vor allem in der Behauptung, das „gewöhnliche“ Vokabular „obstruiere“ unsere ästhetischen Zwecke, und daß es „unnatürlich“ sei, es zu übernehmen und es metaphorisch zu gebrauchen, und daß der Kritiker „gezwungen ist, ein Vokabular *im Gegenzug gegen die vorherrschende Tendenz seiner Sprache* zu schaffen“ (Hervorhebungen von mir). Erstens, wenn wir zur Beschreibung ästhetischer Qualitäten häufig neue Metaphern prägen, stehen wir keineswegs immer unter dem Zwang, das „alltägliche Vokabular“ aus seinem „natürlichen“ Gebrauch herauszureißen, um es unseren Zwecken nutzbar zu machen. Wie ich schon an anderer Stelle bemerkt habe, gibt es ein ausgedehntes und allgemein akzeptiertes Vokabular ästhetischer Termini, von denen einige, ganz gleich welchen metaphorischen Ursprungs sie sind, heute nicht mehr als Metaphern verstanden werden, andere höchstens quasi-metaphorisch gebraucht werden. Zweitens, die Ansicht, unser Gebrauch von Metaphern und Quasi-Metaphern für ästhetische Zwecke sei unnatürlich oder ein Notbehelf, zu dem wir durch die für andere Zwecke geschaffene Sprache gezwungen werden, stellt den Charakter ästhetischer Eigenschaften und der ästhetischen Sprache völlig falsch dar. Es gibt nichts Unnatürliches beim Gebrauch von Wörtern wie „kraftvoll“, „dynamisch“ oder „straff gespannt“ in kritischen Zusammenhängen; sie erfüllen ihre Aufgabe ausgezeichnet und sind für die Zwecke, für die sie verwendet werden, bestens geeignet. Wir wollen und brauchen sie nicht durch Wörter zu ersetzen, denen das metaphorische Element fehlt. Beim Gebrauch dieser Wörter zur Beschreibung von Kunstwerken ist gerade der entscheidende Punkt, daß wir ästhetische Qualitäten in abhebender Beziehung auf ihre normale oder wörtliche Bedeutung wahrnehmen. Besäßen wir ein ganz anderes Wort als „dynamisch“, das wir dazu verwenden könnten, auf eine ästhetische Qualität zu verweisen, die in gar keiner

Beziehung zur gängigen Bedeutung von „dynamisch" stünde, so könnte es eben gar nicht zur Beschreibung der ästhetischen Qualität verwendet werden, auf die wir durch „dynamisch" hinweisen. Hampshire stellt sich eine „Kolonie von Ästheten" vor, „losgelöst von praktischen Bedürfnissen und Einflüssen" und führt aus, „Beschreibungen ästhetischer Eigenschaften, die für uns metaphorisch sind, könnten für sie eine ganz wörtliche und vertraute Bedeutung haben"; sie könnten „ein auf direkterem Wege deskriptives Vokabular benutzen". Aber wenn sie dieses unmittelbar deskriptive Vokabular" hätten, ohne die Bezüge zu den nicht-ästhetischen Eigenschaften und Interessen, die unser Wortschatz besitzt, müßten sie bei vielen ästhetischen Qualitäten, die wir beschreiben können, schweigen. Ferner, wenn sie noch vollständiger von „praktischen Bedürfnissen befreit" wären und von anderen nicht-ästhetischen Eindrücken und Interessen, würden sie wohl oder übel blind sein gegenüber vielen ästhetischen Qualitäten, die wir wahrnehmen können. Die Bezüge zwischen ästhetischen und nicht-ästhetischen Qualitäten sind augenfällig und lebenswichtig. Ästhetische Begriffe, und zwar alle, existieren nicht losgelöst von nicht-ästhetischen Merkmalen. Sie sind immer in der einen oder anderen Weise mit nicht-ästhetischen Merkmalen verbunden oder profitieren von ihnen. Die Tatsache, daß viele ästhetische Termini metaphorisch oder quasimetaphorisch sind, heißt keineswegs, daß die Umgangssprache ein wenig anpassungsfähiges Werkzeug wäre, mit dem wir uns herumschlagen. Schreibt jemand so wie Hampshire, so liegt wiederum die Vermutung nahe, daß die Sprache des Kritikers an anderen Modellen gemessen wurde. Eine metaphernreiche Sprache zu verwenden, mag für einen *anderen* Zweck oder vom Standpunkt einer anderen Tätigkeit aus seltsam erscheinen, aber für ästhetische Zwecke und vom Standpunkt ästhetischer Beobachtungen aus ist es ganz und gar nicht seltsam. Die Behauptung, es sei ein für diese Art von Tätigkeit unnatürlicher Gebrauch von Sprache, impliziert, daß es für diesen Zweck einen anderen, einen natürlichen Gebrauch gibt oder geben könnte. Dies jedoch *ist* die natürliche Art des Sprechens über ästhetische Gegenstände.

Zum besseren Verständnis der Arbeit des Kritikers, wie er seine Urteile stützt und sein Publikum dazu bringt, das zu sehen, was er sieht, will ich versuchen, die Methoden, die wir als Kritiker benutzen, kurz darzustellen.[17]

(1) Wir können nicht-ästhetische Merkmale erwähnen oder hervorheben: „Achten Sie auf diese Farbflecken, auf diesen dunklen Fleck dort, auf diese Linien." Indem wir die Aufmerksamkeit einfach auf die leicht erkennbaren Merkmale lenken, die das Gemälde hell, warm oder dynamisch erscheinen lassen, gelingt es uns häufig, jemanden zum Erkennen ästhetischer Qualitäten zu bringen. Wir befähigen ihn, B zu sehen, indem wir etwas anderes, nämlich A erwähnen. Manchmal lenken wir dadurch die Aufmerksamkeit auf Merkmale, die einem ungeübten oder unzulänglich aufmerksamen Ohr oder Auge entgangen wären. „Achten Sie auf die Wiederholung dieser Figur in der linken Hand", „Haben Sie die Figur des Ikarus auf dem Breughel erkannt? Sie ist sehr klein." Manchmal handelt es sich um Merkmale, die zwar gesehen oder gehört wurden, deren Bedeutung jedoch in mancher Hinsicht verkannt wurde: „Sehen Sie mal, wieviel dunkler er die Person in der Mitte gemalt hat, wieviel heller diese Farben sind im Vergleich zu den Farben in der Umgebung", „Natürlich haben Sie den Pflüger im Vordergrund gesehen; aber ist Ihnen auch aufgefallen, wie er wie alle anderen auf dem Bild seiner Arbeit nachgeht, ohne den Sturz des Ikarus zu bemerken?" Durch das Erwähnen von Merkmalen, die für jedermann mit normalem Seh- und Hörvermögen und von durchschnittlicher Intelligenz wahrgenommen werden können, isolieren wir das, was als eine Art Schlüssel dienen kann, etwas anderes zu begreifen oder wahrzunehmen (und dieser Schlüssel muß nicht für jede Person der gleiche sein).

(2) Andererseits erwähnen wir oft direkt die Qualitäten, die die Leute sehen sollen. Wir verweisen auf ein Bild und sagen: „Sehen Sie, wie bewegt und wie zart die Zeichnung ist", oder: „Sehen Sie mal von welcher Energie und Vitalität dies ist." Der Gebrauch ästhetischer Termini allein kann schon den gewünschten Effekt erzielen; wir benennen die Eigenschaft oder den Charakter einer Sache, und Leute, die diese Dinge vorher nicht wahrgenommen haben, können sie plötzlich sehen.

(3) In den meisten Fällen sind Äußerungen über ästhetische Merkmale mit nicht-ästhetischen Merkmalen verbunden: „Haben Sie

diese Linie hier bemerkt und die hellen Farbtupfer hier und dort... geben sie dem Ganzen nicht ungeheure Vitalität und Energie?"

(4) Zusätzlich machen wir oft extensiven Gebrauch von Vergleichen und neuen Metaphern: „Es erweckt den Eindruck, als würden kleine Lichter brennen", „als ob er die Farbe voller Wut und Ärger darauf geschleudert hätte", „das Licht schimmert, die Linien tanzen, alles ist luftig, hell und heiter", „seine Leinwände sind wie Feuer, sie knistern, brennen, lodern, sogar an den mattesten Stellen ein ständiges unruhiges Flackern, doch häufig ein starkes Aufflammen, ein überwältigendes Feuerwerk" und so weiter.

(5) Wir benutzen Kontraste, Vergleiche und Reminiszenzen: „Stell Dir vor, er hätte ein helleres Gelb verwendet und es nach rechts versetzt, wie ausdrucksschwach es geworden wäre", „Hat es Ihrer Meinung nach nicht etwas von einem Rembrandt?", „Erinnert es Sie nicht an die Ruhe, Stille und das Licht der Sommerabende von Norfolk?" Wir bemühen uns mit allen erdenklichen Mitteln um Zugang zur Sensibilität, Empfänglichkeit und Erfahrungswelt unseres Publikums.

Kritiker und Kommentatoren können sich bei ihrer Methode zwischen zwei Extremen bewegen, von angestrengter Konzentration auf Fragen des Details, der Linienführung, der Farben, der Vokale und des Reims auf der einen, bis hin zu mehr oder weniger blumenreichen und überschwenglichen Metaphern auf der anderen Seite. Sogar ein voller Enthusiasmus mit passenden Epitheta und Metaphern ausgeschmückter biographischer Abriß hat hier seinen Platz. Welche Form am besten geeignet ist, hängt sowohl von der Art des Publikums als auch von dem zur Diskussion stehenden Werk ab. Diese kurze Darstellung wäre jedoch nicht vollständig ohne einige weitere Bemerkungen.

(6) Oftmals ist insbesondere die Wiederholung von großer Wichtigkeit. Beim Betrachten eines Gemäldes können wir immer wieder zu den gleichen Punkten zurückkehren, unsere Aufmerksamkeit auf die gleichen Linien und Formen lenken, die gleichen Worte, wie „wirbeln", „Ausgewogenheit", „Helligkeit", oder die gleichen Vergleiche und Metaphern wiederholen, als ob die Zeit, die Vertrautheit, genaueres Betrachten und Hinhören und größere Aufmerksamkeit etwas verändern könnten. Anders gesagt heißt das: Es ist oft

sehr hilfreich, das weiter auszuführen, was wir bereits gesagt haben, um mit mehr Text *der gleichen Art* unsere Aussage zu festigen und zu ergänzen. Verfehlt das eine Epitheton oder die eine Metapher die Wirkung, so verwenden wir andere, ähnliche. Wir sprechen von der wilden Bewegung, wie es sich dreht und windet, wirbelt und sich schlängelt, als ob es uns bei mangelnder Fähigkeit, die Sache auf Anhieb zu treffen, mit einer Flut von Beinahe-Synonymen gelingen könnte.

(7) Neben unseren verbalen Äußerungen ist endlich auch unser übriges Verhalten von Wichtigkeit. Unser Sprechen ist nicht zu trennen von einem bestimmten Tonfall, von Mimik, Gesten und Blicken. Der Kritiker kann oftmals mehr mit einer Handbewegung als durch Sprechen erreichen. Eine entsprechende Gebärde kann uns die Leidenschaft in einem Bild oder den Charakter einer Melodie vermitteln.

Diese Handlungs- und Sprechweisen unterscheiden sich nicht wesentlich, ob wir nun ein bestimmtes Werk, einen bestimmten Abschnitt, eine Linie behandeln oder von dem Werk eines Künstlers als Ganzem sprechen oder gar die Aufmerksamkeit auf einen Sonnenuntergang oder eine Landschaft lenken. Doch auch wenn der Sprechende all diese Mittel einsetzt, kann es uns bisweilen mißlingen, das zu sehen, was er sieht. Obwohl es keine Grenze geben muß, außer der von Zeit und Geduld, könnte ein Punkt erreicht werden, an dem er aufgibt und erklärt, daß es uns (oder ihm) an Sensibilität fehle oder mangele. Er kann uns den Ratschlag geben, es noch einmal zu lesen oder zu betrachten, andere Dinge zu lesen oder anzuschauen und dann zu diesem zurückzukehren. Er kann vermuten, daß wir nicht über bestimmte Lebenserfahrungen verfügen. Aber das ist es, was er macht. Das ist es, was – wenn überhaupt – Erfolg hat. Das ist tatsächlich alles, was getan werden kann. Wenn wir uns klar vergegenwärtigen, daß wir auf diese Weise mit ästhetischen Begriffen umgehen, ganz gleich, ob wir es mit Kunst, mit Landschaften, Menschen oder natürlichen Objekten zu tun haben, können wir diese Sphäre der menschlichen Aktivität als das erkennen, was sie wirklich ist. Verschiedene Begriffsarten werden von uns auch verschieden angewandt. Möchten wir jemand davon überzeugen, daß die Farbe rot ist, so können wir ihn ins Helle führen und ihn bitten, es anzuschauen; falls es grünlich ist, können wir eine Farbtafel nehmen und ihn vergleichen lassen. Möchten wir ihn davon überzeugen, daß eine Figur vierzehn Seiten hat, können wir ihn zählen lassen, und um ihn zu der Einsicht zu bringen, daß etwas baufällig oder jemand faul ist, können wir uns anders behelfen, indem wir Merkmale aufzählen, sie bekräftigen und begründen, sie abwägen und gewichten. Das etwa sind die diesen Begriffen entsprechenden Methoden. Um jemanden zum Erkennen ästhetischer Eigenschaften zu bringen, muß man sich anderer Mittel bedienen, und zwar von der Art, wie ich sie beschrieben habe. Bei jedem Begriff können wir beschreiben, was wir machen und wie wir es machen. Aber die für andere Begriffe anwendbaren Methoden eignen sich nicht für ästhetische Begriffe und umgekehrt. Wir können nicht durch Argumentieren beweisen, daß etwas anmutig ist. Dies ist jedoch nicht verwunderlicher als unsere Unfähigkeit, mit Hilfe der Methoden, Metaphern und Gesten der Kunstkritik zu beweisen, daß er mit zehn Zügen schachmatt gesetzt wird. Die aufgeworfenen Fragen lassen keine andere Antwort zu als ich sie mit meiner Beschreibung gegeben habe. Verwundert weiterzufragen, wie es kommt, daß die Leute plötzlich etwas erkennen, *wenn* wir dies und das tun, wäre gleichbedeutend mit der Frage, warum jemand mit uns übereinstimmt, daß das Buch rot ist, wenn wir es ins Licht halten. Für derartige Fragen oder Verwirrung ist kein Platz. Ästhetische Begriffe sind ebenso natürlich und genauso wenig esoterisch wie alle anderen Begriffe. Nur vor dem Hintergrund anderer und in der Philosophie vertrauterer Modelle erscheinen sie seltsam und verwirrend.

Ich habe dargestellt, wie die Leute ihre ästhetischen Urteile rechtfertigen und andere dazu bringen, ästhetische Qualitäten an Gegenständen wahrzunehmen. Zum Schluß will ich zeigen, daß die von mir dargestellten Methoden für die am Anfang behandelten Geschmacksbegriffe angemessen und charakteristisch sind. Versucht jemand mich davon zu überzeugen, daß ein Bild zart und ausgewogen ist, so habe ich schon ein gewisses Vorverständnis dieser Termini und weiß, worauf ich zu achten habe. Aber wenn darüber Verwirrung besteht, wie man mich durch ein Gespräch dazu bringen kann, diese Qualitäten im Bild wahrzunehmen, müßte die gleiche

Verwunderung darüber bestehen, wie ich es überhaupt gelernt habe, ästhetische Termini zu verwenden und ästhetische Qualitäten zu unterscheiden. Es ist deshalb berechtigt zu fragen, wie wir dies lernen. Und das heißt, zu fragen: (1) Über welche natürlichen Fähigkeiten und Neigungen verfügen die Menschen, und (2) wie entwickeln und nutzen sie diese Fähigkeiten in Ausbildung und Unterricht. Für die zweite Frage steht zweifelsfrei fest, daß unsere Fähigkeit, ästhetische Qualitäten zu bemerken und auf sie zu reagieren schon von Kindheit an durch den Kontakt zu unseren Eltern und Lehrern kultiviert und ausgebildet wird. Für meine Zwecke ist die folgende Tatsache von Interesse: wir lernen anhand von Beispielen, was Anmut, Zartheit und so weiter bedeutet, und die dabei verwendeten Methoden, die Sprache und das Verhalten sind identisch mit denen des Kritikers.

Zur weiteren Klärung dieser Fragen sollen zunächst Wörter wie „dynamisch“, „melancholisch“, „ausgewogen“, „gespannt“ oder „heiter“ in Betracht gezogen werden, deren ästhetischer Gebrauch quasi-metaphorisch ist. Wie ich bereits ausgeführt habe, können wir sie nicht ohne eine gewisse Kenntnis von Situationen verwenden, in denen sie im wörtlichen Sinne gebraucht wurden. Nun ist die Frage, wie wir von ihrem wörtlichen zu ihrem ästhetischen Gebrauch übergehen. Dazu ist es erforderlich, daß wir über gewisse Fähigkeiten und Neigungen verfügen, nämlich Erfahrungen miteinander in Beziehung zu setzen, Ähnlichkeiten wahrzunehmen, zu untersuchen und ein Interesse an ihnen zu haben. Die Tatsache, daß wir spontan so handeln und daß diese Tendenz entwickelt und gefördert werden kann, ist ein Merkmal menschlicher Intelligenz und Sensibilität. Die Verwendung ästhetischer Termini dieser Art kann nicht mehr Erstaunen hervorrufen als allgemein die Bildung von Metaphern. Es ist nicht schwer, einfache und glatte Übergänge zu zeigen, durch die wir zum Gebrauch ästhetischer Termini überwechseln. Wir machen Kindern klar, daß einfache Musikstücke eilig, laufend, hüpfend oder schläfrig sind; und dann gehen wir zu Bezeichnungen über wie lebendig, heiter, lustig, froh, freundlich oder traurig und mit der Erweiterung ihrer Erfahrungen und ihres Wortschatzes zu feierlich, dynamisch oder melancholisch. Das Kind entdeckt jedoch auch selber viele dieser Parallelen, interessiert sich für sie und erfreut sich an ihnen. Das Kind hüpft, marschiert, klatscht oder lacht wahrscheinlich selbständig zur Musik; ohne seine natürliche Veranlagung würde unser Unterricht überhaupt nichts ausrichten. Insoweit wir uns diese Veranlagung zunutze machen und ihm dabei behilflich sind, *machen wir das gleiche wie der Kritiker.* Wir müssen das Kind nur veranlassen, aufmerksam zu sein, hinzuschauen oder hinzuhören, oder wir bezeichnen die Musik ganz einfach als lustig. In gleichem Maße wie Kritiker sind wir geneigt, Wiederholungen, Synonyme, Parallelen, Kontraste, Vergleiche, Metaphern, Gesten und andere mögliche Ausdrucksformen zu verwenden.

Das Erkennen von Ähnlichkeiten und einfache metaphorische Erweiterungen allein sind jedoch nicht die einzigen Übergänge zum ästhetischen Gebrauch der Sprache. Es gibt noch Möglichkeiten anderer Art, wie z. B. die von mir bereits erwähnten peripheren Fälle. Bezieht sich unsere Bewunderung auf so etwas Einfaches wie ein dünnes Glas oder einen glänzenden Stoff, so ist es nicht schwer, die Aufmerksamkeit auf diese Dinge zu lenken, das entsprechende Entzücken hervorzurufen und passende ästhetische Termini einzusetzen. Diese Übergänge sind jedoch nur der Anfang. Es ist oft fraglich, ob ein Terminus bereits ästhetisch verwendet wird oder nicht. Viele der von mir erwähnten Termini können in einer nicht unmittelbar wörtlichen Art und Weise verwendet werden; aber wir können schwerlich behaupten, daß sie viel ästhetisches Feingefühl verlangen. Wir sprechen von warmen und kalten Farben, und wir können von einem Bild mit hellen Farben sagen, es wirke heiter und lebendig. Haben wir jemanden zu einer solchen metaphorischen Erweiterung veranlaßt, so hat er den ersten Schritt des Übergangs zu Gebrauchsweisen vollzogen, die es offensichtlich eher verdienen, ästhetisch genannt zu werden und mehr ästhetisches Empfinden erfordern. Wenn ich anfangs behauptet habe, ästhetische Sensibilität sei seltener als andere Begabungen, so habe ich dabei nicht bestritten, daß es unterschiedliche Grade in ihrer Entwicklung gibt, von rudimentär bis verfeinert. Den meisten Leuten fällt es leicht, Bemerkungen zu machen wie die hier erwähnten. Bezeichnet jemand ein helles Bild als heiter und lebendig, ist er aber nicht in der Lage herauszufinden, welches Spannung besitzt, oder bemerkt jemand die offensichtlich oberflächliche Kraft und Stärke einer *con fuoco* gespielten Komposition eines Studenten, nimmt aber nicht wahr, daß dieses Stück inneres Feuer und Spannung vermissen läßt, dann halten wir seine ästhetische Sensibilität in diesen Gebieten nicht für besonders ausgebildet. Beginnt man jedoch einmal, bei den eindeutigeren Fällen vom allgemeinen zum ästhetischen Gebrauch überzugehen, so kann sich der Bereich der ästhetischen Begriffe erweitern, verfeinern und teilweise sogar selbständig werden. Der auslösende Schritt ist einfach und natürlich, wie verschieden die metaphorischen Sprünge und die Erfahrungen, auf denen sie basieren, auch sein mögen.

Vieles davon gilt auch für Wörter wie „hübsch", „reizend", „nett", „anmutig" und „elegant", die allgemein keinen nicht-ästhetischen Gebrauch haben. Wir können nicht behaupten, sie durch eine metaphorische Übertragung gelernt zu haben. Aber sie sind noch immer in vielerlei Hinsicht mit nicht-ästhetischen Merkmalen verbunden, und sie zu erlernen wird durch bestimmte Arten natürlicher Reaktionen und Fähigkeiten ermöglicht. Wir lernen diese Wörter weniger durch das Aufdecken von Ähnlichkeiten, als vielmehr dadurch, daß unsere Aufmerksamkeit auf andere Weise erregt und auf sie gelenkt wird. Bestimmte besonders hervortretende oder ungewöhnliche Phänomene erregen unsere Aufmerksamkeit und unser Interesse und rufen unsere Überraschung, Bewunderung, Angst, unser Entzücken oder Mißfallen hervor. Kinder reagieren in dieser Weise auf ungewöhnliche Sonnenuntergänge, auf herbstliche Wälder, Rosen, Löwenzahn oder andere auffällige und besonders farbige Objekte. Unter diesen Umständen benutzen wir Wörter wie „reizend", „hübsch" oder „häßlich". Es ist kein Zufall, daß die erste praktische Unterweisung des Kindes in ästhetischer Wahrnehmung nicht damit beginnt, seine Aufmerksamkeit auf Gras zu lenken, sondern auf eine Rose, noch ist es überraschend, daß wir das Kind eher auf die Farben des Herbstes hinweisen, als auf die gedämpften Töne des Winters. Wir alle und nicht nur die Kinder nehmen bereitwilliger und leichter etwas ästhetisch wahr, wenn es sich um besonders auffallende und außergewöhnliche Dinge handelt. Mit großer Freude bemerken wir das erste Gras im Frühling oder den ersten Schnee, Hügel von besonderer Form und markanten Konturen, eine sehr farbige oder vielfältig durch Licht und Schatten gemusterte Landschaft. Wir sind beeindruckt und voller Verwunderung beim Anblick eines gewaltigen Bergmassivs oder einer hohen Kathedrale. Wir sind gleichermaßen empfänglich für ungewöhnliche Präzision, Exaktheit oder bemerkenswerte Kunstfertigkeit, wie z. B. bei einer komplizierten und schmuckreichen Filigranarbeit, einer außergewöhnlich feinen Holzschnitzerei oder einem Fächergewölbe. In diesen Fällen machen wir uns das natürliche Interesse und Staunen zunutze und verwenden zuerst die einfacheren ästhetischen Wörter. Leute mit mäßiger Sensibilität demonstrieren ihr ästhetisches Interesse hauptsächlich bei solchen Gelegenheiten und unter Verwendung der allgemeineren Wörter („hübsch", „reizend" usw.). Diese Situationen aber können Ausgangspunkt sein für die Ausdehnung unseres Interesses am Ästhetischen in weitere und weniger eindeutige Gebiete, und wir erwerben dabei langsam ein feineres und spezifischeres Vokabular. Die Prinzipien bleiben dabei unverändert. Die Basis für das Erlernen von Wörtern wie „anmutig", „zart" und „elegant" bildet unser Interesse und unsere Bewunderung für verschiedene natürliche Eigenheiten („Sie scheint sich so mühelos zu bewegen, als würde sie schweben", „Es ist so dünn und zerbrechlich, als könnte es durch einen Windhauch zerstört werden", „So klein und doch so reich an Formen", „so sparsam und doch so vollkommen angemessen").[18]

Und sogar bei diesen nicht-metaphorischen Termini stützen wir uns gleichermaßen auf die Methoden des Kritikers einschließlich des Vergleichs, der Illustration und der Metapher, um zu erklären, was sie bedeuten.

Im Schlußteil dieses Aufsatzes wollte ich die natürliche Basis der verschiedenen Reaktionen hervorheben, ohne die ästhetische Termini nicht erlernt werden könnten. Ich habe auch angeführt, welcher Art diese Merkmale sind, auf die wir ganz selbstverständlich reagieren: Ähnlichkeiten unterschiedlichster Art, auffallende Farben, Formen, Gerüche, Größen, Feinheiten und vieles andere mehr. Auch die nicht-metaphorischen ästhetischen Termini sind in signifikanter Weise mit allen Arten natürlicher Merkmale verbunden, die bei uns Interesse, Bewunderung, Entzücken, Wohlgefallen oder Mißfallen erwecken. Vor allem jedoch wollte ich betonen, daß es keinen Grund zur Verwunderung gibt über die Tatsache, daß der Kritiker durch Hinweise auf Schlüsselmerkmale und Ausführungen darüber seine Urteile stützt und uns veranlaßt, die ästhetischen Qualitäten wahrzunehmen. Mit genau den gleichen Methoden haben uns unsere Mitmenschen dazu verholfen, unsere ästhetische Wahrnehmung zu entwickeln und das ästhetische Vokabular von Grund auf zu beherrschen. Wenn wir damals auf diese Methoden reagiert haben, so ist es nicht verwunderlich, daß wir heute auf die Ausführungen eines Kritikers reagieren. Es wäre überraschend, wenn es den Leuten, die sich dieser Sprache und dieses Verhaltens bedienen, nicht gelänge, uns gelegentlich dazu zu bringen, die ästhetischen Qualitäten der Dinge zu erkennen, denn dies würde beweisen, daß es uns an einer typisch menschlichen Art von Bewußtheit und Aktivität fehlt.

Anmerkungen

1 Ich werde die Bezeichnung „ästhetischer Terminus" sehr frei verwenden, obwohl es, weil ein Wort manchmal auch anders gebraucht wird, korrekter wäre, von seinem *Gebrauch* als ästhetischem Terminus zu sprechen. Auch werde ich von „nicht-ästhetischen" Wörtern, Begriffen, Merkmalen etc. sprechen. Keiner der von anderen Autoren bei einer ähnlichen Unterscheidung verwendeten Termini, wie z. B. „natürliche", „beobachtbare", „wahrnehmbare", „physikalische", „objektive" (Eigenschaften), „neutrale", „beschreibende" (Sprache), ist für meinen Zweck wirklich geeignet.

2 Dies kann durch ein Gegenbeispiel bekräftigt werden: Wäre es die Aufgabe eines Kritikers, ein Musikstück als plätschernd, spritzig oder kernig zu beschreiben, die Farbwahl eines Malers als gläsern, mehlig oder aufbrausend, den Stil eines Schriftstellers als zähflüssig oder geschliffen, dann *würde* er in der Tat eher lebendige Metaphern benutzen als sich der üblicheren Kritikersprache bedienen. Wörter wie „athletisch", „schwindelerregend", „seidig" nehmen eine Zwischenstellung ein.

3 In dem von W. Elton herausgegebenen Buch ›Aesthetics and Language‹, Oxford 1954, setzt sich Arnold Isenberg auf den Seiten 131–146 mit gewissen Problemen ästhetischer Begriffe und Qualitäten auseinander. Ähnlich wie andere Autoren, die diese Probleme behandeln, isoliert er sie nicht von *Wert*urteilen über ein Kunstwerk, wie ich es tue, oder von Fragen über Vorlieben und Präferenzen. Er macht eine meinen oben ge-

machten Bemerkungen ähnliche Äußerung: „In den kritischen Schriften der ganzen Welt gibt es nicht eine rein deskriptive Aussage, die uns in den Stand setzte, zu sagen, ‚wenn das wahr ist, werde ich dieses Werk um so mehr *schätzen*'." (S. 139; kursiv von mir.) *Dies* halte ich für äußerst fragwürdig.

[4] Isenberg (a. a. O., S. 132) argumentiert ähnlich: „Würde man uns erzählen, daß die Farben eines bestimmten Bildes grell sind, wären wir sehr *verwundert* festzustellen, daß sie *alle* sehr blaß und kraftlos sind" (kursiv von mir). Sagen wir „alle" anstatt „überwiegend", dann ist „verwundert" das falsche Wort. Was ich „negative Bedingungen" nenne, muß von dem unterschieden werden, was ich weiter unten als „charakteristische Merkmale" bezeichne, die mit einem Geschmacksbegriff assoziiert sind oder nicht.

[5] H. L. A. Hart, The Ascription of Responsibility and Rights, in: Logic and Language, hrsg. von A. G. N. Flew, 1. Aufl., Oxford 1951. Hart spricht auch ausschließlich von Bedingungen; s. S. 148.

[6] Im Rahmen dieses Aufsatzes ist es mir leider nicht möglich, die anderen Arten scheinbarer Ausnahmen zu meiner These zu diskutieren. Die Fälle, in denen es einer Person mit *fehlender* Sensitivität möglich ist, eine Regel zu lernen und zu befolgen, sollten von Fällen unterschieden werden, in denen ein über Sensitivität *verfügender* Mensch durch eine nichtästhetische Beschreibung wissen kann, welcher ästhetische Terminus anwendbar ist. Ich habe meine These so formuliert, als ob ein Fall der letztgenannten Art niemals auftreten könnte, weil ich mich auf die logischen Merkmale der *typischen* ästhetischen Urteile konzentriert habe und es vorgezogen habe, meinen Standpunkt eher über- als untertrieben darzustellen. Ich muß aber einräumen, daß es beim Gebrauch bestimmter ästhetischer Termini, insbesondere bei negativen, einige wenige echte Ausnahmen geben kann, bei denen uns die Beschreibung eine sehr genaue Visualisierung ermöglicht – und wenn das Beschriebene zu bestimmten beschränkten Klassen von Gegenständen gehört, etwa menschliche Gesichter oder Tierformen. Eine Beschreibung wie diese: „Ein Auge rot und wäßrig, das andere fehlt, die Nase voller Warzen, ein schiefer Mund, von grünlicher Blässe" kann in dem strengen Sinne von „muß", „kann nicht anders als" das Urteil „häßlich" oder „scheußlich" rechtfertigen. Dennoch sind diese Fälle marginal, stellen eine kleine Minderheit dar, sind nicht charakteristisch, sondern atypisch für ästhetische Urteile im allgemeinen. Wenn wir beim Hören einer Beschreibung sagen, „es *muß* sehr schön (anmutig oder etwas Ähnliches) sein", heißt das gewöhnlich nichts anderes als „es muß ganz sicher so sein, es ist nur entfernt möglich, daß es sich nicht so verhält". Wiederum anders sind die sehr zahlreichen Fälle, in denen wir ohne große Schwierigkeiten von „leuchtenden Farben" zu

„fröhlich" oder von „Rot- und Gelbtönen" zu „warm" übergehen können, wobei wir uns aber bislang nur an der Grenze all dessen befinden, was Beweis von Geschmack oder ästhetische Sensibilität genannt werden könnte. Die Bedeutung des Übergangs- und Grenzgebiets zwischen nichtästhetischen und offensichtlich ästhetischen Urteilen habe ich weiter unten behandelt (s. S. 259 f.).

7 Helen Knight (in: Elton, a. a. O., S. 152) schreibt, daß „scharf" (als Charakterisierung der Gesichtszüge, Anm. d. Ü.) von verschiedenen Merkmalen „abhängt" (einer Himmelfahrtsnase, einem spitzen Kinn und ähnlichem), und daß diese Merkmale *Kriterien* sind; und eben dies bestreite ich. Sie behauptet außerdem, daß die Anwendung von „gut" auf ein Kunstwerk von Kriterien abhängt, wie Ausgewogenheit, Festigkeit, Tiefe und Stärke (wiederum meine ästhetischen Termini; ich sollte dieser Liste die Schärfe hinzufügen). Auch das würde ich verneinen, obwohl ich dies als ein gesondertes Problem ansehe, das ich nicht in diesem Aufsatz behandele. Die beiden Fragen müssen getrennt werden: die Relation der nicht-ästhetischen Merkmale *(nach oben gebogen, spitz)* zu ästhetischen Eigenschaften, und die Relation von ästhetischen Eigenschaften zu „ästhetisch gut" (Bewertungen). Die meisten Arbeiten, die den besonderen Charakter ästhetischer Begriffe tangieren, haben eigentlich jene Bewertungsfrage im Sinn. Knight verwischt diesen Unterschied, wenn sie zum Beispiel sagt, „ ‚scharf' ist die gleiche Art von Wort wie ‚gut' ".

8 Vgl. die Aufsätze von Margaret Macdonald und J. A. Passmore in: Elton, a. a. O., S. 118, 41, 40, 119.

9 Wie schon auf S. 233 f. angedeutet, habe ich nur die Relation von *nichtästhetischen* zu ästhetischen Merkmalen behandelt. Vielleicht kann die Beschreibung mit ästhetischen Termini manchmal ausreichen, um die Anwendung eines anderen ästhetischen Terminus zu ermöglichen. Johnsons Wörterbuch erklärt „stattlich" mit „würdevoll schön"; das *Shorter Oxford English Dictionary* erklärt „hübsch" mit „schön in einer leichten, zierlichen Art oder in diminutivem Gebrauch".

10 Macdonald, in: Elton, a. a. O., S. 114, 119. Vgl. auch S. 120, 122.

11 Macdonald, a. a. O., S. 114, 120–123. Sie spricht von nicht-ästhetischen Eigenschaften als „physischen" oder „beobachtbaren" Qualitäten und unterscheidet zwischen „physischem Objekt" und „Kunstwerk".

12 Ebd., S. 115–116; vgl. auch John Holloway, Proceedings of the Aristotelian Society, Ergänzungsband XXIII (1949), S. 175–176.

13 Stuart Hampshire, in: Elton, a. a. O., S. 165. Vgl. auch die Bemerkungen von Isenberg (S. 142, 145) und Passmore (S. 38) in: Elton sowie von John Wisdom in: Philosophy and Psycho-analysis, Oxford 1953, S. 223–224 und in: Holloway, a. a. O., S. 175.

[14] Macdonald, a. a. O., S. 119–120.

[15] Ebd., siehe S. 127, 122, 125, 115. Auch andere Autoren legen die Betonung auf die Interpretation, vgl. Holloway, a. a. O., S. 173 ff.

[16] A. a. O., S. 165–168.

[17] Holloway, a. a. O., S. 173–174, führt einiges davon sehr kurz an.

[18] Es muß darauf hingewiesen werden, daß die meisten Wörter der Umgangssprache, die hauptsächlich oder ausschließlich als ästhetische Termini verwendet werden, früher nicht-ästhetisch gebraucht wurden und ihre heutige Bedeutung durch eine metaphorische Übertragung erlangt haben. Ohne zu großes Gewicht auf diese etymologischen Faktoren zu legen, ist an ihrer Geschichte sehr leicht erkennbar, wie sie eine Verbindung zu Reaktionen, Interessen und natürlichen Merkmalen widerspiegeln. Diesen Zusammenhang habe ich als Basis für die Erlernbarkeit ästhetischer Termini dargestellt. Solche Übergänge zeigen die Abhängigkeit der ästhetischen Bedeutung von einer anderen und manchmal auch die Art dieser anderen Bedeutung. Wörter wie *schön, anmutig, köstlich, reizend, erlesen, elegant, preziös* sind mit Gernmögen, Entzücken, Zuneigung, Sorgfalt, Wertschätzung oder Wählerischsein verbunden; *häßlich* mit Angst oder Zurückgestoßenwerden; *prächtig, glänzend, grell* mit Dingen, die besonders ins Auge fallen oder unsere Aufmerksamkeit erregen; *delikat, fein, kunstvoll, exquisit* mit Dingen, die sich durch besondere Seltenheit, Präzision, Kunstfertigkeit, Erfindungsreichtum oder Verfeinerung auszeichnen; und *stattlich* etwa hat noch einen Anklang an die Majestät des fürstlichen Staates. (Anm. d. Ü.: Sibleys Beispiel 'handsome' läßt sich nicht direkt übertragen, denn 'handsome' geht etymologisch auf die nicht-ästhetische Bedeutung ‚handlich' zurück.)

IV

FORMALISTISCHE ANSÄTZE

Charles W. Morris, Esthetics and the Theory of Signs. The Journal of Unified Science 8 (1939/40), pp. 131–150. Deutsche Fassung (R. Posner) entnommen aus: Ch. W. Morris, Grundlagen der Zeichentheorie + Ästhetik und Zeichentheorie. München: Carl Hanser Verlag 1972, S. 91–118.

ÄSTHETIK UND ZEICHENTHEORIE

Von Charles W. Morris

I. Allgemeiner Ansatz

Die Theorie der Zeichen (Semiotik) bietet einen Ausgangspunkt für die Untersuchung und Grundlegung vieler Disziplinen, die schon lange als verwandt empfunden werden, deren Beziehungen zueinander und zu den Naturwissenschaften aber bisher nicht leicht zu bestimmen waren. Hierher gehören Logik, Mathematik, Linguistik und Ästhetik. Im vorliegenden Aufsatz wird vorgeschlagen, von der Zeichentheorie her einen Zugang zur Ästhetik zu gewinnen.[1]

In unserer Konzeption ist das Kunstwerk als ein Zeichen zu verstehen, das, von dem einfachsten Grenzfall abgesehen, seinerseits aus Zeichen zusammengesetzt ist. Unsere Aufgabe besteht also darin, das Spezifische des ästhetischen Zeichens zu bestimmen; es liegt in der Art der Gegenstände, die als ästhetische Zeichen fungieren, oder in der Art der Gegenstände, die designiert werden, oder (wie hier vorgeschlagen wird) in einer Kombination von beidem. Das so verstandene Kunstwerk ist von der Basis zu unterscheiden, die die Zeichenstruktur trägt; Dewey kennzeichnet diesen Unterschied mit den Ausdrücken „Kunstwerk" und „Kunstprodukt"; wir werden gelegentlich auch diese Ausdrücke gebrauchen, aber wo Präzision gewünscht wird, sind „ästhetisches Zeichen" und „ästhetischer Zeichenträger" vorzuziehen. Das Kunstwerk im strengen Sinne (d. h. das ästhetische Zeichen) existiert nur in einem Interpretationsprozeß, den man ästhetische Wahrnehmung nennen kann; daher läßt sich das zentrale Problem der Ästhetik auch als die Frage nach den besonderen Merkmalen der ästhetischen Wahrnehmung formulieren. Welche Formulierung man auch wählt, eine allgemeine Antwort würde den Gesamtbereich der Kunst bzw. ästhetischen Wahrnehmung umreißen, die gegenseitige Abgrenzung der verschiedenen Künste wäre dagegen durch Klassifikationen innerhalb des Bereichs der ästhetischen Zeichen zu leisten. Die ästhetische Analyse wird somit zu einem besonderen Fall der Zeichenanalyse und das ästhetische Urteil zu einem Urteil darüber, mit welcher Adäquatheit ein bestimmter Zeichenträger die für ein ästhetisches Zeichen charakteristische Funktion ausführt. Ästhetik ihrerseits wird zur Wissenschaft von den ästhetischen Zeichen (oder, alternativ formuliert: zur Wissenschaft von der ästhetischen Wahrnehmung – denn auch die Wahrnehmung ist nur als Zeichenprozeß zu beschreiben). Diese Überlegung macht die Ästhetik als Ganzes zu einer Unterabteilung der Semiotik; die Stellung der Ästhetik im System der Wissenschaften ist determiniert, wenn die Stellung der Semiotik feststeht. Dies ist in kurzen Worten die Konzeption, die in den folgenden Abschnitten ausgeführt wird.

II. Semiotik

Es ist angebracht, den Gebrauch einiger Grundbegriffe der Semiotik, die in diesem Text immer wieder vorkommen, anzugeben.

Als Zeichenprozeß (Semiose) bezeichnen wir jede Situation, in der etwas durch die Vermittlung eines Dritten von etwas, das nicht unmittelbar kausal wirksam ist, Notiz nimmt; jeder Zeichenprozeß ist also ein Prozeß des „mittelbaren Notiz-Nehmens-von". Ein Pfeifen bestimmter Art bringt jemanden dazu, so zu handeln, als ob sich ein Eisenbahnzug nähert, von dem er sonst nichts wahrnimmt; für die Person, die dieses Pfeifen hört, bezeichnet der Laut dann einen sich nähernden Zug. Das, was als Zeichen operiert (d. h., was die Funktion hat, etwas zu bezeichnen), nennt man *Zeichenträger,* die Handlung des mittelbaren Notiznehmens wird *Interpretant* genannt und von einem *Interpreten* ausgeführt; das, wovon mittelbar Notiz genommen wird, nennen wir *Designat.* Entsprechend dieser Definition muß jedes Zeichen designieren („ein Designat haben"), aber es braucht nicht aktuell irgend etwas zu denotieren („braucht keine Denotate zu haben"). Man kann von einem näherkommenden Zug Notiz nehmen (so handeln, als ob sich ein

Zug näherte), selbst wenn in Wirklichkeit kein Zug kommt; in diesem Falle designiert der vernommene Laut, aber er denotiert nicht („hat ein Designat, aber keine Denotate"). Ein Designat ist also eine Klasse von Objekten, die durch bestimmte definierende Eigenschaften ausgezeichnet sind, und eine Klasse braucht keine Elemente zu haben; die Denotate sind die Elemente – falls es überhaupt welche gibt – der betreffenden Klasse.

Die Beziehungen der Zeichenträger zu dem, was designiert oder denotiert wird, sollen *semantische Dimension der Semiose* heißen und die Untersuchung dieser Dimension *Semantik;* die Beziehungen der Zeichenträger zu den Interpreten wollen wir *pragmatische Dimension der Semiose* und die Untersuchung dieser Dimension *Pragmatik* nennen; die semiotisch relevanten Beziehungen der Zeichenträger zu anderen Zeichenträgern bezeichnen wir als *syntaktische Dimension der Semiose* und ihre Untersuchung als *Syntaktik.* Als allgemeine Wissenschaft von den Zeichen enthält die Semiotik also die Teildisziplinen Syntaktik, Semantik und Pragmatik.

Ein Zeichen ist vollständig analysiert, wenn seine Beziehungen zu den anderen Zeichen, zu seinen aktuellen oder potentiellen Denotaten und zu seinen Interpreten bestimmt worden sind. Die Bestimmung dieser Beziehungen in konkreten Fällen von Semiose heißt *Zeichenanalyse.*

Eine gründlichere Diskussion dieser Dinge findet sich in den ›Grundlagen der Zeichentheorie‹; das auf S. 272 folgende Diagramm soll den Gebrauch der Begriffe festigen helfen.

III. Werttheorie

Ebenso wichtig wie die Zeichentheorie ist die Werttheorie [2] als Grundlage für die hier vorgeschlagene Ästhetikkonzeption; denn wir werden davon ausgehen, daß die ästhetischen Zeichen Werte – genauer Werteigenschaften – zu Designaten haben. Hier ist nicht der Ort, eine Werttheorie zu entfalten oder zu verteidigen; aber für eine Klärung der zugrundeliegenden Annahmen ist es nötig, daß wir den Ansatz skizzieren, den wir gewählt haben. Dies kann glücklicherweise in wenigen Sätzen geschehen, denn es gibt eine

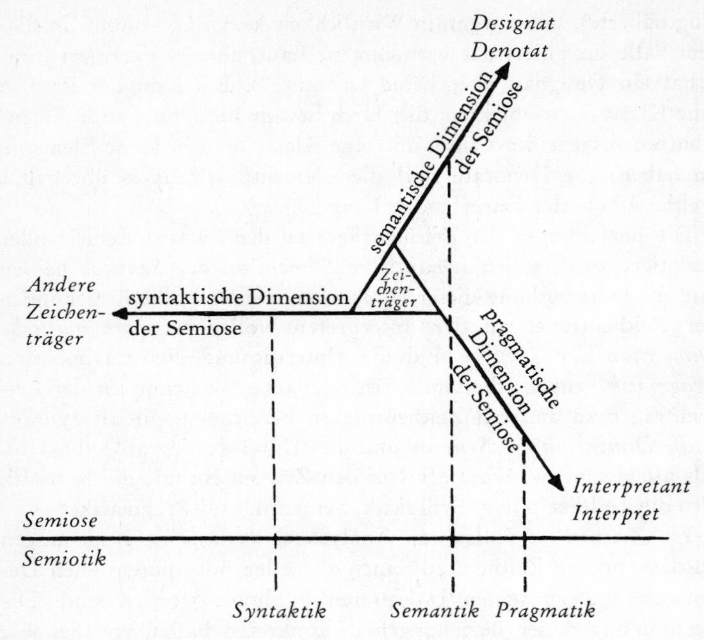

umfangreiche Literatur zur Werttheorie; wir setzen diese Theorie in der von Dewey und Mead entwickelten Form voraus.[3]

Nach diesem Ansatz ist Wert eine Eigenschaft eines Gegenstandes oder eines Sachverhaltes im Verhältnis zu einem gegebenen Interesse – nämlich die Eigenschaft, auf befriedigende Weise eine Handlung abzuschließen, deren Vollendung einen Gegenstand erfordert, der derartige Interessen befriedigt.

Ein Interesse an Nahrungsmitteln existiert nur, soweit es eine Tätigkeit gibt, die Gegenstände ausfindig macht, die zum Aufhören des Hungers führen. Solche Gegenstände ausfindig machen bedeutet so handeln, daß Gegenstände mit den erforderlichen Eigenschaften in die Lage versetzt werden, als direkte Stimuli zu wirken. Ein Gegenstand hat Nahrungswert nur im Verhältnis zum Hunger; „Wert“ verweist (ebenso wie „magnetisch“) auf Verhältnisse innerhalb eines bestimmten Systems und kennzeichnet Eigenschaften von Gegenständen im Verhältnis zu Interessen. Der Wert liegt weder allein in Gegenständen, die von Interessen isoliert sind, noch allein in Interessen (und daher auch nicht in den „emotionalen" Aspekten der Interessen, die sich im Prozeß der Befriedigung befinden), die von Gegenständen isoliert sind, die die Befriedigung der Interessen ermöglichen. Werte sind handlungsabschließende Eigenschaften von Gegenständen oder Sachverhalten, die interessenbedingten Handlungen gerecht werden.[4]

Von Werten sprechen heißt deshalb, die Dinge „interessebezogen" betrachten – um R. B. Perrys Vorschlag aufzugreifen. Die Eigenschaften von Dingen erscheinen in dieser Sicht ebensowenig „subjektiv" (in dem wissenschaftlich verrufenen Sinne) wie andere feld- oder systemgebundene Eigenschaften, z. B. Farbe, Magnetismus, Geschwindigkeit oder Masse. Es ist richtig, daß die Wissenschaft intersubjektives Wissen anstrebt und daß viele Interessen äußerst unbeständig und ungleich verteilt sind; richtig ist aber auch, daß viele Interessen (und darum Werte) äußerst konstant und möglicherweise allen Lebewesen gemeinsam sind und daß auch das Wissen von den Eigenheiten der Individuen intersubjektives Wissen sein kann – das bezeugen z. B. die „Individualpsychologie" und Meads Theorie des Subjektiven. Nichts in dieser objektiv-relationalen Werttheorie [5] macht eine wissenschaftliche Axiologie unmöglich; für Ausdrücke wie „gut" und „besser" läßt sich eine präzise empirische Bedeutung definieren, die den strengsten Forderungen der Zeichentheorie und der Wissenschaftsmethodologie genügt.

IV. Das ästhetische Zeichen

Die wissenschaftliche Untersuchung von Werteigenschaften ist jedoch keineswegs das Ziel des Künstlers, und die allgemeine Werttheorie selbst ist keine Ästhetik. Zum Verständnis der Kunst und zur Charakterisierung der Ästhetik ist eine eigentümliche Verschmelzung jenes Materials nötig, das in der Zeichentheorie und der Werttheorie behandelt wird – eigentümlich deshalb, weil die Zeichen, mit denen die Axiologie über Werte zu sprechen pflegt, keine ästhetischen Zeichen sind. Was also ist das Spezifische des ästhetischen Zeichens?

Man kann dieses Problem angehen, indem man zwei Hauptklassen von Zeichenträgern unterscheidet: diejenigen, die ihrem Denotat ähnlich sind (d. h. Eigenschaften mit ihm gemeinsam haben), und diejenigen, die ihrem Denotat nicht ähnlich sind. Wir sprechen von *ikonischen Zeichen* und von *nichtikonischen Zeichen;* die verschiedenen Arten nichtikonischer Zeichen sind für das vorliegende Problem nicht wesentlich. Die semantische Regel für den Gebrauch eines ikonischen Zeichens besteht darin, daß es jeden Gegenstand denotiert, der dieselben Eigenschaften aufweist wie es selbst (in der Praxis genügt eine Auswahl der Eigenschaften). Wenn ein Interpret einen ikonischen Zeichenträger wahrnimmt, nimmt er direkt wahr, was designiert wird;[6] er nimmt also von bestimmten Eigenschaften sowohl mittelbar als auch unmittelbar Notiz; mit anderen Worten, zu den Denotaten eines ikonischen Zeichens gehört der eigene Zeichenträger.

Für sich genommen, führen diese Tatsachen noch nicht zu einer Abgrenzung des ästhetischen Zeichens. Denn Lichtpausen, Photographien und wissenschaftliche Modelle sind sämtlich ikonische Zeichen – aber in den seltensten Fällen Kunstwerke. Falls jedoch das Designat eines ikonischen Zeichens ein Wert ist (und natürlich designieren nicht alle ikonischen Zeichen Werte), dann ist die Lage anders: Wir haben es nicht mehr allein mit einer Designierung von Werteigenschaften zu tun (eine solche Designierung gibt es ja auch in der Wissenschaft), es findet auch nicht allein ein ikonischer Zeichenprozeß statt (ikonische Zeichen als solche brauchen ja nicht ästhetische Zeichen zu sein), sondern es kommt zur unmittelbaren Wahrnehmung von Werteigenschaften vermittels der bloßen Gegenwart dessen, was selbst den Wert besitzt, den es designiert.[7] Einem solchen Zeichenprozeß entspricht eine häufig bemerkte Besonderheit ästhetischer Erfahrung: Das Kunstwerk wird als „bedeutsam" oder „bezeichnend" wahrgenommen, und doch scheint das Bezeichnete in dem Werk selbst verkörpert zu sein – so daß die ästhetische Wahrnehmung fest an das Werk selbst gebunden ist und es nicht als Sprungbrett für Träumereien und Erinnerungen mißbrauchen kann. Die „immanente Bedeutung", die „nichtreferierende Aussage" des Kunstwerks, das „interesselose Wohlgefallen" – alles Formulierungen, die sehr widersprüchlich scheinen – sind dadurch zu erklären, daß bei der Wahrnehmung des ikonischen Zeichens von bestimmten

Eigenschaften nicht nur mittelbar, sondern auch unmittelbar Notiz genommen wird. Und der häufige, wiewohl verworrene, Sprachgebrauch in Diskussionen über Kunst, nach dem das Wort „Bedeutung" in gleicher Weise „Sinn" und „Wert" meint, weist darauf hin, daß bei den ästhetischen Zeichen (obgleich nicht bei allen ikonischen Zeichen) die betreffenden Eigenschaften Werteigenschaften sind.

Um den Zeichenstatus des Kunstwerks abzusichern, sei eine zusätzliche Erläuterung gegeben: Oftmals lenkt der Künstler die Aufmerksamkeit auf den Zeichenträger, so daß der Interpret auf ihn nicht wie auf einen Gegenstand, sondern wie auf ein Zeichen reagiert; die Bilder sind gerahmt, Teile der Leinwand werden manchmal absichtlich unbemalt gelassen, ein Stück wird auf einer Bühne aufgeführt, auf der verschiedene technische Hilfsmittel sichtbar bleiben, der Musiker spielt in Sichtweite der Zuhörer – dies sind Kunstgriffe, die jene Form der Illusion verhindern, die den Zeichenträger nicht von den Denotaten unterscheidet. Zwar gilt für jedes Kunstwerk, daß der Zeichenträger (mit allen bereits gemachten Differenzierungen) eines seiner eigenen Denotate ist, aber er muß in der ästhetischen Wahrnehmung auch so wahrgenommen werden, d. h. beide dürfen nicht zusammengeworfen werden; der Wert muß nicht nur der direkten Anschauung zugänglich sein, sondern auch durch die Vermittlung von Zeichen gegeben sein. Eine solche Betrachtung liefert einige Grundlagen für die Definition des ästhetischen Zeichens als eines ikonischen Zeichens, dessen Designat ein Wert ist.

V. Ästhetische Wahrnehmung

Das Kunstwerk ist ein Zeichen und existiert als solches nur in Zeichenprozessen. Zeichenprozesse liegen auch dem zugrunde, was man „Wahrnehmung" nennt. Daher kann man der Aussage, die soeben mit Hilfe des Zeichenbegriffs gemacht wurde, eine Aussage zur Seite stellen, die in den Begriffen der Wahrnehmung formuliert ist: eine Aussage über ästhetische Wahrnehmung.[8]

Einleitend ist festzustellen: Nicht jedes Element in einem Zeichenträger muß selbst ein Zeichen sein, und nicht alle Zeichenhäufungen müssen ein einzelnes Zeichen bilden; wenn es aber für eine Zeichenkombination eine Verwendungsregel gibt, die auf den Verwendungsregeln für die Teilzeichen aufbaut, so ist sie ihrerseits ein Zeichen. Bei komplexen ikonischen Zeichen ist die Zeichenstruktur, welche das ikonische Zeichen bildet, entweder selbst aus ikonischen Zeichen aufgebaut oder nicht. So kann man eine mathematische Struktur deshalb, weil sie eine relationale Struktur ist, als ein ikonisches Zeichen ansehen, das die Klasse ähnlicher Strukturen designiert – und doch braucht keiner der individuellen Zeichenträger, die die Komponenten ausmachen, ikonisch zu sein und ist es in der Tat auch meist nicht. Bei einem komplexen ästhetischen Zeichen – das per definitionem ikonisch ist – scheint es, als ob wenigstens einige der individuellen Zeichenträger ikonische Zeichen und wenigstens teilweise von demselben Charakter wie das komplexe Zeichen selbst sein müssen.

Diese verschwommene und allgemeine Aussage [9] läßt sich konkretisieren, wenn man bei der Betrachtung des komplexen ästhetischen Zeichenprozesses vom wahrnehmenden Interpreten ausgeht. Sieht man auf ein Bild, hört man Musik oder liest man ein Gedicht, so hat man es mit einem dichten Netz von Verweisen zu tun: Ein Aspekt des Werkes weckt Wünsche und Erwartungen, die andere Aspekte halb oder ganz erfüllen, wobei diese Aspekte selbst wieder in einer ähnlichen Weise fungieren – und in diesem Prozeß ergibt sich der Charakter des Ganzen aus dem Charakter der Teile. In einer aufsteigenden Tonreihe ist jeder folgende Ton bis zu einem gewissen Grad bestimmt; ein Reim in den früheren Teilen eines Gedichts führt zur Erwartung bestimmter Lautfolgen in den folgenden Teilen; eine bestimmte Linienführung an einer Stelle des Gemäldes bereitet den Interpreten auf die Art der Linienführung vor, der er an einer anderen Stelle begegnen wird. Eine komplexe Zeichenstruktur führt zu einer ebensolchen ästhetischen Wahrnehmung, und der Interpret (den Schöpfer eingeschlossen) führt die komplexe Wahrnehmungstätigkeit durch, indem er von einem Teil des Kunstgegenstands zum anderen fortschreitet, auf gewisse Teile als auf Zeichen anderer Teile reagiert und so aus den Teilreaktionen eine Gesamtreaktion (und somit einen einheitlichen Wahrnehmungsgegenstand) aufbaut. In diesem Prozeß spielen die nichtikonischen

Zeichen dieselbe Rolle wie in anderen Wahrnehmungsprozessen; was die ästhetische Wahrnehmung von den anderen Wahrnehmungsaktivitäten unterscheidet, ist der Umstand, daß die Wahrnehmung auf Werteigenschaften ausgerichtet ist und daß diese direkt (wenn auch vielleicht nur teilweise) von bestimmten ikonischen Zeichenträgern verkörpert werden, die zum Gesamtzeichenkomplex gehören. Wovon mittels des komplexen ästhetischen Zeichens Notiz genommen wird, ist also eine komplexe Werteigenschaft, die teilweise durch die Werteigenschaft der Zeichenträger bestimmt wird, die die Komponenten ausmachen; dabei dienen andere Zeichen nichtästhetischer und sogar nichtikonischer Art als Hilfssymbole, deren Funktion es ist, den ästhetischen Zeichenträger aufzubauen oder die Aufmerksamkeit derart von einem Teil des ästhetischen Zeichenträgers auf den anderen zu lenken, daß die Wirkung sich akkumuliert und das Gesamtikon entsteht.

Bei der ästhetischen Wahrnehmung werden die Werteigenschaften nicht nur mittelbar, sondern auch unmittelbar erfaßt: mittelbar deshalb, weil sie durch Zeichen dargestellt werden, unmittelbar deshalb, weil die Zeichenträger, die verwendet werden, in unterschiedlichen Graden die Werteigenschaften in sich verkörpern, welche sie darstellen. Dabei ist der Zeichenträger nicht einfach ein Instrument, das den Interpreten auf einen anderen Gegenstand mit der fraglichen Eigenschaft hinweisen soll, auch nicht eine Gelegenheit zu Träumereien über den angegebenen Wert; die ästhetische Wahrnehmung ist eine Wahrnehmung von Objekten, sie entnimmt ihrem Objekt – bzw. Teilen ihres Objekts –, was es bedeutet. Dieser Prozeß verschafft Befriedigung, weil das Objekt den Wert, den es bedeutet, verkörpert, aber die Befriedigung ist nicht vollständig, da sie nur durch Zeichen vermittelt wird, oft sogar durch Zeichen, die das, was sie bedeuten, selbst überhaupt nicht oder nur in Teilen auf ikonische Weise verkörpern – das Kunstwerk als Ganzes bleibt ja stets ein Zeichen.

Die ästhetische Wahrnehmung, die man bis zu einem gewissen Grad bei allen gewöhnlichen Menschen antrifft, läßt sich verfeinern, und das Reich der Kunstwerke läßt sich unendlich erweitern. Der Künstler ist ein Mensch, der Objekte so formen kann, daß sie die ästhetische Wahrnehmung erleichtern, intensivieren und vervollkommnen, doch strenggenommen ist alles ein Kunstwerk, was zum Gegenstand ästhetischer Wahrnehmung gemacht wird – und es gibt nichts, das nicht in diesem Sinne und bis zu einem gewissen Grade ein Kunstwerk werden könnte. Es gibt kein Medium, das die Kunst nicht benutzen könnte – die Lebensvorgänge eingeschlossen. Und wenn das Leben selbst ein Kunstwerk wird, ist der Gegensatz zwischen Kunst und Leben (zwischen ästhetisch vermittelten Werten und der Tätigkeit, die auf Kontrolle und unmittelbaren Besitz von Werten abzielt) beseitigt.

VI. Allgemeinheit in der Ästhetik

Die bisherige Darstellung hat das Kunstwerk als ein einzelnes Zeichen behandelt, welches – den trivialen Grenzfall ausgenommen – selbst aus Zeichen zusammengesetzt ist, die eine komplexe Zeichenstruktur konstituieren. Wenn aber das Kunstwerk selbst ein Zeichen ist, so hat es per definitionem ein Designat. Diese Lehre scheint sich demnach in den gleichen Widersprüchen festzurennen, mit denen schon die ästhetischen Theorien von der „imitatio" oder „representatio" zu kämpfen hatten; da die sogenannte „abstrakte Kunst" zu der vorgeschlagenen Konzeption am schlechtesten zu passen scheint, liefert sie einen geeigneten Ansatzpunkt für die Diskussion.

Von der Zeichentheorie aus gesehen ist die abstrakte Kunst lediglich ein Beispiel für Zeichen von großer Allgemeinheit.[10] Ein Zeichen kann in mehrfacher Hinsicht generell sein: Einmal kann ein Zeichenprozeß durch ein beliebiges Exemplar aus einer gegebenen Menge von Zeichenträgern ausgelöst werden; zum andern kann jeder der zugelassenen Zeichenträger von verschiedenen Interpreten in verschiedenen Interpretationsabläufen interpretiert werden; schließlich können ganz verschiedene Objekte die Interpretation erfüllen, so daß es zu dem Zeichen eine Vielheit von Denotaten gibt. Daher kann ein Gedicht immer wieder gedruckt und gelesen werden, und zwar von denselben Leuten oder von anderen; und es kann auf zahlreiche Ereignisse aus verschiedenen Stadien im Leben eines Menschen, oder in den Lebensläufen verschiedener Menschen anwendbar sein; alle Ereignisse, auf die es anwendbar ist, sind Denotate des Gedichts. Es gibt verschiedene Grade der Allgemeinheit, und die abstrakte Kunst ist einfach ein extremes Beispiel dafür, wie groß das Feld der möglichen Denotate sein kann, wenn die ikonischen Teilzeichen und das ikonische Gesamtzeichen in hohem Grade allgemein sind. Auch wenn die Komplexität des Gesamtikons so groß ist, daß sich (außer dem ästhetischen Zeichenträger selbst) kein Denotat finden läßt, ist das Kunstwerk noch ein Zeichen – denn es gibt durchaus Designation ohne Denotation.

Ein Vergleich der abstrakten Kunst mit der Mathematik möge hier zur Verdeutlichung beitragen. Die abstrakte Kunst hat ein ähnliches Verhältnis zur gesamten Sprache der Kunst wie die Mathematik zur gesamten Sprache der Wissenschaft. Auf den ersten Blick scheint diese Hypothese nur die Ansicht zu stützen, daß die abstrakte Kunst überhaupt keine semantische Dimension aufweise, da ja ein mathematisches System gemeinhin als rein formal oder syntaktisch angesehen wird. Es ist ja auch legitim, die Struktur eines sprachlichen Systems (oder möglicher sprachlicher Systeme) besonders herauszustellen und nicht zu fragen, welche Sachverhalte Denotate des betreffenden Systems sind. Trotzdem ist es nicht ausgeschlossen, daß man sich beim Aufbau des Systems selbst ursprünglich von tatsächlich bestehenden Verhältnissen leiten ließ oder sich wenigstens teilweise an ihnen orientierte (so wie sich die Euklidische Geometrie auf unsere Alltagserfahrung mit festen Körpern bezieht). Und sogar eine restlos formalisierte Struktur besitzt einen semantischen Charakter, denn die Relationen zwischen ihren Ausdrücken beschränken die Wahl der semantischen Regeln, die den Ausdrücken empirische Bedeutung zuordnen; das mathematische System designiert die Klasse der möglichen Strukturen, die ihm selbst ähnlich sind, und es denotiert jede tatsächlich vorliegende Struktur, die eine derartige Ähnlichkeit aufweist – obwohl kein anderes Denotat zu existieren braucht als die Zeichenträger des Systems selbst.

Ganz analog haben auch die Bestandteile abstrakter Kunstwerke verschiedenartige und einander durchdringende semantische Dimensionen: Das Kunstwerk als Ganzes ist eine Zeichenstruktur, die die Klasse von Gegenständen oder Sachverhalten designiert, die die gleichen Merkmale haben – nur daß jetzt die relevanten Merkmale

Werteigenschaften sind und das Werk jeden Gegenstand oder jeden Sachverhalt denotiert, der de facto diese Werteigenschaften hat; auch hier braucht kein anderes Denotat zu existieren als der Zeichenträger selbst. Gewiß, es gibt Unterschiede, wie z. B. den, daß einige der Zeichenträger, aus denen sich das ästhetische System zusammensetzt, ikonisch sein müssen, während alle Zeichenträger, aus denen sich das mathematische System zusammensetzt, nichtikonisch sein können; aber in beiden Fällen sind die Systeme als Ganze ikonisch, sie haben Designate – also eine semantische Dimension – und das in demselben Sinn.

Die Einsicht, daß man durchaus Zeichen schaffen kann, die keine Denotate haben oder die, wenn das Zeichen ikonisch ist, nichts als ihren eigenen Zeichenträger zum Denotat haben, befreit den Künstler (und den Wissenschaftler) von dem Zwang zu einer buchstäblichen Wiedergabe der vorhandenen Welt, wie sie eine semiotisch orientierte Ästhetik zunächst vorschreiben könnte; die Kreativität des Künstlers ist voll und ganz gesichert. Ebenso wie der Wissenschaftler komplexe Theorien entwickeln kann, die kein Gegenstück in der Realität haben, aber dazu dienen, das vorliegende Material zusammenzufassen und mit neuen Hypothesen experimentell zu konfrontieren, ebenso kann der Künstler komplexe Zeichenstrukturen ausarbeiten, deren Elemente mit den Worten zahlreicher Dinge besetzt sind und die doch als Ganze einen Wertkomplex darstellen, der nirgendwo eine reale Entsprechung hat – eine solche Struktur kann einerseits dazu dienen, existierende Werte zusammenzufassen, und andererseits Möglichkeiten suggerieren, die geschaffene Wertstruktur auf die Situationen und Probleme des täglichen Lebens anzuwenden.

VII. Ästhetische Analyse

Wenn das Kunstwerk als ästhetisches Zeichen zu verstehen ist, folgt daraus, daß die ästhetische Analyse ein Sonderfall der Zeichenanalyse ist. Und da ein Zeichen durch die Angabe seiner syntaktischen, semantischen und pragmatischen Komponenten und Beziehungen vollständig gekennzeichnet ist, gilt das auch für die

Analyse ästhetischer Zeichen. Die Ästhetik oder ästhetische Semiotik gehört zur allgemeinen Semiotik, und entsprechend den Teildisziplinen der Semiotik können wir *ästhetische Syntaktik, ästhetische Semantik* und *ästhetische Pragmatik* unterscheiden; jede Teildisziplin zerfällt in einen *reinen* und einen *deskriptiven* Bereich – d. h., die reine ästhetische Syntaktik würde die Sprache ausarbeiten, in der man über die syntaktische Dimension der ästhetischen Zeichen redet, während jede aktuelle Analyse der syntaktischen Dimension eines ästhetischen Zeichens unter die deskriptive ästhetische Syntaktik fällt. Da die drei Teildisziplinen der Ästhetik im Verein mit ihren Wechselbeziehungen das Gebiet der ästhetischen Semiotik bilden, werden einige Bemerkungen über sie von Interesse sein.

VIII. Ästhetische Syntaktik

Die ästhetische Syntaktik soll eine Sprache ausarbeiten, die auf die syntaktischen oder „formalen" Wechselbeziehungen der ästhetischen Zeichen anwendbar ist. Zwischen ihr und einem ästhetischen Diskurs besteht dasselbe Verhältnis wie zwischen der „logischen Syntax" im Carnapschen Sinne [11] und einem wissenschaftlichen Diskurs; beide Disziplinen sind Unterabteilungen des umfassenderen Gebietes der Syntaktik, die sich mit den syntaktischen Relationen in Diskursen aller Art beschäftigt – Kunst und Wissenschaft sind nur zwei Typen von Diskurs. Da die logische Syntax (die Syntaktik wissenschaftlicher Diskurse) der am besten entwickelte Teil der Syntaktik ist, liefert sie wichtige Anregungen für die Entwicklung einer ästhetischen Syntaktik (der Syntaktik ästhetischer Diskurse). So können die Begriffe der logischen Syntax (zum Beispiel: Formations- und Transformationsregeln, einfache Ausdrücke und Sätze, Folgebeziehung, Wahrscheinlichkeitsbeziehung, Beweis, Ableitung, gültig, widergültig, Synonymität) als Sonderfälle noch allgemeinerer Begriffe angesehen werden, für die es auch spezielle Beispiele in Diskursen anderer Art (ästhetischen, technologischen usw.) gibt. In jedem Kunstwerk (z. B. in einem Musikwerk) werden nur bestimmte Zeichenträger verwendet („einfache Ausdrücke"); diese werden zunächst nur in bestimmter Weise kombiniert („Formationsregeln"); aus bestimmten Kombinationen sind andere Kombinationen ableitbar, zumindest aber ist der Bereich der ableitbaren Kombinationen in bestimmter Hinsicht beschränkt („Transformationsregeln", „Folgebeziehung", „Wahrscheinlichkeitsbeziehung"); bestimmte Kombinationen stehen im Einklang mit anderen, oder auch nicht („gültig", „widergültig"). Wenn man präzisiert, was hier nur angedeutet wurde, könnte man eine Sprache entwickeln, in der sich die einzelnen Kunstwerke ebenso analysieren ließen wie ein mathematisches oder wissenschaftliches System; die einzelnen Kunstwerke könnten dann entsprechend ihren formalen Eigenschaften in größere Gruppen zusammengefaßt werden; ähnlich wie gegenwärtig mathematische und wissenschaftliche Systeme verglichen werden können, ließen sich dann signifikante Vergleiche zwischen den Einzelwerken oder zwischen größeren Gruppen von Werken anstellen.

Da die logische Syntax bereits weit entwickelt ist und da der Ästhetik eine reichhaltige Sammlung von Material für die Interpretation und die Aneignung zur Verfügung steht, müßte man eigentlich bei der Entwicklung einer ästhetischen Syntaktik rasche Fortschritte machen können. Sie wäre auch zeitgemäß, da man gegenwärtig dem ästhetischen Zeichenträger und seiner Analyse soviel Aufmerksamkeit schenkt; sie wäre außerdem von großer Bedeutung für den umfassenderen Bereich der Semiotik, weil das Interesse auf Arten von Zeichenprozessen ausgedehnt würde, die bis jetzt entweder ignoriert oder von den anderen Arten getrennt untersucht worden sind. Die durch die ästhetische Syntaktik eröffneten Perspektiven könnten die folgenden Worte von Dewey als prophetisch erscheinen lassen:

Es wird wohl eine Zeit kommen, die allgemein akzeptiert, daß zwischen kohärenten logischen Schemata und den künstlerischen Strukturen in Dichtung, Musik und bildender Kunst kein grundsätzlicher, sondern eher ein technischer Unterschied besteht.[12]

IX. Ästhetische Semantik

Die Logiker sind in letzter Zeit zu der Erkenntnis gekommen, daß das leistungsfähige Werkzeug der Syntaktik für die Verwirklichung ihrer Ziele nicht ausreicht und daß die Semantik ein zusätzliches Instrumentarium von großer Leistungsfähigkeit liefert. Es ist nur zu hoffen, daß sich die Ästhetiker diese Lektion zu Herzen nehmen und die ästhetische Semantik nicht länger vernachlässigen.

Viele Aussagen in den vorhergehenden Abschnitten würden innerhalb einer systematischen Darstellung in den Rahmen der ästhetischen Semantik fallen. Die Unterscheidung zwischen ikonischen und nichtikonischen Zeichen und die Einordnung des ästhetischen Zeichens unter die ersteren ist semantischer Natur. Auch die Charakterisierung der Designate von ästhetischen Zeichen als Werteigenschaften war eine semantische Charakterisierung. Alle Diskussionen über das Verhältnis ästhetischer Zeichen zu den objektiven Situationen, aus denen sie stammen, sind erst richtig in der Sprache der Semantik zu formulieren. Die Behandlung der abstrakten Kunst in dem Abschnitt über ästhetische Allgemeinheit war primär eine semantische. Die Frage, ob das Kunstwerk nicht nur eine Zeichenstruktur, sondern auch ein Einzelzeichen ist, ist teilweise eine Frage nach den Bedingungen, unter denen die semantischen Regeln der verschiedenen Zeichen sich vereinigen, um eine einzige semantische Regel zu bilden, die ihrerseits ein Einzelzeichen definiert.

Das Problem der „ästhetischen Wahrheit" mag illustrieren, wie sich ein Problem in der Ästhetik verändert, wenn es innerhalb der ästhetischen Semantik betrachtet wird. Es ist vielleicht klug, „Wahrheit" von „Wissen" zu unterscheiden und als semantischen Ausdruck aufzufassen. In der Logik ist „Wahrheit" ein Prädikat, das nur auf Zeichen bestimmter Art, nämlich Aussagen, anwendbar ist, und zwar dann, wenn die angegebenen Denotate unter diese Zeichen fallen. Da eine Aussage etwas über etwas sagen muß, muß sie Zeichen enthalten, die identifizieren, wovon gesprochen wird, und diese Zeichen sind letztlich Indexzeichen. Ein alleinstehendes ikonisches Zeichen kann also keine Aussage sein, und ein Kunstwerk kann als ikonisches Zeichen nicht wahr im semantischen Sinne des Wortes sein. Gleichwohl könnte die Aussage, daß ein Kunstwerk

„wahr" ist, sich bei der Analyse als elliptische Form von syntaktischen, semantischen oder pragmatischen Aussagen herausstellen. So könnte semantisch die Behauptung intendiert sein, das betreffende Werk sei tatsächlich ein ikonisches Zeichen für die Wertstruktur eines bestimmten Gegenstandes oder eines bestimmten Sachverhalts – ein Anspruch, der z. B. gemacht wird, wenn ein Gemälde von Johnson den Titel ›Winter‹ oder eine Komposition von Scriabine den Titel ›Prometheus‹ trägt, denn dann treten zu einem Ikon genügend andere Zeichen hinzu, um eine Aussage hervorzubringen. Diese Aussagen werden strenggenommen nicht durch das Kunstwerk gemacht, sondern sind Aussagen über das Kunstwerk auf der Ebene deskriptiver Semantik; und während das Kunstwerk selbst im semantischen Sinne des Wortes nicht wahr ist, sind Aussagen in der Semantik, die über es gemacht werden, in demselben Sinne wahr oder falsch, in dem wissenschaftliche Aussagen wahr oder falsch sind – denn während Kunstwerke ästhetische Diskurse sind, liefert die Semantik wissenschaftliche Diskurse.

Es besteht kein Zweifel, daß die raschen Fortschritte in der Semantik der Wissenschaftssprache bedeutsame Hinweise für die genauso wichtige Entwicklung einer Semantik ästhetischer Diskurse geben.

X. Ästhetische Pragmatik

In dieses Gebiet fallen jene Probleme, die mit dem Verhältnis der ästhetischen Zeichen zu ihren Schöpfern und Interpreten zusammenhängen, d. h. alle biologischen, psychologischen und soziologischen Faktoren, die an dem ästhetischen Zeichenprozeß beteiligt sind. Die vorausgehende Diskussion der ästhetischen Wahrnehmung gehört hierher; hierher gehört auch die Behandlung des ästhetischen Schöpfungsprozesses, eine Analyse der Ähnlichkeiten und Unterschiede von ästhetischer Schöpfung und Nachschöpfung („Würdigung") oder die Frage, welche Kommunikationsbereiche und welche Intensität der Kommunikation die verschiedenen ästhetischen Zeichen erreichen.

Viele Probleme auf diesem Gebiet konzentrieren sich auf die Frage nach der Funktion, die die Kunst für das Individuum und für die Gesellschaft hat; es liegt also nahe, dieses Problem als Illustrationsobjekt auszuwählen. Der Pragmatist behauptet, daß Zeichenprozesse von der Art der Reflexion die Lösung von Problemen zum Ziel haben, die sich dem Abschluß einer begonnenen Handlung entgegenstellen. Welche Rolle spielen ästhetische Zeichen in solchen Prozessen? Offensichtlich erstreckt sich Deweys allgemeine instrumentalistische Zeichenlehre auch auf das, was wir ästhetisches Zeichen genannt haben.[13] Ein Zeichen entsteht, wenn Verhalten blokkiert wird; es erlaubt einem bei der Handlung, von relevanten Aspekten Notiz zu nehmen, die nicht in der unmittelbar vorhandenen Umgebung gegeben sind; die Hypothese, die sich dann aus der Reflexion ergibt, liefert die Basis für eine Strategie, die es erlaubt, die blockierte Handlung bis zu ihrer Vollendung fortzuführen. Wie verhält sich das beim ästhetischen Zeichen?

Falls eine Handlung ohne Unterbrechung vollzogen wird, gibt es keinen Grund und vielleicht auch keinen Mechanismus, um diesen Vollzug durch Zeichen zu lenken. Wird aber eine Handlung blockiert, dann wird die Vergegenwärtigung des Handlungsziels oder der verschiedenen möglichen Ziele ebenso wichtig wie die Vergegenwärtigung der verschiedenen Bedingungen, die erfüllt sein müssen, wenn das Ziel oder die Ziele erreicht werden sollen. Das ästhetische Zeichen hat im allgemeinen die wichtige Funktion, die Werte, die dem Handlungsergebnis entsprechen, für die Steuerung des Handlungsablaufs verfügbar zu machen, und jeder einzelne ästhetische Zeichenträger vergegenwärtigt in objektiver Form die Lösung eines Wertkonflikts; er entspricht also im Bereich der Zwecke jener Errungenschaft, die im Bereich der Mittel der Benzinmotor darstellt. Jedoch mit einem wichtigen Unterschied: während der Motor ein physisches Mittel ist, um vielerlei Ziele zu erreichen, dienen die vielerlei Zeichenträger als Mittel, ein Kunstwerk zu realisieren (d. h. ästhetische Wahrnehmung zu erreichen). Daher hat das Kunstwerk selbst nur die Daseinsweise eines Zeichens, obwohl sein Zeichenträger (oder seine Zeichenträger) den Status physikalischer Objekte besitzt (besitzen). Dieser Umstand – verbunden mit dem ikonischen Charakter des ästhetischen Zeichens – wirft ein Licht auf die verwirrende Tatsache, daß Kunst sowohl Vollzug wie Mittel zum Vollzug ist. Da die Werteigenschaften des Designats wenigstens teilweise in dem ästhetischen Zeichenträger verkörpert sind, hat der Künstler die Welt tatsächlich entsprechend seinen innerlichen Bedürfnissen geformt und die Grundlage für befriedigende Erfahrungen geschaffen; da die in den Zeichenträgern verkörperten Werte aber nur Beispiele für einen Wert sind, der woanders zu finden ist (auch dann, wenn der Wert des Ganzen keine andere Verkörperung hat), und da das Kunstwerk durch seine Zeichenhaftigkeit diese Werte mittelbar darstellt (während der Zeichenträger sie unmittelbar darstellt), werden die Werte und die Lösung ins Bewußtsein gehoben und können durch ihre Allgemeinheit eine instrumentelle Rolle in anderen Wertsituationen übernehmen – die Ausgangssituation des Künstlers eingeschlossen, die die Matrix für die Schaffung des ästhetischen Zeichens abgab.[14] Ich brauche kaum hinzuzufügen, daß der Künstler angesichts seines eigenen Problems ein Modell liefert, das auf viele andere Probleme ebenso anwendbar ist wie auf sein eigenes, und daß er auf diese Weise durch sein Werk die Wertstrukturen einer Gruppe oder einer Epoche verkörpern, klären und fördern kann – im Extremfall sogar die Wertstruktur der Menschen aller Orte und Zeiten.

XI. Ästhetische Semiotik

Ist es für bestimmte Zwecke auch nützlich und berechtigt, eine bestimmte Dimension des ästhetischen Zeichenprozesses herauszuheben und sich damit auf ästhetische Syntaktik, Semantik oder Pragmatik zu beschränken, so bringt diese Einengung doch gewisse Nachteile mit sich. Zum Beispiel legen die verschiedenen Schulen der Ästhetik jeweils auf die eine oder andere der drei Dimensionen das Hauptgewicht, und ihre Rivalitäten sind eine Folge der Verzerrungen, die entstehen, wenn Beschreibungen von Teilaspekten eines komplexen Prozesses als rivalisierende Darstellungen jeweils des ganzen Prozesses auftreten – Verzerrungen, die auf dem Gebiet der ästhetischen Kritik großen Schaden angerichtet haben. Aus diesen Gründen ist nachdrücklich zu betonen, daß die ästhetische Semiotik als ein Teilbereich der allgemeinen Semiotik ein einheitliches Ganzes ist und daß man die Unterscheidungen und die Wechselbeziehungen der ästhetischen Teildisziplinen nur vom Ganzen her richtig sieht. Hier wie überall müssen Analyse und Synthese, Frosch- und Vogelperspektive sich gegenseitig ergänzen, um die doppelte Gefahr von Oberflächlichkeit und Abgründigkeit zu vermeiden.

Wenn man die Ästhetik einmal aus der großen Perspektive der Semiotik betrachtet, wird der Charakter des ästhetischen Diskurses als eines Zeichenprozesses besonderer Art stärker und schärfer hervortreten. Sobald ähnliche Ergebnisse auch für Diskurse anderen Typs (wie den wissenschaftlichen, technologischen, philosophischen und religiösen) vorliegen, wird ein neuer Weg zur Klärung der Wechselbeziehungen zwischen den Haupttätigkeiten des Menschen offenstehen; er beruht auf dem Vergleich der Diskurstypen, welche zu Abbildern der menschlichen Tätigkeiten geworden sind. Hier zeigt sich, daß die semiotische Betrachtungsweise nicht nur für die Ästhetik selbst bedeutsam ist, sondern weitreichende Konsequenzen für die Erfassung der Beziehungen zwischen Kunst und Kultur überhaupt hat. Kunst, Wissenschaft und Technologie erscheinen aus dieser Perspektive nicht mehr als konkurrierende, sondern als komplementäre Formen menschlicher Aktivität (obwohl sie im Leben des einzelnen konkurrieren können): Jede leistet ihren Beitrag zu den Aufgaben der anderen. Die Kunst präsentiert Werte, ermöglicht die Nachschöpfung von Werten und macht sie dem Bewußtsein verfügbar, die Wissenschaft erarbeitet das Wissen, das für die Verwirklichung von Werten relevant ist, und die Technologie (zu der wir auch die Moral rechnen) liefert die Techniken, mit denen der Mensch „meißeln und schnitzen und feilen“ kann, bis sein „undeutlicher Traum dem harten Kiesel sein Lächeln aufgeprägt hat“.

XII. Ästhetisches Urteil

Die Zeichenanalyse findet statt in der Metasprache der Semiotik und führt zu Aussagen über das betreffende Zeichen. Solche Aussagen müssen deutlich von einem anderen Satztyp unterschieden werden, der ebenfalls in die Metasprache gehört und der das betreffende Zeichen bewertet; es ist empfehlenswert, den Ausdruck

„ästhetisches Urteil“ für diesen letzteren Satztyp vorzubehalten. Ästhetische Analyse und ästhetisches Urteil würden dann zusammen den Bereich ästhetischer Kritik ausmachen.

An dieser Stelle ist es nicht möglich, das Thema des ästhetischen Urteils eingehender zu behandeln, denn dazu wäre eine ausgearbeitete Werttheorie im Zusammenhang mit einer entwickelten Theorie des technologischen Diskurses erforderlich. Einige Bemerkungen scheinen jedoch angebracht, und auch diese nur, um die Natur des Problems zu zeigen, nicht seine Lösung.

Der *technologische Diskurs* ist durch Sätze charakterisiert, die Ausdrücke enthalten wie „du solltest ...“, „tu es nicht“, „es ist zu tun“ und „es darf nicht getan werden“. Solche Sätze sind charakteristisch für alle angewandten Künste, die Moral eingeschlossen. Mit solchen Sätzen will man eine Verhaltensweise hervorrufen, die der Verwirklichung eines bestimmten Zieles förderlich ist, obwohl dieses Ziel selten explizit ausgedrückt ist. Nach der Zeichenanalyse involviert der Ausdruck „sollte“ (“ought”) stets die Referenz auf ein bestimmtes Ziel, die implizite Behauptung, daß für die Erreichung dieses Ziels eine bestimmte Verfahrensweise effektiver ist als andere, und den Wunsch, daß die angesprochene Person die betreffende Verfahrensweise übernimmt. Es ist jetzt Zeit für die Anmerkung, daß Ausdrücke wie „gut“, „schlecht“ und „besser“ (wie zahlreiche andere Ausdrücke auch) sowohl innerhalb wissenschaftlicher wie innerhalb technologischer Diskurse vorkommen. Der Funktionsunterschied in den beiden Fällen ist leicht einzusehen [15]: Wenn man sagt, daß irgend etwas schlecht ist, kann dies eine wissenschaftliche Aussage sein, die behauptet, daß ein bestimmtes Etwas in einer bestimmten Beziehung zu einem bestimmten Interesse steht; oder aber es bedeutet, daß das bestimmte Etwas mißbilligt werden sollte – in diesem Falle hat der Ausdruck technologische Funktion und zielt darauf ab, eine bestimmte Haltung oder Verhaltensweise hervorzurufen. Die beiden Sätze sind im Charakter sehr verschieden, und der zweite kann logisch nicht aus dem ersten hergeleitet werden; es ist sogar generell niemals möglich, allein aus wissenschaftlichen Aussagen einen Satz des technologischen Typs herzuleiten. Dies und nur dies kann vernünftigerweise mit der Aussage gemeint sein, daß „Wissenschaft nichts mit Werten zu tun hat“. Denn Wissenschaft kann sich natürlich deskriptiv mit Werten beschäftigen, und ihre Ergebnisse können natürlich unsere Interessen leiten und sogar verändern. Ein technologischer Diskurs setzt jedoch voraus, daß ein bestimmtes Ziel akzeptiert wird, er bleibt ohne Einfluß auf jemand, der das betreffende Ziel nicht akzeptiert.

So kurz und fragmentarisch diese Analyse sein mag, sie wirft doch etwas Licht in den finsteren Dschungel ästhetischer Kritik. Die zugrundeliegende Verwirrung ist die zwischen ästhetischer Analyse und ästhetischer Kritik, sie beruht auf der Vermengung des ästhetischen Diskurses qua Gegenstand eines wissenschaftlichen Diskurses und des ästhetischen Diskurses qua Gegenstand eines technologischen Diskurses. Mit anderen Worten: Die Sätze der Kritik fungieren oft primär in der pragmatischen Dimension, obwohl sie den Eindruck erwecken, sie seien gänzlich semantisch.

Aber selbst wenn diese fundamentale Verwirrung vermieden wird und der technologische Charakter bestimmter Kritiken deutlich ist, kann weitere Verwirrung entstehen, wenn man übersieht, daß ein Satz im technologischen Kontext nur im Hinblick auf das Ziel beurteilt werden kann, für das die betreffende Technik relevant ist; und soweit die vorausgesetzten Ziele bei verschiedenen Kritiken unterschiedlich sind, ohne aber als unterschiedlich erkannt worden zu sein, insoweit werden die sich ergebenden Urteile verschieden sein und sogar widersprüchlich erscheinen. Die verschiedenen Schulen der Kritik sind – wie bereits bemerkt – geneigt, eine bestimmte Dimension ästhetischer Semiose als Norm zu akzeptieren und die Kunstwerke danach einzustufen, wieweit sie jene syntaktischen, semantischen oder pragmatischen Merkmale aufweisen, die durch die jeweilige Betrachtungsweise zur Norm gemacht werden. Was die ästhetische Kritik betrifft, so ist das Ergebnis ein Skandal; aber vielleicht hat das Babel der Kritik auch ein Gutes: Es zwingt die Leute, direkter auf den ästhetischen Diskurs selbst einzugehen und sich der Kunst freier und offener zu nähern, als die Verfechter der verschiedenen „-ismen“ es können.

Falls die oben erwähnten Quellen der Verwirrung erkannt werden, dürfte man einige Klarheit gewinnen; man wird einsehen, daß der Kritiker jenen Punkt deutlich machen muß, an dem er den wissenschaftlichen Kontext der ästhetischen Analyse verläßt und zum ästhetischen Urteil übergeht, d. h. in einen technologischen Diskurs eintritt. Das ästhetische Urteil ist ein Urteil über ästhetische Zeichen; letztlich kann seine Aufgabe nur darin bestehen, zu beurteilen, wie angemessen ein ästhetisches Zeichen seine besondere Funktion erfüllt, durch die Verkörperung in einem geeigneten Zeichenträger Werte zu präsentieren; und für die Antwort auf diese Frage sind alle Daten, die die syntaktische, semantische und pragmatische Zeichenanalyse liefert, wesentlich. Nur dann, wenn ein Kunstwerk die Aufgabe hat, sämtliche Werte zu verkörpern, oder den höchsten Wert in einer Wertetafel, ist es angebracht, ein Urteil über die Höhe oder den Rang des Wertes, der durch ein Zeichen designiert wird, auf dieses Zeichen selber anzuwenden. In der Praxis wird es schwierig sein, eine solche Unterscheidung zu treffen, denn der ästhetische Zeichenträger verkörpert als Ikon die Werte, die er bezeichnet, er kann daher sowohl als Zeichen wie als Wertgegenstand beurteilt werden. Auf diese Unterscheidung zu pochen wäre pedantisch, wenn nicht die Theorie gerade zu dem Zweck entwickelt worden wäre, den Kunstkritiker für seinen Gegenstand, nämlich die ästhetischen Zeichen, zu sensibilisieren. Obwohl er als Individuum die Kunst ebenfalls von verschiedenen anderen Standorten aus kritisieren darf, wie z. B. dem moralischen Standort, kann mit gutem Recht von ihm verlangt werden, daß er erkennt, wann er aus der Sphäre des ästhetischen Urteils zu anderen Urteilsgesichtspunkten übergeht, die der Wertbereich zuläßt.

Wenn die Zeichentheorie mit einer angemessenen Werttheorie verknüpft wird, so kann daraus nicht nur eine Theorie über die Beschaffenheit der Kunst, sondern auch ein wichtiger Beitrag zur Technik der ästhetischen Kritik entstehen.

XIII. Ästhetik und die Einheit der Wissenschaft

Zum Schluß möchte ich nur noch einen Punkt aufgreifen, der im Verlauf der ganzen Diskussion implizit geblieben ist. Die Charakterisierung der ästhetischen Diskurse ist der Leitfaden, an dem sich die Kunst als eine Form menschlicher Aktivität anderen Formen menschlicher Aktivität – zum Beispiel denen, die sich in wissenschaftlichen und technologischen Diskursen niederschlagen – gegenüberstellen läßt; sie sollte in einem Zeitalter, das von Technologie und Wissenschaft beherrscht wird, zum Verständnis von Wesen und Bedeutung der Kunst und zur Befreiung kreativer künstlerischer Kräfte beitragen. Trotzdem fällt Ästhetik als die Theorie von den spezifischen Eigenschaften ästhetischer Diskurse in dasselbe Gebiet wie die Theorie wissenschaftlicher oder technologischer Diskurse; d. h. als Teil der Zeichentheorie ist die Ästhetik eine wissenschaftliche Disziplin, die im System der Wissenschaften genau den Platz einnimmt, den auch die Semiotik selbst einnimmt. Die zeichentheoretische Konzeption der Ästhetik ist somit nicht allein für die Kunst, die Ästhetik und die Semiotik bedeutsam, sondern für das gesamte Programm einer Integration der Wissenschaften. Das Verhältnis der Semiotik zum System der Wissenschaften und ihre strategische Position bei der Integration der Naturwissenschaften auf der einen Seite und der Sozial- und Geisteswissenschaften auf der anderen wird Gegenstand einer späteren Untersuchung sein.

Anmerkungen

[1] Bei der Formulierung der Semiotik halte ich mich an meine Monographie ›Grundlagen der Zeichentheorie‹. Die zugrundeliegende Kunstauffassung stimmt in allen wesentlichen Teilen mit der Formulierung überein, die John Dewey in ›Art as Experience‹ (Minton, Balch, and Co., New York City 1934) gegeben hat, besonders dort, wo sie im Zusammenhang mit der Meadschen Konzeption der „Handlung" dargestellt wird (George H. Mead, The Philosophy of the Act, University of Chicago Press, 1938). Ich bin allerdings davon überzeugt, daß eine in pragmatistischen Begriffen konzipierte Ästhetik (und das Buch von Stephen C. Pepper, Aesthetic Quality, Scribner's, New York City 1937, sollte hier zusätzlich zu den Werken von Dewey und Mead erwähnt werden) viel präziser formuliert werden kann (wenn auch nicht so gefällig) und daß ihre Beziehung zum Gebäude der Wissenschaften durchsichtiger wird, wenn man sie in den Begriffen der Zeichentheorie formuliert. Bahnbrechend für diesen Ansatz der Kunstbetrachtung war I. A. Richards mit seinen ›Principles of Literary Criticism‹ (London 1924) und mit anderen Werken.

[2] I. A. Richards: „Die beiden Pfeiler, auf denen eine Theorie der Kunstkritik ruhen muß, sind eine Darstellung der Wertung und eine Darstel-

lung der Kommunikation" (Principles of Literary Criticism, London 1924, S. 25).

3 Vgl. R. B. Perry, General Theory of Value (New York City 1926) und die Artikel im: International Journal of Ethics (1931), Journal of Philosophy (1931) und: Philosophical Review (1932); J. Dewey, Essays in Experimental Logic (Chicago 1916), S. 349–389; J. Dewey, The Quest for Certainty (New York City 1929), Kap. 10; G. H. Mead, The Philosophy of the Act (Chicago, 1938). Außerdem möchte ich auf die Monographie ›Theory of Valuation‹ von J. Dewey in Band II der ›International Encyclopedia of Unified Science‹ (Chicago 1939) verweisen.

4 Die Frage nach der Beziehung zwischen der Zeichentheorie und einer solchen objektiv-relationalen Werttheorie wirft interessante Probleme auf. Es erscheint wünschenswert, den Zeichenbegriff bei der Definition von „Interesse" zu verwenden; zum Beispiel können sich zwei verschiedene Systeme so zueinander verhalten, daß für die Erhaltung des einen der Kontakt zum anderen notwendig ist; doch würde man so etwas kaum als Interesse beschreiben, es sei denn, das betreffende System wäre auf der Suche nach dem anderen System und ließe sich dabei durch Zeichen leiten. Meads Version der „Handlung" und Perrys Version des „Interesses" involvieren beide die Annahme von Zeichenprozessen; in der Tat scheinen beide Konzeptionen im Kern dasselbe zu behandeln. Falls es vorzuziehen ist, daß man „Interesse" mit Hilfe des Zeichenbegriffs (und selbstverständlich weiterer Begriffe) definiert, dann wäre im System der Wissenschaften die Werttheorie von der Zeichentheorie abhängig und die Ästhetik sowohl von der Werttheorie als auch von der Zeichentheorie. Im vorliegenden Zusammenhang ist nur die letztere Abhängigkeit wichtig, nicht aber die gegenseitigen Beziehungen von Werttheorie und Zeichentheorie.

5 Es ist anzumerken, daß Dewey den Ausdruck „value" aus verschiedenen Gründen in einem engeren Sinne gebraucht als wir und daß er für die weitere Bedeutung einen Ausdruck wie "object of liking" vorzieht (vgl. The Quest for Certainty, Kap. 10). So heißt etwas bei ihm nicht schon „gut" oder „wertvoll", wenn es Gegenstand einer Neigung oder eines Interesse ist, sondern erst wenn gesagt werden soll, daß es zur Lösung der Problemsituation ausreicht, in der die Neigungen in Konflikt geraten sind. Dies scheint mir eine berechtigte Nuance zu sein, die mit Deweys gesamter Philosophie in Einklang steht, sie führt aber nicht zu einem Unterschied im Grundsätzlichen, denn letztlich sind jene Faktoren, die Neigungskonflikte (oder Konflikte zwischen niedrigeren Werten) lösen, wertvoll (auf höherer Ebene), nur weil ein Interesse an der Lösung solcher Konflikte besteht.

6 Aber vielleicht nicht den Gesamtwert dessen, was designiert ist, denn

ein ikonisches Zeichen kann abgesehen von seinem ikonischen Charakter noch andere Designationsstufen besitzen. Ein gemalter Mensch ist kein Mensch aus Fleisch und Blut, und nicht alles, was das Bild designiert, kann man unmittelbar auf dem Bild sehen. Solche Überlegungen haben besondere Bedeutung für die Literatur, wo ikonische und nichtikonische Aspekte des Zeichenprozesses gleichermaßen wichtig sind. Sie sollen hier aber aus Einfachheitsgründen zurückgestellt werden; denn sie komplizieren das vorgebrachte Kriterium des ästhetischen Zeichens, falsifizieren es aber nicht.

[7] Die Differenzierung in der vorigen Anmerkung gilt hier ebenfalls.

[8] Dewey benutzt diesen Ausdruck in ›Art as Experience‹; die Vorstellung, daß die ästhetische Erfahrung ein aktiver Wahrnehmungsvorgang ist, hat für ihn zentrale Bedeutung.

[9] Sie ist zum Teil deshalb verschwommen und allgemein, weil wir uns erst am Anfang einer semiotischen Theorie der Ästhetik befinden, zum Teil deshalb, weil eine größere Genauigkeit die Überlegung einschließen müßte, wie nichtikonische Zeichen im ästhetischen Kontext fungieren, und dies ist seinerseits verbunden mit dem Problem einer semiotischen Unterscheidung der verschiedenen Künste. Häufig fungieren sekundäre Symbolformen beim Aufbau des komplexen Ikons: So sind die Noten in einer musikalischen Partitur und die Wörter in einem gedruckten Gedicht Hilfsmittel zur Erzeugung des genuinen ästhetischen Zeichenträgers – er besteht in der Musik aus Tönen und beim Gedicht vielleicht aus Tönen, ergänzt durch die Interpretanten der Hilfssymbole. Das „vielleicht" weist auf die Komplexität der Phänomene hin, die an der ästhetischen Semiose beteiligt sind.

[10] Vgl. Grundlagen der Zeichentheorie, Abschnitt 13, sowie Deweys Diskussion der abstrakten Kunst in ›Art as Experience‹, besonders die Seiten 93–94, 100–101.

[11] R. Carnap, Philosophy and Logical Syntax (London 1935): Logical Syntax of Language (London 1937); Foundations of Logic and Mathematics (Int. Enc. of Unified Science, Bd. I, Heft 3, 1939).

[12] Philosophy and Civilization (New York City 1931, S. 120–121).

[13] Vgl. besonders ›Art as Experience‹, S. 97 u. Kap. 4.

[14] Man sollte hinzufügen: Soweit ein Interesse an ästhetischer Wahrnehmung als solcher existiert, kann dieses Interesse innerhalb der Kunst selbst vollkommen zufriedengestellt werden.

[15] Ein anderes Beispiel kann man in dem Gebrauch von Modalausdrücken finden; man stelle das „muß" der beiden Sätze, „ein schwerer Körper, der nicht gestützt wird, muß fallen" und „man muß mehr an seine Kinder denken" einander gegenüber. Es ist für später geplant, die Natur technologischer Mitteilungen und ihr Verhältnis zu wissenschaftlichen und ästhetischen Mitteilungen im einzelnen zu untersuchen.

Jan Mukařovský, Studien zur strukturalistischen Ästhetik und Poetik. München: Carl Hanser Verlag 1973, S. 7–19; 311 (Übersetzer: H. Grönebaum. – Früher erschienen in: J. Mukařovský, Studie z estetiky. Prag 1966, S. 117–124; Erstdruck: Myśl' współczesna 1947).

ZUM BEGRIFFSSYSTEM DER TSCHECHOSLOWAKISCHEN KUNSTTHEORIE

Von Jan Mukařovský

Die Studie ›Der Strukturalismus in der Ästhetik und in der Literaturwissenschaft‹ [1] aus dem Jahre 1940 sollte eine zusammenfassende Charakteristik des damaligen Standes der strukturellen Ästhetik geben. Die hier vorgelegte Arbeit hat die gleiche Aufgabe im Hinblick auf die jetzige Situation.[2] Dabei geht es uns nicht um eine bibliographische Aufzählung oder gar um Inhaltsangaben einzelner Aufsätze und Bücher, sondern um die Analyse einiger Grundbegriffe, die für das Begriffssystem der heutigen tschechoslowakischen Kunsttheorie charakteristisch sind. Wir wissen, wie nachteilig ein solches resümierendes Verfahren ist: es bedeutet notwendig die Abstraktion zahlreicher individueller Forschungen und birgt die Gefahr in sich, daß als scheinbar unveränderlicher Zustand dargestellt wird, was in Wirklichkeit ein lebendiger und ständig fortschreitender Prozeß ist. Sind wir uns jedoch dieser Tatsache bewußt, können wenigstens grundlegende Fehler vermieden werden.

Der charakteristische Begriff der Kunstwissenschaft ist seit einigen Jahrzehnten der Begriff der Struktur. Dieses Wort ist im Hinblick auf den jetzigen Stand wissenschaftlichen Denkens kein Novum: in den heutigen Sozial- und Naturwissenschaften ist es geradezu bezeichnend für eine bestimmte Denkmethode, die das positivistische Denken abgelöst hat. In diesem Zusammenhang muß vielmehr darauf hingewiesen werden, daß sich der Begriff der Struktur in der Auffassung der tschechoslowakischen Kunstwissenschaft wesentlich von einigen anderen, scheinbar ähnlichen Auffassungen unterscheidet, vor allem vom sog. Holismus. Der Hauptunterschied besteht darin, daß der Holismus vor allem das Ganzheitliche betont und in der Abgrenzung das grundlegende Merkmal des Ganzen sieht. Die innere Differenzierung des Ganzen stellt sich ihm als Folge seiner Abgrenzung seiner „Ganzheitlichkeit“ dar.[3] Im Unterschied dazu ist der Begriff der Struktur auf der inneren Vereinheitlichung des Ganzen durch wechselseitige Beziehungen seiner Komponenten aufgebaut; dabei handelt es sich nicht nur um positive Beziehungen – Übereinstimmung und Einklang – sondern auch um negative – um Widersprüche und Gegensätze; aufgrund dieser Beschaffenheit steht der Begriff der Struktur in Verbindung mit dem dialektischen Denken. Gerade weil die Beziehungen zwischen den Komponenten dialektischer Natur sind, können sie nicht aus dem Begriff des Ganzen deduziert werden; das Ganze ist ihnen gegenüber nicht prius, sondern posterius, und ihre Ermittlung ist folglich nicht eine Angelegenheit abstrakter Spekulation, sondern der Empirie. Deswegen ist die zweite wesentliche Eigenschaft strukturellen Denkens der noetische Materialismus, die Überzeugung, daß die differenzierte Wirklichkeit unabhängig vom erkennenden Subjekt existiert und die Beziehungen zwischen den Komponenten der Struktur reale Geltung haben. Der traditionelle Grundsatz, nach dem das Ganze mehr als die Teile darstellt, aus denen es sich zusammensetzt, ist für die strukturelle Auffassung einerseits zu eng. Bereits Engels hat gezeigt:

Teil und Ganzes z. B. sind schon Kategorien, die in der organischen Natur unzureichend wären. – Abstoßen des Samens – der Embryo und das geborne Tier sind nicht als „Teil“ aufzufassen, der vom „Ganzen“ getrennt wird, das gäbe schiefe Behandlung.[4]

Andererseits ist der gleiche Grundsatz für die strukturelle Auffassung zu weit gefaßt, denn er subsumiert auch Ganzheiten, die keinen Strukturcharakter aufweisen, wie z. B. Formen und Gebilde, mit denen sich die Gestaltpsychologie befaßt.

Weil die Beziehungen, die die Einheit der Struktur erhalten, ihrem Wesen nach dialektisch sind, ist für die Struktur weiterhin ständige Bewegung und Veränderung kennzeichnend: das innere Gleichgewicht der Komponenten wird ständig gestört und von neuem aufgebaut, die Einheit der Struktur erscheint als wechselseitiger Ausgleich der Energien. Das, was in der Struktur erhalten bleibt, ist die dialektische Identität ihrer Existenz; da in jedem Augenblick der Fortdauer virtuell ein Abklingen des vergangenen Zustandes und der Beginn des künftigen angelegt sind, kann man sagen, daß die Struktur in jedem Augenblick gleichzeitig sie selbst und nicht sie selbst ist. Als Gegensatz zu dieser kontinuierlichen Veränderlichkeit muß wiederum dialektisch die Frage nach der Beständigkeit des Fortdauernden gestellt werden. Gleichbleibend ist vor allem der Komplex der Komponenten; nicht diese Komponenten, sondern ihre Wechselbeziehungen sind ständigen Veränderungen unterworfen – immer, wenn im Entwicklungsverlauf irgendeine scheinbar neue Komponente auftaucht, muß man fragen, in welcher Gestalt, gegebenenfalls in welcher nicht unterscheidbaren Gemeinschaft mit einer anderen Komponente sie schon vorher existierte. Der zweite Gesichtspunkt, unter dem das Problem der Beständigkeit in der Struktur betrachtet werden kann und sollte, ist die Frage, ob nicht etwas relativ oder absolut Beständiges in den sich wandelnden Beziehungen der Komponenten selbst liegt; insofern es um relativ Beständiges geht, führt diese Frage zur Periodisierung der Strukturentwicklung in einem größeren Zeitraum, handelt es sich um absolute Beständigkeit, werden unveränderliche grundlegende Entwicklungsgesetze das Ergebnis unserer Untersuchungen sein.

Um das hier Ausgeführte zu konkretisieren, fragen wir jetzt, was der allgemeine Begriff der Struktur am konkreten Material der Kunsttheorie leistet. Wir schicken voraus, daß nicht nur die innere Komposition des Kunstwerkes als Komplex struktureller Beziehungen erscheint, sondern auch die zahlreichen Beziehungen zu dem, was zwar außerhalb des Werkes steht, aber zu ihm in Beziehung tritt; strukturellen Charakter hat z. B. auch das Verhältnis des Werkes zu seinem Urheber, zu Werken anderer Künste, zu anderen kulturellen Erscheinungen usw. Die der holistischen Auffassung nahestehende Vorstellung, daß sich Strukturen niederen Ranges schrittweise in Strukturen höheren Ranges eingliedern und daß dieses gesamte Struktursystem in einer höchsten, durch nichts mehr bedingten Einheit gipfelt, ist abzulehnen.[5] Dieser schematisierenden Konstruktion stellt der kunstwissenschaftliche Strukturalismus eine dialektische Auffassung entgegen, die ihr Augenmerk vor allem auf die wechselseitigen und veränderlichen strukturellen Beziehungen zwischen den einzelnen Erscheinungen richtet, während sie die Geschlossenheit der Struktur nur als eine relative betrachtet. Deshalb begreift der kunstwissenschaftliche Strukturalismus – im Unterschied zum Holismus – die Entwicklungsinitiative auch nicht innerhalb der sich entwickelnden Reihe, sondern in äußeren Entwicklungsimpulsen. Eine autonome Entwicklung der Reihe sieht er nur darin, wie diese Reihe (z. B. die tschechische Dichtung) die äußeren Entwicklungsimpulse dialektisch ihrer eigenen Beschaffenheit und ihrem bisherigen Zustand anpaßt.

Im Hinblick auf das künstlerische Schaffen selbst ist zu beachten, daß nicht nur die Komposition des individuellen Werkes Struktur ist (z. B. im dichterischen Werk das Verhältnis des metrischen Schemas und einzelner sprachlicher und thematischer Komponenten zueinander), sondern vor allem auch die gesamte lebendige Tradition einer bestimmten Kunstart. Das zeigt sehr deutlich die Folklore, in der das, was fortbesteht und Gewicht hat, keineswegs das Werk eines einzelnen ist, sondern künstlerische Gewohnheit, eine Formel, die dieses Werk ermöglicht. Eine Frau auf dem Lande, die vor hohen Feiertagen auf den Fußboden ihrer Stube mit Sand Figuren streut oder mit Seife Fensterscheiben bemalt, denkt nicht darüber nach, daß ihr Werk bald vernichtet wird – entscheidend ist für sie die bleibende Fähigkeit, bei Bedarf wiederum etwas Ähnliches hervorzubringen. Auch der jugoslawische Guslaspieler, der scheinbar Zehntausende von Versen im Gedächtnis zu behalten vermochte, kannte in Wirklichkeit nur einen Komplex bestimmter traditioneller Formeln und Themen, die er bei jedem Vortrag schöpferisch verwertete. Betrachten wir mit dieser an der Volkskunst gewonnenen Erkenntnis die „hohen“ Künste, bei denen es scheinbar in erster Linie auf die individuelle Schöpfung ankommt, so wird uns bewußt, daß nicht sie die eigentliche Existenz der Kunst gewährleistet, sondern die „lebendige Tradition“, die Eigentum der gesamten Gesellschaft ist und über das Schaffen des Einzelnen hinausgeht. Auch das eigenwilligste Kunstwerk ist auf eine bestimmte Art der Wahrnehmung hin konzipiert, die jedoch durch das determiniert ist, was in der Entwicklung der neuen Kunst unmittelbar vorausging. Wird das Werk in einer anderen Epoche als in der Zeit seiner Entstehung oder in einer anderen Gesellschaft zum Gegenstand allgemeinen Interesses, so ist die Art der Wahrnehmung eine andere als in der Epoche, für die es ursprünglich bestimmt war. Eine ausgeprägte starke Künstlerpersönlichkeit wird in der Regel ziemlich radikal von der bisherigen künstlerischen Tradition abweichen. Solche Abweichungen werden jedoch sehr schnell zu Gemeingut, zum Bestandteil des künstlerischen Bewußtseins der gesamten Gesellschaft. Grundlage der Kunst ist also keineswegs das individuelle Kunstwerk, sondern der Komplex künstlerischer Gewohnheiten und Normen, die künstlerische Struktur, welche überpersönlichen, gesellschaftlichen Charakter trägt. Das einzelne Kunstwerk verhält sich zu dieser überpersönlichen Struktur ähnlich wie die individuelle Sprachäußerung zum Sprachsystem, das gleichfalls Gemeingut ist und weiter reicht als die Sprache in ihrer Verwendung durch den Sprechenden. Wir werden auf die Ähnlichkeit von Sprache und Kunst zurückkommen, wenn vom Kunstwerk als einem Zeichen die Rede sein wird. Zuvor müssen wir jedoch wenigstens kurz auf die Frage von Form und Inhalt eingehen, die der Kunsttheorie große Schwierigkeiten bereitet hat.

Würden wir dieses Begriffspaar als letzte Instanz bei der Analyse des Aufbaues von Kunstwerk und künstlerischer Struktur überhaupt akzeptieren, leugneten wir damit gleichzeitig den Grundsatz der wechselseitigen Beziehungen *aller* Komponenten, der Beziehungen, die durch ihre dialektische Spannung die Einheit des Werkes aufrechterhalten: Innerhalb der Struktur träte ein Bruch auf. Natürlich ist es richtig, daß das vom Kunstwerk im Betrachter ausgelöste allgemeine Gefühl auf dem Gegensatz von Form und Inhalt beruht – so geschieht es z. B. oft, daß die formale Unterschiedlichkeit zweier Werke mit gleichem Inhalt oder die inhaltliche Unterschiedlichkeit zweier formal verwandter Werke in Betracht gezogen wird: unter den Aufnehmenden achten die einen vor allem auf den Inhalt des Kunstwerkes, während sich die anderen auf die Form konzentrieren; diese unterschiedlichen Standpunkte können auch zu einem Entwicklungsfaktor in der Kunst werden (Epoche des künstlerischen „Formalismus“ und der „Inhaltsbezogenheit“). Auch wenn wir das alles zugestehen, ist es notwendig, das Verhältnis zwischen Inhalt und Form wie alles andere in der Kunsttheorie dialektisch aufzufassen, als Gegensatz zweier Kräfte, wobei beide, „Formales“ und „Inhaltliches“, von *allen* Komponenten des Kunstwerkes getragen werden. In der Praxis ist es oftmals nicht einfach, beides auseinanderzuhalten und beispielsweise zu sagen, in welchem Maße in einem bekannten Werk der tschechischen Romantik, in Máchas ›Máj‹, Liebe als ein grundlegendes Motiv erscheint und inwieweit es ein Wort dieser oder jener Klangfarbe ist; nach beiden Seiten, der der Bedeutung und der Form, und sogar von der Klangform her gesehen, nimmt „láska“ [Liebe] eine Schlüsselstellung im künstlerischen Aufbau des Mácha-Gedichtes ein und bestimmt seine Wirksamkeit. Fügen wir noch ein Beispiel aus der Malerei an: die Farbe ist offensichtlich ein formales Moment des Bildes: dennoch ist sie gleichzeitig in ihrer rein optischen Qualität auch Inhalt. Versehen wir ein völlig abstraktes Bild mit einem blauen Fleck am oberen Rand der Bildfläche, wird uns dieser Fleck den Himmel „kennzeichnen“; taucht er am unteren Rand auf, wird er uns an eine Wasserfläche erinnern. Auch die sog. „formalen“ Elemente sind also Träger des „Inhalts“ und können daher nicht nur ästhetische Werte, sondern auch im Werk enthaltene außerästhetische Werte enthalten. Die Kunstgeschichte zeigt, daß Proteste gegen „anstößige“ künstlerische Formen z. B. politisch oder sozial motiviert werden. Der dialektische Gegensatz von Inhalt und Form durchdringt das ganze Werk und wird damit zu einer treibenden Kraft in der Kunstentwicklung.

Unsere bisherigen Ausführungen bezogen sich auf den Begriff der Struktur in der Auffassung der tschechoslowakischen Kunsttheorie. In diesem Zusammenhang müßte noch manches andere erwähnt werden. Es wäre z. B. zu zeigen, daß die Annahme einer allgemeinen, innerlich einheitlichen Struktur wie z. B. der Dichtung als solcher eine abstrakte Fiktion ist. Es gibt keine Dichtung als solche, nicht einmal eine tschechische Dichtung als solche, sondern innerhalb jeder Literatur eines Volkes unterscheidet man verschiedene Gattungen (wie Lyrik, Roman u. ä.) und unterschiedliche Schichten (wie Stadt-, Dorf-, Boulevard-, Kinderliteratur usw.). Jedes dieser Teilgebilde ist eine selbständige Struktur mit eigenen Normen und erst ihre Gesamtheit bildet eine Struktur höherer Ordnung, in der diese Einzelgebilde dialektisch vereinheitlichte Komponenten darstellen, eine Struktur, die wir als Dichtung dieses oder jenes Volkes bezeichnen. Die Beziehungen zwischen den Literaturen der einzelnen Völker sind wiederum strukturell zu sehen wie auch die Beziehungen zwischen den einzelnen Kunstarten usw. Das alles kann hier nicht im einzelnen erörtert werden, obwohl wir uns der Gefahr einer schematischen Verzerrung durch bloße flüchtige Erwähnung bewußt sind. Um dieser Gefahr wenigstens teilweise zu entgehen, erinnern wir an unsere oben formulierte ablehnende Haltung gegenüber einer einseitigen Hierarchisierung der Strukturen.

Wenden wir nun unsere Aufmerksamkeit dem zweiten grundlegenden Begriff der strukturellen Kunsttheorie zu, dem Begriff des Zeichens und dem mit ihm in Wechselbeziehung stehenden Begriff der Bedeutung. An dieser Stelle kommen wir erneut auf die oben erwähnte Analogie zwischen Kunst und Sprache zurück. Ähnlich wie die sprachliche Äußerung ist auch das Kunstwerk dazu bestimmt, zwischen zwei Seiten zu vermitteln; im Falle der Sprache zwischen Sprecher und Hörer, beim Kunstwerk zwischen Autor und Aufnehmendem. Anscheinend liegt ein wesentlicher Unterschied darin, daß bei der sprachlichen Äußerung beide Rollen austauschbar sind, bei der künstlerischen jedoch nicht. Betrachtet man die Volkskunst, wird ebenfalls eine vollständige Austauschbarkeit der Rollen sichtbar: in der Volkspoesie unterliegt das Lied ständigen Veränderungen aufgrund fortlaufender Reproduktionen durch ein beliebiges Mitglied der Dorfgemeinschaft; im Volkstheater greifen die Zuschauer beliebig in die Handlung ein und Schauspieler, die ihre Rolle beendet haben oder im gegebenen Moment nicht beschäftigt sind, werden zu Zuschauern.[6] Im Bereich der Volkskunst lassen viele Zweige der bildenden Kunst keine genaue Trennung zwischen Produzenten und Konsumenten der künstlerischen Schöpfung erkennen. Betrachten wir im Bewußtsein dieser Erkenntnis die „hohen" Künste, stellen wir auch dort in vielen Fällen eine bedeutende aktive Teilnahme des Aufnehmenden bei der Entstehung des Kunstwerkes fest: in der Renaissance schrieben die Auftraggeber von Werken der bildenden Kunst oft Sujet und Verarbeitung vor; natürlich beteiligen sich Theaterzuschauer normalerweise nicht an der Bühnenhandlung, aber es ist allgemein bekannt, in welchem Maße ihre gefühlsmäßige Teilnahme oder Nichtteilnahme am Bühnengeschehen auf die Schauspielerleistungen einwirkt, und in Revue-Theatern entwickelt sich der Dialog oft nicht unter den Schauspielern, sondern zwischen den Zuschauern und der Bühne. Es ließen sich noch weitere zahlreiche Belege anführen, aber uns ging es nur um den Beweis, daß hinsichtlich der Beteiligung der beiden Seiten, der aktiven und der passiven, kein wesentlicher Unterschied zwischen sprachlicher Äußerung und Kunstwerk besteht, daß, mit anderen Worten, Sprache und Kunstwerk Zeichencharakter tragen. Dadurch unterscheiden sie sich vor allem vom „Ausdruck" (Expression), mit dem einige ästhetische Richtungen die Kunst identifizieren. Dem dialektischen Denken hingegen ist klar, daß das Kunstwerk unter anderem, wenigstens potentiell, *auch* Ausdruck ist: das Ausdruckshafte ist jedoch nicht seine Grundlage.

Als Zeichen erweist sich das Kunstwerk aufgrund seiner inneren Komposition, aber auch in seiner Beziehung zur Wirklichkeit, zur Gesellschaft sowie im Verhältnis zu seinem Urheber und zum Aufnehmenden. Wir werden nacheinander, wenn auch nur sehr kurz, diese einzelnen Aspekte des Zeichencharakters des Kunstwerkes betrachten und dabei zunächst auf das Zeichenhafte seiner inneren Komposition eingehen. Die vorangehenden Ausführungen erleichtern uns hier die Arbeit. Bei der Behandlung der Frage von Inhalt und Form erwähnten wir, daß jede Komponente des Kunstwerkes Träger von Inhalt ist. Wir hätten auch sagen können, Träger von Bedeutung: erscheint im oben angeführten Beispiel die Farbe entsprechend ihrer Plazierung auch auf dem nichtgegenständlichen Bild einmal als Himmel, ein anderes Mal als Wasserfläche, so ist dies darauf zurückzuführen, daß wir sie als Zeichen begreifen und die Sache, auf die wir sie beziehen (Himmel, Wasserfläche) als Bedeutung. Angesichts der Behauptung, daß der Aufbau des Kunstwerkes einen komplizierten Komplex von Zeichen und Bedeutungen darstellt, könnte man fragen: Wie steht es mit dem Thema – ist es auch bloß eine im Werk enthaltene Bedeutung? Ein solcher Einwand verrät eine ungenügende Berücksichtigung der eigentlichen Grundlage des Zeichens, seiner Beziehung zur Wirklichkeit. Der grundlegende Zeichentyp ist für uns nicht ein das „Transzendente" vertretendes Symbol, sondern ein sprachliches Zeichen, ein Wort, das die materielle Wirklichkeit nicht nur vertritt, sondern aktiv auf sie hinweist und das Verständnis und das Verhalten ihr gegenüber beeinflußt. Die sogenannte Wortbedeutung, wie sie im Wörterbuch definiert ist, umreißt nur die Sachbezüge, die das Wort herstellen kann.

Das alles trifft in abgeänderter Form auch auf das Kunstwerk zu. Der Sachbezug, über den wir bisher sprachen, ist ein „mitteilender“ Sachbezug. Der Unterschied zwischen Kunstwerk und anderen Zeichen besteht nicht darin, daß dem Kunstwerk das Merkmal des mitteilenden Sachbezuges fehlt. Bei einigen Kunstwerken ist er ganz offensichtlich; z. B. beim Porträt und der Vedute in der Malerei oder beim historischen Roman in der Dichtung. Aber auch dann, wenn er scheinbar völlig verdrängt ist, kann er in Wirklichkeit gerade aufgrund dieser Verdrängung sehr lebendig empfunden werden. Bekanntlich haben kubistische Maler nachdrücklich das abbildende, d. h. mitteilende Moment ihrer Bilder betont. Wie jedes mitteilende Zeichen ist auch das Kunstwerk auf eine bestimmte Einzelheit gerichtet, die es meint und über die es etwas aussagt. Nehmen wir beispielsweise Monets bekannte Bilderserie der Heuschober. Der impressionistische Maler hat sie wiederholt zu verschiedenen Tageszeiten und unter verschiedenen Lichtverhältnissen gemalt. Er wollte mit seinen Bildern folgendes aussagen: das Individuum Monet hat eine bestimmte, einzigartige Wirklichkeit in einem bestimmten, nicht wiederholbaren Augenblick so gesehen. Wir bezweifeln jedoch, daß er nur diese Aussage machen wollte, denn gerade die Impressionisten strebten danach, die Wirklichkeit so zu erfassen, wie sie eigentlich jeder Mensch sehen müßte; darin bestand das künstlerische und sogar das moralische Pathos ihrer Methode. Diese impressionistische Auffassung von der Malerei könnte anhand vieler Aussagen belegt werden. Darf man daraus schließen, daß der wirkliche Gegenstand impressionistischer Bilder gerade jene bestimmte Wirklichkeit ist, die der Maler abgebildet hat und die dem Betrachter völlig gleichgültig sein kann? Wenn dem so wäre, müßte der Maler von Bild zu Bild seine künstlerische Methode – von der Technik bis zu abstrakten Stilprinzipien – ändern, um dadurch so genau wie möglich den jeweiligen Gegenstand zu erfassen. Statt dessen stoßen wir auf das genaue Gegenteil. Beim gleichen Maler bleibt die Arbeitsweise im Grunde die gleiche, welches Thema auch immer er festhält, und umgekehrt wählt er seine Themen gerade im Hinblick auf seine Arbeitsweise, seine Malstruktur. Daraus geht hervor, daß der Bildgegenstand nicht nur die unmittelbar dargestellte Einzelheit ist, sondern gleichzeitig auch die gesamte Wirklichkeit, die Gesamtheit des mit dem Auge Erfaßbaren. Auch hier handelt es sich um ein Verhältnis zur Wirklichkeit, das in gleicher Weise aktiv ist, wie die sogenannte mitteilende Beziehung. Indem das Kunstwerk einige Eigenschaften der Wirklichkeit hervorhebt, liefert es einen bestimmten Schlüssel zu ihrem Verständnis und ihrer Erfassung. Das Kunstwerk als Zeichen ist also auf der dialektischen Spannung zwischen einem doppelten Bezug zur Wirklichkeit aufgebaut: dem Bezug zu jener konkreten Wirklichkeit, die es unmittelbar meint, und dem Bezug zur Wirklichkeit überhaupt. Eingehendere Ausführungen zur Frage des Sachbezuges des Kunstwerkes wären zu kompliziert und würden den Rahmen dieser Studie sprengen. Hier ging es uns nur um den Hinweis, daß die reale Wirksamkeit des Kunstwerkes in keiner Weise unterschätzt, sondern im Gegenteil betont wird, wenn man als Träger der Bedeutung – und folglich auch der Beziehung zur Wirklichkeit – nicht nur das Thema, sondern alle Komponenten des Kunstwerkes betrachtet. Im übrigen ergibt sich die Zeichenhaftigkeit des Kunstwerkes aus dem gesellschaftlichen Charakter der Kunst. Der innere Aufbau des Kunstwerkes ist so angelegt, daß er sich im Bewußtsein des Aufnehmenden als bestimmte Stellungnahme zur Wirklichkeit formiert. Diese allgemeine Sinngebung stellt den Bezug des Werkes zum System der für eine bestimmte Gesellschaft gültigen Werte, zu ihrer Ideologie her. Das Kunstwerk reagiert auf diese Ideologie, bejaht sie, steht im Gegensatz zu ihr oder beteiligt sich an ihrer Umgestaltung.

Damit gelangen wir unwillkürlich zur Beziehung zwischen Kunstwerk und Gesellschaft. Eine verbreitete Auffassung besagt, daß das Kunstwerk passiver „Ausdruck" der Gesellschaft sei, aus der es hervorgegangen ist, bzw. der Gesellschaft, die es als das ihrige aufnimmt. Als Initiator dieser Ansicht ist vor allem H. Taine zu nennen. Der Marxismus hingegen hat gezeigt, daß die Beziehung zwischen Kunstwerk und Gesellschaft ihrem Wesen nach aktiv ist: die Kunst ist Träger von Tendenzen der Gesellschaft, bzw. eines Teiles dieser Gesellschaft (einer Klasse) und beteiligt sich aktiv an der Herausbildung ihrer Ideologie und der Verteidigung ihrer Interessen. Diese marxistische These befreit die Kunst aus dem Zustand eines bloßen Ornaments und teilt ihr die Rolle eines wichtigen Faktors im gesellschaftlichen Leben zu. Sie setzt allerdings voraus, daß es der Forschung gelingt, auch die unausgesprochene Tendenz des Kunstwerkes aufzuspüren und nicht nur diejenige, die deutlich durch seinen Inhalt zum Ausdruck kommt. Häufig wird auch ein Werk zum kämpferischen Exponenten sozialen Aufbruchs, welches auf den ersten Blick eine negative Haltung gegenüber den realen gesellschaftlichen Interessen einnimmt, sie ignoriert oder der Beziehung zur empirischen Realität ablehnend gegenübersteht. Dennoch und gerade deshalb ist es aktiv am gesellschaftlichen Geschehen beteiligt (manchmal ohne daß seine Herkunft bewußt wird). Diese unausgesprochene Tendenz ist ein Faktum der Semantik der Kunst; die Beziehung zwischen Kunstwerk und Gesellschaft gleicht in einem solchen Fall etwa dem Verhältnis zwischen bildlicher Benennung (Metapher u. ä.) und der Sache, die durch diese Benennung bezeichnet wird, nur mit dem Unterschied, daß die dichterische Benennung keine unmittelbare praktische Wirksamkeit hat; Übereinstimmung besteht darin, daß auch die Beziehung zwischen Kunstwerk und Gesellschaft in jedem Einzelfall durch die semantische Analyse des Werkes aufgedeckt werden muß. Will der Forscher die soziale Reichweite und Wirksamkeit des Werkes richtig einschätzen, muß er sich die Frage nach seinem eigentlichen, „nicht übertragenen“ Sinn stellen, der oftmals auch dem augenscheinlichen Sinn diametral entgegengesetzt ist. Das hat die wirklich marxistische Kunsttheorie in vielen Fällen zum Erfolg durchgeführt, und die strukturelle Kunstauffassung geht von solchen Ergebnissen aus.

Das Kunstwerk ist jedoch auch in seiner Beziehung zum Individuum, zu seinem Urheber und zum Aufnehmenden ein Zeichen. Was den Urheber (Autor) anlangt, so wird durch die Zeichenhaftigkeit der Kunst nicht nur ganz bewußt die Art der Aufnahme beim Aufnehmenden vorausbestimmt, sondern auch der spontane, oft unbewußte Schaffensprozeß. Die Schwierigkeiten der Kunstpsychologie beim Festlegen allgemeingültiger Gesetzmäßigkeiten schöpferischer künstlerischer Begabung oder auch des künstlerischen Schaffensprozesses sind hinlänglich bekannt.

Sie werden gegenstandslos, sobald sich der Forscher bewußt wird, daß das Kunstwerk Zeichencharakter besitzt; so ergibt sich z. B. das Spezifische der für das künstlerische Schaffen notwendigen Eigenschaften weder aus einem unveränderlichen „Wesen“ der

Kunst noch ausschließlich aus der psychophysischen Beschaffenheit des jeweiligen Individuums, sondern hängt vom Aufbau des künstlerischen Zeichens in der gegebenen Entwicklungsetappe ab: für einen impressionistischen Maler ist die grundlegende künstlerische Fähigkeit das optische Wahrnehmungsvermögen, für einen kubistischen Maler jedoch das Formgedächtnis, und zwar deswegen, weil der Aufbau des künstlerischen Zeichens in beiden Entwicklungsetappen unterschiedlich ist. Die erfolglosen Versuche der Psychologie zeigen deutlich, daß kein allgemeines Schema des Schaffensprozesses festgelegt werden kann: wenn man z. B. feststellt, daß sich im Schaffensprozeß eines Dichters zunächst der Klang des Gedichtes (die Intonation u. ä.) herauskristallisiert, bei einem anderen jedoch Ausgangspunkt das dichterische Bild ist, muß man auch hier die Frage stellen, ob nicht dieser Unterschied in hohem Maße durch den Unterschied im Zeichenaufbau der Kunst zum jeweils gegebenen Zeitpunkt bedingt ist.

Gehen wir vom Aufnehmenden aus, so ist richtig, daß die Aufnahme des gleichen Kunstwerkes bei jedem einzelnen einen anderen, vielfach bis zur Nichtmitteilbarkeit individuellen Gemütszustand auslöst. Gemeinsames Merkmal aller dieser Gemütszustände ist jedoch der Anspruch, allgemeingültiges Urteil über Wert und Sinn des Werkes zu sein. Kants Auffassung von der Apriorität des ästhetischen Urteils ist nur eine unberechtigte Hypostase der im Grunde sozialen Tatsache, daß das Kunstwerk als Zeichen mit überindividueller Gültigkeit empfunden wird.

Der Zeichencharakter des Kunstwerkes ist also eine notwendige Voraussetzung der heutigen Kunsttheorie; auch eine scheinbar so „formale" Kunst wie die Musik kann sich ihm nicht entziehen. Die Frage nach dem Sinn des musikalischen Werkes ist unumgänglich, wenn die soziale Wirksamkeit der Musik aufgedeckt und erforscht werden soll; sie wird durch den auf den ersten Blick rein „formalen" Charakter der Musik kompliziert. Die semantische Reichweite jeder Komponente der musikalischen Struktur (z. B. die bedeutungsmäßige Geltung des Tons, der Melodie, des Rhythmus, der musikalischen Genres, einzelner Instrumente usw.) muß sehr sorgfältig und im Zusammenhang mit anderen Künsten analysiert werden. Semantische Untersuchungen führen auch bei anderen Künsten oft zu unerwarteten Ergebnissen; so gelang es beispielsweise der Literaturtheorie in letzter Zeit oft, sehr konkrete Bedeutungsschattierungen scheinbar völlig abstrakter metrischer Schemata zu finden. Die Semantik der Kunst ist ein wichtiges Gebiet, das noch auf seine genaue Erforschung wartet.

Wir gehen nun zum letzten der für die tschechoslowakische Kunsttheorie charakteristischen Begriffe über (ohne daß damit die Aufzählung vollständig wäre). Es handelt sich um den Begriff der *Funktion.* Wir wollen hier nicht die ganze Breite seiner auf dem Gebiete der Kunsttheorie möglichen Anwendung erörtern, insbesondere brauchen wir nicht ausführlich darzustellen, in welchem Maße die Wechselbeziehungen einzelner Komponenten der künstlerischen Struktur auch als Funktion dieser Komponenten im Hinblick auf die Gesamtheit der übrigen Komponenten und damit der Struktur des Werkes aufgefaßt werden können. Uns geht es hier nur um die Funktion der Kunst hinsichtlich dessen, was außerhalb der Kunst ist. Kunst hat die unterschiedlichsten Wirkungsmöglichkeiten, und das Kunstwerk kann mit Rücksicht auf eine bestimmte Wirkungsweise gestaltet sein. Die Wirkung des Kunstwerkes geht oft in eine andere Richtung und dient einem anderen Ziel, als sein Urheber vorgesehen hatte. Es gibt Belege dafür, daß der Künstler sich verteidigt, wenn seinem Werk nicht die von ihm vorgesehene Funktion zugesprochen wird. So protestierte der tschechische Dichter Bezruč gegen eine überwiegend ästhetische Auffassung der Funktion seiner Gedichte, die auf nationale und soziale Wirkung hin berechnet waren. Funktionsveränderungen des Kunstwerkes gehen sehr häufig mit dem Wandel der Epoche und des Publikums einher. Deshalb muß die Frage nach den Funktionen der Kunst als evolutionäre gestellt werden. Wirksamkeit und Funktion der Kunst sind vielfältiger Natur, und zwar nicht nur im Zeitablauf, sondern auch simultan gesehen. Diese Funktionen bilden ebenfalls eine Struktur, deren einzelne Komponenten in wechselseitigen Beziehungen der Unter- und Überordnung stehen; dieses Verhältnis der Unter- und Überordnung ändert sich im Laufe der Entwicklung – besonders die dominierende, überwiegende Funktion ist in jedem Entwicklungsabschnitt eine andere. In diesem Zusammenhang sind sehr konkrete Forderungen notwendig, allgemein kann man nur über die

Beziehung der für die Kunst grundlegenden ästhetischen Funktion zu den übrigen Funktionen sprechen. Die Ansichten über diese Beziehung sind sehr unterschiedlich: die einen meinen, daß in der Kunst unter allen Umständen die ästhetische Funktion überwiege und überwiegen müsse, andere sehen im Gegensatz dazu die eigentliche Aufgabe der Kunst und die ureigenste Rechtfertigung ihrer Existenz in der Erfüllung außerästhetischer Funktionen, sei es intellektueller (Erkenntnis-)Funktionen oder Funktionen politischer, sittlicher, sozialer Art usw. Wie kann diese Streitfrage gelöst werden? Vor allem muß man sich dessen bewußt werden, daß die ästhetische Funktion bei weitem nicht auf das Gebiet der Kunst beschränkt ist, sondern jegliche menschliche Tätigkeit durchdringt und dabei die lebenswichtigen Interessen des Menschen nicht im geringsten beeinträchtigt, sondern sie oft aktiv fördert (wie z. B. in der Erziehung, im Handwerk und der industriellen Produktion usw.). Weiterhin muß man sich vergegenwärtigen, daß die ästhetische Funktion im dialektischen Gegensatz zu allen übrigen Funktionen steht, und zwar deswegen, weil sie kein eigentliches Ziel hat, auf das sie gerichtet ist; deshalb lenkt sie den Menschen nicht von der Sache ab, die ihr Träger ist, sondern bindet seine Aufmerksamkeit an diese Sache: überwiegt der ästhetische Gesichtspunkt bei irgendeinem Gerät oder Instrument, wird der Gegenstand (z. B. Geschirr oder ein Möbelstück) der praktischen Anwendung entzogen und hört auf, ein Mittel zur Durchsetzung eines Zieles zu sein, er wird zum Ziel an sich. Das Ziel ist der „Inhalt" jeder Funktion, es bestimmt ihre Qualität und verleiht ihr in der Regel ihren Namen: wirtschaftliche, politische Funktion, Erkenntnisfunktion u. ä. Die ästhetische Funktion hat keinen Inhalt dieser Art und ist in diesem Sinne inhaltslos, formal. Sie ist die dialektische Negation des Funktionellen überhaupt. Das hindert sie jedoch nicht daran, dialektische Beziehungen zu anderen Funktionen anzuknüpfen und mit ihnen Synthesen einzugehen; gerade weil sie keine eigene Qualität besitzt, übernimmt sie sehr leicht die Qualität anderer Funktionen, die sie begleitet. Dieser Vorgang spielt sich innerhalb und außerhalb der Kunst ab. In der Kunst ist jedoch die ästhetische Funktion der grundlegende, „merkmallose" Pol der Antinomie, die natürliche und grundlegende Funktion; außerhalb der Kunst ist es eine der außerästhetischen Funktionen. Das heißt jedoch bei weitem nicht, daß die ästhetische Funktion in der Kunst überwiegen muß oder daß sie niemals in der außerkünstlerischen Produktion überwiegen kann. Das Übergewicht irgendeiner außerästhetischen Funktion auf dem Gebiet der Kunst ist eine häufige Erscheinung – wird jedoch das Kunstwerk als künstlerisches Gebilde wahrgenommen, erhält die endgültige Synthese der Funktionen in einem solchen Maße eine ästhetische Färbung, daß auch eine dominierende außerästhetische Funktion als ästhetisches Faktum, als Faktor des künstlerischen Werkaufbaues erscheint. Da umgekehrt im außerkünstlerischen Bereich eine der außerästhetischen Funktionen „merkmallos" ist, nimmt auch die ästhetische Funktion notwendigerweise eine „praktische" Färbung an und dient jenem Zweck, auf den sich die dominierende Funktion der Sache oder der Tätigkeit richtet. Die darstellende (mitteilende) Funktion eines Bildes, das als Kunstwerk gedacht ist, bestimmt – durch die Art und den Grad ihrer Durchsetzung – in hohem Maße den künstlerischen Aufbau des Bildes; sie geht damit in das Kunstwerk als grundlegender Bestandteil ein und behält ihre Geltung auch dann, wenn sie nicht in ihrer praktischen Reichweite zur Anwendung kommt (das Bild einer uns völlig unbekannten Landschaft u. ä.). Umgekehrt kann die ästhetische Funktion, sollte sie in einem mitteilenden Bild zur Anwendung kommen, dessen Bestimmung außerkünstlerisch ist – z. B. in der Illustration eines wissenschaftlichen Handbuches –, die im Bild enthaltene Mitteilung nur verstärken; erlangte sie das Übergewicht, würde sie die mitteilende Illustration in ein Kunstwerk verwandeln.

Die Untersuchung der Funktionen der Kunst steckt noch in den Anfängen. Am konsequentesten ist die Frage der Funktionen bisher in der Architektur durchdacht, wo sich die Zweckfrage des Baues als äußerst dringlich erweist. In der Theorie der Architektur wurde wiederholt behauptet und bewiesen, daß die künstlerische Gestalt, welche scheinbar als Frucht ästhetisch ausgerichteter Schöpfungskraft entsteht, sich in Wirklichkeit in Anpassung des Gebildes an außerästhetische, natürliche oder gesellschaftliche, Bedingungen und Anregungen herausbildet, daß, mit anderen Worten, also gerade den außerästhetischen Funktionen eine außerordentlich wichtige Rolle bei der Entwicklung der künstlerischen Gestalt zufällt. Dadurch, daß die Kunst scheinbar entgegen ihrer natürlichen Bestimmung ständig gezwungen wird, praktisch in den Lebensprozeß einzugreifen, erneuert sie ständig ihren ästhetischen Aufbau. Die Beziehung der Kunst zur materiellen Wirklichkeit und zum gesellschaftlichen Geschehen erscheint unter dem Gesichtspunkt der Funktionen in ihrer ganzen Vielfalt und Intimität. Die Wissenschaft von den Funktionen ist neben der Semantik in der Lage, eine organische Verbindung zwischen der sog. Kunstsoziologie und der Analyse des künstlerischen Aufbaues herzustellen, Gebiete zu verbinden, die bisher – zum Schaden der Sache – eher eine Neigung zu gegenseitiger Isolation zeigten.

Wir haben versucht, skizzenhaft eine Übersicht und Darlegung von einigen grundlegenden Begriffen der tschechoslowakischen Kunsttheorie zu geben. Die scheinbar abstrakten Erörterungen stützten sich in hohem Maße auf konkrete Forschungen. Sie sind in keiner Weise dogmatisch – sollte unsere kurze Studie diesen Anschein erwecken, so ist dieser täuschende Eindruck auf den resümierenden Charakter der Ausführungen zurückzuführen. Jede neue Arbeit am konkreten Material wird diese allgemeinen Prinzipien modifizieren, sie präzisieren und Fehler korrigieren. Vom tschechischen Herbartismus bis zur heutigen strukturellen Auffassung der Kunsttheorie führt ein langer Weg voller Veränderungen, deren entscheidendste das Zusammentreffen mit der dialektischen Logik und den marxistischen Voraussetzungen der Kunsttheorie in den letzten beiden Jahrzehnten war.

Anmerkungen

1 Deutsch in: J. Mukařovský, Kapitel aus der Poetik, Frankfurt 1967 (edition suhrkamp 230), S. 7–33.

2 Sie wurde zur Information des Auslandes verfaßt. Daher rühren einige Besonderheiten in unseren Ausführungen.

3 Vgl. J. C. Smuts, Die holistische Welt, Berlin 1938.

4 Marx/Engels, Werke, Dietz Verlag, Berlin 1962, Bd. 20, S. 483.

5 Vgl. Smuts, l. c., S. 227.

6 Vgl. P. Bogatyrev, Lidové divadlo české a slovenské, Praha 1940.

Abraham A. Moles, Cybernétique et œuvre d'art. Revue d'Esthétique 18 (1965), pp. 163–182. Übersetzt von Gisela Henckmann.

KYBERNETIK UND KUNSTWERK

Von ABRAHAM A. MOLES

Am Ende hängen wir doch ab
Von Kreaturen, die wir machten.
Goethe

In seinem Buch ›Human Uses of Human Beings‹, im Französischen fälschlich durch ›Cybernétique et Société‹ wiedergegeben, behandelt Wiener das fundamentale gesellschaftliche Problem der Kybernetik: Die Symbiose mit den Maschinen, die unauffällig unsere Welt, d. h. die Welt unseres Denkens erobern. Gewiß, die energetischen Maschinen, unter denen das Auto das störendste Beispiel ist, zeichnen sich nicht gerade durch maßvolle Bescheidenheit aus: ihre Gegenwart ist uns überdeutlich, wir beziehen sie in unsere Planungen ein, wir sprechen über die industrielle Revolution und über die Macht des Menschen. Aber es sind die Informationsmaschinen, die von nun an mehr und mehr unser Handeln bestimmen, und dies in einer so heimtückischen Weise, daß man durchaus von einer *heimlichen Revolution* sprechen kann, die ohne Wissen der Beteiligten bereits stattgefunden hat. Wie kommt der Mensch, von den Philosophen als alleiniger Inhaber eines Denkvermögens bezeichnet, mit Nachrichten zurecht, die aus künstlichen Organismen stammen? Wenn alle Würde des Menschen auf seinem Denken beruht, mit welchen Augen sieht er den möglichen Konkurrenten, dessen Evidenz er bis heute auf metaphysischer Ebene leugnen konnte, der sich aber funktionell immer deutlicher aufdrängt?

Eine Frage überwiegt zur Zeit alle anderen: die Frage nach den Informationsmaschinen unter ihrem doppelten Aspekt als Maschinen, die denken („Denkmaschine"), oder als Maschinen, die Denkanstöße geben. Die Interpretation „Maschinen, die Denkanstöße geben", ist für den Philosophen annehmbar. Sie verweist auf den Begriff „philosophische Maschinen", an dessen Entwicklung bereits

Lullus und Leibniz gedacht zu haben scheinen, dem aber unsere modernen Philosophieprofessoren etwas zurückhaltend gegenüberstehen angesichts der Vorstellung, daß sie an ihren Lehrstuhl ein Laboratorium anschließen müßten. Die banale Interpretation „Denkmaschine", von dem aufgeregten Enthusiasmus der breiten Öffentlichkeit erzwungen, wurde noch vor einigen Jahren von den meisten Wissenschaftlern abgelehnt; ihr wissenschaftliches Schamgefühl wollte sich nicht mit solchen Geschichten kompromittieren. Inzwischen akzeptiert ein großer Teil von ihnen diese Interpretation, zumindest als bequemen Mißbrauch der Sprache, der gewisse Kategorien von Denkoperationen bezeichnet, wie sie unter dem entsprechenden Artikel des ›Petit Larousse‹ aufgenommen sind. Das führt uns zu einer neuen Haltung gegenüber diesem Wort und zu einer Bestandsaufnahme der Fähigkeiten des Intellekts. Kurz, um auf diese Frage zu antworten, müßte man die Maschinen einigen Tests über ihre psychotechnische Fähigkeit unterwerfen; die Abbildung dazu gibt ein psychologisches Profil des „mechanischen Denkens" (Abb. 1).

Diese symbolische Figur geht von den psychologischen Profilen aus, die für Eignungsprüfungen von Individuen hergestellt werden, und bezieht sich auf eine ideale Maschine mit den besten und wirksamsten Vorrichtungen, die die Computertechnik zur Zeit zumindest als Prototyp realisieren kann. Sie repräsentiert die Leistungsfähigkeit, über die beim augenblicklichen Stand der Dinge z. B. ein Laboratorium verfügen würde, das mit einer IBM 7090 mit den verschiedenartigsten Ein- und Ausgabegeräten ausgestattet wäre. Sie bezieht sich auf eine willkürliche Einheit, nämlich die Kapazität des durchschnittlichen menschlichen Geistes, die als Muster dient.

Uns interessieren nun besonders die einfachsten Fähigkeiten der Maschinen, aufgrund deren man sie „geniale Dummköpfe" genannt hat. Hier steht das Problem des Schöpferischen an erster Stelle und stellt an den Scharfsinn einiger Leute eine Anzahl philosophischer Fragen. Die Frage nach der automatischen Reproduktion der Maschine wird dagegen noch auf spätere Zeit aufgeschoben.

Die schöpferische Tätigkeit bedeutet, etwas Neues in der Welt hervorzubringen, originale Nachrichten herzustellen, die rationalen Regeln unterworfen sind und sich in einer intelligiblen, d. h. für

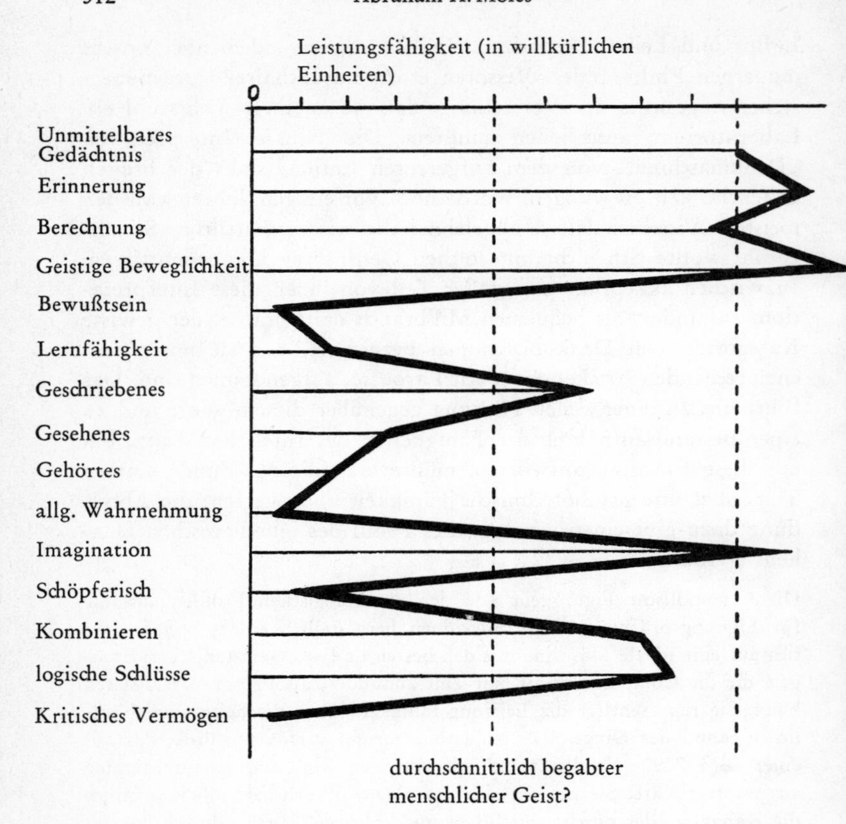

Abb. 1: Testprofil der Fähigkeiten der Maschine.

den „durchschnittlichen" menschlichen Geist faßbaren Form verkörpern. Um das Wesen dieser rationalen Regeln, die dem Begriff der Kohärenz der Mitteilung entsprechen, dreht sich die gegenwärtige Diskussion. Diese Regeln werden einfach statistisch durch die Position der hervorgebrachten Nachrichten auf einer Skala gemessen, die von der wiederholbaren Banalität bis zur vollkommenen Originalität ansteigt und in ihrer elementaren Form nicht genügend scharf zwischen einer von nahem oder von weitem gesehenen Kohärenz unterscheidet. Gewiß kann eine Maschine durchaus Folgen von Zahlen oder Wörtern nacheinander hervorbringen, d. h. das Stammeln eines malenden Schimpansen oder des automatischen Sprechens produzieren oder auch unbegrenzt Papageiengeplapper wiedergeben. Aber ebenso gewiß sind wir unfähig, eine Tragödie von Racine (oder selbst vom R.A.C.I.N.A.C. Rhyme-Autogenerator, Correlator, Integrator, Notionalyser and Computer) maschinell zu reproduzieren.

Simulation und Residuum

Noch vor wenigen Jahren konnte man glauben, besonders auf dem Gebiet der automatischen Übersetzung, daß die Simulierung des menschlichen Denkens durch die Maschine unendlich schneller fortschreiten würde als man heute annimmt. Tatsächlich führt uns die Skizze, die wir weiter oben gezeichnet haben und die uns annehmen läßt, daß sich die noch unzulänglichen Fähigkeiten der Maschinen schnell verbessern lassen, zu einer Fehleinschätzung. Das Erfassen von Begriffen, das Schöpferische ist noch im Entwicklungszustand, und es gibt gute Gründe (Theorem von Gödel) anzunehmen, daß noch fundamentale und sehr zeitraubende Schwierigkeiten auftreten. Dieses Problem läßt sich am Beispiel der Herstellung brauchbarer und sinnvoller künstlicher Texte zeigen, d. h. an der Fähigkeit der Maschine, eine allgemeine Semantik zu beherrschen.

Hierin liegt das zentrale Problem. Wenn tatsächlich eine Maschine fähig wäre, einen langen sinnvollen Text schöpferisch hervorzubringen, würde das einerseits, nämlich auf philosophischer Ebene, bedeuten, daß wir den Sinn erkennen könnten; daß wir andererseits in der Lage wären, sie Erfinderpatente oder geometrische Lehrsätze schreiben oder schließlich Kriminalromane und Gedichte verfassen und Symphonien komponieren zu lassen, indem wir einfach die Semanteme auswechselten, die den Registern der Maschine eingegeben worden wären. Das beruht auf der Idee der Fernordnung (Makrostrukturen), und wir wissen, besonders seit der eingehenden Analyse von Chomsky, daß die Grundlagen dieses Problems der Fernordnung von denen der Nahordnung sehr verschieden sind, wie es der Markoffsche Prozeß deutlich macht. Es gibt nicht nur die Unterschiede in den Relationen zwischen den

Elementen des Denkens, sondern auch den Elementen der Natur, und wir sind gegenwärtig nicht in der Lage, diese Fernordnung zu beherrschen.

Die kybernetische Methode liefert uns jedoch einen sehr wichtigen Grund, ein Unternehmen versuchsweise fortzusetzen, das von der Logik her hoffnungslos erscheint; denn wir glauben zu wissen, daß wir eine andere Art von Theorie brauchen, um eine wirklich schöpferische Leistung zuwegezubringen. Sie legt uns die Idee eines Residuums einer Simulation nahe, d. h. eine Methode, die darin besteht, so vollkommen, wie wir dazu nur in der Lage sind, nämlich durch eine Art der Wiederholung des Denkens, alle Prozesse, die wir beherrschen, zu reproduzieren, um alles zu simulieren, was zu simulieren möglich ist und schließlich, am Ende der Analyse, auf klare Weise den doktrinalen Rest, auf den wir stoßen, zu umschreiben und dann – aber erst dann – auf andere Methoden zurückzugreifen. Die kybernetische Methode findet damit zu der wissenschaftlichen Methode zurück, zu deren beständigsten Axiomen es gehört, mit dem Einfachsten zu beginnen. Bei dem Versuch, Texte durch immer weiter vorgeschobene Markoffsche Annäherungen zu konstruieren, wurde man sich bewußt, daß es für eine solche Operation eine Grenze gab und daß man zu einem bestimmten Zeitpunkt das Lehrsystem wechseln mußte. An diesem Punkte wird die Frage nach der Konstruktion eines maschinellen Kunstwerkes interessant. Die Maschine soll sich tatsächlich dem Kunstwerk von allen nur möglichen Seiten nähern und jedesmal Simulacren entwerfen, die jeweils eine andere Auffassung des Kunstwerkes charakterisieren. Man könnte diese Methode als Neo-Cartesianismus der Maschine bezeichnen, ein Neo-Cartesianismus, der auf der Operationalisierbarkeit beruht und bei dem der „Grad der Ähnlichkeit“ die Rolle des ehemaligen Wertes der „Wahrheit“ einnimmt.

Wir haben heute Proben von der Macht dieser Methode. Wir wissen z. B., daß die Soziometrie vom Morienschen Typus bereits über eine sehr große Anzahl von verschiedenen menschlichen Gesellschaften Auskunft geben kann, indem sie eine Sozio-Kybernetik, ausgehend von einer extrem reduzierten Anzahl von Eigenschaften des sozialen Atoms konstruiert und sie in einer molekularen Chemie kombiniert. Sie gibt von diesen einfachen Eigenschaften her auch

Rechenschaft über so verschiedenartige Fakten wie die Reifung der sozialen Gruppe, die Existenz des Führers, des geheimen Beraters, der Intellektuellenkaste, der sozialen Schichten und Klassen, über die erwiesene Tatsache, daß die Liebenden allein auf der Welt sind, und selbst über gewisse Aspekte der sexuellen Pathologie wie der Homosexualität. Die Sozialpsychologie wäre also, wie wir es bereits oben angedeutet haben, das Residuum dieser Analyse, das Phänomen, das auf dem Grund des Schmelztiegels zurückbleibt, wenn der Analytiker alle Möglichkeiten der atomistischen Simulation erschöpft hat; was dann übrig bleibt, ist das eigentliche Objekt der Psychologie, nämlich die Innenwelt des Menschen.

So entdecken wir auf der einen Seite, daß eine Wissenschaft, die wir als rational ansahen – die nämlich darin besteht, Theoreme zu beweisen, literarische Texte zu schreiben, eine Geschichte zu erzählen usw. ... –, uns entwischt und eine sehr viel fortgeschrittenere Begrifflichkeit verlangt, weil sie eine Transzendenz enthält, die es in jedem Fall einzukreisen gilt. Andererseits müssen wir zugeben, daß sich Wissenschaften, die man wesentlich als Humanwissenschaften angesehen hat wie die Soziologie, sehr viel leichter als anzunehmen war auf eine einfache Kombination von elementaren Eigenschaften innerhalb eines rationalen Modells reduzieren lassen.

Kurz, die kybernetische Analyse zwingt uns – und das ist nicht ihr geringster Verdienst –, unsere Perspektiven und Wertvorstellungen zu ändern. Sie begründet z. B. die Wichtigkeit der Kombination einfacher Elemente in der Wiedergabe der Welt und weist damit auf ein kreatives Vermögen der Maschine hin, die, wenn sie diese Kombination realisiert, immer reicher an Möglichkeiten ist als das exakte Programm, für das sie konstruiert wurde. Der wahre Wert ist daher die Komplexität der erkannten Systeme, die ihrem Reichtum an Neuheit zugrunde liegt.

Das Kunstwerk bietet sich der kybernetischen Analyse eher an als das wissenschaftliche Werk, und zwar deshalb, weil seine Gültigkeitskriterien viel ungenauer und vor allem inkohärenter sind als die wissenschaftlichen. Besonders die nichtfigurative Kunst fordert nur ein gewisses Maß an Ordnung im Produkt, um ihm eine vollendete Gültigkeit zu geben, ohne damit die Verteilung dieser

Ordnungsmenge zwischen den verschiedenen Ebenen dieser Hierarchie von verwendeten Semantemen festzulegen.

Wenn die Maschinen in wirksamer Weise die intellektuelle Kreation simulieren sollen, so werden sie mit der Simulation von Kunstwerken beginnen und unter diesen mit der Kreation von nichtfigurativen Werken. Wer soll solche Maschinen programmieren? Wir kennen ihre Flexibilität und wissen, daß man jedenfalls auf der einen Seite ein Repertoire von Elementen (Programmen) eingeben muß, auf der anderen Seite ein Verfahren, diese Elemente auszuwählen oder zusammenzustellen (Programm) und schließlich, daß man am Ausgang der Maschine von der ihr eigenen Sprache zurückkehren müßte auf die Sprache unserer Empfindungen, um ein Urteil über ihr Produkt abgeben zu können. Denn Kunst drückt sich – außer vielleicht beim Kreuzworträtsel auf niedrigerer und bei der mathematischen Kreation auf höherer Ebene – nur in der *Sprache der Empfindungen* aus.

Diese Frage gibt dem Ästhetiker eine neue Rolle; er ist nicht mehr der ätherische Philosoph, der über das Schöne diskutiert, sondern der Praktiker der Empfindungen, gründlich ausgebildet in der Psychologie der Werte; der die Arbeit der Maschine vorbereitet, so wie der Linguist und der Grammatiker die Arbeit der Übersetzungsmaschinen vorbereiten. Die wenigen Erfahrungen, die man bereits in diesem Bereich gemacht hat, haben einige fundamentale Einstellungen sichtbar gemacht, die sich einteilen lassen. Es sind jeweils ästhetische Einstellungen, die man durch eine Art von Organogramm darstellen kann, wobei jeder Typ das Programm einer Kreationsmaschine darstellt. Bereits hier liefert die kybernetische Analyse durch die Quantifizierung der Einstellungen, die sie fordert, etwas Originales über das Wesen der Kreation.

Erste Einstellung: Die Welt ist voller Reichtümer, die man nutzbar machen muß. Jedes System, das der Entdeckung dieser Welt nach Originalitätskriterien dient, müßte transformiert werden in ein Bewertungssystem von Kunstwerken: Das wäre ein maschineller Betrachter oder künstlicher Zuhörer. Eine solche Maschine müßte an ihrer Eingabe eine Vorrichtung zur Übersetzung der Empfindungen in Maschinensprache haben (Beispiel: Fernsehkamera, künstliches Gehör, Analogdigital-Wandler). Die Maschine verarbeitet die so entstandenen Nachrichten, indem sie sie durch ein Filterprogramm laufen läßt, das eine „mechanische" Wertetabelle darstellt, die z. B. das Redundanzquantum, die Anzahl der Wiederholungen, die Anzahl der Symmetrie-Elemente (Birkhoff) messen kann. Sie analysiert vom informationstheoretischen Standpunkt aus die Architektur der äußeren Bilder und die Hierarchie ihrer Gliederung. Sie bezeichnet einen Gesamtwert, der aus der Zusammensetzung der Teilwerte auf verschiedenen Ebenen hervorgeht, und zwar nach den Regeln, die der Ästhetiker, von dem das Programm stammt, seinen Kenntnissen über die Empfindungspsychologie entsprechend festgelegt hat. Die Maschine wählt dann die Bilder aus, die ein bestimmtes Wertquantum überschreiten, qualifiziert sie als Kunstwerke, speichert sie und wäre nun fähig, sie auf Abruf wieder auszuwerfen, indem sie sie an der Ausgabe zurückübersetzt in sinnliche Phänomene, diesmal mit Hilfe eines *Digitalanalog-Wandlers,* eines Fernsehempfängers oder eines Synthesizers (Abb. 2).

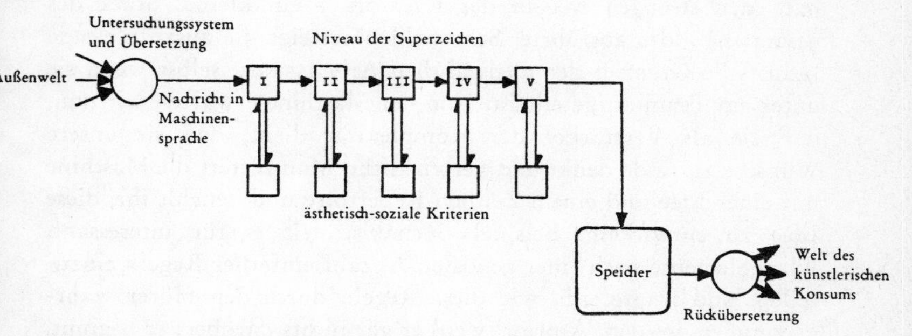

Abb. 2: Künstlicher Hörer oder Betrachter, der nach gewissen Kriterien auswählt, die von der Wahrnehmungstheorie nach den von der Außenwelt angebotenen Bildern aufgestellt wurden.

Mit diesem Organogramm haben wir die ästhetische Einstellung wiederzugeben versucht, die in der Außenwelt eine gewisse Anzahl von auffallenden Phänomenen oder Bildern nach den Gesetzen der Wahrnehmung auswählt. Diese entsprechen einer ganzen Kunstschule: imitative Harmonien, figurative Malerei, künstlerische Fotografien und gewisse moderne Bilder, die der Außenwelt Elemente entnehmen, um sie in einen Rahmen zu fügen und unser Interesse auf sie lenken.

Die Funktion der Maschine besteht darin, dem Ästhetiker als mechanischer Kritiker zu dienen. Wenn die Welt voll von schönen Dingen ist, so verwandelt sich der Kritiker in dem Augenblick in einen Künstler, in dem er um ein Stück Schotter, das sein untrüglicher Blick als ästhetisch einschätzt, einen Rahmen legt. In diesem Fall gibt es natürlich keinen „Verantwortlichen". Das Programm wird durch den consensus omnium der Menschheit aufgestellt, und die Quelle ist die weite Welt.

Zweite Einstellung: Der menschliche Geist ist zu schwach für die Ideen, die er sich vorstellt. So hat ein verantwortlicher Künstler eine Idee, fühlt sich aber nicht in der Lage, sie auszuführen, denn die Arbeit, die ihre Entwicklung fordert, überschreitet die menschlichen Kräfte; das war der Fall bei Goetz, als er die Kombinationen der schwarzen und weißen Zeichen erforschen wollte, um Superzeichen herzustellen. Er nahm ein Team zu Hilfe, in dem jeder – nach den strengen Regeln des Kreators – ein kleines Stück des gesamten Bildes ausführte. Sehr bald übersteigt die auszuführende Arbeit die Grenzen der menschlichen Arbeitskraft, selbst wenn sie unter ein Team aufgeteilt ist. Von der Maschine erwarten wir nun, daß sie als Verstärker der Komplexität dient, daß sie unsere Wünsche zu Ende denkt und verwirklicht. Man füttert die Maschine mit einer Idee und einem Zeichen-Repertoire und befiehlt ihr, diese Idee zu entwickeln. Beispiel: Xenakis hielt es für interessant, Klangelemente nach einer gewissen Anzahl einfacher Regeln einzuteilen, und fragte sich, wie diese Regeln durch den Hörer wahrgenommen werden. A priori weiß er gar nichts darüber; er beginnt, die Klangelemente von Hand zu sammeln; wenn dann der Umfang der Berechnungen das nicht mehr zuläßt, beauftragt er die IBM 704 mit der Ausführung (Abb. 3).

Dieses Organogramm zeigt die wirksame Anwendung der Maschine bei einigen modernen Künstlern (Goetz, Xenakis), die einsehen, daß ein vorgeschriebenes Werk aus der Anwendung einer Idee resultieren kann, die Berechnungen und Kombinationen verlangt, die die Geduld und das Denkvermögen des Menschen übersteigen. Künstler der Renaissance sind über einer Aufgabe gestorben, die ihre Kräfte durch die ungeheuren Überlegungen, die sie erforderte, überstieg. Heute kann der Computer dem

Künstler diese Operationen abnehmen; er eröffnet damit ein neues Feld für das künstlerische Schaffen.

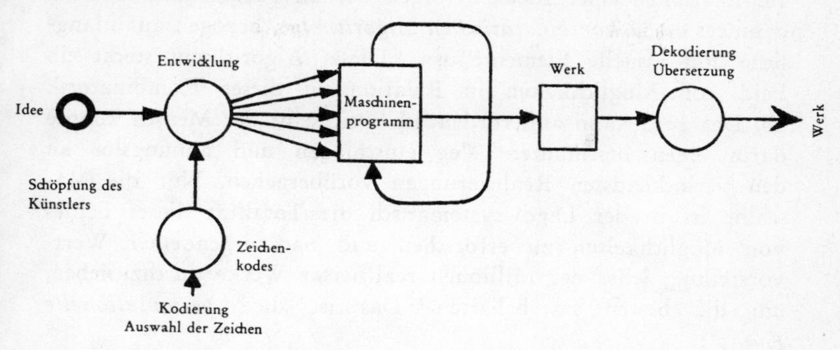

Abb. 3: Die Maschine entwickelt als Intelligenz-Verstärker eine Idee, die der Künstler in Hinsicht auf ein Werk geschaffen hat.

Wohl ein guter Teil unserer künftigen Kunst könnte auf diese Weise entwickelt werden, und die Biennale von 1963 macht das bereits deutlich. Wenn wir eine sehr große Anzahl von Parallelen, jede mit einem schwachen Ansteigen, d. h. einer gewissen regelmäßigen Verschiebung von einer zur anderen, vor ein anderes Netz von Referenten aufstellen, so wissen wir, daß in einer gewissen Entfernung vom Auge Phänomene von Ganzheiten auftreten (Ton-Interferenzen, Farbchangierungen usw.), die einen neuen Typ von Fernstruktur ergeben. Wir wissen genau, daß es hartnäckiger Strenge bedarf, um dieses Projekt zu Ende zu führen, da man viele Male immer wieder die gleiche Regel anwenden muß. Dabei ermüdet der menschliche Wille schnell; das ist der Augenblick, der Maschine Platz zu machen und sie die Arbeit ausführen zu lassen. Bis heute hat der Mensch niemals über ein solches Relais an Intelligenz und Arbeit verfügt, und seine Versuche in diesem Bereich waren äußerst begrenzt. Es gibt also etwas Neues: Ein Weg hat sich aufgetan, den die Kunst einschlagen kann.

Dritte Einstellung: Ein weiteres ästhetisches Programm läßt sich denken: das Feld der Möglichkeiten zu definieren und sie gründlich zu erforschen anstatt zum Feld der natürlichen Möglichkeiten Zuflucht zu nehmen wie im Paragraphen 1 oder den Implikationen einer Idee zu folgen wie im Paragraphen 2. Man definiert einen *kombinatorischen Algorithmus*, bezogen auf klangliche und visuelle Elemente usw. Dieser Algorithmus steckt ein Feld von Möglichkeiten in Relation zu dieser Kombinatorik ab. Das Feld kann außerordentlich weit sein; der Mensch könnte darin einen bestimmten Weg einschlagen und ahnungslos an den verlockendsten Realisierungen vorübergehen. Nur die Maschine ist in der Lage, systematisch die Totalität dieses Feldes von Möglichkeiten zu erforschen und nach irgendeiner Wertvorstellung jedes der Millionen realisierter Werke durchzusieben, um die besten zu behalten. Das ist die *„permutationelle Kunst"*.

Die Maschine enthält einen symbolischen Code, der ein Repertoire und einen Algorithmus herstellt, den der Ästhetiker eingegeben hat; er ist hier Künstler, weil er seinen Algorithmus schafft und dafür die Verantwortung übernimmt (Abb. 4).

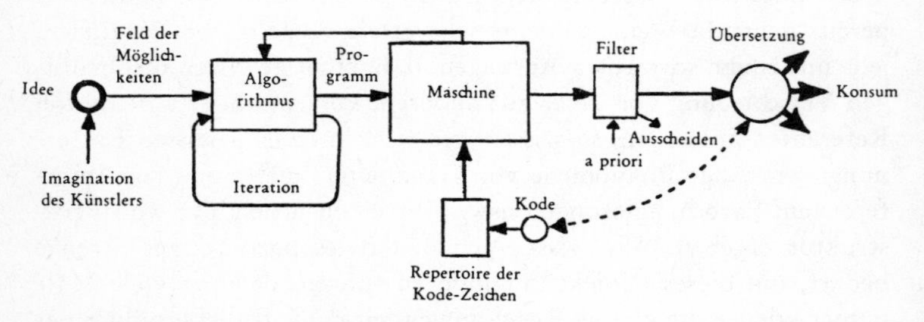

Abb. 4: Intelligenz- oder Komplexitätsverstärker, der nach einem Algorithmus arbeitet.

Hier haben wir es mit einer geschlossenen Schleife zu tun. Der Künstler entwirft einen Komplex von Regeln, genannt „Algorithmus", und steckt damit ein Feld von Möglichkeiten ab. Anstatt wie früher eine Lösung unter anderen zu wählen, das heißt nur einen Weg auf diesem Feld von Möglichkeiten einzuschlagen, das er im übrigen brachliegen läßt, nimmt er sich jetzt vor, methodisch, gewissenhaft und unermüdlich alle realisierbaren Wege auf diesem Feld zu erforschen. Dieses Verfahren wurde von der seriellen Musik eingeschlagen und z. B. von Barbaud mit Hilfe der

Bull-Maschinen verwirklicht. Es ist die Methode der « Groupe de Recherches Visuelles ».

Der Algorithmus wendet das Kombinationsspiel systematisch auf alle Elemente an, bis das ganze Feld der Möglichkeiten erschöpft ist. Die Maschine schafft eine sehr große, zwar endliche, aber doch immense Anzahl von möglichen Werken, die sie speichern könnte; doch ist es klüger, diese Werke nach bestimmten Werten auszusondern: Intelligibilität, Sensualität usw., die der Ästhetiker aufstellt wie im Paragraphen 1. Was dann im Sieb zurückbleibt, wird gespeichert und später verkauft.

Da gibt es z. B. den Versuch mit algorithmischer Musik von Barbaud; die Methode S + 7, wie sie Lescure im « Ouvroir de Littérature Potentielle » gezeigt hat; auch die Variationsmethode von Kuhlmann oder Picard usw. Die permutationelle Kunst, ein faszinierendes Spiel für Privilegierte, die es ausüben, hat eine erhebliche Bedeutung in einer Konsumgesellschaft, für die sie die personale Diversität in der Uniformität des gleichen Algorithmus bereitstellt. Jeder Kaufhaus-Kunde erhält seine resopalbeschichtete Tischplatte mit einem einmaligen und unverwechselbaren Motiv von persönlich gestalteter Strukturierung, ganz allein für ihn hergestellt mit Hilfe einer „Kunstmaschine", die fähig ist, noch Tausende von anderen Mustern nach dem gleichen Programm zu liefern.

Vierte Einstellung: Sie besteht in dem Versuch, den Prozeß der künstlerischen Kreation zu simulieren gemäß allem, was wir darüber wissen können. Dieser Versuch ist der reinste Ausdruck der kybernetischen Reduktionsmethode, die wir am Anfang dieses Textes behandelt haben. Er versucht, das Tasten und die Irrtümer des Komponisten nachzuahmen, um daraus eventuell eine Kritik herzuleiten und zu begreifen, worin er ein mechanisches Modell übertrifft. Das ist der „Neo-Cartesianismus" der imaginären Maschine, wie ihn Philippot klar ausgesprochen und wie ihn Hiller in seinem berühmten Werk in die Praxis umgesetzt hat, aus der die musikalische Suite ›Illiac‹ hervorgegangen ist. Das Organogramm des Prozesses gliedert sich in zwei Teile, die zwei Maschinen oder zwei einander folgenden, verschieden programmierten Verwendungsweisen derselben Maschine entsprechen. Im analytischen Teil (Abb. 5)

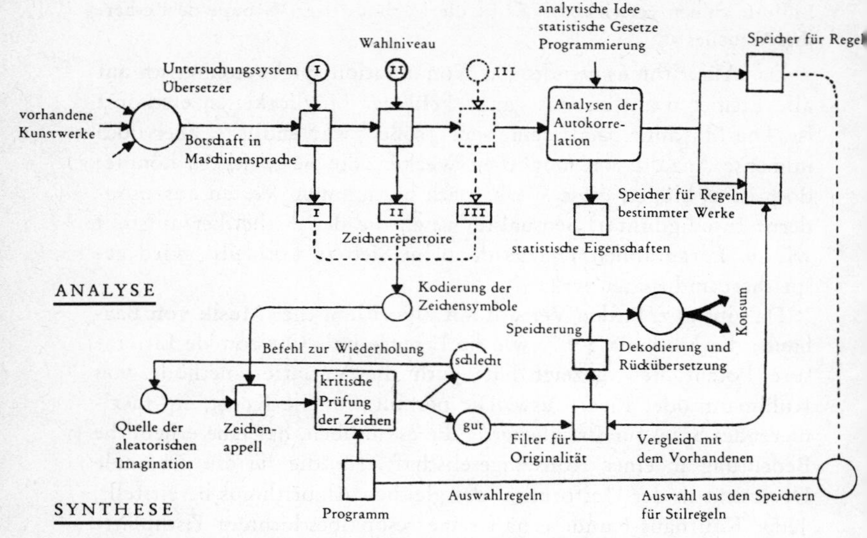

Abb. 5: Simulierung eines Kompositionsprozesses, ausgehend von einer Analyse der vorhandenen Werke.

In diesem Fall gilt folgende Grundüberlegung: Es gibt eine Kunst, die in den Museen und Konservatorien eingeschlossen ist; sie korrespondiert also mit gewissen Denkstilen, von denen wir a posteriori wissen, daß sie unser künstlerisches Empfinden befriedigen, weil sie Erfolg gehabt haben. Die mechanische Untersuchung dieser Werke läßt sich durch eine Reihe von Analysen durchführen, indem man die einfachen Elemente ihrer Komposition, die Regeln der Zusammenfügung dieser Elemente, die Verbote und Grenzen usw. unter statistischem Gesichtspunkt evident macht. Dieser Teil der Analyse ergibt schließlich einerseits einen Komplex von Regeln, andererseits eine Klassifizierung der vorhandenen Werke nach den in ihnen angewandten Regeln. Indem man eine gewisse Anzahl von Regeln aussucht, bestimmt man einen Stil. Der Ästhetiker kann ein Künstler werden, indem er eine Maschine programmiert, die, ausgehend vom Zufall als Imaginationsquelle, Zeichen aus zuvor aufgestellten Repertoires auswählt, sie in eine Sequenz bringt und durch Wiederholung untersucht, ob jedes neue Zeichen innerhalb des gewählten Regelkanons mit den vorhergehenden Zeichen in Einklang steht oder nicht, und durch Wiederholung die Sequenz bis zum Ende konstruiert. Das ist das von Hiller in den Vereinig-

Talman, K 6 × 6, 1964 (Galerie Denise René).

Der Park, Relief (Galerie Denise René).

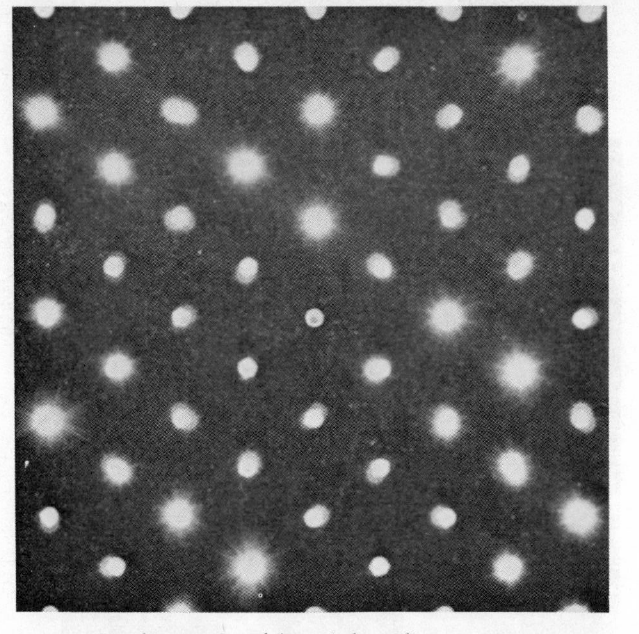

Vardanega, G., Elektronisches Glitzern, 1964.

Vasarely, Manhattan I, Metallskulptur, 1964. →
(Galerie Denise René)

ten Staaten angewandte Verfahren. Mit dem analytischen Teil korrespondieren auch die Arbeiten von Fucks über die statistischen Eigenschaften der Musik und die von Philippot erstellten Programme.

stoßen wir wieder auf einen Übersetzer der sinnlichen Phänomene der äußeren Welt, die sich aber hier auf die kulturelle Welt reduziert, nämlich auf das Wissen, auf den Ursprung von Kunstwerken, die durch allgemeine Übereinstimmung als solche anerkannt sind in dem besonderen Gebiet, für das man sich interessiert: Klang, Bild, Form, Farbe usw. Dieser Übersetzer versucht durch eine statistische Charakterisierung das „Geheimnis“ oder jedenfalls die objektiven Züge der Kunstwerke vergangener Epochen zu erfassen. In einem späteren Stadium bildet er daraus eine Integration: Er untersucht die Gesetzmäßigkeiten der Autokorrelation, mit anderen Worten, er verallgemeinert. Nach Abschluß der Integration registriert man in zwei verschiedenen Speichern einerseits die Materialisierung aller speziellen Regelkombinationen, die – wenn die Analyse richtig war – jedes Werk in der Einzigartigkeit der von ihm repräsentierten Regelkombinationen ausdrücken. Auf der anderen Seite registriert man, anstatt die Werke nach der Gesamtheit der in ihnen angewandten Regeln einzuordnen, diesmal die Regeln nach der Gesamtheit der Werke, in denen sie angewandt worden sind. Dieser analytische Teil repräsentiert, so könnte man sagen, einen künstlichen Betrachter oder Hörer; er ist ausgerichtet auf die Welt der Kunst, respektvoll gegenüber dem, was die Menschheit als das Schönste empfunden hat, aber zugleich wißbegierig, objektive Merkmale zu finden und das Geheimnis der Schönheit zu entdecken.

Im synthetischen Teil wird nach Imagination oder Zufall aus einem vorher wie bei den anderen Abläufen entsprechend definierten Symbolvorrat eines dieser Symbole herausgegriffen. Jedes von ihnen wird dann im folgenden Teil einer sequentiellen Analyse unterworfen, damit man weiß, ob es der Regelgruppe entspricht oder nicht, die im analytischen Teil unterschieden worden ist. Sie werden in diesem Stadium der Maschine wieder eingegeben und definieren einen Stil. Das kann so wie beim Cantus Firmus von Fucks, der Symphonie von Beethoven oder der geometrischen Abstraktion von Vasarely geschehen.

Am Ausgang dieses Prozesses der Maschine gehorcht entweder das entsprechende spezielle Zeichen den aufgestellten Regeln – dann wird es übertragen; oder es fügt sich nicht ein – dann wird es zurückgewiesen und der Befehl an die aleatorische Quelle gegeben, ein neues Zeichen vorzuschlagen, das nun seinerseits nach den gleichen Kriterien untersucht, angenommen oder abgewiesen wird. Dieser Iterationsprozeß wird so lange wiederholt, bis sich ein passendes Zeichen gefunden hat.

So stellt sich nach und nach eine Sequenz her, die genau den schöpferischen Versuchen oder Schritten, den Änderungen und Neuanfängen entspricht, bis im Rahmen eines gegebenen Stils ästhetische Befriedigung erreicht ist. Bis zu diesem Stadium kann man dieses Organogramm mit dem eines Konservatoriumschülers vergleichen, der eine Kontrapunktaufgabe ausführt und die Noten auf seinem Papier so lange wieder ausradiert, bis er alle Spielregeln befriedigt hat.

Das nächste Stadium ist die in der Praxis immer sehr wichtige Formalisierung des Ganzen; darauf folgt ein Vergleich mit dem Repertoire an Werken, die das Gedächtnis des künstlichen Zuschauers gespeichert hat. Jetzt gilt das Kriterium globaler Originalität, ob nämlich das Werk bereits ausgeführt wurde oder nicht. Wenn es nicht existiert, wird es eventuell gespeichert oder dekodiert, d. h. rückübersetzt aus der Maschinensprache in die sinnliche Sprache mit Hilfe von Digitalanalog-Wandlern. Dann wird es dem Konsum überlassen. Es sei hervorgehoben, daß der Ästhetiker in diesem Prozeß die Rolle eines Künstlers übernimmt, denn nachdem er die Regeln des Schönen in der gesamten Kunst definiert hat, schafft er andere Werke nach den gleichen Regeln, lehnt aber die Verantwortung dafür ab. Verantwortlich dafür ist vielmehr die Maschine. Wenn die Stilregeln gewählt sind, wird ein aleatorischer Prozeß in Gang gesetzt, dessen Resultate der Ästhetiker bewertet. Dieser Prozeß stellt eine wichtige Frage an den Kunstphilosophen, die wir bereits in einer früheren Studie formuliert haben. Hat Brahms den ganzen Brahms geschrieben, den er hätte schreiben können? Oder, sollte Brahms uns nicht passend erscheinen, so ist Tschaikowski ein noch weit besseres Beispiel.

Die Maschine selbst konkretisiert diese Frage. Das Ganze der

Regeln, die den Stil von Brahms – oder Tschaikowski – definieren, werden wieder eingesetzt, um alle nur möglichen Werke zu entdecken, die genau den gleichen Kriterien folgen. Es ergeben sich hieraus zwei Antworten, die beide gleichermaßen beunruhigend für den Kunstphilosophen sind. Wenn alles, was man aus der Maschine herausholt, nachdem man sie alle nur möglichen Variationen zum 1. Klavierkonzert hat analysieren und dann reproduzieren lassen, offensichtlich nur ein blasser Widerschein des Originals, eine wertlose Nachahmung, ein schlechtes Plagiat ist, so bedeutet das, daß dieses Werk ein unerreichbares Meisterwerk war und daß es deshalb noch andere Regeln gibt, geheimnisvoller und tiefer verborgen, die der Analyse entgangen sind: Man kann das auch so umschreiben, daß die Analyse unzureichend war und noch einmal gemacht werden muß. Das ist eine für die Kunstkritik sehr wichtige Antwort. Wenn aber durch Zufall die Werke aus dem "remake" der Maschine sich als ununterscheidbar, genauso gut oder sogar noch besser als das Original erweisen, so heißt das, Tschaikowski oder Brahms hätten im Felde ihrer Möglichkeiten nicht den besten Weg in den vielfältigen Verzweigungen eingeschlagen, es gäbe ein besseres 1. Konzert als das, welches Tschaikowski geschrieben hat, und wir täten Unrecht, diese wertvolle Quelle künstlerischer Reichtümer zu übergehen. Damit eröffnet sich für die angewandte Ästhetik ein unabsehbares Feld.

Fünfte Einstellung: Schließlich könnte man einen letzten Typ von Kreationsmaschine konzipieren, die speziell auf der Idee der Integration auf sukzessiven Ebenen basiert. Einem Beobachter wird z. B. eine Serie von Bildmitteilungen in einer ziemlich raschen Folge $t_1 t_2 t_3 t_n$ vorgestellt. Wie wir wissen, ist der menschliche Beobachter meistens nicht in der Lage, die Flut der ihn überfallenden neuen Eindrücke zu bewältigen, und seine einfachste Reaktion ist Verzicht.

Aber die „Sehmaschinen“, in der Praxis Analogdigital-Wandler, die visuelle Formen auf Kartenbündel übertragen und dann Rechenoperationen unterwerfen, können dagegen systematisch die Autokorrelationen analysieren, die eventuell, in großem Maßstab betrachtet, zwischen den verschiedenartigen Bildelementen bestehen. Sie schaffen eine Art Phosphoreszenz von objektivierbaren Eindrücken, die manchmal Superzeichen oder aber Formen sichtbar werden lassen, die ausschließlich aus dem in einem Bewußtseinsfeld (Ferritkernspeicher) stattfindenden Zusammenstoß einer großen Anzahl von Patterns mit einer verborgenen Korrelation entstehen, die dem menschlichen Beobachter unsichtbar ist und die selbst bestimmte Formen bilden kann. Im Raum ist uns das Phänomen der Moiré-Wirkung vertraut. In bezug auf die Zeit wissen wir, daß die Stroboskopie oder der beschleunigte Film manchmal visuelle Formen hervorbringen, die für eine sequentielle Beobachtung nicht einmal ahnungsweise wahrnehmbar sind. Der Computer könnte diese Formen speichern, schemenhafte Formen, manchmal auch neue Formen und daher anregend für eine Kreation. Auf Wunsch gibt er sie dann wieder als Inspirationsquelle oder als Anschauungsobjekt (Abb. 6).

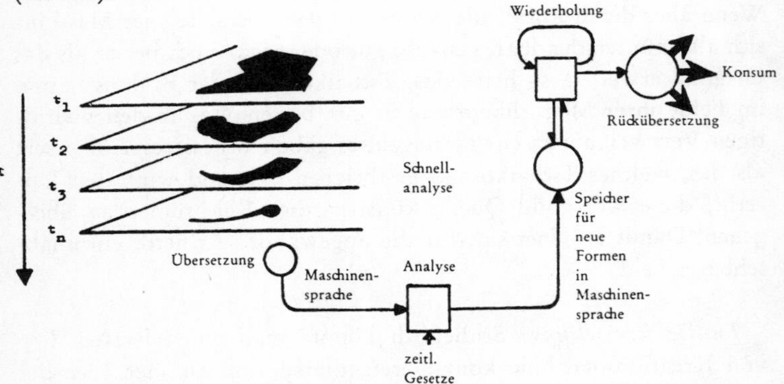

Abb. 6: Integration der Fernordnungsformen.

Eine der möglichen Aufgaben einer mechanischen Ästhetik wäre es, Ordnungsrelationen zu erfassen und evident zu machen, die Formen hervorbringen, die man in dem Sinne als unterschwellig bezeichnen könnte, daß wir sie zwar nicht ausdrücklich wahrnehmen, sie aber doch eine Fernordnungsfunktion auf das ausüben, was wir sehen und hören. Das einfachste Beispiel ist das der visuellen Formen, die, wenn sie beschleunigt oder teleskopiert werden, andere temporelle Patterns als die uns bekannten erscheinen lassen, Patterns, die zu flüchtig sind, als daß unser Verstand sie aufnehmen könnte. Obwohl auf der Zeitskala nicht einzuordnen, können sie in unserem Bewußtsein auftauchen und sich als ästhetische Werte erweisen. Der beschleunigte oder verlangsamte Film, die visuelle oder klangliche Mikroskopie haben in der Vergangenheit zahlreiche Beispiele dafür geliefert. Aber es gibt Relationsformen, die nicht aus einer einfachen Anamorphose entstehen, sondern aus mehr oder weniger verwandten mathematischen Funktionen (Autokorrelation, Korrespondenztransformationen usw.). Sie sind bisher unbekannt geblieben, da es an Künstlern oder Ästhetikern fehlt, die sie zu handhaben verstehen. Hier kann die Maschine einspringen, um unserem Verstand die Produktion von neuen analytischen Formen abzunehmen.

All diese kybernetischen Organogramme, von denen jedes eine Einstellung des Ästhetikers gegenüber der Außenwelt spiegelt, beruhen auf einer gewissen Anzahl von gemeinsamen Ideen, die vielleicht die unmittelbarsten Ergebnisse der kybernetischen Methode darstellen:

1. Die vorausgesetzte Existenz von Atomen, Strukturen oder Morphemen, Semantemen, Graphemen, Mythemen nach der Terminologie von Lévi-Strauss usw. ist die Bestätigung des strukturalistischen Prinzips, konzipiert als eine atomistische Theorie der Humanwissenschaften in spezifischer Anwendung auf die Kunst. Die Informationstheorie stellt sich hier als Schnittpunkt zwischen der *strukturalistischen Theorie* und der *dialektischen Theorie* dar.

Von der strukturalistischen Theorie übernimmt sie die Idee des Atoms (oder diese von ihr?), die Idee des Modells und die der Struktur als die Summe der Richtlinien, die das Modell bestimmen. Von der dialektischen Theorie übernimmt sie die Opposition Bild/Hintergrund, die für die Idee der „Gestalt“ wesentlich ist, und den Prozeß der Iteration, der darin besteht, ein einmal aufgestelltes Modell in einem immer wieder neu aufgenommenen Kampf auf seine Unzulänglichkeit hin abzuklopfen.

2. Die Definition des Schönen beruht auf einer Statistik über das Schöne. Das ist ein Ansatz, den die Ästhetiker bisher kaum berücksichtigt haben und der in Widerspruch zur Idee der Transzendenz des Schönen steht, die von den Philosophen vertreten wird. Das Schöne ist als Schnittpunkt vieler individueller Gedanken an die Gesellschaft gebunden.

3. Die Organogramm-Methode bringt den Begriff der operationellen Strenge mit sich als neue philosophische Kategorie, die unter

anderem die der Genauigkeit ersetzt. Die Idee des Programms erscheint wie ein Algorithmus des Geistes selbst. Er ist eine Formalisierung der Etappen des Denkens, und die geniale Dummheit der Maschine zwingt ihren Benutzer, nichts als evident anzunehmen, was nicht notwendig als solches vom Computer erkannt werden kann in Abhängigkeit von Kapazitäten, die a priori vollkommen definiert sind. Das ist der exakte Ausdruck eines Neo-Cartesianismus der Maschine.

4. Die Organogramme der Kreationsmaschine stellen die Idee der Ordnungshierarchie oder der Ebene der Analyse in den Vordergrund. Die ‚dichtenden' Maschinen bewegen sich bald auf der Ebene der Wörter, wo sie einfachen Lettrismus herstellen, bald auf der Ebene der Phoneme, wo sie ultralettristische Poesie produzieren, bald auf der Ebene der Semanteme oder der Sätze, auf der sie permutationelle Literatur machen; schließlich gehen sie noch weiter und spielen in permutationellen Romanen mit der Arithmetik der Situationen (Saporta).

5. Die Kreationsmaschinen stellen uns notwendig vor das Problem des Konflikts zwischen Markoffschen Nahstrukturen und syntaktischen Fernstrukturen. . Die intersektiv sustangenten Romane gehören eher zu den syntaktischen Strukturen (Hellzapoppin). Das phänomenologische Konzept von „Text", wie es Bense vorschlägt, bestimmt die Urteilskraft einer neuen Ästhetik, die sich in Zukunft auf wissenschaftliche Texte anwenden läßt.

6. Der Ästhetiker, ein sozial ziemlich benachteiligtes und lange Zeit von schrecklichen Minderwertigkeitskomplexen beherrschtes Wesen, weil er über das sprach, was die anderen machten, findet sich auf das gleiche Niveau gehoben wie die Künstler, über die er früher gesprochen hat. Er stellt die Elemente der Programme für das Repertoire der Maschine zusammen, er bestimmt die Hierarchie der Ebenen, die aufgenommen werden sollen. Die Organogramme darüber machen deutlich, daß jede Maschine für Analysen auch als Maschine für Synthesen eingesetzt werden kann, d. h. als Quelle von Kunstwerken. Für diese Kunstwerke ist der Ästhetiker, wenn auch nicht der Autor im eigentlichen Sinne, denn der Autor verschwindet hinter seinem Werk, so doch zumindest der Manager und der *Verantwortliche.*

7. Ein letzter Begriff ergibt sich aus einer mechanologischen Überlegung, die uns zur Beachtung einer Dimension der Außenwelt zwingt, die wir bisher sträflicherweise außer acht gelassen haben. Es handelt sich um die „Maschinen-Kapazität", die mit der Wiederherstellung der Ordnung des Universums (oder eines Teiles davon) zusammenhängt durch eine Serie beschreibbarer, aber ziemlich komplexer Prozesse. Man kann alle Verfahren, die zur Beschleunigung der Konvergenz dieser Prozesse zur Neuordnung der Welt beitragen, „kreative Methode" nennen.

Dies ist also das erste Resultat, das uns vorerst die Entwürfe einer Kreationsmaschine liefern. Sie bilden ein Gedankenexperiment von besonderem Reichtum, eine Restrukturierung unserer intellektuellen Welt.

Wir haben bereits im ersten Teil dieser Studie andere mögliche Resultate aus der Invasion mechanischer Prozesse in unser Denken kennengelernt, die vielleicht eine Revolution auslösen, wie sie dem Eindringen des Aleatorischen in das wissenschaftliche Denken vergleichbar wäre. Dieses Resultat ist ein Beispiel für den Übergang vom Quantitativen zum Qualitativen, den Hegel so klar nachgewiesen hat. Sicher ist es etwas zu früh, um zum Thema Einfluß des mechanischen Denkens auf eine ganz im Werden begriffene Gesellschaft Schlüsse zu ziehen. Aber es ist unsere Aufgabe, versuchsweise die Verhaltensweisen vorauszubestimmen, und sei es auch nur, um auf sie einzuwirken.

Welche Folgen auf die Gesellschaft hat der Einsatz der maschinellen Produkte wie aleatorische Musik, künstliche Sprachen, programmierte Malerei, maschinenübersetzte Texte, eine auf den Speicher eines Computers reduzierte Nationalbibliothek, eine Kartei der Polizeipräfektur über Personalausweise, Vergehen, Auszüge aus dem Strafregister und Einkünfte von 50 Millionen Bürgern, die die zwischenmenschliche Freiheit auf den Nullpunkt sinken läßt? Gewiß sind wir noch nicht so weit, aber wir müssen eine gewisse Unfähigkeit zugeben, zu erkennen, woran sich unser Denken und unser Gefühl stoßen.

Wie läßt sich eine Symbiose mit den Maschinen vorstellen? Das ist der soziale Aspekt der Kybernetik. Wir sind auf diesem Weg unbewußt bereits weiter fortgeschritten als wir rational annehmen, wenn uns beim Sprechen von den Maschinen Ausdrücke unterlaufen wie „man sagt ihr“, „die Maschine sieht, daß“, „sie weigert sich zu“, „sie akzeptiert das Programm“, „sie weiß, daß“, „sie erwartet Instruktionen“ usw. Wir müssen mit den Maschinen leben; sie dringen kaum bemerkbar in unser Leben ein, und wir sind, was noch viel wichtiger ist, gezwungen, mit ihren Produkten zu leben.

Drei Aspekte auf dem Feld des Künstlerischen, das in besonderer Weise unser Gegenstand in diesem Aufsatz war, sind genauer zu untersuchen:

1. Wird der Künstler, wie bereits der Buchhalter oder der Arbeiter, durch Maschinen zur Herstellung von Malerei, Musik oder Literatur ersetzt? Es ist vorauszusehen, daß er nicht *ersetzt*, aber in seiner Funktion *verändert* wird. Der Künstler wandelt sich zum Programmierer in dem Maße, in dem er diese Umstellung akzeptiert. Wie Philippot einmal bemerkt hat, gibt es keinen Grund, bei Hiller oder Barbaud weniger Enthusiasmus oder Leidenschaft anzunehmen, wenn sie die Algorithmen einer musikalischen Programmierung aufstellen, als bei Leonardo da Vinci, Valéry oder Beethoven.

2. Die Funktion der Kunst hat sich dagegen völlig geändert. Der kumulative Prozeß der Kunst entsteht durch eine Reaktion des Menschen auf seine Umwelt im sozio-kulturellen Zyklus. Aber die mechanische Kunst der Zukunft entspricht einem Bedürfnis, einer Forderung der Masse. Wir sind von der Kunst der schöpferischen Spontaneität zur Konsum-Kunst übergegangen: In der Erfindung neuer Kultur-Produktionen, die die soziale Umwelt durch Vermittlung der Massenmedien versorgen, bewährt sich die mechanische Kunst; sie allein ist fähig, die *Kombinatorik zu bewältigen* oder das durch eine Basis-Originalität definierte *Feld der Möglichkeiten zu erforschen.*

3. Man kann hier eine neue Krankheit der technologischen Welt auftauchen sehen, die wir „kulturelle Entfremdung“ nennen wollen. Das konsumierende Individuum hat durch seine Entfernung vom schaffenden Individuum jeden Zugang zur Spontaneität verloren. Das ist die „Kitsch“- oder „Kaufhaus“-Kultur, eine mosaikartige Kultur, die auf einem Überfluß an disparaten Elementen beruht; sie ist da angesiedelt, wo unsere Wahrnehmungen in jedem Augenblick zusammenfließen.

Daraus können sich voneinander unabhängige Gesellschaften bilden; die eine besteht fast ausschließlich aus Kunstkonsumenten oder aus Konsumenten von Maschinenprodukten, wo die kulturelle Funktion mit der Abnahme der materiellen Werte in einer Wohlstandsökonomie mehr und mehr an Bedeutung gewinnt. In der anderen Gesellschaft dagegen finden die Intellektuellen und die schaffenden Künstler, die einer Askese oder einer Anstrengung fähig sind, in der stark kombinatorischen Kunst, die wir „permutationell" genannt haben, zum Thema des ursprünglichen Spiels und der Spontaneität zurück, das der Kunst in ihren Anfängen eigen war. Hier finden wir den Homo ludens von Huizinga wieder, den Menschen, der spielt wie die Götter auf dem Olymp. Der Künstler spielt, indem er ein Feld von Möglichkeiten aufstellt: Er findet hier seine Authentizität zurück, aber innerhalb eines *Mikromilieus*, das von der Massengesellschaft getrennt ist.

So findet der Künstler seine Freiheit inmitten der Invasion der Maschine in die Gesellschaft. Er annektiert sie zu seinem Vorteil und erhöht damit seine Macht, aber er sieht sich gezwungen, ihre Sprache zu lernen. Die Kunst verwandelt sich in eine Praxis und nimmt in der Gesellschaft einen neuen Charakter an. Wenn der Künstler nicht ersetzt wird, sondern sich in seiner Stellung gegenüber dem Kunstwerk verändert, so verändert sich dabei auch die Natur der schöpferischen Faszination, und wahrscheinlich schafft diese Tatsache eine tiefgreifende Umwälzung in dem Bilde, das wir uns vom Künstler und vom Kunstwerk machen. Hier ist es vielleicht angemessen, zum Schluß die Prophezeiung von Valéry zu zitieren:

Unsere Zivilisation nimmt die Struktur oder die Eigenschaften einer Maschine an oder strebt danach, sie anzunehmen. Die Maschine duldet keine Einschränkung ihrer universellen Herrschaft und kein Fortbestehen von Wesen, die ihrem Wirken fremd gegenüberstehen und außerhalb ihres Funktionsbereiches. Die ihr wesensgemäße Exaktheit kann weder das Vage noch die soziale Willkür tolerieren. Sie kann niemanden zulassen, dessen Rolle und dessen Existenzbedingungen nicht genau festgelegt sind. Sie sucht die von ihrem Standpunkt aus unbestimmten Individuen zu eliminieren und die anderen neu einzuteilen, ohne Rücksicht auf die Vergangenheit oder selbst auf die Zukunft der Gattung. (Valéry 1. 1051)

Max Bense, Semiotik. Allgemeine Theorie der Zeichen (Internationale Reihe Kybernetik und Information, Band 4). Baden-Baden: Agis-Verlag 1967, S. 18–25.

ÄSTHETISCHE KOMMUNIKATION

Von Max Bense

Auch die Kunst ist keine Aktion der Natur, sondern des Geistes. Das bedeutet, daß auch Kunst letztlich nur vom Standpunkt der Intelligenz vollständiges Interesse gewinnen kann. Sie verlangt, wie jeder Gegenstand der Welt und unseres Bewußseins, ein gewisses Maß an Theorie, um in der Selbständigkeit und Eigenart ihrer Seinsweise verständlich zu werden. Schon frühere Ästhetiken versuchten, ein solches Verständnis zu erzielen und der Kunst einen verfügbaren Ort innerhalb unseres Bewußtseins und seiner spirituellen Zusammenhänge zu verschaffen. Doch machten diese Ästhetiken ihre Begriffe und Vorstellungen von subjektiven und metaphysischen Vorentscheidungen abhängig und vernachlässigten das erforschbare und objektive materiale Sein des Kunstwerks selbst. Erst die moderne Ästhetik, die mit einigermaßen exakten Mitteln arbeitet, hat die frühere Technik der Interpretation durch eine Technik der Observation ersetzt. Davon soll im folgenden, vor allem was das sprachliche Kunstwerk anbetrifft, die Rede sein.

Jede Einbettung eines Sachverhaltes in den Zusammenhang unseres Bewußtseins bedeutet sein Verständnis. Daraus folgt, daß jedes Verständnis ein Problem der Vermittlung, also der allgemeinen Kommunikation ist. Dementsprechend ist die heutige umfassende Theorie der Kunst im wesentlichen ein Bestandteil der allgemeinen Kommunikationstheorie. Diese allgemeine Kommunikationstheorie ist zunächst aus der modernen Nachrichtentechnik hervorgegangen, wurde aber bald zu einer abstrakten mathematischen Theorie, der Informationstheorie, entwickelt. Diese mathematische Informationstheorie führte zur Konzeption eines abstrakten Schemas der Information, mit dessen Hilfe jeder Vorgang der Kommunikation beschrieben werden kann. Auch das Wesen der Kunst hat sich durch jenes Schema allgemeiner Kommunikation erfassen lassen. Jedes Kunstwerk vermittelt eine Art von besonderer Information, die heute als „ästhetische Information" bezeichnet wird. Kunstwerke, so läßt sich auch formulieren, sind eine besondere (nämlich hergestellte, nicht gegebene) Klasse von „Trägern" der „ästhetischen Information". Diese Definition läßt erkennen, daß auch noch andere Gegenstände Träger „ästhetischer Information" sein können, etwa Design-Objekte und Natur-Objekte.

Genau diese Einsicht führt zu einer tiefer liegenden Überlegung. Im Prinzip lassen sich innerhalb unserer Welt, also des gesamten kosmologischen Seins überhaupt, nur zwei wesentliche Zustände (oder Abläufe) unterscheiden, determinierte und nicht determinierte oder bestimmte und nicht bestimmte. Physikalische Zustände oder Abläufe sind im allgemeinen determiniert; sie werden von Gesetzmäßigkeiten beherrscht, die sie vorhersehbar machen. Ästhetische Zustände hingegen sind im allgemeinen nicht oder nur schwach determiniert, sind also kaum im voraus zu bestimmen; die „Schönheit" eines Bildes oder eines Gedichtes kann nicht vorhergesehen werden, sie ergibt sich erst mit der Realisation. Man kann auch sagen: physikalische Zustände oder Abläufe werden von extrem hoher Wahrscheinlichkeit beherrscht, ästhetische Zustände oder Abläufe hingegen von extrem niederer Wahrscheinlichkeit. Für jene gilt die Kategorie der „Gesetzmäßigkeit" (Naturgesetze), für diese jedoch die Kategorie der „Originalität" (Einmaligkeit). Man kann das mit Ludwig Boltzmann, der die Wahrscheinlichkeitsbetrachtungen in die mathematische Naturbeschreibung eingeführt hat, am Modell des Würfelns klarmachen. Wenn man mit zwei Würfeln würfelt, sind zwar durchaus alle Würfe zwischen 2 und 12 möglich, aber sie haben jeweils eine verschiedene Wahrscheinlichkeit, denn es ist klar, daß die 7 mit der höchsten Wahrscheinlichkeit erscheint, weil zu ihrer Realisation 6 Kombinationen möglich sein können, nämlich 1 + 6, 2 + 5, 3 + 4, 4 + 3, 5 + 2, 6 + 1, während hingegen eine 12 nur in dem Falle möglich ist, wenn man mit jedem Würfel eine 6 erzielt. Die 7 repräsentiert den wahrscheinlichen, die 12 den unwahrscheinlichen Fall. Im Sinne dieses Würfelmodells sind physikalische Zustände von höchster, ästhetische Zustände von geringster Wahrscheinlichkeit, zeigen jene „Gesetzmäßigkeit", diese aber „Originalität". Zwischen dem („gewissen" und „determinierten") physikalischen Zustand und dem (nur „wahrscheinlichen" und schwach „determinierten") ästhetischen Zustand kann man noch einen dritten einführen, den sprachlichen Bedeutungsbereich, dessen Regeln auf Konventionen beruhen, weil jede Sprache historisch, also zufällig ist. Zwischen den im Prinzip extrem determinierten physikalischen Zuständen und den extrem undeterminierten ästhetischen Zuständen liegen also die konventionell determinierten semantischen Zustände. Kunstwerke als Träger ästhetischer Zustände („ästhetischer Information") sind also höchst komplexe Gebilde, die gewissermaßen drei Arten von Zuständen realisieren: 1. einen bestimmten physikalischen Zustand des materiellen Systems, aus dem das Kunstwerk besteht (Töne, Farben, Laute); 2. einen konventionellen semantischen Zustand, der in jenem physikalischen System realisiert wird (derart, daß z. B. bestimmte Laute bestimmte Wörter bedeuten, die sich auf bestimmte Dinge beziehen) und 3. einen unbestimmten ästhetischen Zustand, der sich sowohl auf den semantischen wie auch auf den physikalischen Zustand beziehen kann. Natürlich ist es im Prinzip nicht notwendig, daß ein Kunstwerk, das primär material konstituiert ist, um „ästhetische Zustände" zu verwirklichen, zunächst semantische Zustände, also Bedeutungen, in seinem Material ausmacht. „Ästhetische Zustände" können, aber sie müssen nicht von „semantischen" getragen werden, doch sind sie in jedem Falle material und niemals immaterial konstituiert. Es zeichnet die Entwicklung der sogenannten modernen Kunst aus, daß sie sich bemüht, „ästhetische Zustände" unmittelbar in einem physikalischen, materialen Trägersystem zu verwirklichen und mehr oder weniger auf Einführung des semantischen Zwischenbereichs, also auf „Gegenstände" und „Bedeutungen" zu verzichten.

Man muß sich nun vergegenwärtigen, daß eine „Information" eine Mitteilung vom Charakter der Neuigkeit, der „Innovation", wie der Kommunikationstheoretiker, der „Originalität", wie der Künstler sagt, darstellt, um zu verstehen, daß damit der ästhetische Wert oder das ästhetische Maß einer „Information" mit deren Unwahrscheinlichkeit oder Unvorhersehbarkeit anwächst. Mit diesem Begriff der „Information", der „Innovation" und der „Originalität" deckt sich übrigens auch der Begriff der „Unbestimmtheit",

den Friedrich Nietzsche, und der Begriff der „Fragilität" des Kunstwerks, den Oskar Becker verwendet hat.

Nun weiß man aber, daß ein Kunstwerk nicht nur durch seine „Originalität" ästhetischen Wert gewinnt, sondern auch durch seinen „Stil", und von „Stil" kann nur dann gesprochen werden, wenn der „ästhetische Zustand", die „künstlerische Information" identifiziert werden kann. Im „Stil" werden also die bereits bekannten Momente der „ästhetischen Information" sichtbar und nicht die ursprünglichen wie in der „Originalität". Tatsächlich darf die „Unwahrscheinlichkeit" einer Information nie einen so hohen Grad annehmen, daß diese überhaupt nicht mehr verstanden, aufgenommen, identifiziert werden kann. Man muß die „ästhetische Information" stets so aufbauen, daß ihre maximal mögliche „Unwahrscheinlichkeit" gewissermaßen künstlich oder zusätzlich geringer wird. Solche Momente, die eine „unwahrscheinliche" Information „wahrscheinlicher" machen, nennt man in ihrer Gesamtheit „Redundanz". Redundante Momente haben gewissermaßen eine Ballastfunktion; sie erleichtern zwar die Erkennbarkeit einer Information, aber sie fügen ihr auch Überflüssiges bei. Vollständige „Originalität" eines Kunstwerks würde es unmöglich machen, seine „ästhetische Information" aufzunehmen; doch die stets identifizierbaren „Stilmomente", die der „ästhetischen Information" eine „ästhetische Redundanz" aufdrücken, erleichtern die Apperzeption.

Doch kehren wir wieder zu unserem eigentlichen Thema „Kunst und Kommunikation" zurück. Jede „Information", auf deren Vermittlung die „Kommunikation" beruht, wird aus „Zeichen" aufgebaut. Alle zur Herstellung eines Kunstwerks verwendeten Elemente wie Töne, Farben, Wörter, Kontraste, Linien, Formen, Modulationen usw. sind als „Zeichen" zu verstehen. Nur „Zeichen" können überhaupt in einem Kommunikationsschema fungieren. Damit jedoch diese Funktionsweise der „Zeichen" erkenntnismäßig und ästhetisch kontrollierbar wird, bedarf es einer genauen Zeichentheorie (Semiotik) als Grundlage insbesondere auch der kommunikations- und informationstheoretischen Auffassung des Kunstwerks. Die „materialen" Elemente (eines bestimmten physikalischen Repertoires), die als solche den „ästhetischen Zustand" eines Kunstwerkes als einen seinem „physikalischen Zustand" analogen, aber, was den Determinationsgrad der Verteilung anbetrifft, numerisch entgegengesetzten garantiert, gewinnen erst als „Zeichen" die kommunikative Funktion, in der die „Materialien" Träger von „Semantemen" sind und die ästhetische Dimension zugleich eine semantische sein kann. Die gesamte kommunikative Seite der Kunst wird durch die semiotische Möglichkeit ihrer Elemente gewährleistet. Die Entstehung dessen, was wir in der künstlerischen Produktion ein „Bild" oder einen „Text", „Poesie" oder „Prosa" nennen, ist in jedem Falle an die Möglichkeit gebunden, physikalische Ordnungen materialer „Signale" als ästhetische Ordnungen immaterialer „Zeichen" einzuführen.

Darüber hinaus stellt im Rahmen der kommunikations- und informationstheoretischen Auffassung des Kunstwerks dieses ein hierarchisches System von „Zeichen", ein „komplexes Zeichen" oder „Superzeichen" höchster Stufe dar, in dessen Herstellung jene Operationen eine Rolle spielen.

Es ist leicht einzusehen, daß jede „Ordnung" (bzw. „Unordnung") als solche ein „Zeichen" ist. Der „Mittelbezug" einer „Ordnung" ist durch ihre materialen Elemente gegeben; der „Objektbezug" liegt in ihrer „Struktur" oder in ihrer „Gestalt", und der „Interpretantenbezug" verweist auf die Art der „Konzeption" der „Ordnung", die z. B. physikalisch durch das Schema der „Entropie", mathematisch durch das Schema einer „Wahrscheinlichkeitsverteilung", anschaulich durch eine Gegenständlichkeit bestimmt werden kann. Man erkennt sofort, daß „Ordnung" im „Mittelbezug" als „Legizeichen" fungiert, während sie im „Objektbezug" primär als „iconisch" angesehen werden muß. Im Interpretantenbezug hingegen ist „Ordnung" entweder „offen", also „rhematisch", oder „abgeschlossen" und in diesem Falle kann sie als „Dicent" (z. B. als „Gestalt") und als „Argument" (z. B. als „Goldener Schnitt") aufgefaßt werden.

Die „kommunikative" Funktion der „Ordnung" besteht in der „Identifizierung", die sie einschließt (sie kann diskret, selektiv oder kontinuierlich sein); ihre „Realisierungsfunktion" liegt in ihrer repräsentierenden (abbildenden), präsentierenden (zeigenden) und konstruktiven (aufbauenden) Möglichkeit, und was die „Kodierung" anbetrifft, so bedeutet jede „Ordnung" als abstraktes Schema zugleich eine transponierte Darstellung elementarer oder komplexer Verhältnisse über einem veränderten Repertoire.

Wenn wir davon sprechen, daß es sich beim „ästhetischen Zustand" um einen Zustand „unwahrscheinlicher Ordnung" handelt, dann fungiert die Bezeichnung „unwahrscheinlich" darin als ein Metazeichen, das sich auf ein anderes Zeichen, nämlich „Ordnung" bezieht, und zwar ist in diesem Falle „unwahrscheinlich" ein Metaindex zu „Ordnung".

Der semiotische Charakter des „ästhetischen Zustandes", der im künstlerischen Prozeß hergestellt wird, ermöglicht also erst den Übergang vom „materialen" Repertoire zur „semantemen" Identifikation, und im allgemeinen erweist sich dabei die Unwahrscheinlichkeit des Ordnungsgrades der semiotischen (statistischen) Verteilung als höher als die der materialen (statistischen) Verteilung. Doch genau darauf beruhen die Prozesse der „ästhetischen Information" bzw. „Kommunikation".

Der semiotische Charakter der „Ordnung" des „ästhetischen Zustandes" lenkt nun den Blick auch auf die Möglichkeit der abstrakten Verallgemeinerung der Ästhetik.

Wir haben allgemein den „ästhetischen Zustand" als einen bestimmten Zustand der „Verteilung" (Ordnung) extensionaler und materialer „Elemente" angesehen, der in gewisser Hinsicht als polar zum „physikalischen Zustand", also als „antiphysikalisch" aufgefaßt werden kann. Während „physikalische Zustände" (die physikalische Verteilung materialer „Elemente") determiniert sind, bleiben „ästhetische Zustände" wesentlich indeterminiert, was man auch durch den Begriff „selektiert" ausdrücken kann.

Eine indeterminierte, selektierte „Verteilung" eines gewissen Repertoires extensionaler und materialer „Elemente" zu einer graduierbaren „unwahrscheinlichen Ordnung" heißt eine „Ästhetik" oder auch „ästhetische Struktur" über einem Repertoire von „Elementen". Mit dem so gewonnenen allgemeinen Begriff von „Ästhetik" ist der „ästhetische Zustand" abstrakt und extensional eingeführt und wir sprechen daher auch von „abstrakter" oder „extensionaler" bzw. auch „topologischer Ästhetik".

Die „Elemente" sind dabei material abhängig, aber die „Verteilung" ist repertoireabhängig. Eine „Ästhetik" über einem Repertoire von „Elementen“ wird also im Prinzip durch das System der „offenen Verteilungen“ (Ordnungen) der „Elemente“ festgelegt. Eine „Verteilung“ (Ordnung) gilt als „offen“, sofern sie nicht durch das Repertoire der Elemente festgelegt ist. Eine „Ästhetik“, die nur von der Zahl der „Elemente“ abhängt und deren System der „Verteilung“ aus dem System der „Elemente“ selbst besteht, ist eine „diskrete Ästhetik“; das System der „Verteilungen“ ist in diesem Falle als ein System „abgeschlossener Verteilungen“ anzusehen.

Dementsprechend läßt sich auch von „feinerer“ und „gröberer“ Ästhetik sprechen, je nachdem ob sie als System „offener Verteilungen“ (Ordnungen) reicher oder ärmer ist.

Eine „Ästhetik“, die nur aus einer „Verteilung“ des einzigen „Elements“ (z. B. einer Farbe auf einer Fläche) selbst besteht, ist die „gröbste Ästhetik“. „Verteilungen“, die sich exakt bestimmter, vorgegebener „Formen“ bedienen, deren „Gestaltung“ also mit der „Form“ eine obere Grenze gesetzt ist, können als „abgeschlossene Ästhetik“ bezeichnet werden. Klassische Beispiele für diesen Fall bietet die „konkrete Malerei“.

V

MARXISTISCHE ANSÄTZE

Georg Lukács, Werke, Band 4, Probleme des Realismus I. Neuwied: Luchterhand-Verlag 1971, S. 607–650 (früher erschienen in: Deutsche Zeitschrift für Philosophie 2 (1954), S. 113–148).

KUNST UND OBJEKTIVE WAHRHEIT

Von Georg Lukács

I. Die Objektivität der Wahrheit in der Erkenntnistheorie des Marxismus-Leninismus

Die Grundlage einer jeden richtigen Erkenntnis der Wirklichkeit, gleichviel, ob es sich um Natur oder Gesellschaft handle, ist die Anerkennung der Objektivität der Außenwelt, d. h. ihrer Existenz unabhängig vom menschlichen Bewußtsein. Jede Auffassung der Außenwelt ist nichts anderes als eine Widerspiegelung der unabhängig vom Bewußtsein existierenden Welt durch das menschliche Bewußtsein. Diese grundlegende Tatsache der Beziehung des Bewußtseins zum Sein gilt selbstverständlich auch für die künstlerische Widerspiegelung der Wirklichkeit.

Die Theorie der Widerspiegelung ist die gemeinsame Grundlage für *sämtliche* Formen der theoretischen und praktischen Bewältigung der Wirklichkeit durch das menschliche Bewußtsein. Sie ist also die Grundlage auch für die Theorie der künstlerischen Widerspiegelung der Wirklichkeit, wobei es die Aufgabe der späteren Erörterungen sein wird, das *Spezifische* der künstlerischen Widerspiegelung *innerhalb* des Rahmens der allgemeinen Theorie der Widerspiegelung auszuarbeiten.

Die richtige, umfassende Theorie der Widerspiegelung ist erst im dialektischen Materialismus, in den Werken von Marx, Engels, Lenin und Stalin entstanden. Für das bürgerliche Bewußtsein ist eine richtige Theorie der Objektivität, der Widerspiegelung der unabhängig vom Bewußtsein existierenden Wirklichkeit im menschlichen Bewußtsein, eine materialistisch-dialektische Theorie der Widerspiegelung unmöglich. Selbstverständlich gibt es in der *Praxis* der bürgerlichen Wissenschaft und Kunst zahllose Fälle der richtigen Widerspiegelung der Wirklichkeit und auch in der Theorie nicht wenige Vorstöße in der Richtung einer richtigen Fragestellung oder Lösung. Sobald jedoch die Frage ins Erkenntnistheoretische erhoben wird, bleibt jeder bürgerliche Denker entweder im mechanischen Materialismus stecken oder sinkt in den philosophischen Idealismus hinab. Lenin hat diese Schranke des bürgerlichen Denkens in beiden Richtungen mit unübertrefflicher Klarheit charakterisiert und kritisiert. Er sagt über den mechanischen Materialismus, daß „dessen *Hauptübel* in der Unfähigkeit besteht, die Dialektik auf die Bildertheorie, auf den Prozeß und auf die Entwicklung der Erkenntnis anzuwenden". Und er charakterisiert anschließend den philosophischen Idealismus folgendermaßen:

Umgekehrt ist vom Standpunkt des *dialektischen* Materialismus der philosophische Idealismus eine *einseitige,* übertriebene, überschwengliche ... Entwicklung (Aufblähung, Aufschwellung) eines der Züge, einer der Seiten, einer der Grenzsteine der Erkenntnis zu dem von der Materie, von der Natur *losgelösten* vergötterten Absoluten ... Gradlinigkeit und Einseitigkeit, Hölzernheit und Verknöcherung, Subjektivismus und subjektive Blindheit, voilà, die erkenntnistheoretischen Wurzeln des Idealismus.

Diese doppelseitige Unzulänglichkeit der bürgerlichen Erkenntnistheorie äußert sich auf *sämtlichen* Gebieten und in sämtlichen Problemen der Widerspiegelung der Wirklichkeit durch das menschliche Bewußtsein. Wir können hier indessen weder das ganze Gebiet der Erkenntnistheorie noch die Geschichte der menschlichen Erkenntnis behandeln. Wir müssen uns darauf beschränken, nur einige wichtige Momente aus der Erkenntnistheorie des Marxismus-Leninismus hervorzuheben, die für das *Problem der Objektivität der künstlerischen Widerspiegelung der Wirklichkeit* besonders wichtig sind.

Das erste wichtige Problem, das uns hier zu beschäftigen hat, ist das der unmittelbaren Spiegelbilder der Außenwelt. Jede Erkenntnis beruht auf ihnen; sie sind das Fundament, der Ausgangspunkt einer jeden Erkenntnis. Aber sie sind eben *nur* der Ausgangspunkt der Erkenntnis und machen nicht die Gesamtheit des Erkenntnisprozesses aus. Marx äußert sich über diese Frage mit nicht mißzuverstehender Klarheit. Er sagt: „Alle Wissenschaft wäre überflüssig, wenn die Erscheinungsform und das Wesen der Dinge unmittelbar zusammenfielen." Und Lenin, der diese Frage in seinen Konspekten zu Hegels Logik eingehend analysiert hat, formuliert die Frage ebenso: „Die *Wahrheit* liegt nicht am Anfang, sondern am Ende, richtiger in der Fortsetzung. Die Wahrheit ist nicht der *anfängliche Eindruck*"; und er illustriert diesen Gedanken ganz im Sinne der Ausführungen von Marx durch ein Beispiel aus der politischen Ökonomie: „Der *Wert* ist eine Kategorie, die des Stoffes der Sinnlichkeit entbehrt, aber sie ist *wahrer* als das Gesetz von Nachfrage und Angebot." Und von diesem Ausgangspunkt geht Lenin weiter zur Bestimmung der Funktion der abstrakten Kategorien, der Begriffe, der Gesetze usw. in der Totalität der menschlichen Erkenntnis der Wirklichkeit, zu der Bestimmung ihrer Stelle in der ausgeführten Theorie der Widerspiegelung, der objektiven Erkenntnis der Wirklichkeit.

So wie die einfache Wertform, der einzelne Akt des Tausches einer gegebenen Ware mit einer anderen schon in unentwickelter Form *alle* hauptsächlichen Widersprüche des Kapitalismus in sich einschließt – so bedeutet schon die einfachste *Verallgemeinerung*, die erste und einfachste Bildung der *Begriffe* (Urteile, Schlüsse usw.), die immer mehr fortschreitende Erkenntnis des tiefen *objektiven* Weltzusammenhanges durch den Menschen.

Auf dieser Grundlage kann er zusammenfassend sagen:

Die Abstraktion der Materie, des Natur*gesetzes*, die Abstraktion des *Wertes* usw., mit einem Wort *alle* wissenschaftlichen (richtigen, ernstzunehmenden, nicht unsinnigen) Abstraktionen spiegeln die Natur tiefer, getreuer, *vollständiger* wider. Vom lebendigen Anschauen zum abstrakten Denken *und von diesem zur Praxis* – das ist der dialektische Weg der Erkenntnis der *Wahrheit*, der Erkenntnis der objektiven Realität.

Indem nun Lenin die Stelle der verschiedenen Abstraktionen in der Erkenntnistheorie analysiert, hebt er ihre dialektische Doppelseitigkeit mit der größten Schärfe hervor. Er sagt:

Die Bedeutung des *Allgemeinen* ist widersprechend: es ist tot, es ist unrein, unvollständig usw., aber es ist auch nur eine *Stufe* zur Erkenntnis des *Konkreten*, denn wir erkennen das Konkrete nie vollständig. Die *unendliche* Summe der allgemeinen Begriffe, Gesetze usw. ergibt das *Konkrete* in seiner Vollständigkeit.

Diese Doppelseitigkeit beleuchtet erst die richtige Dialektik von Erscheinung und Wesen. Lenin sagt: „Die Erscheinung ist *reicher* als das Gesetz." Und er führt anschließend an eine Bestimmung

Hegels diesen Gedanken so aus: „Das ist eine ausgezeichnet materialistische und merkwürdig treffende (mit dem Worte ruhige) Bestimmung. Das Gesetz nimmt das Ruhige – und darum ist das Gesetz, jedes Gesetz, eng, unvollständig, annähernd."

Durch diese tiefe Einsicht in die Unvollständigkeit der gedanklichen Reproduktion der Wirklichkeit, sowohl in der unmittelbaren Widerspiegelung der Erscheinungen wie in den Begriffen und Gesetzen (wenn sie einseitig, undialektisch, nicht im unendlichen Prozeß ihrer dialektischen Wechselwirkung betrachtet werden), gelangt Lenin zu einer materialistischen Aufhebung sämtlicher falschen Fragestellungen der bürgerlichen Erkenntnistheorie. Denn jede bürgerliche Erkenntnistheorie hat einseitig die Priorität nur *einer* Auffassungsart der Wirklichkeit, nur *eines* Organs ihrer bewußtseinsmäßigen Reproduktion betont. Lenin stellt ihr dialektisches Zusammenwirken im Prozeß der Erkenntnis konkret dar.

Ist die Vorstellung der Realität *näher* als das Denken? Sowohl ja als nein. Die Vorstellung kann die Bewegung nicht in ihrer Ganzheit erfassen, z. B. erfaßt sie die Bewegung mit einer Schnelligkeit von dreihunderttausend Kilometern in der Sekunde nicht, aber das *Denken* erfaßt sie und soll sie erfassen. Das der Vorstellung entnommene Denken widerspiegelt ebenfalls die Realität.

Damit wird die idealistische Unterschätzung der „niederen" Erkenntniskräfte dialektisch überwunden. Gerade durch die streng materialistische Richtung seiner Erkenntnistheorie, durch das unerschütterliche Festhalten am Prinzip der Objektivität kann Lenin den richtigen dialektischen Zusammenhang der menschlichen Perzeptionsweisen der Wirklichkeit in ihrer lebendigen Bewegung erfassen. So spricht er über die Rolle der Phantasie in der menschlichen Erkenntnis:

Das Herangehen des Verstandes (des Menschen) an das einzelne Ding, die Anfertigung eines Abdruckes (eines Begriffes) von ihm, *ist kein* einfacher, unmittelbarer, spiegelartig toter, sondern ein komplizierter, zwiespältiger, zickzackartiger Akt, der die Möglichkeit *in sich schließt,* daß die Phantasie dem Leben entschwebt ... Denn auch in der einfachsten Verallgemeinerung der elementarsten allgemeinen Idee (der Tisch überhaupt) *steckt* ein gewisses Stückchen *Phantasie* (vice versa: es ist Unsinn, die Rolle der Phantasie auch in der strengsten Wissenschaft zu leugnen).

Die Unvollkommenheit, die Verknöcherung, die Erstarrung einer jeden einseitigen Auffassung der Wirklichkeit kann nur durch die Dialektik überwunden werden. Nur durch richtige und bewußte Anwendung der Dialektik können wir dazu gelangen, diese Unvollkommenheiten im unendlichen Prozeß der Erkenntnis zu überwinden und unser Denken der bewegten und lebendigen Unendlichkeit der objektiven Wirklichkeit anzunähern. Lenin sagt:

Wir können uns die Bewegung nicht vorstellen, wir können sie nicht ausdrücken, ausmessen, abbilden, ohne das Kontinuierliche zu unterbrechen, ohne zu versimpeln, zu vergröbern, zu zerstückeln, ohne das Lebendige zu töten. Die Abbildung der Bewegung durch das Denken ist immer eine Vergröberung, eine Ertötung, und zwar nicht nur durch das Denken, sondern auch durch die Empfindung, und nicht nur der Bewegung, sondern auch *jedweden* Begriffes. Und darin liegt das *Wesen* der Dialektik. *Gerade dieses* Wesen wird auch durch die Formel ausgedrückt: Einheit, Identität der Gegensätze.

Die Verbundenheit der materialistischen Dialektik mit der *Praxis,* ihr Entspringen aus der Praxis, ihre Kontrolle durch die Praxis, ihre führende Rolle in der Praxis beruhen auf dieser tiefen Auffassung des dialektischen Wesens der objektiven Wirklichkeit und der Dialektik ihrer Widerspiegelung im menschlichen Bewußtsein. Lenins Theorie der umwälzenden Praxis beruht gerade auf der Anerkennung der Tatsache, daß die Wirklichkeit immer reicher und vielfältiger ist als die beste und vollständigste Theorie, die über sie gebildet werden kann. Zugleich aber auf dem Bewußtsein, daß es mit Hilfe der lebendigen Dialektik stets möglich ist, von der Wirklichkeit zu lernen, ihre wesentlichen neuen Bestimmungen gedanklich zu erfassen und in Praxis umzusetzen. „Die Geschichte", sagt Lenin, „insbesondere die Geschichte der Revolution war stets inhaltsreicher, mannigfaltiger, vielseitiger, lebendiger, schlauer, als die besten Parteien, die klassenbewußteste Vorhut der fortgeschrittensten Klassen sich vorstellen." Die ungeheure Elastizität der Taktik Lenins, seine Fähigkeit, sich außerordentlich rasch den plötzlichen Wendungen der Geschichte anzupassen und aus ihnen das erreichbare Maximum herauszuholen, beruht gerade auf dieser tiefen Erfassung der objektiven Dialektik.

Dieser Zusammenhang zwischen strengem Objektivismus der Erkenntnistheorie [1] und innigster Verbundenheit mit der Praxis ist eines der wesentlichen Momente der materialistischen Dialektik des Marxismus-Leninismus. Die Objektivität der Außenwelt ist keine tote, erstarrte, die menschliche Praxis fatalistisch bestimmende Objektivität, sondern steht – gerade in ihrer Unabhängigkeit vom menschlichen Bewußtsein – in der innigsten, unlösbaren Wechselwirkung mit der menschlichen Praxis. Lenin hat schon in früher Jugend eine jede starr fatalistische, unkonkrete, undialektische Auffassung der Objektivität als falsch und als zur Apologie führend abgelehnt. Im Kampf gegen den Subjektivismus Michailowskis kritisiert er zugleich den starren und apologetischen „Objektivismus" Struwes. Er faßt den Objektivismus des dialektischen Materialismus richtig und tief als Objektivismus der Praxis, der *Parteilichkeit* auf. Der Materialismus schließt, sagt Lenin, seine Einwände gegen Struwe zusammenfassend, „sozusagen das Element der Partei in sich ein, indem er sich verpflichtet, bei jeder Bewertung eines Ereignisses direkt und offen auf den Standpunkt einer gewissen gesellschaftlichen Gruppe zu treten"

II. Die Theorie der Widerspiegelung in der bürgerlichen Ästhetik

Diese widerspruchsvolle Grundlage der menschlichen Auffassung der Außenwelt, dieser immanente Widerspruch in der Struktur der Widerspiegelung der Außenwelt durch das menschliche Bewußtsein zeigt sich in sämtlichen theoretischen Auffassungen über die künstlerische Reproduktion der Wirklichkeit. Wenn wir die Geschichte der Ästhetik auf der Grundlage des Marxismus-Leninismus durcharbeiten, so finden wir überall das einseitige Hervortreten der von Lenin so tief analysierten beiden Tendenzen: einerseits die Unfähigkeit des mechanischen Materialismus, „die Dialektik auf die Bildertheorie ... anzuwenden", und andererseits den Grundirrtum des urwüchsigen Idealismus: „das Allgemeine (der Begriff, die Idee) ist ein *besonderes Wesen*". Selbstverständlich zeigen sich diese beiden Tendenzen auch in der Geschichte der Ästhetik selten in vollständiger Reinheit. Der mechanische Materialismus, dessen Stärke darin

besteht, daß er an dem Gedanken der Widerspiegelung der objektiven Wirklichkeit festhält und ihn in der Ästhetik lebendig erhält, schlägt infolge seiner notwendigen Unfähigkeit, die Probleme der Bewegung, der Geschichte usw. zu begreifen, in Idealismus um, wie dies Engels bereits überzeugend dargelegt hat. Und es finden sich in der Geschichte der Ästhetik ebenso wie in der allgemeinen Erkenntnistheorie großangelegte Versuche objektiver Idealisten (Aristoteles, Hegel), die Unvollkommenheit, die Einseitigkeit und Verknöcherung des Idealismus dialektisch zu überwinden. Freilich, da diese Versuche auf idealistischer Grundlage vollzogen werden, können sie zwar im einzelnen bedeutende und treffende Formulierungen der Objektivität bringen, die Systeme im ganzen müssen aber der Einseitigkeit des Idealismus verfallen.

Wir können in diesem Zusammenhang die gegensätzlichen und einseitigen, unvollkommenen Anschauungen des mechanischen Materialismus und des Idealismus nur an je einem prägnanten klassischen Beispiel illustrieren. Wir wählen als solche Beispiele Werke von Klassikern, weil bei diesen alle Anschauungen mit einer undiplomatischen, schroffen und aufrichtigen Offenheit ausgesprochen werden, im Gegensatz zu den eklektischen und apologetischen Halbheiten und Unaufrichtigkeiten der Ästhetiker der Niedergangsperiode der bürgerlichen Ideologie.

Diderot, ein Hauptvertreter der mechanischen Theorie der unmittelbaren Nachahmung der Natur, spricht in seinem Roman ›Les bijoux indiscrets‹ diese Theorie in der schroffsten Form aus. Seine Heldin, die hier zugleich das Sprachrohr seiner Anschauungen ist, äußert die folgende Kritik am französischen Klassizismus: „Aber ich weiß, nur Wahrheit gefällt und rührt. Weiter weiß ich, die Vollkommenheit eines Schauspiels besteht in so genauer Nachahmung einer Handlung, daß der Zuschauer in ununterbrochener Täuschung selbst bei der Handlung gegenwärtig zu sein sich einbildet.“ Und um keinen Zweifel darüber aufkommen zu lassen, daß hier die Täuschung die vollständige, photographische Nachahmung der Wirklichkeit meint, läßt Diderot seine Heldin den Fall fingieren, daß man einem Menschen den Inhalt einer Tragödie als eine wirkliche Hofintrige erzählt und dieser Mensch dann ins Theater geht, um die Weiterentwicklung dieses realen Vorgangs zu belauschen: „Ich führe ihn in seine mit Gitterwerk versehene Theaterloge, von wo aus er die Bühne erblickt, die er für den Palast des Sultans hält. Glauben Sie, der Mensch werde, wenn ich ein noch so ernsthaftes Gesicht dazu mache, sich auch nur einen Augenblick täuschen lassen? Im Gegenteil." Damit ist für Diderot das ästhetische Vernichtungsurteil über dieses Drama ausgesprochen. Es ist klar, daß auf Grund einer solchen Theorie, die den äußersten Grad der Objektivität der Kunst erkämpfen möchte, kein einziges wirkliches Problem der spezifisch künstlerischen Objektivität gelöst werden kann. (Daß Diderot in seiner Theorie wie insbesondere in seiner künstlerischen Praxis eine ganze Reihe von Problemen richtig stellt und löst, gehört nicht hierher, da er sie ausnahmslos dadurch lösen kann, daß er dieser seiner starren Theorie untreu wird.)

Als entgegengesetztes Extrem können wir die Ästhetik Schillers betrachten. In seinem sehr interessanten Vorwort zu seiner ›Braut von Messina‹ gibt Schiller eine treffende Kritik der Unzulänglichkeit der ästhetischen Nachahmungstheorie. Er stellt der Kunst die richtige Aufgabe, „sich nicht bloß mit dem Schein der Wahrheit zu begnügen", sondern „auf der Wahrheit selbst" ihr Gebäude aufzurichten. Aber als echter Idealist hält Schiller die Wahrheit nicht für eine tiefere und vollständigere Widerspiegelung der objektiven Wirklichkeit, als es der Schein ist, sondern isoliert die Wahrheit von der materiellen Wirklichkeit, macht aus ihr ein selbständiges Wesen, stellt die Wahrheit der Wirklichkeit starr und ausschließlich gegenüber. Er sagt: „Die Natur selbst ist nur eine Idee des Geistes, die nie in die Sinne fällt." Darum ist das Produkt der künstlerischen Phantasie in Schillers Augen „wahrer als alle Wirklichkeit und reeller als alle Erfahrung". Diese idealistische Aufblähung und Verknöcherung des gesetzmäßigen, über die Unmittelbarkeit hinausgehenden Momentes zerstört alle richtigen und tiefen Beobachtungen Schillers. Er meint – der Tendenz nach – etwas Richtiges, wenn er sagt, „daß der Künstler kein einziges Element aus der Wirklichkeit brauchen kann, wie er es findet", aber er übertreibt seine richtige Vorstellung schon in der Formulierung dadurch, daß er nur das unmittelbar Gegebene als wirklich auffaßt und in der Wahrheit ein übernatürliches Prinzip, nicht eine tiefere und umfassendere Widerspiegelung derselben objektiven Wirklichkeit erblickt, also dadurch, daß er beide idealistisch starr einander ausschließend gegenüberstellt. Er gelangt also von richtigen Beobachtungen zu falschen Folgerungen, und gerade durch das Prinzip, mit dessen Hilfe er die Objektivität der Kunst tiefer als der mechanische Materialismus begründen will, hebt er jede Objektivität der Kunst auf.

In der modernen Weiterentwicklung der Ästhetik können wir dieselben beiden Extreme wiederfinden: einerseits das Klebenbleiben an der unmittelbaren Wirklichkeit, andererseits das Isolieren jener Momente, die über die Unmittelbarkeit hinausführen, von der materiellen Wirklichkeit. Aber infolge der allgemeinen Wendung der Ideologie der niedergehenden Bourgeoisie zu einem heuchlerischen und verlogenen Idealismus erleiden beide Prinzipien bedeutsame Veränderungen. Die Theorie der unmittelbaren Reproduktion der Wirklichkeit verliert immer mehr ihren mechanisch-materialistischen Charakter, ihren Charakter als Theorie der Widerspiegelung der Außenwelt. Die Unmittelbarkeit wird immer stärker subjektiviert, immer stärker als eine selbständige und autonome Funktion des Subjekts aufgefaßt (als Eindruck, Stimmung usw., die gedanklich von der sie hervorrufenden objektiven Wirklichkeit losgelöst werden). Selbstverständlich verbleibt die Praxis der hervorragenden Realisten auch dieser Periode auf dem Standpunkt der künstlerischen Abbildung der Wirklichkeit. Jedoch zumeist nicht mehr mit der Kühnheit und (relativen) Folgerichtigkeit der Realisten der Aufstiegsperiode der Bourgeoisie. Und in ihren Theorien nimmt die eklektische Vermischung eines falschen Objektivismus mit einem falschen Subjektivismus einen immer größeren Raum ein. Sie isolieren die Objektivität von der menschlichen Praxis, nehmen ihr jede Bewegung und Lebendigkeit und stellen sie dann starr, fatalistisch, romantisch der ebenso isolierten Subjektivität gegenüber. Zolas berühmte Definition der Kunst: « un coin de la nature vu à travers un temperament » ist ein Musterbeispiel dieses Eklektizismus. Ein Stück Natur soll mechanisch, also falsch objektivistisch wiedergegeben und dann dadurch poetisch werden, daß es im Lichte einer bloß betrachtenden, von der Praxis, von der praktischen Wechselwirkung isolierten Subjektivität erscheint. Die Subjektivität des Künstlers ist nicht mehr, wie bei den alten Realisten, Mittel zur möglichst vollständigen Widerspiegelung der Bewegung einer Gesamtheit, sondern eine von außen angefügte Zutat zur mechanischen Reproduktion eines zufällig herausgebrochenen Stückes.

Die konsequente Subjektivierung der unmittelbaren Reproduktion der Wirklichkeit vollzieht sich praktisch in der Entwicklung des Naturalismus und erhält die verschiedensten theoretischen Ausdrücke. Die bekannteste und einflußreichste dieser Theorien ist die sogenannte „Einfühlungstheorie". In ihr wird bereits eine jede Abbildung der vom Bewußtsein unabhängigen Wirklichkeit geleugnet. Der bekannteste moderne Vertreter dieser Theorie, Lipps, sagt z. B.: „Die Form eines Objekts ist immer das Geformtsein durch mich, durch meine innere Tätigkeit." Und dementsprechend folgert er: „Ästhetischer Genuß ist objektivierter Selbstgenuß." Das Wesen der Kunst besteht demnach in einem Hineintragen der menschlichen Gedanken, Gefühle usw. in die als unerkennbar gedachte Außenwelt. Diese Theorie spiegelt treu die ständig wachsende Subjektivierung der künstlerischen Praxis wider, die sich im Übergang vom Naturalismus zum Impressionismus usw., in der wachsenden Subjektivierung der Thematik und der schöpferischen Methode, in der zunehmenden Abwendung der Kunst von den großen Problemen der Gesellschaft äußert.

So zeigt die Theorie des Realismus der imperialistischen Periode eine sich steigernde Auflösung und Zersetzung der weltanschaulichen Voraussetzungen des Realismus. Und es ist klar, daß die offen antirealistischen Reaktionen gegen diesen Realismus auch theoretisch die idealistisch subjektiven Momente in einer viel extremeren Weise auf die Spitze treiben als der frühere Idealismus. Dieser extreme Charakter der idealistischen Verknöcherung wird noch dadurch gesteigert, daß der Idealismus der imperialistischen Periode ein Idealismus des imperialistischen Parasitentums ist. Während die großen Vertreter des klassischen Idealismus eine wirkliche gedankliche Bewältigung der großen Probleme ihrer Zeit suchten, wenn sie diese auch infolge ihres Idealismus verzerrt auf den Kopf gestellt formulierten, ist dieser neue Idealismus eine Ideologie der Reaktion, der Flucht vor den großen Problemen der Epoche, eine Tendenz zum *Wegabstrahieren* der Wirklichkeit. Der bekannte und sehr einflußreiche Ästhetiker Worringer, der Begründer der sogenannten „Abstraktionstheorie", leitet das Bedürfnis der Abstraktion aus „geistiger Raumscheu“, aus „ungeheurem Ruhebedürfnis“ der Menschen ab. Er lehnt dementsprechend auch den modernen Realismus als zu sehr abbildend, als der Wirklichkeit zu nahe, ab. Er gründet seine Theorie auf ein „absolutes Kunstwollen“, worunter er eine „latente innere Forderung“ versteht, „die gänzlich unabhängig von dem Objekte ... für sich besteht und sich als Wille zur Form gebärdet“. Daß diese Theorie die modische Prätention, die höchste Objektivität der Kunst zu begründen, erhebt, ist sehr bezeichnend für die Theorien der imperialistischen Periode, die nie offen auftreten, sondern ihre Tendenzen stets in einer Maskierung darbieten. Lenin entlarvt in seiner Charakteristik des „Kampfes“ der Machisten gegen den Idealismus vollständig dieses Manöver des Idealismus der imperialistischen Periode. Die Theorie der Abstraktion, die später zur theoretischen Grundlage des Expressionismus geworden ist, ist ein Gipfelpunkt der subjektivistischen Entleerung der Ästhetik, sie ist eine Theorie der subjektivistischen Verknöcherung und des subjektivistischen Verfalls der künstlerischen Formen in der Periode des verfaulenden Kapitalismus.

III. Die künstlerische Widerspiegelung der Wirklichkeit

Die künstlerische Widerspiegelung der Wirklichkeit geht von denselben Gegensätzen aus wie jede andere Widerspiegelung der Wirklichkeit. Ihr Spezifikum besteht darin, daß sie für ihre Auflösung einen anderen Weg sucht als die wissenschaftliche. Diesen spezifischen Charakter der künstlerischen Widerspiegelung der Wirklichkeit können wir am besten so charakterisieren, daß wir von dem erreichten Ziel gedanklich ausgehen, um von dort aus die Voraussetzungen seines Erreichens zu beleuchten. Dieses Ziel ist in jeder großen Kunst: ein Bild der Wirklichkeit zu geben, in welchem der Gegensatz von Erscheinung und Wesen, von Einzelfall und Gesetz, von Unmittelbarkeit und Begriff usw. so aufgelöst wird, daß beide im unmittelbaren Eindruck des Kunstwerks zur spontanen Einheit zusammenfallen, daß sie für den Rezeptiven eine unzertrennbare Einheit bilden. Das Allgemeine erscheint als Eigenschaft des Einzelnen und des Besonderen, das Wesen wird sichtbar und erlebbar in der Erscheinung, das Gesetz zeigt sich als spezifisch bewegende Ursache des speziell dargestellten Einzelfalles. Engels drückt diese Wesensart der künstlerischen Gestaltung sehr klar aus, wenn er über die Charakteristik der Figuren im Roman sagt: „Jeder ist ein Typus, aber auch zugleich ein bestimmter Einzelmensch, ein ‚Dieser', wie der alte Hegel sich ausdrückt, und so muß es sein."

Daraus folgt, daß jedes Kunstwerk einen geschlossenen, in sich abgerundeten, in sich vollendeten Zusammenhang bieten muß, und zwar einen solchen Zusammenhang, dessen Bewegung und Struktur *unmittelbar* evident sind. Die Notwendigkeit dieser unmittelbaren Evidenz zeigt sich am deutlichsten gerade in der Literatur. Die wirklichen und tiefsten Zusammenhänge etwa eines Romans oder eines Dramas können sich erst am Schluß enthüllen. Es gehört zum Wesen ihres Aufbaus und ihrer Wirkung, daß erst der Schluß die wirkliche und vollständige Aufklärung über den Anfang gibt. Und dennoch wäre ihre Komposition vollständig verfehlt und wirkungslos, wenn der Weg, der zu diesem krönenden Ende führt, nicht auf jeder Etappe eine unmittelbare Evidenz hätte. Die wesentlichen Bestimmungen jener Welt, die ein literarisches Kunstwerk darstellt, enthüllen sich also in einer kunstvollen Aufeinanderfolge und Steigerung. Aber diese Steigerung muß sich innerhalb der von Anfang an unmittelbar daseienden unzertrennbaren Einheit von Erscheinung und Wesen vollziehen, sie muß bei steigender Konkretisierung beider Momente deren Einheit immer inniger und evidenter machen.

Diese abgeschlossene Unmittelbarkeit des Kunstwerks hat zur Folge, daß jedes Kunstwerk sämtliche Voraussetzungen der Personen, Situationen, Geschehnisse usw., die in ihm vorkommen, selbstgestaltend entwickeln muß. Die Einheit von Erscheinung und Wesen kann nur dann zum unmittelbaren Erlebnis werden, wenn der Rezeptive jedes wesentliche Moment des Wachstums oder der Veränderung mit allen wesentlich bestimmenden Ursachen zusammen unmittelbar erlebt, wenn ihm niemals fertige Resultate dargeboten werden, sondern er dazu angeleitet wird, den Prozeß, der zu diesen Resultaten führt, unmittelbar mitzuerleben. Der urwüchsige Materialismus der ganz großen Künstler (unbeschadet ihrer oft halb oder gänzlich idealistischen Weltanschauung) kommt gerade darin zum Ausdruck, daß sie stets jene seinsmäßigen Voraussetzungen und Bedingungen klar gestalten, aus denen heraus das Bewußtsein ihrer dargestellten Personen entsteht und sich fortentwickelt.

Jedes bedeutende Kunstwerk schafft auf diese Weise eine „eigene Welt". Personen, Situationen, Handlungsführung usw. haben eine besondere, mit keinem anderen Kunstwerk gemeinsame, von der Alltagswirklichkeit durchaus verschiedene Qualität. Je größer der Künstler ist, je stärker seine Gestaltungskraft alle Momente des Kunstwerks durchdringt, desto prägnanter tritt in allen Einzelheiten diese „eigene Welt" des Kunstwerks hervor. Balzac sagt über seine ›Comédie humaine‹:

> Mein Werk hat seine Geographie, wie es seine Genealogie und seine Familien hat, seine Orte und seine Dinge, seine Personen und seine Tatsachen; wie es auch seine Heraldik besitzt, seine Adeligen und seine Bürger, seine Handwerker und seine Bauern, seine Politiker und seine Dandys und sein Heer, kurz seine Welt.

Hebt eine solche Bestimmung der Eigenart des Kunstwerks nicht dessen Charakter als Widerspiegelung der Wirklichkeit auf? Keineswegs! Sie hebt nur die Spezialität, die Eigenart der künstlerischen Widerspiegelung der Wirklichkeit scharf hervor. Die scheinbare Abgeschlossenheit des Kunstwerks, seine scheinbare Unvergleichbarkeit mit der Wirklichkeit beruht gerade auf der Grundlage der künstlerischen Widerspiegelung der Wirklichkeit. Denn diese Unvergleichbarkeit ist eben nur ein Schein, wenn auch ein notwendiger, zum Wesen der Kunst gehörender Schein. Die Wirkung der Kunst, das vollständige Aufgehen des Rezeptiven in der Wirkung des Kunstwerks, sein vollständiges Eingehen auf die Eigenarten der „eigenen Welt" des Kunstwerks beruht gerade darauf, daß das Kunstwerk eine dem Wesen nach getreuere, vollständigere, lebendigere, bewegtere Widerspiegelung der Wirklichkeit bietet, als der Rezeptive sie sonst besitzt, daß es ihn also auf Grund seiner eigenen Erfahrungen, auf Grund der Sammlung und Abstraktion seiner bisherigen Reproduktion der Wirklichkeit, über die Grenzen dieser Erfahrungen hinausführt – in der Richtung eines konkreteren Einblicks in die Wirklichkeit. Es ist also nur ein Schein, als ob das Kunstwerk selbst nicht eine Widerspiegelung der objektiven Wirklichkeit wäre, als ob auch der Rezeptive die „eigene Welt" des

Kunstwerks nicht als eine Widerspiegelung der Wirklichkeit auffassen und sie nicht mit seinen eigenen Erfahrungen vergleichen würde. Er tut dies vielmehr ununterbrochen, und die Wirkung des Kunstwerks hört augenblicklich auf, wenn dem Rezeptiven hier ein Widerspruch bewußt wird, wenn er das Kunstwerk als unrichtige Widerspiegelung der Wirklichkeit empfindet. Aber dieser Schein ist trotzdem ein notwendiger. Denn nicht eine isolierte Einzelerfahrung wird mit einem isolierten Einzelzug des Kunstwerks bewußt verglichen, sondern der Rezeptive gibt sich auf der Grundlage seiner gesammelten Gesamterfahrung der Gesamtwirkung des Kunstwerks hin. Und der Vergleich zwischen beiden Widerspiegelungen der Wirklichkeit bleibt unbewußt, solange der Rezeptive vom Kunstwerk mitgerissen ist, d. h. solange seine Erfahrungen über die Wirklichkeit durch die Gestaltung des Kunstwerks erweitert und vertieft werden. Darum steht Balzac in keinem Widerspruch zu seinen früher zitierten Ausführungen über seine „eigene Welt", wenn er sagt: „Um fruchtbar zu werden, braucht man nur zu studieren. Die französische Gesellschaft sollte der Historiker sein, ich nur ihr Sekretär."

Die Geschlossenheit des Kunstwerks ist also die Widerspiegelung des Lebensprozesses in seiner Bewegung und in seinem konkreten bewegten Zusammenhang. Dieses Ziel stellt sich selbstverständlich auch die Wissenschaft. Sie erreicht die dialektische Konkretheit, indem sie immer tiefer zu den Gesetzen der Bewegung vordringt. Engels sagt: „Das allgemeine Gesetz des Formwechsels ist viel konkreter als jedes einzelne ‚konkrete' Beispiel davon." Diese Bewegung der wissenschaftlichen Erkenntnis der Wirklichkeit ist eine unendliche. Das heißt: in jeder richtigen wissenschaftlichen Erkenntnis wird die objektive Wirklichkeit richtig widergespiegelt; insofern ist diese Erkenntnis eine absolute. Da aber die Wirklichkeit selbst stets reicher, mannigfaltiger ist als jedes Gesetz, liegt es im Wesen der Erkenntnis, daß sie immer weitergebildet, vertieft, bereichert werden muß, daß das Absolute stets in der Form des Relativen, des nur annäherungsweise Richtigen, erscheint. Auch die künstlerische Konkretheit ist eine Einheit des Absoluten und des Relativen. Aber eine Einheit, über die im *Rahmen des Kunstwerks* nicht hinausgegangen werden kann. Die objektive Weiterentwicklung des Geschichtsprozesses, die Weiterentwicklung unserer Erkenntnis über diesen Prozeß hebt den künstlerischen Wert, die Geltung und die Wirkung der großen Kunstwerke, die ihre Epoche richtig und tief gestalten, nicht auf.

Dazu kommt als zweiter wichtiger Unterschied zwischen wissenschaftlicher und künstlerischer Widerspiegelung der Wirklichkeit, daß die einzelnen wissenschaftlichen Erkenntnisse (Gesetz usw.) nicht voneinander unabhängig bestehen, sondern ein zusammenhängendes System bilden. Und dieser Zusammenhang ist desto enger, je entwickelter die Wissenschaft wird. Jedes Kunstwerk muß aber für sich selbst stehen. Natürlich gibt es eine Entwicklung der Kunst; natürlich hat diese Entwicklung einen objektiven Zusammenhang und ist mit allen ihren Gesetzen erkennbar. Aber dieser objektive Zusammenhang der Kunstentwicklung, als eines Teiles der allgemeinen gesellschaftlichen Entwicklung, hebt die Tatsache nicht auf, daß das Kunstwerk erst dadurch zum Kunstwerk wird, daß es diese Geschlossenheit, diese Fähigkeit, für sich allein zu wirken, besitzt.

Das Kunstwerk muß also alle wesentlichen, objektiven Bestimmungen, die das von ihm gestaltete Stück Leben objektiv determinieren, in richtigem und richtig proportioniertem Zusammenhang widerspiegeln. Es muß sie so widerspiegeln, daß dieses Stück Leben in sich und aus sich heraus verständlich, nacherlebbar werde, daß es als eine Totalität des Lebens erscheine. Dies bedeutet nicht, daß jedes Kunstwerk sich zum Ziel setzen muß, die objektive, extensive Totalität des Lebens widerzuspiegeln. Im Gegenteil: die extensive Totalität der Wirklichkeit geht notwendig über den möglichen Rahmen einer jeden künstlerischen Gestaltung hinaus; sie kann nur vom unendlichen Prozeß der Gesamtwissenschaft in ständig wachsender Annäherung gedanklich reproduziert werden. Die Totalität des Kunstwerks ist vielmehr eine intensive: der abgerundete und in sich abgeschlossene Zusammenhang jener Bestimmungen, die – objektiv – für das gestaltete Stück Leben von ausschlaggebender Bedeutung sind, die seine Existenz und seine Bewegung, seine spezifische Qualität und seine Stellung im ganzen des Lebensprozesses determinieren. In diesem Sinne ist das kleinste Lied ebenso eine intensive Totalität wie das mächtige Epos. Über Quantität, Qualität, Proportion usw. der zutage tretenden Bestimmungen entscheidet der objektive Charakter des gestalteten Stückes Leben in Wechselwirkung mit den spezifischen Gesetzen des für seine Gestaltung angemessenen Genres.

Die Geschlossenheit bedeutet also erstens, daß das Ziel des Kunstwerks darin besteht, jene „Schlauheit", jenen Reichtum, jene Unerschöpflichkeit des Lebens, von der wir früher Lenin sprechen hörten, darzustellen, in bewegter Widerspiegelung lebendig zu machen. Einerlei, ob das Kunstwerk die Absicht hat, das Ganze der Gesellschaft zu gestalten oder nur einen künstlich isolierten Einzelfall, jedesmal wird es bestrebt sein, die intensive Unendlichkeit seines Gegenstandes zu gestalten. Das heißt: es wird bestrebt sein, alle wesentlichen Bestimmungen, die in der objektiven Wirklichkeit den Grund eines solchen Falles oder Komplexes von Fällen objektiv bilden, in seine Darstellung gestaltend einzubeziehen. Und die gestaltende Einbeziehung bedeutet, daß alle diese Bestimmungen als persönliche Eigenschaften der handelnden Personen, als spezifische Qualitäten der dargestellten Situationen usw., also in der sinnlich unmittelbaren Einheit des Einzelnen und Allgemeinen erscheinen. Zu einem solchen Erleben der Wirklichkeit sind die wenigsten Menschen fähig. Sie gelangen zu der Erkenntnis der allgemeinen Bestimmung des Lebens nur durch Verlassen der Unmittelbarkeit, nur durch Abstraktion, nur durch abstrahierende Vergleichung der Erfahrungen. (Selbstverständlich ist dabei auch der Künstler selbst keine starre Ausnahme. Seine Arbeit besteht vielmehr darin, seine auch auf normalem Weg erlangten Erfahrungen zu der künstlerischen Form, zu der gestalteten Einheit von Unmittelbarkeit und Gesetz, zu erheben.) Indem der Künstler Einzelmenschen und Einzelsituationen gestaltet, erweckt er den Schein des Lebens. Indem er sie zu exemplarischen Menschen, Situationen (Einheit des Individuellen und Typischen) gestaltet, indem er einen möglichst großen Reichtum der objektiven Bestimmungen des Lebens als Einzelzüge individueller Menschen und Situationen unmittelbar erlebbar macht, entsteht seine „eigene Welt", die gerade darum die Widerspiegelung des Lebens in seiner bewegten Gesamtheit, des Lebens als Prozeß und Totalität ist, weil sie in ihrer Gesamtheit und in ihren Details die gewöhnliche Widerspiegelung der Lebensvorgänge durch den Menschen steigert und überbietet.

Diese Gestaltung der „Schlauheit" des Lebens, seines die gewöhnliche Erfahrung überbietenden Reichtums ist aber nur eine Seite der spezifischen Form der künstlerischen Widerspiegelung der Wirklichkeit. Würde im Kunstwerk nur der überströmende Reichtum neuer Züge gestaltet sein, nur jener Momente, die als Neues, als „Schlauheit" über die gewohnten Abstraktionen, über die normale Erfahrung des Lebens hinausgehen, so würde das Kunstwerk den Rezeptiven ebenso verwirren, statt ihn mitzureißen, wie das Auftreten solcher Momente im Leben selbst den Menschen im allgemeinen verwirrt und ratlos macht. Es ist also notwendig, daß *in* diesem Reichtum, *in* dieser „Schlauheit" zugleich die neue Gesetzmäßigkeit, die die alten Abstraktionen aufhebt oder modifiziert, zutage trete. Auch dies ist eine Widerspiegelung der objektiven Wirklichkeit. Denn die neue Gesetzmäßigkeit wird ja nie in das Leben hineingetragen, sondern aus den neuen Erscheinungen des Lebens durch Nachdenken, durch Vergleich usw. herausgeholt. Aber im Leben selbst handelt es sich dabei immer um zwei Akte: man wird von den neuen Tatsachen überrascht, ja zuweilen überwältigt, und *dann* erst braucht man sie mit Hilfe der auf sie angewandten dialektischen Methode gedanklich aufzuarbeiten. Diese beiden Akte fallen im Kunstwerk zusammen. Nicht im Sinne einer mechanischen Einheit (denn damit wäre die Neuheit der Einzelerscheinungen wieder aufgehoben), sondern im Sinne eines Prozesses derart, daß in jenen neuen Erscheinungen, in denen die „Schlauheit" des Lebens in Erscheinung tritt, bereits von Anfang an ihre Gesetzlichkeit durchschimmert und im Laufe der kunstvoll gesteigerten Entwicklung immer deutlicher und klarer in den Vordergrund tritt.

Diese Darbietung eines Lebens, das zugleich reicher und stärker gegliedert und geordnet ist, als es die Lebenserfahrungen des Menschen im allgemeinen sind, hängt aufs allerengste mit der aktiven gesellschaftlichen Funktion, der propagandistischen Wirkung der echten Kunstwerke zusammen. Die Künstler sind vor allem deshalb „Ingenieur der Seele" (Stalin), weil sie imstande sind, das Leben in dieser Einheit und Bewegtheit darzustellen. Denn eine solche Darstellung kann unmöglich die tote und falsche Objektivität einer „parteilosen" Abbildung ohne Stellungnahme, ohne Richtung, ohne Aufruf zur Aktivität sein. Wir wissen aber bereits durch Lenin, daß diese Parteinahme nicht vom Subjekt willkürlich in die Außenwelt hineingetragen wird, sondern eine der Wirklichkeit selbst innewohnende treibende Kraft ist, die durch die richtige, dialektische Widerspiegelung der Wirklichkeit bewußt gemacht und in die Praxis eingeführt wird. Diese Parteilichkeit der Objektivität muß sich deshalb im Kunstwerk gesteigert wiederfinden. Gesteigert im Sinne der Klarheit und Deutlichkeit; denn das Material des Kunstwerks wird ja vom Künstler bewußt auf dieses Ziel hin, im Sinne dieser Parteilichkeit gruppiert und geordnet. Gesteigert aber auch im Sinne der Objektivität; denn die Gestaltung eines echten Kunstwerks geht eben darauf hinaus, diese Parteilichkeit als Eigenschaft der dargestellten Materie selbst zu gestalten, als treibende Kraft, die ihr innewohnt, aus ihr organisch herauswächst. Wenn Engels klar und entschieden für die Tendenz in der Literatur Stellung nimmt, so meint er stets – wie nach ihm Lenin – diese *Parteilichkeit der Objektivität* und lehnt jede subjektiv hineingetragene, subjektiv „anmontierte“ Tendenz aufs entschiedenste ab: „Aber ich meine, die Tendenz muß aus der Situation und Handlung selbst hervorspringen, ohne daß ausdrücklich darauf hingewiesen wird.“

Auf diese Dialektik der künstlerischen Widerspiegelung der Wirklichkeit weisen alle ästhetischen Theorien hin, die sich mit dem Problem des ästhetischen Scheins beschäftigen. Die Paradoxie der Wirkung des Kunstwerks liegt darin, daß wir uns dem Kunstwerk als einer vor uns hingestellten Wirklichkeit hingeben, es als Wirklichkeit akzeptieren, in uns aufnehmen, obwohl wir stets genau wissen, daß es keine Wirklichkeit, sondern bloß eine besondere Form der Widerspiegelung der Wirklichkeit ist. Lenin sagt richtig: „Die Kunst fordert nicht die Anerkennung ihrer Werke als *Wirklichkeit*.“ Die künstlerisch erzeugte Illusion, der ästhetische Schein beruht also einerseits auf der von uns analysierten Abgeschlossenheit des Kunstwerkes, darauf, daß das Kunstwerk in seiner Gesamtheit den Gesamtprozeß des Lebens widerspiegelt und nicht in den Einzelheiten Widerspiegelungen von Einzelerscheinungen des Lebens darbietet, die in ihrer Einzelheit mit dem Leben, mit ihrem wirklichen Vorbild verglichen werden können. Die Unvergleichbarkeit in dieser Hinsicht ist die Voraussetzung der künstlerischen Illusion, die von jedem solchen Vergleich sofort zerrissen wird.

Andererseits und untrennbar hiervon ist diese Geschlossenheit des Kunstwerks, die Entstehung des ästhetischen Scheins nur möglich, wenn das Kunstwerk den objektiven Gesamtprozeß des Lebens *objektiv richtig* widerspiegelt.

Diese objektive Dialektik der künstlerischen Widerspiegelung der Wirklichkeit ist für die bürgerlichen Theorien gedanklich nicht erfaßbar, und sie müssen deshalb stets vollständig oder in bestimmten Punkten ihrer Darlegungen dem Subjektivismus verfallen. Der philosophische Idealismus muß, wie wir gesehen haben, den Charakterzug der Abgeschlossenheit des Kunstwerks, sein Übertreffen der gewöhnlichen Wirklichkeit von der materiellen, objektiven Wirklichkeit isolieren, er muß die Abgeschlossenheit, die Formvollendung des Kunstwerks der Widerspiegelungstheorie gegenüberstellen. Wenn der objektive Idealismus trotzdem die Objektivität der Kunst gedanklich retten und begründen will, so muß er unvermeidlich in Mystizismus verfallen. Es ist keineswegs zufällig, daß die platonische Theorie der Kunst, der Kunst als Widerspiegelung der „Ideen", eine so große historische Wirksamkeit bis zu Schelling und Schopenhauer erhielt. Denn selbst mechanische Materialisten, wenn sie infolge der notwendigen Unzulänglichkeit des mechanischen Materialismus in der Auffassung der Phänomene der Gesellschaft dem Idealismus verfallen, pflegen aus der mechanisch-photographischen Abbildungstheorie unvermittelt zu einem Platonismus, einer Theorie der künstlerischen Nachahmung von „Ideen" überzugehen. (Dies ist sehr deutlich bei Shaftesbury, zuweilen auch bei Diderot sichtbar.) Aber dieser mystische Objektivismus schlägt stets und unvermeidlich in einen Subjektivismus um. Je mehr die Momente der Abgeschlossenheit des Kunstwerks und des aktiven Charakters der künstlerischen Bearbeitung und Umformung der Wirklichkeit der Widerspiegelungstheorie gegenübergestellt und nicht aus ihr dialektisch abgeleitet werden, desto mehr isoliert sich das Prinzip der Form, der Schönheit, des Künstlerischen vom Leben; desto mehr wird es zu einem unerklärbaren, subjektiv mystischen Prinzip. Die platonischen „Ideen", die im Idealismus der aufsteigenden Periode der Bourgeoisie zuweilen aufgeblähte und aufgebauschte, von der gesellschaftlichen Wirklichkeit künstlich isolierte Widerspiegelungen entscheidender gesellschaftlicher Probleme waren, also trotz ihrer idealistischen Verzerrung doch inhaltserfüllt und nicht ohne jede inhaltliche Richtigkeit, verlieren mit dem Niedergang der Klasse immer stärker jede Inhaltlichkeit. Die gesellschaftliche Isolierung des subjektiv aufrichtigen Künstlers in einer niedergehenden Klasse spiegelt sich in dieser mystisch-subjektivistischen, jeden Zusammenhang mit dem Leben leugnenden Aufblähung des Formprinzips wider. Die ursprüngliche Verzweiflung, die echte Künstler über diese Lage empfinden, verwandelt sich immer mehr in die parasitäre Resignation und Selbstzufriedenheit des l'art pour l'art und seiner Kunsttheorie. Baudelaire besingt die Schönheit noch in einer verzweifelten, subjektiv-mystischen Form: « Je trône dans l'azure comme un sphinx incompris. » Im späteren l'art pour l'art der imperialistischen Periode entwickelt sich dieser Subjektivismus zur Theorie einer hochmütigen, parasitischen Abtrennung der Kunst vom Leben, zur Leugnung einer jeden Objektivität der Kunst, zur Verherrlichung der „Souveränität" des schöpferischen Individuums, zur Theorie der Gleichgültigkeit des Inhalts und der Willkür der Form.

Wir haben bereits gesehen, daß die Tendenz des mechanischen Materialismus eine entgegengesetzte ist. Indem er bei der mechanischen Nachahmung des unmittelbar wahrgenommenen Lebens in seinen unmittelbar wahrgenommenen Einzelheiten klebenbleibt, muß er die Eigenart der künstlerischen Widerspiegelung der Wirklichkeit leugnen, sonst verfällt er dem Idealismus mit allen seinen Verzerrungen und Subjektivierungstendenzen. Die falsche Objektivitätstendenz des mechanischen Materialismus, der mechanisch unmittelbaren Abbildung der unmittelbaren Erscheinungswelt schlägt darum notwendig in idealistischen Subjektivismus um, weil er die Objektivität der tieferliegenden, unmittelbar sinnlich nicht wahrnehmbaren Gesetze und Zusammenhänge nicht anerkennt, weil er in ihnen keine Widerspiegelungen der objektiven Wirklichkeit, sondern bloß technische Hilfsmittel zur übersichtlichen Gruppierung der Einzelzüge der unmittelbaren Wahrnehmung sieht. Diese Schwäche der unmittelbaren Nachahmung des Lebens mit dessen Einzelzügen muß sich noch steigern, muß noch stärker in einen inhaltsleeren subjektiven Idealismus umschlagen, je mehr die allgemeine ideologische Entwicklung der Bourgeoisie die philosophischmaterialistischen Grundlagen dieser Art der künstlerischen Abbildung der Wirklichkeit in einen agnostizistischen Idealismus verwandelt (Einfühlungstheorie).

Die Objektivität der künstlerischen Widerspiegelung der Wirklichkeit beruht auf der richtigen Widerspiegelung des Gesamtzusammenhanges. Die künstlerische Richtigkeit eines Details hat also nichts damit zu tun, ob ihr als Einzelheit jemals in der Wirklichkeit eine solche Einzelheit entsprochen hat. Die Einzelheit im Kunstwerk ist eine richtige Widerspiegelung des Lebens, wenn sie ein notwendiges Moment der richtigen Widerspiegelung des Gesamtprozesses der objektiven Wirklichkeit ist, einerlei, ob sie vom Künstler im Leben beobachtet oder mit künstlerischer Phantasie aus unmittelbaren oder nicht unmittelbaren Lebenserfahrungen heraus geschaffen wurde. Dagegen ist die künstlerische Wahrheit eines dem Leben photographisch entsprechenden Details rein zufällig, willkürlich, subjektiv. Wenn nämlich die Einzelheit nicht aus dem Zusammenhang heraus unmittelbar als notwendiges Moment evident wird, so ist sie als Moment des Kunstwerks zufällig, ihre Auswahl als Einzelheit willkürlich und subjektiv. Es ist also durchaus möglich, daß ein Werk aus lauter photographisch wahren Widerspiegelungen der Außenwelt „zusammenmontiert“ wird und das Ganze trotzdem eine unrichtige, eine subjektiv willkürliche Widerspiegelung der Wirklichkeit ist. Denn das Nebeneinanderstellen von tausend Zufällen kann niemals aus sich heraus eine Notwendigkeit ergeben. Um das Zufällige mit der Notwendigkeit in einen richtigen Zusammenhang zu bringen, muß die Notwendigkeit in der Zufälligkeit selbst, also in den Details selbst bereits innerlich wirksam sein. Das Detail muß als Detail von vornherein so ausgewählt und gestaltet werden, daß in ihm dieser Zusammenhang mit dem Ganzen innerlich wirksam sei. *Diese* Auswahl und Anordnung der Details beruht allein auf der künstlerisch objektiven Widerspiegelung der Wirklichkeit. Die Isolierung der Details vom Gesamtzusammenhang, ihre Auswahl unter dem Gesichtspunkt, daß sie einem Lebensdetail photographisch entsprechen, geht gerade an dem tieferen Problem der objektiven Notwendigkeit achtlos vorbei, ja verleugnet deren Existenz. Der so schaffende Künstler wählt und organisiert sein Material also nicht aus der objektiven Notwendigkeit der Sache selbst heraus, sondern von einem subjektiven Gesichtspunkt aus, der im Werk als objektive Willkür der Auswahl und Anordnung sichtbar wird.

Dieses Ignorieren der tieferen objektiven Notwendigkeit in der Widerspiegelung der Wirklichkeit kommt auch im Aktivismus der so schaffenden Kunst als Aufhebung der Objektivität zur Geltung. Wir haben bereits bei Lenin und Engels sehen können, wie die Parteilichkeit auch im Kunstwerk ein Bestandteil der objektiven Wirklichkeit und ihrer künstlerisch richtigen, objektiven Widerspiegelung ist. Die Tendenz des Kunstwerks spricht aus dem objektiven Zusammenhang der gestalteten Welt des Kunstwerks heraus; es ist die Sprache des Kunstwerks, also – durch die künstlerische Widerspiegelung der Wirklichkeit vermittelt – die Sprache der Wirklichkeit selbst, nicht die subjektive Meinung des Verfassers, die als subjektiver Kommentar, als subjektive Schlußfolgerung nackt und offen zum Vorschein kommt. Die Auffassung der Kunst als *unmittelbarer* Propaganda, eine Auffassung, die in der neueren Kunst besonders Upton Sinclair vertritt, geht also an den tieferen, objektiven Propagandamöglichkeiten der Kunst, am Leninschen Sinn des Begriffs Parteilichkeit gerade achtlos vorbei und setzt an dessen Stelle eine rein subjektivistische Propaganda, die nicht aus der Logik der gestalteten Tatsachen selbst organisch herauswächst, sondern eine bloße subjektive Meinungsäußerung des Verfassers bleibt.

IV. Die Objektivität der künstlerischen Form

Beide Tendenzen der Subjektivierung, die wir soeben analysiert haben, zerreißen die dialektische Einheit von Form und Inhalt der Kunst. Es kommt dabei im Prinzip nicht entscheidend darauf an, ob nun die Form oder aber der Inhalt aus dem Zusammenhang der dialektischen Einheit herausgerissen und zur Selbständigkeit aufgebläht wird. In *beiden* Fällen geht die Konzeption der Objektivität der Form verloren. In beiden Fällen wird nämlich die Form zu einem subjektiv willkürlich gehandhabten „Instrument“; in beiden Fällen verliert sie ihren Charakter als eine bestimmte Art der Widerspiegelung der Wirklichkeit. Lenin spricht sich über solche

Tendenzen in der Logik außerordentlich scharf und klar aus: „Objektivismus: die Kategorien des Denkens sind nicht Hilfsmittel der Menschen, sondern der Ausdruck der Gesetzmäßigkeit sowohl der Natur als des Menschen." Diese außerordentlich richtige und tiefe Formulierung bildet die naturgemäße Grundlage zur Untersuchung der Form auch in der Kunst, wobei selbstverständlich die spezifischen Wesenszeichen der künstlerischen Widerspiegelung in den Vordergrund treten, aber stets *innerhalb* des Rahmens dieser materialistisch-dialektischen Feststellung des Wesens der Form.

Die Frage der Objektivität der Form gehört zu den schwierigsten und zu den am wenigsten bearbeiteten Teilen der marxistischen Ästhetik. Die marxistisch-leninistische Erkenntnistheorie gibt zwar, wie wir gesehen haben, einen unzweideutigen Hinweis auf die Richtung, in der die Lösung zu suchen ist. Aber Einflüsse der Auffassungen der zeitgenössischen Bourgeoisie auf unsere marxistische Literaturtheorie und Literaturpraxis haben gerade hier eine Verwirrung, eine Scheu vor der richtigen, wirklich marxistischen Fragestellung hervorgebracht, eine Scheu davor, in der künstlerischen Form ein objektives Prinzip zu erblicken. Diese Scheu, die sich darin äußert, daß man von der Betonung der Objektivität der Form in der Kunst einen Rückfall in den bürgerlichen Ästhetizismus befürchtet, hat ihre erkenntnistheoretische Grundlage in dem Verkennen der dialektischen Einheit von Inhalt und Form. Hegel bestimmt diese Einheit so, „daß der Inhalt nichts ist, als das Umschlagen der Form in Inhalt, und die Form nichts als das Umschlagen des Inhalts in Form". Dies ist scheinbar abstrakt ausgedrückt, wir werden aber im Späteren sehen, daß Hegel hier das gegenseitige Verhältnis von Form und Inhalt richtig bestimmt hat.

Freilich bloß in bezug auf ihre gegenseitigen Beziehungen zueinander. Auch hier muß Hegel materialistisch „vom Kopf auf die Füße gestellt" werden, und zwar dadurch, daß der Widerspiegelungscharakter sowohl des Inhaltes wie der Form energisch in den Mittelpunkt unserer Betrachtung gerückt wird. Die Schwierigkeit besteht gerade darin, zu begreifen, daß die künstlerische Form ebenso eine Art der Widerspiegelung der Wirklichkeit ist, wie es Lenin für die abstrakten Kategorien der Logik überzeugend nachgewiesen hat. Ebenso, wie im Prozeß der Widerspiegelung der

Wirklichkeit durch das Denken die Kategorien die allgemeinsten, von der Oberfläche der Erscheinungswelt, der Wahrnehmung usw. entferntesten, also abstraktesten Gesetzmäßigkeiten sowohl der Natur als des Menschen ausdrücken, ebenso verhält es sich mit den Formen der Kunst. Es kommt nur darauf an, sich klarzumachen, was dieser höchste Grad der Abstraktion in der Kunst zu bedeuten hat.

Der Abstraktionsprozeß, der Prozeß der Verallgemeinerung, den die künstlerischen Formen vollziehen, ist eine seit langem bekannte Tatsache. Schon Aristoteles hat Dichtung und Geschichtsschreibung von diesem Standpunkt aus einander gegenübergestellt, wobei für den heutigen Leser zu berücksichtigen ist, daß Aristoteles unter Geschichtsschreibung eine chronikartige Erzählung von Einzeltatsachen in der Art Herodots versteht. Aristoteles sagt:

Geschichtsschreiber und Dichter unterscheiden sich nicht dadurch, daß letzterer in Versen, ersterer in Prosa schreibt ... Der Unterschied liegt vielmehr darin, daß der eine *wirklich* Geschehenes berichtet, der andere solches, was geschehen *kann*. Darum ist auch die Poesie philosophischer als die Geschichtsschreibung. Denn die Poesie hat zum Gegenstand das Allgemeine, die Geschichtsschreibung berichtet das Einzelne.

Es ist ohne weiteres klar ersichtlich, was Aristoteles damit meint, daß die Dichtung das Allgemeine ausdrücke und daher philosophischer sei als die Geschichtsschreibung. Er meint, daß die Dichtung in ihren Charakteren, Situationen und Handlungen nicht bloß einzelne Charaktere, Situationen und Handlungen nachahmt, sondern in ihnen zugleich das Gesetzmäßige, das Allgemeine, das Typische zum Ausdruck bringt. Engels spricht in vollem Einklang damit von der Aufgabe des Realismus, „typische Charaktere unter typischen Umständen" zu gestalten. Die Schwierigkeit, die in der gedanklichen Erfassung dessen besteht, was die Praxis der großen Kunst seit jeher geleistet hat, ist eine doppelte: erstens muß der Fehler vermieden werden, daß man das Typische, das Allgemeine, das Gesetzmäßige dem Einzelnen gegenüberstellt, daß man die unzertrennbare Einheit des Einzelnen und Allgemeinen, die in der Praxis aller großen Dichter von Homer bis Gorki wirksam ist, gedanklich zerreißt. Zweitens muß verstanden werden, daß diese Einheit des Einzelnen und des Allgemeinen, des Individuellen und des Typischen nicht eine Eigenschaft des isoliert betrachteten Inhalts der Literatur ist, zu deren Ausdruck die künstlerische Form nur ein „technisches Hilfsmittel" wäre, sondern ein Produkt jener Wechselwirkung von Form und Inhalt, deren abstrakte Definition wir eben von Hegel gehört haben.

Die erste Frage kann nur vom Standpunkt der marxistischen Erfassung des Konkreten aus beantwortet werden. Wir haben gesehen, daß sowohl der mechanische Materialismus wie der Idealismus – jeder auf seine Weise, im Laufe der geschichtlichen Entwicklung in verschiedenen Formen – die unmittelbare Widerspiegelung der Außenwelt, diese Grundlage einer jeden Erkenntnis der Wirklichkeit, und das Allgemeine, das Typische usw. einander starr gegenüberstellen. Infolge dieser Gegenüberstellung erscheint das Typische als Produkt einer bloß gedanklichen subjektiven Operation, als eine bloß gedankliche, abstrahierende, also letzten Endes bloß subjektive Zutat zu der unmittelbar erscheinenden Welt und nicht als Bestandteil der objektiven Wirklichkeit selbst. Aus einer solchen Gegenüberstellung ist es unmöglich, zu der gedanklichen Erfassung der Einheit des Individuellen und Typischen im Kunstwerk zu gelangen. Entweder wird ein falscher Begriff des Konkreten oder ein ebenso falscher der Abstraktion in den Mittelpunkt der Ästhetik gestellt, oder höchstens ein eklektisches Sowohl-Als-auch verkündet. Marx bestimmt das Konkrete außerordentlich klar:

Das Konkrete ist konkret, weil es die Zusammenfassung vieler Bestimmungen ist, also Einheit des Mannigfaltigen. Im Denken erscheint es daher als Prozeß der Zusammenfassung, als Resultat, nicht als Ausgangspunkt, obgleich es der wirkliche Ausgangspunkt und daher auch der Ausgangspunkt der Anschauungen und der Vorstellung ist.

Und wir haben eingangs kurz gezeigt, wie Lenin den dialektischen Weg zu der gedanklichen Widerspiegelung des Konkreten in der marxistischen Erkenntnistheorie bestimmt.

Die Aufgabe der Kunst ist die Wiederherstellung des Konkreten – im angegebenen Marxschen Sinne – in einer unmittelbaren sinnlichen Evidenz. Das heißt, es müssen im Konkreten selbst jene Bestimmungen aufgedeckt und sinnfällig gemacht werden, deren Einheit eben das Konkrete zum Konkreten macht. Nun steht aber in der Wirklichkeit selbst jede Erscheinung in einem extensiv unendlichen Zusammenhang mit allen anderen gleichzeitigen und vorangegangenen Erscheinungen. Das Kunstwerk gibt – inhaltlich angesehen – stets nur einen größeren oder kleineren Ausschnitt aus der Wirklichkeit. Die künstlerische Formung hat indessen zur Aufgabe, zu bewirken, daß dieser Ausschnitt nicht als herausgerissener Ausschnitt aus einer Gesamtheit wirke, so daß zu seiner Verständigung und Wirkung der Zusammenhang mit seiner räumlich-zeitlichen Umgebung notwendig wäre, sondern im Gegenteil, daß er den Charakter eines abgeschlossenen Ganzen erhalte, das keiner Ergänzung von außen bedarf. Wenn nun die gedankliche Bearbeitung der Wirklichkeit durch den Künstler, die der Entstehung des Kunstwerkes vorangeht, sich im Prinzip nicht von einer anderen gedanklichen Bearbeitung der Wirklichkeit unterscheidet, so um so mehr ihr Resultat: das Kunstwerk selbst.

Da das Kunstwerk als abgeschlossenes Ganzes zu wirken hat, da in ihm unmittelbar sinnlich die Konkretheit der objektiven Wirklichkeit wiederhergestellt werden muß, müssen in ihm alle jene Bestimmungen in ihrem Zusammenhang und in ihrer Einheit dargestellt werden, die objektiv das Konkrete zum Konkreten machen. In der Wirklichkeit selbst treten diese Bestimmungen quantitativ wie qualitativ außerordentlich verschieden und zerstreut auf. Die Konkretheit eines Phänomens hängt ja gerade von diesem extensiv unendlichen Gesamtzusammenhang ab. In dem Kunstwerk muß aber ein Ausschnitt, ein Ereignis, ein Mensch oder gar ein Moment seines Lebens einen solchen Zusammenhang in seiner Konkretheit, also in der Einheit aller in ihm wesentlichen Bestimmungen, darstellen. Diese Bestimmungen müssen also erstens im Kunstwerk vollständig vorhanden sein, zweitens müssen sie in ihrer reinsten, klarsten, typischsten Form erscheinen, drittens muß das proportionelle Verhältnis der verschiedenen Bestimmungen jener objektiven Parteilichkeit entsprechen, von dem das Kunstwerk beseelt ist. Viertens aber dürfen alle diese Bestimmungen, die, wie wir eben gesehen haben, in einer reineren, tieferen, abstrakteren Fassung vorhanden sind als in einem beliebigen Einzelfall des Lebens, keinen abstrakten Gegensatz zu der unmittelbar sinnlichen Erscheinungswelt bilden, sondern sie müssen im Gegenteil als konkrete, unmittelbare, sinnliche Eigenschaften der einzelnen Menschen, Situationen usw. erscheinen. Jener künstlerische Prozeß also, der der gedanklichen Widerspiegelung der Wirklichkeit mit Hilfe von Abstraktionen usw. entspricht, der künstlerisch eine „Überladung" des Einzelfalles mit quantitativ und qualitativ auf die Spitze getriebenen typischen Zügen mit sich zu bringen scheint, muß eine Steigerung der Konkretheit zur Folge haben. Der Prozeß der künstlerischen Formung, der Weg der Verallgemeinerung, muß also, so paradox das auch klingen mag, dem Leben gegenüber eine Steigerung an Konkretheit mit sich führen.

Wenn wir nun von diesem Punkt aus zu unserer zweiten Frage, zur Rolle der Form bei dieser Konkretheit kommen, so wird dem Leser das oben gegebene Hegelsche Zitat vom Umschlagen des Inhalts in Form und der Form in Inhalt vielleicht nicht mehr so abstrakt vorkommen wie früher. Man denke an unsere früher gegebenen Bestimmungen des Kunstwerks, die wir ausnahmslos aus der allgemeinsten Fassung der künstlerischen Form, aus der Abgeschlossenheit des Kunstwerks abgeleitet haben: einerseits an die intensive Unendlichkeit, an die scheinbare Unerschöpflichkeit des Kunstwerks, an die „Schlauheit" seiner Führung, mit der es an das Leben in seinen intensivsten Erscheinungsformen erinnert, andererseits daran, daß es in dieser Unerschöpflichkeit und lebensähnlichen „Schlauheit" zugleich die Gesetze dieses Lebens gerade in ihrer Neuheit, in ihrer Unerschöpflichkeit, in ihrer „Schlauheit" enthüllt. Alle diese Bestimmungen scheinen rein inhaltliche Bestimmungen zu sein. Sie sind es auch. Sie sind aber zugleich – und sogar primär – Bestimmungen, die vermittels der künstlerischen Form hervortreten, sichtbar werden. Sie sind Resultate des Umschlagens des Inhalts in Form und haben zum Resultat ein Umschlagen der Form in Inhalt.

Versuchen wir diesen sehr wichtigen künstlerischen Tatbestand an einigen Beispielen klarzumachen. Man nehme ein einfaches, fast könnte man sagen rein quantitatives Beispiel. Was immer man gegen Gerhart Hauptmanns ›Weber‹ als Drama einwenden könnte, es steht fest, daß es hier gelungen ist, in uns stets die Illusion zu erwecken, daß wir es nicht mit einigen einzelnen Menschen, sondern mit der grauen und unübersichtlich großen Masse der schlesischen Weber zu tun haben. Die Gestaltung der Masse als Masse ist gerade das große künstlerische Gelingen dieses Dramas. Wenn wir aber nun darüber nachdenken, mit welcher Anzahl von Menschen Hauptmann diese Masse tatsächlich gestaltet hat, so kommen wir zu dem sehr überraschenden Resultat, daß es sich um die Gestaltung von kaum 10 bis 12 Webern handelt, um eine Zahl also, die von sehr vielen Dramen überboten wird, ohne daß in ihnen eine massenhafte Wirkung auch nur beabsichtigt wäre. Die Wirkung der Masse entsteht also daraus, daß die gestalteten wenigen Menschen so ausgewählt, so charakterisiert, in solche Lagen versetzt, in ein solches Verhältnis zueinander gestellt usw. sind, daß aus diesen Beziehungen, aus diesen formellen Proportionalitäten der ästhetische Schein einer Masse entsteht. Wie wenig dieser ästhetische Schein von der Quantität der handelnden Personen abhängt, zeigt am klarsten desselben Dichters Bauernkrieg-Drama ›Florian Geyer‹, wo Hauptmann eine unvergleichlich größere Zahl von Menschen gestaltet und diese zum Teil als Einzelmenschen sogar sehr gut gestaltet, wo aber trotzdem nur stellenweise der Eindruck einer wirklichen Masse entsteht, weil es eben Hauptmann nicht gelungen ist, jene Beziehung der Menschen zueinander zu gestalten, die ihr Zusammensein als Masse erlebbar macht, die der Masse, der künstlerisch gestalteten Masse eine eigene künstlerische Physiognomie, eine eigene Wirkungsqualität gibt.

Noch klarer tritt diese Bedeutung der Form in komplizierteren Fällen hervor. Ich nehme als Beispiel die Gestaltung des Typischen in Balzacs ›Père Goriot‹. Balzac gestaltet hier die Widersprüche der bürgerlichen Gesellschaft, die notwendigen inneren Gegensätze, die sich in jeder beliebigen Institution der bürgerlichen Gesellschaft zeigen, die verschiedenen Formen des bewußten und unbewußten Sichaufbäumens der Menschen gegen diese ihre Lebensformen, die sie knechten und verkrüppeln, von deren Grundlage sie sich jedoch nicht losreißen können. Jede einzelne Erscheinungsform dieser Widersprüche in einem Menschen oder in einer Situation wird von Balzac mit einer grausamen Folgerichtigkeit auf die Spitze getrieben. Es erscheinen Menschen, bei denen je ein solcher Zug der Verlorenheit, der Revolte, des Bewältigenwollens, der Verkommenheit stets im äußersten Extrem erscheint: Goriot und seine Töchter, Rastignac, Vautrin, die Vicomtesse de Beauséant, Maxime de Trailles. Und die Ereignisse, in denen diese Charaktere sich exponieren, ergeben eine – isoliert inhaltlich angesehen – äußerst unwahrscheinliche Häufung von an sich schon wenig wahrscheinlichen Explosionen. Man bedenke, was alles im Laufe der Handlung zusammenfällt: die endgültige Familientragödie Goriots, die Liebestragödie der Beauséant, die Entlarvung Vautrins, die von Vautrin arrangierte Tragödie im Hause Taillefer usw. Und dennoch, ja besser gesagt: gerade darum wirkt dieser Roman als ein erschütternd wahres und typisches Gemälde der bürgerlichen Gesellschaft. Die Voraussetzung dieser Wirkung ist selbstverständlich, daß die typischen Züge, die Balzac hervorhebt, wirklich typische Züge der Widersprüchlichkeit der bürgerlichen Gesellschaft sind. Dies ist jedoch nur die Voraussetzung, wenn auch freilich die notwendige Voraussetzung dieser Wirkung und nicht die unmittelbare Wirkung selbst. Die Auflösung der Wirkung geschieht vielmehr gerade durch die Komposition, gerade durch die Beziehung der extremen Fälle aufeinander, durch welche Beziehung diese exzentrische Extremität der Fälle gegenseitig aufgehoben wird. Man versuche gedanklich eine dieser Katastrophen aus dem Gesamtkomplex der Komposition herauszulösen, und man erhält eine phantastisch-romantische, unwahrscheinliche Novelle. Aber in dieser durch Balzacs Komposition hervorgebrachten Beziehung der extremen Fälle aufeinander tritt gerade infolge der Extremität der Fälle, der Extremität der Gestaltung bis in die Sprache hinein der gemeinsame gesellschaftliche Hintergrund hervor. Daß Vautrin und Goriot in gleicher Weise Opfer der kapitalistischen Gesellschaft und Rebellen gegen deren Konsequenzen sind, daß die Grundlage der Handlungen von Vautrin und der Vicomtesse de Beauséant auf einer ähnlichen halbrichtigen Erfassung der Gesellschaft und ihrer Widersprüche beruht, daß vornehmer Salon und Zuchthaus sich nur quantitativ und zufällig voneinander unterscheiden und tiefe gemeinsame Züge an sich tragen, daß bürgerliche Moral und offenes Verbrechen unmerklich ineinander übergehen usw. usw., kann gerade nur mit Hilfe dieser extrem auf die Spitze getriebenen unwahrscheinlichen Fälle gestaltet werden. Ja noch mehr: durch die Häufung von extremen Fällen und auf der Grundlage der richtigen Widerspiegelung jener gesellschaftlichen Widersprüche, die ihnen gerade in ihrer Extremität zugrunde liegen, entsteht eine Atmosphäre, in der das Extreme und Unwahrscheinliche sich selbst aufhebt, in der aus den Fällen und durch sie die gesellschaftliche Wahrheit der kapitalistischen Gesellschaft in einer sonst unmöglich wahrnehmbaren und erlebbaren Kraßheit und Vollständigkeit zutage tritt.

Wir sehen, wie der ganze Inhalt des Kunstwerks zur Form werden muß, damit seine wahre Inhaltlichkeit zur künstlerischen Wirkung gelange. Die Form ist nichts anderes als die höchste Abstraktion, die höchste Art der Kondensierung des Inhalts, des Auf-die-Spitze-Treibens seiner Bestimmungen, als die Herstellung der richtigen Proportionen zwischen den einzelnen Bestimmungen, der Hierarchie der Wichtigkeit zwischen den einzelnen Widersprüchen des Lebens, die das Kunstwerk widerspiegelt.

Man müßte natürlich diesen Charakter der Form auch an einzelnen Formkategorien der Kunst studieren, nicht bloß an den allgemeinen der Komposition, wie wir dies bis jetzt getan haben. Wir können hier, da unsere Aufgabe nur die allgemeine Bestimmung der Form und seiner Objektivität ist, unmöglich auf die einzelnen Formkategorien eingehen. Wir greifen auch hier nur ein Beispiel heraus, das Beispiel der Handlung, der Fabel, die seit Aristoteles im Mittelpunkt der Formlehre der Literatur steht.

Es ist eine formelle Forderung an Epik und Dramatik, daß ihr Aufbau auf einer Fabel basiert sei. Ist aber diese Forderung wirklich *nur* eine formelle, eine vom Inhalt abstrahierende? Gerade das Gegenteil ist der Fall. Wenn wir diese formelle Forderung gerade in ihrer formellen Abstraktheit analysieren, so kommen wir zu der Konsequenz, daß nur durch die Handlung die Dialektik von menschlichem Sein und Bewußtsein ausgedrückt werden kann, daß nur, indem der Mensch handelt, der Gegensatz zwischen dem, was er objektiv ist, und dem, was er zu sein sich einbildet, nacherlebbar gestaltet zum Ausdruck kommen kann. Überall sonst wäre der Dichter entweder gezwungen, die Gestalten so zu nehmen, wie sie über sich selbst denken, sie also aus der bornierten Perspektive ihrer Subjektivität darzustellen, oder er müßte den Gegensatz zwischen Einbildung und Sein nur behaupten, könnte ihn also nicht sinnlich nacherlebbar machen. Die Forderung, die künstlerische Widerspiegelung der gesellschaftlichen Wirklichkeit in der Form einer Fabel zu gestalten, ist also nicht von Ästhetikern ausgeklügelt worden, sondern ist aus der – urwüchsig materialistischen, urwüchsig dialektischen – Praxis der großen Dichter (unbeschadet ihrer oft idealistischen Weltanschauung) entsprungen und ist von der Ästhetik formuliert und als formelles Postulat aufgestellt worden, ohne daß die geforderte Form als allgemeinste, abstrakteste Widerspiegelung einer grundlegenden Tatsache der objektiven Wirklichkeit erkannt worden wäre. Es wird die Aufgabe einer marxistischen Ästhetik sein, diesen Widerspiegelungscharakter der formellen Momente der Kunst konkret aufzudecken. Hier konnten wir nur auf das Problem selbst hinweisen, das freilich auch im Falle der Fabel viel komplizierter ist, als wir es in dieser kurzen Darstellung darlegen konnten. (Man denke z. B. auch an die Bedeutung der Fabel als eines Mittels zur Gestaltung des Prozesses.)

Diese Dialektik von Inhalt und Form, dieses ihr wechselseitiges Umschlagen ineinander kann selbstverständlich an allen Punkten der Entstehung des Aufbaus und der Wirkung des Kunstwerks verfolgt werden. Wir weisen wieder nur auf einige wichtige Punkte hin. Wenn wir z. B. das Problem der Thematik nehmen, so haben wir es auf den ersten Anblick mit einem inhaltlichen Problem zu tun. Untersuchen wir aber die Frage der Thematik nur etwas näher, so sehen wir, daß ihre Breite und Tiefe unmittelbar in die entscheidenden Formprobleme umschlägt. Ja, man kann im Laufe der Untersuchung der Geschichte einzelner Formen sehr klar sehen, wie das Auftreten und die Eroberung einer neuen Thematik eine Form von wesentlichen neuen inneren Formgesetzen, von der Komposition bis zur Sprache, hervorbringt. (Man denke an den Kampf um das bürgerliche Drama im 18. Jahrhundert und an die Entstehung eines ganz neuen Typus des Dramas bei Diderot, Lessing und dem jungen Schiller.)

Noch auffallender ist dieses Umschlagen von Inhalt in Form und umgekehrt in der Wirkung der Kunstwerke insbesondere dann, wenn wir diese Wirkung über lange Strecken der Geschichte verfolgen. Es zeigt sich dort, daß gerade jene Werke, in denen dieses gegenseitige Ineinanderumschlagen von Inhalt und Form am ausgebildetsten ist, deren Durchformung also den höchsten Grad der Vollendung erreicht hat, am meisten „naturhaft“ wirken (man denke an Homer, Cervantes, Shakespeare usw.). Diese „Kunstlosigkeit“ der größten Kunstwerke verdeutlicht nicht bloß dieses Problem des gegenseitigen Umschlagens ineinander von Inhalt und Form, sondern zugleich auch die Bedeutung dieses Umschlagens: die Begründung der Objektivität des Kunstwerks. Je „kunstloser“ ein Kunstwerk ist, je mehr es bloß als Leben, als Natur wirkt, desto klarer kommt in ihm zum Vorschein, daß es eben die konzentrierte Widerspiegelung seiner Periode ist, daß die Form in ihm nur die Funktion hat, diese Objektivität, diese Widerspiegelung des Lebens in der größten Konkretheit und Klarheit der es bewegenden Widersprüche zum Ausdruck zu bringen. Dagegen wird jede Form, die dem Rezeptiven als Form zu Bewußtsein kommt, eben weil sie eine bestimmte Selbständigkeit dem Inhalt gegenüber bewahrt und nicht vollständig in den Inhalt umschlägt, notwendig als Ausdruck einer Subjektivität des Dichters und nicht ganz als Widerspiegelung der Sache selbst wirken (Corneille und Racine im Vergleich zu den griechischen Tragikern oder Shakespeare). Daß die selbständig hervortretende Inhaltlichkeit einen ebensolchen subjektivistischen Charakter hat wie ihr formeller Gegenpol, haben wir bereits gesehen.

Den bedeutenden Ästhetikern früherer Perioden ist dieses Wechselverhältnis von Form und Inhalt selbstverständlich nicht entgangen. Schiller hat z. B. die eine Seite dieser Dialektik klar erkannt und scharf formuliert, wenn er die Aufgabe der Kunst darin erblickt, daß die Form den Stoff vertilge. Aber damit hat er eine idealistisch einseitige, eine subjektivistische Formulierung des Problems gegeben. Denn das bloße Übergehen des Inhalts in Form muß ohne den dialektischen Gegenschlag notwendig zu einer aufgebauschten Selbständigkeit der Form, zu ihrer Subjektivierung führen, wie dies nicht nur die Theorie, sondern auch die dichterische Praxis Schillers nicht selten zeigt.

Es wäre wiederum die Aufgabe einer marxistischen Ästhetik, die Objektivität der Form als Moment des künstlerischen Schaffensprozesses konkret aufzuzeigen. Die Aufzeichnungen der großen Künstler der Vergangenheit bieten uns in dieser Hinsicht ein fast unerschöpfliches Material, an dessen Bearbeitung wir bis jetzt überhaupt nicht herangetreten sind. Die bürgerliche Ästhetik konnte mit diesem Material sehr wenig anfangen, da sie dort, wo sie die

Objektivität der Formen anerkannte, diese Objektivität nur in mystischer Weise fassen konnte und damit aus der Objektivität der Form eine sterile Form-Mystik machen mußte. Es wird die Aufgabe einer marxistischen Ästhetik sein, auf dem Wege der Erkenntnis des Widerspiegelungscharakters der Formen aufzuzeigen, wie sich diese Objektivität im Prozeß des künstlerischen Schaffens als Objektivität durchsetzt, als Wahrheit, die unabhängig vom Bewußtsein des Künstlers ist.

Diese objektive Unabhängigkeit vom Bewußtsein des Künstlers fängt bereits bei der Thematik an. In jedem Thema stecken bestimmte künstlerische Möglichkeiten. Selbstverständlich steht es dem Künstler „frei", eine dieser Möglichkeiten zu wählen oder das Thema zum Sprungbrett eines anders gearteten künstlerischen Ausdrucks zu machen. In diesem Fall muß jedoch ein Widerspruch zwischen dem Gehalt des Themas und der künstlerischen Bearbeitung entstehen, der durch keine noch so kunstvolle Behandlung aus der Welt geschafft werden kann. (Man denke an Maxim Gorkis treffende Kritik an Leonid Andrejews ›Finsternis‹.) Diese Objektivität geht aber über den Zusammenhang des Gehalts, der Thematik und der künstlerischen Formung hinaus.

Wenn wir eine marxistische Theorie der Genres haben werden, so werden wir sehen können, daß ein jedes Genre seine bestimmten objektiven Gesetze der Gestaltung hat, die kein Künstler, bei Strafe der Zerstörung seines Werks, unberücksichtigt lassen kann. Wenn z. B. Zola in seinem Roman ›L'œuvre‹ die novellistische Grundstruktur des Aufbaus aus Balzacs meisterhafter Novelle ›Le chef d'œuvre inconnu‹ übernahm und seine Darstellung trotzdem zu einem Roman ausweitete, so zeigt sein Scheitern dabei ganz klar, mit welch tiefer künstlerischer Bewußtheit Balzac zur Darstellung dieser Künstlertragödie die Form der Novelle gewählt hat.

Die novellistische Gestaltung bei Balzac ergibt sich aus der Wesensart des Themas und des Stoffes selbst. Die Tragödie des modernen Künstlers, die tragische Unmöglichkeit, mit den spezifischen Ausdrucksmitteln der modernen Kunst, die nur Widerspiegelungen des spezifischen Charakters des modernen Lebens und der aus ihm entstehenden Weltanschauung sind, ein klassisches Kunstwerk zu schaffen, drängt Balzac auf den engsten Raum zusammen. Er gestaltet bloß den Zusammenbruch eines solchen Künstlers und kontrastiert ihn nur mit zwei anderen wichtigen, weniger konsequenten und darum nicht tragischen Künstlertypen. Damit konzentriert er alles auf dieses eine hier entscheidende Problem, das in der knappen, aber bewegten Handlung, in der Selbstauflösung des Schaffens der Zentralfigur durch Selbstmord und in der Zerstörung ihres Werkes adäquat zum Ausdruck kommt. Eine nicht novellistische, eine romanhafte Behandlung dieses Themas müßte einen ganz anderen Stoff, eine ganz anders geartete Handlung wählen. Denn sie müßte den ganzen notwendigen Entstehungsprozeß all dieser künstlerischen Probleme aus dem gesellschaftlichen Sein des modernen Lebens in breiter Vollständigkeit aufrollen und gestalten (so wie es Balzac selbst für die moderne Beziehung von Literatur und Journalismus in ›Les illusions perdues‹ getan hat). Dazu müßte sie aber über den für solche Zwecke zu engen und schmalen Katastrophencharakter des Novellenstoffes hinausgehen, müßte also auch einen Stoff finden, der geeignet ist, diese Breite und Mannigfaltigkeit der hier zu gestaltenden Bestimmungen adäquat in lebendige Handlung umzusetzen. Diese Umsetzung fehlt bei Zola. Freilich hat er noch eine Reihe von anderen Motiven in seine Darstellung hineingebracht, um dem novellistischen Thema die Breite der Romanform geben zu können. Aber diese neuen Motive (Kampf des Künstlers mit der Gesellschaft, Gegensatz des echten und streberhaften Künstlers usw.) entstammen nicht aus der inneren Dialektik des ursprünglichen, novellistischen Themas und bleiben deshalb auch in der Ausführung einander äußerlich, sie fügen sich nicht zu dem breiten, vielfältigen Zusammenhang zusammen, der die Grundlage der Gestaltung des Romans bildet.

Dieselbe Unabhängigkeit vom Bewußtsein des Künstlers zeigen die einmal entworfenen Gestalten und Fabeln der Dichtungen. Obwohl sie im Kopfe des Dichters entstanden sind, haben sie ihre eigene Dialektik, die der Dichter nachzeichnen und zu Ende führen muß, wenn er nicht sein Werk zerstören will. Engels hat dieses objektive Eigenleben der Gestalten Balzacs und das ihrer Schicksale sehr tief aufgezeigt, indem er nachwies, daß die Dialektik der gestalteten Welt Balzacs ihn als Dichter zu anderen Konsequenzen geführt hat, wie es jene waren, die die Grundlage seiner bewußten

Weltanschauung bildeten. Das entgegengesetzte Beispiel läßt sich an stark subjektivistischen Dichtern wie z. B. Schiller oder Dostojewski zeigen. Im Kampfe zwischen der Weltanschauung des Dichters und der inneren Dialektik seiner einmal entworfenen Gestalten siegt sehr oft die Subjektivität des Dichters und zerstört das, was er selbst sehr groß entworfen hat. So verzerrt z. B. Schiller aus kantisch-moralischen Gründen den großen, von ihm selbst entworfenen objektiven Gegensatz zwischen Elisabeth und Maria Stuart (den Kampf von Reformation und Gegenreformation), so kommt Dostojewski, wie Gorki einmal treffend bemerkt hat, dazu, seine eigenen Gestalten zu verleumden.

Diese objektive Dialektik der Form ist aber gerade wegen ihrer Objektivität eine *historische*. Die idealistische Aufblähung der Form zeigt sich gerade darin am deutlichsten, daß sie aus den Formen nicht bloß mystisch selbständige, sondern auch „ewige" Wesenheiten macht. Diese idealistische Enthistorisierung der Form muß dieser jede Konkretheit, jede Dialektik nehmen. Die Form wird zu einem starren Modell, zu einem steifen Schulbeispiel, das in leblos mechanischer Weise nachgeahmt werden soll. Die bedeutenden Ästhetiker der klassischen Periode sind aber auch sehr oft über diese undialektische Auffassung der Form hinausgegangen. Lessing z. B. hat mit großer Klarheit die tiefen Wahrheiten der Poetik von Aristoteles als das Aussprechen bestimmter Gesetze der Tragödie erkannt. Er hat aber zugleich klar gesehen, daß es auf das lebendige Wesen, auf die immer neue, immer modifizierte Anwendung dieser Gesetze und nicht auf deren mechanische Befolgung ankommt. Er stellt also in einer lebendigen und konsequenten Weise dar, daß Shakespeare, der sich in keiner Äußerlichkeit an Aristoteles hält, der vielleicht Aristoteles gar nicht gekannt hat, das Wesentliche dieser Gesetze, nach Lessings Auffassung der tiefsten Gesetze des Dramas, stets in neuer Weise erfüllt, während die sklavenhaft dogmatischen Schüler der Worte Aristoteles', die französischen Klassizisten, gerade an den wesentlichen Problemen, an dem lebendigen Erbe Aristoteles' achtlos vorbeigehen.

Aber eine richtige historisch-dialektische, historisch-systematische Formulierung der Objektivität der Form, ihre konkrete Anwendung auf die sich ständig wandelnde historische Wirklichkeit ist nur durch die materialistische Dialektik möglich geworden. Marx hat in der Fragment gebliebenen Einleitung zu seinem Werk ›Zur Kritik der politischen Ökonomie‹ die beiden großen Probleme, die sich aus der historischen Dialektik der Objektivität der Form ergeben, am Falle des Epos tief und klar bestimmt. Er zeigt erstens, daß eine jede künstlerische Form in ihrer Entstehung und in ihrem Wachstum an bestimmte gesellschaftliche und durch die Gesellschaft hervorgebrachte weltanschauliche Voraussetzungen gebunden ist, daß nur aus diesen Voraussetzungen heraus jene Thematik, jene Formelemente entstehen können, die eine bestimmte Form zur höchsten Blüte bringen (Mythologie als Grundlage des Epos). Auch dieser Analyse der historischen, der gesellschaftlichen Bedingungen für die Entstehung der künstlerischen Formen liegt bei Marx die Konzeption der Objektivität der künstlerischen Formen zugrunde. Seine scharfe Betonung des Gesetzes der ungleichmäßigen Entwicklung, der Tatsache, „daß bestimmte Blütezeiten derselben (der Kunst) keineswegs im Verhältnis zur allgemeinen Entwicklung der Gesellschaft ... stehen“, zeigt, daß er in diesen Blütezeiten (die Griechen, Shakespeare) objektive Gipfel der Kunstentwicklung erblickt, daß er den künstlerischen Wert als objektiv Erkennbares, objektiv Bestimmbares betrachtet hat. Eine jede Verwandlung dieser tiefen und dialektischen Theorie von Marx in eine relativistische, vulgäre Soziologie bedeutet also die Herabzerrung des Marxismus in den Sumpf der bürgerlichen Ideologie.

Noch klarer kommt die dialektische Objektivität in Marx' zweiter Fragestellung bezüglich der Kunstentwicklung zum Ausdruck. Und es ist sehr bezeichnend für das primitive Anfangsstadium unserer marxistischen Ästhetik, für unser Zurückbleiben hinter der allgemeinen Entwicklung der marxistischen Theorie, daß diese zweite Fragestellung unter den marxistischen Ästhetikern sich einer sehr geringen Popularität erfreut hat und vor dem Erscheinen der Arbeit Stalins über Fragen der Sprachwissenschaft so gut wie niemals konkret angewandt wurde. Marx sagt:

Aber die Schwierigkeit liegt nicht darin, zu verstehen, daß griechische Kunst und Epos an gewisse gesellschaftliche Entwicklungsformen geknüpft sind. Die Schwierigkeit ist, daß sie für uns noch Kunstgenuß gewähren und in gewisser Beziehung als Norm und unerreichbare Muster gelten.

Hier ist das Problem der Objektivität der künstlerischen Form mit großer Klarheit ausgesprochen. Hat sich Marx in der ersten Frage mit der künstlerischen Form im Zustand der Entstehung, in statu nascendi beschäftigt, so wirft er hier die Frage des geformten Kunstwerks, die Frage der objektiven Gültigkeit des geformten Kunstwerks, der künstlerischen Form auf, und zwar in einer Weise, die die Erforschung dieser Objektivität zur Aufgabe macht, aber an der Objektivität selbst – selbstverständlich im Rahmen einer konkreten historischen Dialektik – keinen Zweifel läßt. Das Manuskript von Marx bricht leider mitten in seinen tiefen Darlegungen ab. Aber die erhaltenen Erörterungen von Marx zeigen ganz klar, daß er auch hier die Formen der griechischen Kunst aus den spezifischen Inhalten des griechischen Lebens entspringen läßt, daß für ihn die Form aus dem gesellschaftlich-geschichtlichen Inhalt entspringt und die Aufgabe hat, diesen Inhalt auf die Höhe einer künstlerisch gestalteten Objektivität zu erheben.

Die marxistische Ästhetik kann nur von diesem Begriff der dialektischen Objektivität der künstlerischen Form in ihrer historischen Konkretheit ausgehen. Das besagt: sie muß jeden Versuch von sich weisen, die künstlerischen Formen entweder soziologisch zu relativieren, die Dialektik in Sophistik zu verwandeln und den Unterschied zwischen Blütezeit und Verfall, den objektiven Unterschied zwischen hoher Kunst und Pfuschertum zu verwischen, also der künstlerischen Form ihren Objektivitätscharakter zu nehmen. Sie muß aber ebenso entschieden jeden Versuch abweisen, den künstlerischen Formen eine abstrakte formalistische Scheinobjektivität zu verleihen, indem unabhängig vom geschichtlichen Prozeß, aus rein formellen Momenten heraus, die Kunstform, der Unterschied der formalen Gestaltungen, abstrakt konstruiert wird.

Diese Konkretisierung des Objektivitätsprinzips in der künstlerischen Form kann die marxistische Ästhetik nur im ständigen Kampf gegen die heute herrschenden bürgerlichen Strömungen der Ästhetik und deren Einwirkung auf unsere Ästhetiker vollziehen. Gleichzeitig mit der dialektischen und kritischen Bearbeitung des großen Erbes, das uns die Blütezeit der Geschichte der künstlerischen Theorie und Praxis gibt, muß ein unnachsichtiger Kampf gegen die heute herrschenden Subjektivierungstendenzen der Kunst in der bürgerlichen Ästhetik der Gegenwart geführt werden. Es ist im Resultat einerlei, ob die Form subjektivistisch geleugnet und zum bloßen Ausdruck der sogenannten großen Persönlichkeit gemacht (Schule Stefan Georges), ob sie mystisch-objektivistisch überspannt und zur selbständigen Wesenheit aufgebauscht (Neoklassizismus), oder ob sie mechanistisch-objektivistisch geleugnet und herabgesetzt wird (Theorie der Montage). Alle diese Tendenzen laufen letzten Endes darauf hinaus, Form und Inhalt voneinander zu trennen, sie in einen starren Gegensatz zueinander zu bringen und damit die dialektische Grundlage der Objektivität der Form zu zerstören. Wir müssen in diesen Tendenzen denselben imperialistisch-parasitären Charakter erkennen und entlarven, den die marxistisch-leninistische Erkenntnistheorie in der Philosophie des imperialistischen Zeitalters schon längst entdeckt und entlarvt hat. (In dieser Beziehung ist die Konkretisierung der marxistischen Ästhetik hinter der allgemeinen Entwicklung des Marxismus zurückgeblieben.) Es muß gezeigt werden, daß hinter dem Zerfall der künstlerischen Form in der Niedergangsperiode der Bourgeoisie, hinter den ästhetischen Theorien dieser Periode, die diesen subjektivistischen Zerfall oder die ebenfalls subjektivistische Verknöcherung der Formen glorifizieren, derselbe Verfaulungsprozeß der Bourgeoisie in der Periode des Monopolkapitalismus zum Ausdruck kommt wie auf anderen ideologischen Gebieten. Es hieße, die tiefe Theorie von Marx über die ungleichmäßige Entwicklung der Kunst zu einer relativistischen Karikatur verzerren, wenn man mit ihrer Hilfe diesen Zerfall zum Wachstum einer neuen Form umdichten würde.

Ein besonders wichtiges, weil besonders verbreitetes und irreführendes Erbstück dieser Subjektivierungstendenzen der Kunst ist die heute modische Verwechslung von Form mit Technik. Eine technologische Auffassung des Denkens ist in der neueren Zeit auch in der bürgerlichen Logik herrschend geworden, eine Theorie der Logik als eines formalistischen Instruments. Die marxistisch-leninistische Erkenntnistheorie hat aber alle solche Tendenzen als idealistisch-agnostizistisch erkannt und entlarvt. Die Identifizierung von Technik und Form, die Auffassung der Ästhetik als bloßer Technologie der Kunst, steht erkenntnistheoretisch auf genau demselben Niveau und ist der Ausdruck ebensolcher subjektivistisch-agnostizistischer Weltanschauungstendenzen. Die Tatsache, daß die Kunst eine technische Seite hat, daß diese Technik erlernt werden muß (freilich nur vom wirklichen Künstler erlernt werden kann), hat mit dieser Frage, mit der angeblichen Identität von Technik und Form nichts zu tun. Auch das richtige Denken bedarf einer Schulung, einer erlernbaren, einer bemeisterbaren Technik; aber daraus kann nur subjektivistisch-agnostizistisch der technizistische Hilfsmittelcharakter der Kategorien des Denkens gefolgert werden. Jeder Künstler bedarf einer hochausgebildeten künstlerischen Technik, um das ihm vorschwebende Spiegelbild der Welt in einer künstlerisch überzeugenden Weise zur Darstellung zu bringen. Das Erlernen und die Meisterung einer solchen Technik sind außerordentlich wichtige Aufgaben.

Um aber hier keine Verwirrungen aufkommen zu lassen, ist es unumgänglich notwendig, die Stellung der Technik in der Ästhetik dialektisch-materialistisch richtig zu bestimmen. Auch hier hat Lenin in seinen Bemerkungen über die Dialektik des Zweckes und der subjektiv zweckmäßigen Tätigkeit des Menschen eine vollständig klare Antwort gegeben und mit der Feststellung des objektiven Zusammenhanges zugleich die aus diesem Zusammenhang entstehenden subjektivistischen Illusionen entlarvt. Er schreibt:

> In Wirklichkeit werden die menschlichen Zwecke durch die objektive Welt erzeugt und setzen sie voraus – finden sie als das Gegebene, Vorhandene vor. Aber dem Menschen *scheint* es, daß seine Zwecke von außerhalb der Welt stammen, von der Welt unabhängig sind.

Die technizistischen Theorien der Identifizierung von Technik und Form gehen ausnahmslos von diesem subjektivistisch verselbständigten Schein aus, d. h. sie sehen nicht den dialektischen Zusammenhang von Wirklichkeit, Inhalt, Form und Technik, sehen nicht, wie Wesensart und Wirksamkeit der Technik notwendig von diesen objektiven Faktoren bestimmt sind, sehen nicht, daß die Technik ein Mittel ist, die Widerspiegelung der objektiven Wirklichkeit durch das gegenseitige Umschlagen ineinander von Inhalt und Form zum Ausdruck zu bringen; daß aber die Technik *nur* ein Mittel hierzu ist und nur aus diesem Zusammenhang, aus ihrer Abhängigkeit von diesem Zusammenhang richtig verstanden werden kann. Wenn man die Technik so, in der richtigen Abhängigkeit vom objektiven Problem des Inhalts und der Form bestimmt, ist ihr notwendig subjektiver Charakter ein notwendiges Moment des dialektischen Gesamtzusammenhangs der Ästhetik.

Erst wenn die Technik verselbständigt wird, erst wenn sie in dieser Verselbständigung an die Stelle der objektiven Form tritt, entsteht die Gefahr der Subjektivierung der Probleme der Ästhetik, und zwar in doppelter Hinsicht: erstens löst sich die isoliert aufgefaßte Technik von den objektiven Problemen der Kunst ab, erscheint als selbständiges, von der Subjektivität des Künstlers frei dirigiertes Instrument, mit dem man an ein beliebiges Material herantreten und aus ihm Beliebiges formen kann. Die Verselbständigung der Technik kann sehr leicht in eine Ideologie des subjektivistischen Formvirtuosentums, des Kultus der äußerlichen „Formvollendung", des Ästhetizismus ausarten. Zweitens und im engsten Zusammenhang damit verdeckt das Übertreiben der Relevanz der rein technischen Probleme der Darstellung die tiefergelagerten, unmittelbar schwerer wahrnehmbaren Probleme der eigentlichen künstlerischen Formung. Diese Verdeckung ist in der bürgerlichen Ideologie parallel mit dem Zerfall und der Verknöcherung der künstlerischen Formen, parallel mit dem Verlorengehen des Sinnes für die eigentlichen Probleme der künstlerischen Form entstanden. Die alten großen Ästhetiker haben stets die entscheidenden Formprobleme in den Vordergrund gestellt und damit die richtige Hierarchie innerhalb der Ästhetik bewahrt. Schon Aristoteles sagt, daß der Dichter seine Stärke mehr in der Handlung als in den Versen zeigen muß. Und es ist sehr interessant, zu sehen, daß die verächtliche Abneigung von Marx und Engels gegen die „kleinen Klugscheißereien" (Engels) der zeitgenössischen inhaltsleeren Formvirtuosen, der hohlen „Meister der Technik" so weit ging, daß sie sogar die schlechten Verse von Lassalles ›Sickingen‹ mit Nachsicht behandelten, weil Lassalle in dieser Tragödie einen – freilich verfehlten und von ihnen als verfehlt verurteilten – Versuch gewagt hatte, bis zu den wirklichen, tiefen Inhalts- und Formproblemen des Dramas vorzustoßen. Diesen Versuch lobte derselbe Marx, der, wie sein Verkehr mit Heine zeigt, nicht nur in die wesentlichen

Probleme der Kunst, sondern auch in die technischen Details der künstlerischen Technik so tief eingedrungen war, daß er imstande war, Heine konkrete technische Ratschläge zur Verbesserung seiner Gedichte zu geben.

V. Die Aktualität der Objektivitätsfrage für unsere Literatur und Literaturtheorie

Marx hat in der Kritik des Gothaer Programms bereits im Jahre 1875 die grundlegenden Züge der ersten Periode des Sozialismus theoretisch dargelegt. Lenin und Stalin haben auf der Grundlage der Erfahrungen der Diktatur des Proletariats und des Aufbaus des Sozialismus in der Sowjetunion diese theoretische Voraussicht von Marx konkretisiert und weitergebildet. In seiner Rede auf dem XVII. Parteitag der KPdSU gibt Stalin über die für uns hier wesentliche Frage folgende Charakteristik:

Kann man aber sagen, daß wir bereits alle Überreste des Kapitalismus in der Wirtschaft überwunden haben? Nein, das kann man nicht sagen. Noch viel weniger kann man sagen, daß wir die Überbleibsel des Kapitalismus im Bewußtsein der Menschen überwunden haben. Das kann man nicht nur deshalb nicht sagen, weil das Bewußtsein der Menschen in seiner Entwicklung hinter ihrer wirtschaftlichen Lage zurückbleibt, sondern auch deshalb nicht, weil immer noch eine kapitalistische Einkreisung besteht, die sich bemüht, die Überbleibsel des Kapitalismus in der Wirtschaft und im Bewußtsein der Menschen der Sowjetunion zu beleben und zu unterstützen, und der gegenüber wir Bolschewiki immer das Pulver trocken halten müssen.

Der Kampf um die Frage der Objektivität der Kunst ist ein Teil dieses Kampfes gegen die kapitalistischen Überreste im Bewußtsein der Menschen, ist ein Kampf gegen die ideologische Einkreisung des Aufbaus des Sozialismus durch den verfaulenden Monopol-Kapitalismus. Diese Einkreisung ist auf den spezifisch ideologischen Gebieten von einer besonderen Gefährlichkeit. Maxim Gorki hat in seinem Schlußwort auf einem Plenum des Schriftstellerverbandes der Sowjetunion sehr richtig auf das Zurückbleiben der Intelligenz hinter dem ungeheuren Sprung der Werktätigen, insbesondere der

Bauern, hingewiesen. Er sagte: „Daß der Mensch des 17. Jahrhunderts, der russische Bauer aus seinem Elendsanteil hinausgesprungen ist, das ist eine Tatsache. Und der intellektuelle Teil der Bevölkerung ist aus seinem Elendsanteil noch nicht hinausgesprungen." Dieses Zurückbleiben ist auf dem Gebiet der Literatur besonders auffällig. Und dies ist kein Zufall. Die notwendige Freiheit der Bewegung, die notwendige Freiheit in der Wahl der schöpferischen Methoden usw., kombiniert mit der theoretischen Zurückgebliebenheit eines Teils der Marxisten in den speziellen Fragen von Literatur und Kunst, bringt eine verhältnismäßig theoretische Wehrlosigkeit gegen das Eindringen bürgerlicher Ideologien hervor. Der Mangel an einer marxistisch tief fundierten und den Zerfall der bürgerlichen Kunst konkret und überzeugend beleuchtenden Literaturtheorie und -kritik gibt den Modeströmungen der Literatur und Literaturtheorie des verfaulenden Imperialismus bei uns noch immer einen allzu breiten Spielraum. Die Kritik Lenins, die er seinerzeit im Gespräch mit Clara Zetkin über diese Kapitulation vor den Moden der kapitalistischen Welt geäußert hat, hat auch heute noch nicht ihre Aktualität verloren. „Warum das Neue als Gott anbeten", sagt Lenin,

dem man gehorchen soll, nur weil es „das Neue" ist? Das ist Unsinn, nichts als Unsinn. Übrigens ist auch viel konventionelle Kunstheuchelei dabei im Spiele und Respekt vor der Kunstmode im Westen. Selbstverständlich unbewußt. Wir sind gute Revolutionäre, aber wir fühlen uns verpflichtet, zu beweisen, daß wir auf der Höhe zeitgenössischer Kultur stehen. Ich habe den Mut, mich als Barbar zu zeigen.

Selbstverständlich hat sich die Lage, seit Lenin diese Worte sprach, geändert. Es sind neue literarische Moden im Westen entstanden, und man soll es nicht leugnen, die Kritiklosigkeit ihnen gegenüber hat etwas abgenommen. Aber es wäre eine große Übertreibung, daß sie vollständig aufgehört hätte. Freilich, wenn wir diese Frage – jetzt allerdings nur in bezug auf das von uns aufgeworfene Problem der Objektivität bzw. Subjektivität der Kunst – betrachten, dürfen wir auch nicht übersehen, daß die objektive Entwicklung des sozialistischen Aufbaus, die Hunderte von Millionen erfassende Kulturrevolution, mit einem Wort: der siegreiche Vormarsch des sozialistischen Aufbaus, sehr vieles auch in der ideologischen und literarischen Lage modifiziert hat. Aber alle diese Modifikationen können nichts daran ändern, daß jede subjektive Auffassung der Kunst, jedes Leugnen oder jede mechanistische Mißdeutung ihres Widerspiegelungscharakters zu den ideologischen Überresten des Kapitalismus gehört. Wir bestreiten also nicht, daß in der literarischen Praxis und in der Theorie sehr viele Fälle vorkommen, wo Schriftsteller solche Tendenzen mit dem besten Willen und in der ehrlichsten Überzeugung, am Aufbau des Sozialismus mitzuarbeiten, aufnehmen, bearbeiten und weiterbilden. Aber der beste Wille und die ehrlichste Überzeugung können die Falschheit der Methode, ihre Ungeeignetheit zum Ausdruck des Neuen nicht ändern, sie können nichts daran ändern, daß Subjektivismus oder Mechanismus keine Hilfsmittel, sondern Hindernisse für den Ausdruck jenes ungeheuer Neuen und Originellen sind, das sich täglich und stündlich in der Sowjetwirklichkeit abspielt.

Wenn wir indessen die subjektivistische Auffassung der Kunst als bürgerliches Überbleibsel bekämpfen, so sind wir uns darüber im klaren, daß es sich hier um sehr verschiedene Tendenzen handelt, die keineswegs über einen Kamm geschoren werden dürfen. Wir finden in Überwindung begriffene bürgerliche ideologische Formen, die von dem in sie eindringenden neuen sozialistischen Inhalt gesprengt werden, ohne daß die Menschen, die sich dieser Formen bedienen, ein Bewußtsein darüber hätten, wie eklektisch bei ihnen Form und Inhalt auseinanderklaffen und einander gegenseitig behindern. Wir haben Beispiele von Kapitulationen oder wenigstens von Konzessionen gegenüber den intellektuellen Moden des Westens, die ebenfalls einen Eklektizismus hervorbringen, wenn sie nicht sogar den neuen Inhalt verfälschen, ihn auf ein niedrigeres Niveau herabzerren. Und wir haben es endlich – und dies ist ein sehr wichtiger Punkt, der immer wieder betont werden muß – auch mit *feindlichen* Ideologien zu tun, mit verschiedenen Abarten des Menschewismus, Trotzkismus usw., die diese Unklarheit, diese Verworrenheit unserer Praxis, diese mangelnde Festigkeit und Konkretheit unserer Literaturtheorie dazu ausnützen, um an dieser Front ideologische Stützpunkte für sich zu finden. Wir wiederholen, es wäre falsch, alle diese Tendenzen gleichmacherisch zu behandeln. Die Unterschiede dürfen nicht übersehen werden, aber diese Differenzierung darf nicht dazu führen, daß wir auch nur für einen Augenblick vergessen, daß *Idealismus und Subjektivismus feindliche Ideologien* sind, die unnachsichtig bekämpft werden müssen. Die Differenzierung kann und muß sich auf die *Formen* der Bekämpfung beziehen, auf die Frage, ob wir einen Vernichtungskampf gegen solche Ideologien führen oder durch den ideologischen Kampf die ehrlich Irrenden überzeugen und auf den richtigen Weg führen wollen.

Die Erkenntnis des historischen Wachstums, der gesellschaftlichen Wurzeln, ja der historischen Notwendigkeit falscher Tendenzen kann an der Notwendigkeit ihrer Bekämpfung nichts ändern. Jeder, der unsere Analyse der subjektivistischen Tendenzen in der Ästhetik der niedergehenden Bourgeoisie aufmerksam gelesen hat, wird gesehen haben, daß diese Tendenzen keineswegs an der Grenze der Sowjetunion haltgemacht haben. Ihr Eindringen in unsere Ideologie kann auch nicht bloß die Folge der kapitalistischen Einkreisung sein, sondern muß zugleich Wurzeln in den objektiven und subjektiven Faktoren unserer eigenen Entwicklung (vor allem in den letzteren) haben. Diese noch nicht vollständig liquidierten bürgerlich-ideologischen Überreste treten zumeist nicht als solche, nicht selbständig auf, sondern sind in der mannigfaltigsten und kompliziertesten Weise mit entstehenden neuen Entwicklungstendenzen vermischt. Die eine Tendenz ist die vulgarisierende Simplifizierung der Marx-Leninschen Parteilichkeit der Kunst, die Verwandlung der Tendenz, die nach Engels aus der objektiv künstlerischen Widerspiegelung der Wirklichkeit organisch herauswachsen soll, in eine an die photographische Reproduktion von Tageserscheinungen „anmontierte" Parole. Es handelt sich also um eine Ideologie der mechanistischen „Vulgarisation" des mechanistischen Objektivismus, der infolge seiner, uns bereits bekannten, notwendigen Schranken unvermeidlich in Subjektivismus umschlagen muß. So entstanden und bestehen eine Reihe von Theorien und schöpferischen Methoden, die zur Erfassung und zur künstlerischen Wiedergabe unserer komplizierten, neuen, originellen, täglich uns Neues und Überraschendes bietenden Wirklichkeit ungeeignet sind. Die an und für sich aus richtigem Instinkt entstandene Abneigung gegen die Bürgerlichkeit bestimmter Kunstformen und ihrer Theorien schlägt auf diesem Boden sehr oft in einen Kampf gegen die wirkliche künstlerische Form, gegen die dialektische Widerspiegelung der Wirklichkeit in allem Reichtum ihrer Bestimmungen durch die spezifischen Formen der Kunst um. Die an und für sich berechtigte Abneigung gegen den faulen Formalismus der bürgerlichen l'art pour l'art schlägt sehr oft um in einen Kampf gegen das Spezifische der künstlerischen Formung überhaupt. Es entsteht sehr oft die Tendenz, die Kunst auf das Niveau einer unmittelbaren Tagesagitation herabzudrücken.

Die Entwicklung der sozialistischen Wirklichkeit, die wachsende Unzufriedenheit der zu einem kulturellen Leben erwachten und erzogenen Millionenmassen mit einer Literatur, die hinter der Größe des von ihnen selbst gelebten Lebens offensichtlich zurückbleibt, mußte notwendig Rückschläge hervorrufen. Ein derartiger Rückschlag ist an sich richtig und gesund. Er ist die notwendige Folge einer bestimmten Entwicklungsetappe des sozialistischen Aufbaus. Aber die ideologischen Überreste des Kapitalismus in unserem Bewußtsein verursachen, daß dieser Rückschlag sich zuweilen in falschen, verzerrten und gefährlichen Formen äußert. Statt einer großen Kunst, einer Kunst, die die Größe der Zeit objektiv und darum adäquat widerspiegelt und gestaltet, wird eine „Kunst überhaupt" gefordert. Die berechtigte und sehr aktuelle Forderung, den künstlerischen Charakter der Formen zu studieren, die künstlerischen Formen auf ein qualitativ höheres Niveau zu erheben, an die Stelle der Monotonie den Reichtum und die Vielfältigkeit der Formen zu stellen, wird dadurch entstellt und verzerrt, daß das Formproblem subjektiviert und „technisiert" wird, daß durch manche Theoretiker und Künstler die Formfrage von der Frage des Inhalts, von der Frage der Widerspiegelung der objektiven Wirklichkeit durch Inhalt und Form des Kunstwerks isoliert und subjektivistisch-ästhetizistisch selbständig gemacht wird. Die berechtigte Forderung, daß die Kunst nicht vollständig in der bloßen unmittelbaren Tagesagitation aufgehe, daß sie alle großen Probleme der ganzen Epoche in ihrer ganzen Größe gestalte, schlägt zuweilen in eine Abwendung der Kunst von den Tagesfragen um. Einerlei, was bei dergleichen Tendenzen beabsichtigt ist, es entsteht in diesem neuen Ästhetizismus eine ähnliche Verzerrung der Probleme der Epoche, wie bei der

Verwechslung der Wohlhabenheit der Kolchosbauern mit der alten und falschen Parole: „Bereichert Euch" (nämlich euch Kulaken) – einer Parole, die Stalin in seiner Rede auf dem XVII. Parteitag entlarvt hat.

In beiden dieser Tendenzen sind subjektivistische Überreste aus der kapitalistischen Entwicklung deutlich sichtbar, und es ist einerlei, ob sich dieser Subjektivismus unmittelbar oder in der Form des Umschlagens des mechanistischen Objektivismus in Subjektivismus äußert. Jeder ist sich darüber im klaren, daß unsere Literatur trotz einigen sehr bedeutenden Leistungen hinter der Größe unserer Epoche zurückbleibt. Man muß bloß die Berichte und Protokolle über den Unions-Kongreß der Kolchosbauern lesen und sie mit dem guten Durchschnitt unserer Literatur vergleichen: wo findet man eine solche Fülle interessanter, heroischer Figuren, hinreißender, den ganzen Gang der Entwicklung zum Sozialismus hell beleuchtender Schicksale? Und jeder weiß, daß unsere Literaturtheorie und -kritik nicht imstande ist, die Literatur zu einem Einholen, ja Überholen der Wirklichkeit zu leiten. Einer der Gründe liegt ideologisch gerade in der Frage der Objektivität. Solange wir nicht wissen, wie wir an diese Probleme herangehen müssen, solange wir nur in Nebenfragen Geschicklichkeit und Wissen erwerben, jedoch an dem Hauptproblem achtlos vorbeigehen, können wir nur zufällig und spontan durch das urwüchsige Talent einiger bedeutender Schriftsteller wirkliche Schritte vorwärts tun.

Wir sprechen in den letzten Jahren sehr viel über das Problem des Erbes, zumeist aber ohne dabei auf die zentrale Frage zu sprechen zu kommen. Und diese Zentralfrage ist, daß die großen Schriftsteller der vergangenen Epochen, die Shakespeare und Cervantes, die Balzac und Tolstoi, ihre Epochen künstlerisch adäquat, lebendig und vollständig widergespiegelt haben. Die Frage des Erbes besteht darin, unseren Schriftstellern eine lebendige Anschauung der *Grundprobleme* dieser adäquaten Gestaltung einer Epoche zu geben. Denn *dies* ist von den großen Schriftstellern der vergangenen Epochen zu lernen, und nicht irgendwelche technisch-formalen Äußerlichkeiten. Niemand kann und niemand soll heute so schreiben, wie Shakespeare oder Balzac geschrieben haben. Es kommt darauf an, hinter das Geheimnis ihrer grundlegenden schöpferischen Methode zu kommen. Und dieses Geheimnis ist eben die Objektivität, die bewegte und lebendige Widerspiegelung der Epoche in dem bewegten Zusammenhang ihrer wesentlichsten Züge, die Einheit von Inhalt und Form, die Objektivität der Form als konzentriertester Widerspiegelung der allgemeinsten Zusammenhänge der objektiven Wirklichkeit.

In seinen Thesen gegen den Proletkult sagt Lenin:

> Der Marxismus erlangte seine weltgeschichtliche Bedeutung als Ideologie des revolutionären Proletariats dadurch, daß er die *wertvollsten* Errungenschaften des bürgerlichen Zeitalters durchaus nicht ablehnte, sondern im Gegenteil, sich alles *Wertvolle* der mehr als 2000jährigen Entwicklung des menschlichen Denkens und der menschlichen Kultur aneignete und es verarbeitete. (Hervorhebung von mir. G. L.)

Wir haben das zweimal wiederholte Wort von Lenin darum hervorgehoben, weil aus ihm unzweideutig klar hervortritt, erstens, daß wir *nur* das Wertvolle der bisherigen Kunstentwicklung als unser Erbe zu betrachten haben, zweitens aber, daß es nach Lenins Anschauung *objektive Kriterien* dafür gibt und geben muß, *was* dieses Wertvolle ist und *weshalb* es dieses Wertvolle ist. Unser theoretisches Zurückbleiben äußert sich darin, daß wir diese Frage kaum aufgeworfen und noch keinen wirklichen Schritt zu ihrer Lösung getan haben. Und auch dieses Problem ist das Problem der Objektivität.

Man unterschätze nicht die praktische Bedeutung dieser Fragen. Ich greife nur zwei Beispiele heraus, um ihre praktische Bedeutung zu illustrieren. Beide Male handelt es sich um die beliebte Verwechslung von künstlerischer Form mit Technik, deren subjektivistischen Charakter wir bereits aufgezeigt haben. Man denke erstens an die Einschätzung der bürgerlichen Literatur der Gegenwart. Niemand wird leugnen, daß die bedeutenden Schriftsteller des bürgerlichen Westens „Meister der Technik" sind. Wenn wir aber nicht gleichzeitig sehen, daß diese Meisterschaft oft auf einem sehr weit fortgeschrittenen Zerfall oder einer Verknöcherung der schriftstellerischen Formen beruht, so wird unsere Bewertung theoretisch falsch und praktisch gefährlich sein. Denn der junge Sowjet-Schriftsteller, dem es selbstverständlich noch an Technik fehlt, wird sich in sehr vielen Fällen lernbegierig an das Vorbild dieser Meister wenden und von ihnen meistens für ihn Unbrauchbares lernen können. Denn diese Technik ist zumeist aufs innigste mit dem Verfall der Formen, mit dem Einschrumpfen und Dürftigwerden des Inhalts, mit dem bewußten oder unbewußten Ausweichen der Schriftsteller des Westens vor den großen Problemen ihrer Epoche, mit der subjektivistischen Ablehnung der künstlerischen Widerspiegelung der Wirklichkeit, mit der Isolierung des kapitalistischen Schriftstellers vom Leben der Gesellschaft usw. verknüpft. Diese Technik wird der junge Sowjet-Schriftsteller entweder überhaupt nicht anwenden können, oder er wird mit ihr Elemente jener Ideologie, die sie hervorgebracht hat, ebenfalls übernehmen. Das gesellschaftliche Sein der Schriftsteller ist es, welches bedingt, daß er auch bei uns nicht vor dieser Gefahr gefeit ist; es besteht die Möglichkeit für den Schriftsteller, zu einem vom Leben der Gesellschaft losgelösten Literaten zu entarten.

Zweitens aber – und im engsten Zusammenhang mit dieser subjektivistischen Verwechslung von Technik und Form – kann die daraus entspringende Überschätzung der gegenwärtigen Literatur, der mangelnde Kontakt zu den großen klassischen Vorbildern sehr viele urwüchsige Begabungen verderben. Maxim Gorki hob sehr richtig den ungeheuren Sprung der Bauernschaft aus dem halben Mittelalter in den Sozialismus hervor. Wenn wir aber über diese Frage als Schriftsteller nachdenken, so ist es klar, daß das vorkapitalistische Entwicklungsstadium in breiten Massen eine urwüchsige Begabung, eine urwüchsige Neigung zum wirklichen Erzählen, zur wirklichen, wesentlichen liedhaften Lyrik lebendig erhalten mußte. Wenn nun diese Massen sich sprunghaft ins sozialistische Sein erheben, wenn sie sich parallel damit zu Menschen der sozialistischen Gesellschaft entwickeln, so käme es für uns darauf an, diese urwüchsigen Begabungen gesund zu erhalten und sie bewußt in der Richtung einer großen sozialistischen Kunst weiterzuentwikkeln. Dazu müßte man aber in ihnen ihre urwüchsige Begabung, ihre urwüchsige Neigung zu den wirklichen Formen, ihren urwüchsigen Materialismus und ihre urwüchsige Dialektik in der künstlerischen Praxis lebendig erhalten, nur bewußt machen und weiterbilden. Das ästhetizistische Hinlenken der Aufmerksamkeit solcher aus der Masse emporsteigenden Schriftsteller auf die Technik führt in erster Linie dazu, ihren urwüchsigen Formsinn zu verschütten. Nur dadurch, daß wir ihnen marxistisch klar verständlich machen können, was Erzählen, was Singen usw. seinem objektiven Wesen nach ist, können wir sie wirklich fördern, ihre Aufmerksamkeit auf die wirklich wichtigen, wirklich fruchtbaren Fragen lenken. Und nur dadurch können wir bei ihnen eine wirklich fruchtbare Aneignung des Erbes hervorbringen. Denn wer mit der Anweisung, eine heute brauchbare, unmittelbar anwendbare schriftstellerische Technik zu erwerben, an die Lektüre von Homer, Shakespeare oder sogar Balzac herantritt, wird notwendig enttäuscht werden müssen und kann sehr leicht aus dieser Enttäuschung heraus, aus dem naheliegenden, aber falschen Gefühl, mehr unmittelbar technisch Brauchbares bei den modernen Schriftstellern zu finden, im Sumpf der imperialistischen Formzersetzung landen.

Maxim Gorki hat in seinem bereits zitierten Schlußwort über das Zurückbleiben unserer Thematik hinter der Wirklichkeit gesprochen. Er sprach davon, daß Frau, Kind und insbesondere der Klassenfeind sowie die wechselnden Formen des Kampfes mit ihm in unserer Literatur unzureichend geschildert werden, dieser Vorwurf bleibt aber nicht bei der Thematik stehen. Denn wir haben in früheren Analysen ausführlich dargestellt, wie eng Thematik und Formgebung miteinander zusammenhängen, in wie enger Wechselwirkung sie zueinander stehen. Das Ausweichen vor dem Reichtum, vor der Vielfältigkeit, Kompliziertheit, Widersprüchlichkeit, „Schlauheit" der Thematik läßt einerseits die Formen erstarren oder verfallen (wie wir dies im kapitalistischen Westen in krasser Klarheit sehen können); andererseits muß der Schriftsteller, dessen Formgebung nicht die notwendige objektive Umfassendheit besitzt, gewissermaßen aus schriftstellerischem Selbsterhaltungstrieb vor der Umfassendheit der Thematik ausweichen, eine Thematik wählen, der seine Formgebung angemessen ist, vor dem Reichtum der Wirklichkeit – bewußt oder unbewußt – resigniert zurückweichen. Der revolutionäre Objektivismus der Kunsttheorie des Marxismus-Leninismus, die dialektisch-materialistische Theorie der Widerspiegelung der Wirklichkeit durch Inhalt und Form eröffnen uns erst die Möglichkeit einer Kunst, die nicht hinter der großen Epoche zurückbleibt, einer Kunst, die gerade infolge der Objektivität ihres

Inhalts und ihrer Form imstande ist, den großen *Prozeß* der Umwandlung des Menschen in bewegter Lebendigkeit zu gestalten; an Stelle der trockenen und schematischen Photographie einzelner, aus dem Zusammenhang herausgerissener, fertiger und totgemachter *Resultate.*

Der sozialistische Realismus stellt sich als Grundaufgabe die Gestaltung des Entstehens und des Wachstums des neuen Menschen. Und gerade dadurch und nur dadurch, daß er diesen Entstehungsprozeß mit allen seinen Schwierigkeiten, in seiner ganzen „Schlauheit“ gestaltet, erreicht er seine aktivierende Wirkung. Fertige Vorbilder nützen den kämpfenden und ringenden Menschen relativ wenig. Eine wirkliche Hilfe, eine wirkliche Förderung bietet ihnen das Erlebnis, *wie* diese vorbildlichen Helden aus zurückgebliebenen Bauern, aus verkommenen Besprisorni usw. zu diesen vorbildlichen Helden *geworden* sind; aber nur, wenn dieser Prozeß wirklich umfassend, wirklich lebendig, wirklich in allen seinen wichtigen objektiven Bestimmungen, mit der richtigen objektiven Verteilung von Licht und Schatten, gestaltet wird. Nur indem die Schriftsteller die Gesetze dieser Entwicklungen erkennen, nur indem sie mit richtiger schriftstellerischer Abstraktionskraft jene objektiven Formen entdecken, die diese Prozesse adäquat widerspiegeln, können sie zu wirklichen Erziehern der Millionenmassen, zu wirklichen „Ingenieuren der Seele“ werden. Die Formen, die sie als konzentrierteste und abstrakteste Widerspiegelung unserer Wirklichkeit entdecken werden, unterscheiden sich sehr wesentlich von den alten Formen. Die Aneignung des Erbes soll ja gerade dazu dienen, das herauszuarbeiten, was uns von den großen Schriftstellern der bisherigen Menschheitsentwicklung unterscheidet. Wir können von ihnen die Methode ihrer wesentlichen Fragestellungen erlernen und diese entsprechend abgewandelt auf unsere Epoche anwenden. Wir können z. B. lernen, daß die Dialektik der Fabel die Dialektik von Sein und Bewußtsein ist. Während aber diese Dialektik in der kapitalistischen Periode vorwiegend die Dialektik der Entlarvung gewesen ist, das Aufzeigen dessen, daß das Bewußtsein eine Selbsttäuschung oder einen Selbstbetrug über das Sein beinhaltet hat, handelt es sich bei uns vorwiegend um das entgegengesetzte Problem: unsere Entwicklung zeigt, welche ungeahnten Möglichkeiten von intellektuellen und moralischen Qualitäten in den bisher unterdrückten, von der Kultur ferngehaltenen Massen schlummern, wie die politische Herrschaft der Arbeiterklasse unter Führung ihrer marxistisch-leninistischen Partei diese Fähigkeiten durch die aktive Teilnahme der Massen am Sturz des Kapitalismus und am Aufbau des Sozialismus erweckt und in ungeahnte Höhen erhoben hat. Die Fabel des sozialistischen Realismus wird also vorwiegend diese Dialektik in einer neuen Form bringen, in der Form des dialektischen Einholens des stürmisch vorwärtsschreitenden gesellschaftlichen Seins durch das menschliche Bewußtsein.

Unsere Epoche ist größer als irgendeine subjektive Vorstellung, als irgendein subjektives Gefühl über sie. Wir müssen also jeden bürgerlichen Subjektivismus überwinden, um schöpferisch nicht hinter dieser Größe zurückzubleiben. Und die marxistische Theorie der Kunst muß, wenn sie nicht im Schlepptau der gesellschaftlichen Bewegung bleiben will, die ersten wegweisenden Schritte in der theoretischen Überwindung des bürgerlichen Subjektivismus jeder Schattierung tun.

Anmerkung

[1] Objektivismus hier nicht im Sinne einer Prätention auf unparteiisches Geltenlassen aller Standpunkte, sondern im Sinne der Überzeugung von der strengen Objektivität der Natur und Gesellschaft und ihrer Gesetze. – G. L.

Deutsche Zeitschrift für Philosophie 14 (1966), S. 5–21.

SOZIALISTISCHER REALISMUS UND ÄSTHETISCHE MASSSTÄBE

Von Erwin Pracht

I

Unsere Schriftsteller, Künstler und Komponisten, so wurde in Bitterfeld festgestellt, haben nach ihrer Ankunft im sozialistischen Alltag ihre Bewährungsprobe bestanden. Aber nur eine dieser Gegenwartskunst ebenbürtige Wissenschaft kann ihre Erfahrungen gültig verallgemeinern. Das heißt, die künstlerischen Erfahrungen, die Strittmatter, Christa Wolf u. a. bei der Erschließung neuer Gegenstandsbereiche gemacht haben, was geglückt oder mißlungen ist, warum, weshalb – dies alles im Sinne Hegels „auf den Begriff" gebracht, kann anderen Künstlern helfen, Irrwege zu vermeiden. Es kann für jüngere Künstler ein wichtiges Hilfsmittel des eigenen Schaffens werden. Eine auf der Höhe ihrer Aufgaben befindliche Analyse eines Kunstwerks kann – wie die Geschichte der Ästhetik zeigt – selbst den erfolgreichen Autor zu neuen Einsichten führen. Johannes R. Becher äußerte einmal, was ein Lyriker, der nicht allein „eine Lobanweisung", eine Art „erweiterte Bauchbinde", also „Reklame" für seine Gedichte von der Kritik erwartet, noch an „geheimen Sehnsüchten" hegt.

Er (der Autor) träumt von einer Kritik, durch die ein Mensch zu ihm spricht, der sich auskennt, der Gedichte liebt, ja mit ihnen sogar, auch außerhalb der Kritik, zusammenlebt ... Eine solche Kritik würde natürlich, da ihr der spezifisch poetische Charakter zugänglich wäre, auf jedes lästige geschmäcklerische Geschwätz Verzicht leisten, aus solcher Kritik würde man heraustreten, frisch und gefestigt, eine solche Kritik wäre auch imstande, das Knäuel der mannigfaltigen Tendenzen und Widersprüche, wie sie oft in einem Dichter zusammenlaufen, aufzulockern, ihn frei zu machen. Solch eine Kritik würde Auskunft geben können über Metrik,

Symbolik, Metapher, über das Verhältnis von Thematik und Rhythmik, über den Einbau und die Erhebung zur Erstmaligkeit verbrauchter Reime und Wortbildungen. Eine solche Kritik könnte eine Schule werden, zu solch einer Kritik würde man gern in die Lehre gehen ...[1]

Sicher hätte auch der Dramatiker oder Romancier nichts einzuwenden, wenn sein Werk von derart sachkundiger Kritik nicht nur dem Publikum erläutert, sondern ihm selbst noch etwas zu geben imstande wäre.

Zwanzig Jahre sind seit dieser Äußerung vergangen. Sind heute – fast zwei Jahre nach der Zweiten Bitterfelder Konferenz – jene „geheimen Sehnsüchte" in Erfüllung gegangen? Die Antwort ist, die Gesamtentwicklung gesehen, leider negativ. Natürlich hat sich auch die Literaturkritik weiterentwickelt. Es gibt gerade in den letzten Jahren einige vielversprechende Ansätze. So entlassen Dieter und Silvia Schlenstedts Artikel [2], um nur zwei von mehreren Beispielen herauszugreifen, den Leser mit dem Gefühl, daß er hier etwas erfahren hat, was er nach dem Lesen von Christa Wolfs Erzählung ›Der geteilte Himmel‹ und Max Walter Schulz' Roman ›Wir sind nicht Staub im Wind‹ noch nicht – oder doch nicht so präzise – wußte. Hier hat die Literaturkritik zum tieferen Verständnis der Werke beigetragen. Und ich meine, daß sie, in dieser Weise praktiziert, auch den Schriftstellern Anregungen geben kann. Aber das sind erst wenige „Schwalben". Der „literaturkritische Sommer" läßt noch immer auf sich warten.

Von seiten der Schriftsteller, um bei der Literatur zu bleiben, wird nach wie vor nicht nur mangelnde Hilfe der Literaturkritik bei der Erschließung poetischen Neulands festgestellt, sondern auch Momente der Lieblosigkeit, Beckmesserei, dogmatische Enge und sehr häufig ästhetisches Unverständnis. Auf Beispiele, an denen es wahrlich nicht mangelt, soll hier verzichtet werden.[3] Dabei ist hervorzuheben, daß die Äußerungen der Schriftsteller nicht das geringste mit Nörgelei oder Überempfindlichkeit zu tun haben. Keineswegs betrachten die Schriftsteller eine Kritik nur dann als gut, als Hilfe, wenn ihr Werk gelobt wird. Ihre „kritischen Anmerkungen zur Kritik" muß man als Ausdruck und Teil einer produktiven Unzufriedenheit betrachten. Der Schriftsteller sucht im Kritiker nicht allein einen Mittler zwischen Werk und Leser, sondern einen echten Partner. Gelegentliche Überspitzungen drücken lediglich die Ungeduld darüber aus, daß der Schriftsteller in „seinem“ Kritiker noch immer nicht das kluge, einfühlsame und gebildete Gegenüber findet, das ihm sachkundiger Helfer, ästhetischer Berater und Kritiker in einer Person zu sein vermag.

Seit Jahren wird über den Zustand unserer Literatur- und Kunstkritik geklagt. Indes wurde eben wohl mehr geklagt als real verändert. Zweifelsohne ließe sich durch eine „Kritik der Kritik“ – an deren in der Regel bloß referierendem Charakter, ihrem Steckenbleiben im Vorfeld der Ästhetik usw. – ein recht polemisches Feuerwerk abbrennen. Dies wird in bestimmten Zeitabständen auch getan. Jedoch hat sich dadurch am Zustand unserer Literaturkritik nichts Wesentliches geändert. Das ist mehr eine Art Selbstbefriedigung, solange nicht die realen Ursachen aufgedeckt und beseitigt werden. Einen wesentlichen Grund für den unbefriedigenden Stand unserer Literaturkritik sehe ich darin, daß die alte bürgerliche – akademische – Trennung von Kritik und Literaturwissenschaft noch immer nicht überwunden ist. Theoretisch sind wir uns zwar klar darüber, daß die Kritik zum ureigenen Anliegen der Literaturwissenschaft werden muß. „Innerhalb der sozialistischen Literaturgesellschaft“, schrieben die Germanisten schon vor drei Jahren,

sollte die Literaturkritik nicht prinzipiell von der Literaturwissenschaft getrennt sein, sondern muß in ihrem Charakter als literaturwissenschaftliche Disziplin erkannt und entsprechend berücksichtigt werden. In der Literaturkritik zeigt sich die politische und kulturpolitische Funktion der Literaturwissenschaft sehr unmittelbar, weil sie die operativste, die aktuellen Prozesse innerhalb der Literaturgesellschaft direkt begleitende Disziplin ist.[4]

Dieser völlig richtigen Erkenntnis entspricht jedoch, soweit ich das zu überblicken vermag, nicht die notwendige Umorientierung in Lehre und Forschung. Die Aufnahme einer Übung zur Literaturkritik in den Studienplan ist zwar begrüßenswert, stellt aber noch keine grundsätzliche Wende dar. Zudem darf man den gegenwärtigen Zustand der Literaturkritik nicht isoliert vom Gesamtzustand der Literaturwissenschaft betrachten. Es ist nicht zu übersehen, daß die marxistische Literaturwissenschaft, die der Kritik gleichermaßen Grundlagen wie „ästhetisches Handwerkszeug“ ihres Metiers zu liefern hätte, diesem Erfordernis nur teilweise zu entsprechen vermag. Die Ursachen können hier nicht im Detail erörtert werden. Meines Dafürhaltens gibt es in der Literaturwissenschaft noch eine Vernachlässigung der Theorie (nicht nur der Literaturtheorie, sondern ebenso der marxistischen Philosophie und Ästhetik, aber auch der Soziologie und Sozialpsychologie). Zufall sind weder gewisse positivistische Tendenzen noch die Tatsache, daß Äußerungen von Spezialisten der Literaturgeschichte des 19. Jahrhunderts oder gar der Klassik zu aktuellen literarischen und ästhetischen Fragen geradezu Seltenheitswert besitzen.

Zweifellos beginnt man sich dieser Mängel bewußt zu werden. Die Einrichtung spezieller Abteilungen für Literaturtheorie bzw. allgemeine Literaturwissenschaft zeugt davon. Aber dies allein bringt noch nicht das Wechselverhältnis von Geschichte und Theorie der Literaturwissenschaft ins Lot. Das kann nicht nur Aufgabe weniger Spezialisten sein, sondern muß zum Anliegen aller im Bereich der Literaturwissenschaft Tätigen werden. Tschernyschewski hat die Dialektik dieses Wechselverhältnisses einmal sehr treffend zum Ausdruck gebracht. Ihm schien,

> daß alle Einwände gegen die Ästhetik auf einem Mißverständnis beruhen, auf einer falschen Auffassung davon, was Ästhetik und was überhaupt jede theoretische Wissenschaft ist. Die Geschichte der Kunst bildet die Grundlage für eine Kunsttheorie, dann hilft diese Kunsttheorie, die Kunstgeschichte zeitgemäßer und vollständiger zu bearbeiten; eine bessere Bearbeitung der Geschichte führt wiederum zu einer Vervollkommnung der Theorie und so weiter, – diese wechselseitige Beeinflussung zum beiderseitigen Nutzen der Geschichte und der Theorie wird unendlich weitergehen, solange die Menschen die Tatsachen studieren und aus ihnen Schlußfolgerungen ziehen und nicht bloß zu wandelnden chronologischen Tabellen und biographischen Verzeichnissen werden ... Ohne Geschichte eines Gegenstandes gibt es keine Theorie des Gegenstandes; aber ohne Theorie des Gegenstandes ist auch keine Geschichte des Gegenstandes denkbar, da nur sie einen Begriff des Gegenstandes, eine Vorstellung von seiner Bestimmung und seinen Grenzen gibt.[5]

Ich meine, daß gerade die Beachtung des letzten Satzes mit allen sich daraus ergebenden Konsequenzen uns voranbringen kann.

Damit sollen die Leistungen der Kunst- und Literaturwissenschaftler keineswegs geschmälert werden. Es geht nicht um pauschale Verdammung. Indes kann uns das Erkennen der Hemmnisse, die Selbstverständigung über ihre Ursachen helfen, sie so rasch wie möglich zu überwinden. Es gibt gerade in letzter Zeit eine ganze Reihe Ansätze zur Überwindung der erwähnten Schwächen (so die Beiträge zur Hegel-Konferenz und Dante-Ehrung, die Gespräche zu Goethes ›Faust‹ im ›Forum‹ von Gerhard Scholz u. a. m.). Dennoch wäre es falsch, sich Illusionen über den augenblicklichen *Gesamtzustand* zu machen. Mir scheint eine nüchterne Selbsteinschätzung vonnöten zu sein. Das ist nicht mit Selbstzerfleischung zu verwechseln. Ich habe allerdings den Eindruck, daß z. B. die Art und Weise der Argumentation von Inge Diersen [6] uns nicht zu dieser notwendigen Einschätzung des augenblicklichen Standes der Literaturwissenschaft führt. Dabei bin ich mit dem, was sie zur Funktion der Literaturkritik sagt, im wesentlichen einverstanden. Aber alle Polemik gegen „fatale Vereinfachungen", „falsche Generalisierung" usw. lenkt doch nur ab von der Kernfrage, die mit dieser „Kritik der Kritik" (mag darin noch so viel Halbrichtiges oder Falsches enthalten sein) auf die Tagesordnung gesetzt wurde: nämlich die Frage, weshalb die Literaturwissenschaft den Anforderungen unserer „Literaturgesellschaft" nicht in vollem Maße gerecht wird.

Ich bin mir bewußt, daß ich mich, indem ich von „der Literaturwissenschaft" sprach, in den Augen von I. Diersen einer falschen Generalisierung schuldig gemacht habe. Aber dieser Streit kommt mir – um mit Erich Kästner zu sprechen – vor, als ob hier Haare mit der Axt gespalten werden. Sowohl Hans Koch als auch Annemarie Auer, gegen die Inge Diersen namentlich polemisiert, ist mit der Sache genügend vertraut, um zu wissen, daß es im literaturwissenschaftlichen Bereich in nationaler wie epochenmäßiger Hinsicht Arbeitsteilung gibt. (Dabei sollen selbstverständlich auch kader- wie entwicklungsbedingte Niveauunterschiede in den einzelnen Teildisziplinen nicht abgestritten werden.) Nichtsdestoweniger kann und darf man von *der* Literaturwissenschaft sprechen, da ein einheitlicher Gegenstand gegeben ist, nämlich das literarische Kunstwerk, wenn auch in der Vielfalt der nationalen, historischen, gattungsmäßigen usw. Besonderheiten. Wozu rennt Inge Diersen also offene Türen ein? Kommt nicht ihre positivistische Relativierung mehr oder weniger der Aufhebung der an der literaturwissenschaftlichen Germanistik geübten Kritik gleich? I. Diersen stellt fest, daß es innerhalb der marxistischen literaturwissenschaftlichen Germanistik der DDR recht unterschiedliche Strömungen gebe.

Es handelt sich hier um Strömungen, nicht um „wissenschaftliche Schulen" im engen Sinne oder gar um Cliquen; und kennzeichnend ist, daß auch innerhalb der verschiedenen Strömungen alles im Fluß ist, daß es keine wissenschaftlichen Konzeptionen gibt, auf die die Angehörigen einer Strömung „eingeschworen" sind, sondern daß es um die Entwicklung von Konzeptionen geht. Eine lebendige Wissenschaft entwickelt sich durch den Widerspruch der Methoden, Konzeptionen, Meinungen usw.[7]

Inge Diersen sieht die Hauptschwäche der Literaturwissenschaft darin, „daß die verschiedenen Strömungen keinen echten wissenschaftlichen Streit miteinander austragen; daß sich die Auseinandersetzungen allenfalls intern, aber fast nie öffentlich vollziehen". Ich kann nichts über die unterschiedlichen Strömungen sagen, da ich nicht zu jenen Eingeweihten gehöre, die an den internen Auseinandersetzungen teilhaben dürfen. Nach Meinung von I. Diersen liegt die Schwäche allein darin, daß nicht öffentlich diskutiert wird. Ich frage mich: Können überhaupt tragfähige Konzeptionen für ein so umfassendes Gebiet wie die literaturwissenschaftliche Germanistik gleichsam unter Ausschluß der Öffentlichkeit heranreifen? Nicht die Anzahl und die bunte Vielfalt der Konzeptionen, falls es sich überhaupt um solche handelt, sind für die Entwicklung eines Wissenschaftsgebietes entscheidend, sondern allein die im öffentlichen Streit der Meinungen überprüften. Der Dialektik entspricht zwar, daß „alles im Fluß ist". Das kann aber nicht bedeuten, daß – wenn man eine veraltete Position verläßt und dabei auch einige liebgewonnene, aber nichtsdestoweniger vom Leben überholte Theoreme als Ballast über Bord wirft – jetzt überhaupt keine Fixpunkte mehr vorhanden sind. Man kann nicht „ewig unterwegs" sein. Einmal muß das neue Ufer, die neue wissenschaftliche Position – konzeptionell wie methodologisch – sichtbar werden.

Dabei soll das von einzelnen wie Gruppen auf diesem Gebiet bisher wissenschaftlich Geleistete in keiner Weise unterschätzt werden. Ich bin der Ansicht, daß unsere junge marxistische literaturwissenschaftliche Germanistik durch eine ganze Reihe von Publikationen internationales Ansehen errungen und sich auch im Hinblick auf die Ausbildung der Studenten große Verdienste erworben hat. Unsere sozialistische Nationalliteratur ist in eine neue, höhere Entwicklungsphase getreten. Es wird von seiten der Germanistik (aber auch der marxistischen Ästhetik) großer Anstrengungen bedürfen, um wissenschaftlich der Literaturgesellschaft (im Sinne Bechers) den Weg zu bereiten und nicht ein Stein im Weg zu sein.[8]

II

Am deutlichsten zeigt sich die philosophische und ästhetische Schwäche unserer literatur- und kunstwissenschaftlichen Arbeiten, ihre theoretische Urteilsunsicherheit, in der Frage des Realismus. Wer einmal unsere kunst- und literaturwissenschaftlichen Abhandlungen etwas genauer auf die ihnen zugrundeliegende Realismusauffassung hin untersucht, wird feststellen, daß nur in den wenigsten Fällen das Bemühen vorherrscht, die eigenen Vorstellungen darüber inhaltlich näher zu bestimmen. Es trifft in der Regel auch heute noch zu, was die Berliner Germanisten 1958 im Nachwort zu ihren ›Thesen zum sozialistischen Realismus‹ selbstkritisch als Hauptmangel feststellten, nämlich der Verzicht auf die begrifflich-theoretische Klärung dessen, was unter Realismus verstanden wird, „während doch ständig eine bestimmte Vorstellung vom Realismus unterstellt und mit ihr operiert wird". Selbst eine so verdienstvolle Kollektivarbeit wie die ›Skizze zur Geschichte der deutschen Nationalliteratur‹ zeigt deutlich, daß man sich in einer so „heiklen" Frage wie der Realismus-Konzeption nicht gern schriftlich festlegt.

Die Forderung nach Vertiefung und Präzisierung der Realismusauffassung ist nicht die persönliche Marotte dieses oder jenes Ästhetikers; sie ist ein Gebot des sich entwickelnden Lebens. Wenn wir heute feststellen, daß Ästhetiker, Kunst- und Literaturwissenschaftler bei der allseitigen Ausarbeitung der Realismusauffassung für die einzelnen Gattungen, Genres usw. einen bestimmten Tempoverlust, einen „Nachholebedarf", haben, so bedeutet das keineswegs, jenen das Wort zu reden, die meinen, in dieser Frage sei bisher gar nichts geklärt. Es bringt uns nicht voran, wenn wir alle bisherigen Ergebnisse, wie dies ab und an gefordert (und praktiziert) wird, einfach über Bord werfen. Es war sicher nicht richtig, die Hinweise von Marx, Engels, Lenin, Gorki, Lunatscharski u. a. in der Vergangenheit mitunter als *Definition* des Realismus auszugeben, so z. B. jene bekannte Stelle in Friedrich Engels' Brief an Margaret Harkness. Aber ebenso falsch ist es, sie einfach zu ignorieren. Alle wertvollen Hinweise, alle Erkenntnisse zum Wesen der künstlerischen Aneignung der Welt vergangener Zeiten müssen in unserer Auffassung im dialektischen Sinne „aufgehoben" erscheinen. Zudem haben wir in der deutschen marxistischen Ästhetik der letzten dreißig bis vierzig Jahre Traditionen zu wahren und fortzusetzen, die nicht das geringste mit Enge, Dogmatismus und Lebensfremdheit gemein haben. So haben z. B. Johannes R. Becher, Bertolt Brecht und Hanns Eisler nicht nur einen hervorragenden Beitrag zur sozialistischen Kunst geleistet, sondern auch, ihre eigenen künstlerischen Erfahrungen verallgemeinernd, die Theorie des sozialistischen Realismus auf dem Gebiete der Lyrik, des Dramas und der Musik *wesentlich* bereichert. Allerdings kommt die Fülle ihrer schöpferischen Anregungen bislang bei uns nur recht unzureichend zur Geltung.

Zu prüfen ist ohne Zweifel, und zwar am lebendigen Kunstwerk und am Leben selbst, wie weit diese oder jene These sich als zuverlässige wissenschaftliche Verallgemeinerung bewährt oder der Modifizierung bedarf. „Für uns", sagt Walter Ulbricht, „ist der sozialistische Realismus ... kein Dogma, keine Ansammlung von Vorschriften, in die man das Leben zu pressen habe. Die realistische Methode ist historisch entstanden und sie entwickelt sich weiter." [9] Eine dergestalt dynamische Realismusauffassung ist „offen" im Sinne jener Äußerung von Engels, in der er feststellt, daß der dialektische Materialismus mit jeder neuen naturwissenschaftlichen Entdeckung seine Gestalt ändere. Wir betrachten den sozialistischen Realismus als offen gegenüber allem Neuen im Leben, d. h. dem die Entwicklung Bestimmenden. Auch Brecht hebt in seinen Theater-Schriften hervor: „Die sozialistische realistische Gestaltungsweise bedarf ständiger *Ausbildung, Umbildung, Neubildung.*" [10] Die Theorie des sozialistischen Realismus muß eigentlich an jedem neuen Kunstwerk, das geschaffen wird, dahingehend überprüft werden, ob ihre Prinzipien der lebendigen Kunstentwicklung Rechnung zu tragen imstande sind. Eine Realismusauffassung, die solchermaßen der Dialektik des Lebens und der Kunstentwicklung gemäß ist, darf aber nicht mit einer Realismuskonzeption *ohne Prinzipien* verwechselt werden.

III

In der letzten Zeit können sogar uns wenig freundlich gesinnte Publikationsorgane der Bundesrepublik nicht umhin, unsere Literatur zur Kenntnis zu nehmen. „Langsam wird Literatur aus der Sowjetzone auch bei uns bekannt. Mehr und mehr Autoren werden mit Achtung gelesen und die mitteldeutsche Lyrik wird vom Westen her oft sogar mit Neid betrachtet." [11] Zwar wird diese Bemerkung (von der „freiheitlichen" Sprachregelung einmal ganz abgesehen) nur als Aufhänger benutzt, um dann Strittmatters ›Wundertäter‹ zu verreißen. Aber selbst Axel Springers ›Welt der Literatur‹ kann bestimmte Gegebenheiten nicht mehr ohne weiteres ignorieren. Der Feuilletonredakteur von ›Stockholms Tidningen‹ sagte im vorigen Jahr in einem Interview mit dem wdr: „Für uns Schweden ist manchmal die Literatur der DDR interessanter als die der Bundesrepublik." [12] Max von der Grün fordert seine Mitbürger auf, die Vorurteile und Scheuklappen gegenüber unserer Literatur abzulegen.[13] „War es mehrere Jahre bei uns (in der Bundesrepublik) Gepflogenheit, in der DDR überhaupt nur schriftstellerisches Brachland zu sehen", schreibt Klaus Völker in einer Rezension zu Volker Brauns „Provokation für mich", „so messen jetzt viele Kritiker den Rang eines DDR-Schriftstellers an dem Umstand, ob er der SED genehm oder nicht genehm ist. Wenigstens in einer Gedichtzeile muß sich die Legende vom ‚Widerstandskämpfer' belegen lassen." Völker wendet sich gegen das unsinnige Bemühen einiger Kritiker, bei uns zweierlei Literatur nachzuweisen. „Volker Braun . . . gehört laut Sabine Brandt zu den Schöpfern parteigetreuer Lyrik . . . Brauns Verse wüßten nichts von Melancholie und strahlten blinden Optimismus aus. Formale Kunstfertigkeit mache seine Parteilichkeit nicht wett." Klaus Völker stellt dann die Frage: „Was besagen solche Behauptungen eigentlich? Daß Braun für den sozialistischen

Staat plädiert und formal interessante Verse schreibt. Ist das unvereinbar? Volker Brauns Engagement ist gewiß ehrlich, es erschöpft sich nicht in krampfhafter Verseschmiederei oder launiger Sonntagskunst . . ." [14] Anerkennend spricht der Rezensent von Brauns „brillanten Schimpfgedichten", wobei er gegen einige davon durchaus berechtigte – formale – Einwände vorbringt.

Wir sind weit davon entfernt, ob unserer Literaturentwicklung in Selbstzufriedenheit zu verfallen und jegliche ästhetischen Maßstäbe zu ignorieren. Aber hier erteilt ein westdeutscher Kritiker seinen Kollegen eine Lektion über die Vereinbarkeit von politischem Engagement, Parteiergreifen für den Sozialismus, und Poesie, die nicht uninteressant ist. Selbst viele Schriftsteller der Bundesrepublik glauben, von ihrer eigenen Erfahrung ausgehend, daß auch bei uns der Künstler nur als sog. Nonkonformist die künstlerische Wahrheit über das Leben zu schreiben vermag. In einem Staat wie der Bundesrepublik, in dem der Kanzler die Schriftsteller als Pinscher beschimpft und ihnen das Recht abspricht, über Politik, Wirtschaft und Kultur zu urteilen, kann die Wahrheit freilich nur im Gegensatz zu den Herrschenden ausgesprochen werden. Macht und Geist müssen einander in einem Staate ausschließen, der sich betontermaßen als Rechtsnachfolger des faschistischen Reiches ausgibt. In unserem Staate dagegen ist erstmalig in der Geschichte des deutschen Volkes die Integration des Geistes in die Macht vollzogen. Das bedeutet auch eine neue, höhere Verantwortlichkeit des Schriftstellers. Es bedeutet keineswegs Verzicht auf Kritik alles Überlebten, unsere Entwicklung Hemmenden. Aber die Verantwortlichkeit besteht darin, daß nicht in anarchistischer Manier Kritik an allem und jedermann geübt wird, ohne klare Zielstellung. Kritik ist keine Ebene, auf der man sich richtungslos hin und her, herum und umher bewegen kann. Nicht nur muß ersichtlich sein, *wogegen* sich die Kritik richtet; es muß zugleich klarwerden, *wofür* kritisiert, wofür Partei ergriffen wird. Die Schaffensweise des sozialistischen Realismus impliziert das kritische Element. Darüber gibt es keinen Zweifel. Alle großen Werke unserer sozialistischen Literatur, nicht nur die der Vergangenheit, sondern auch die der unmittelbaren Gegenwart, also Werke, die bereits unter den Bedingungen des Sozialismus entstanden sind, zeugen davon.

Dem sozialistischen Realismus ist jedoch die *Verabsolutierung* des kritischen Elements fremd. Der sozialistische Künstler geht „konform“ mit den Bestrebungen der organisierten, führenden Kraft der Gesellschaft. Dieser prinzipielle „Konformismus“ mit den Ideen und dem praktischen Aufbau des Sozialismus bedeutet weder den Verlust der poetischen Potenz noch die Preisgabe des kritischen Elements. Gerade indem die Künstler den von der Sozialistischen Einheitspartei Deutschlands gewiesenen Weg beschritten, ihre Lebenserfahrungen bereichert, ihr marxistisch-leninistisches Weltbild, ihre Kenntnis der gesellschaftlichen Bewegungs- und Entwicklungsgesetze vertieft haben und allmählich auch zu einem differenzierteren Einsatz der künstlerischen Mittel gelangt sind, vermochten sie in den letzten Jahren Werke zu schaffen, die geradezu Volksaussprachen auslösten. Erinnert sei nur, um mich auf wenige *literarische* Werke zu beschränken, an Christa Wolfs ›Der geteilte Himmel‹, Erwin Strittmatters ›Ole Bienkopp‹, Dieter Nolls ›Die Abenteuer des Werner Holt‹, ›Die Spur der Steine‹ von Erik Neutsch u. a. m. Diese Werke haben geholfen, die Größe und Kompliziertheit der Aufgaben, die das fortschreitende Leben beim Aufbau des Sozialismus in einem gespaltenen Lande stellt, bewußt zu machen. Mehr und mehr rückt in dieser Literatur der neue, sozialistische Mensch mit seinen vielseitigen Beziehungen, in seiner Bewährung und seinem Versagen in den Mittelpunkt. Es wird gezeigt, wie die Menschen sich von den Schlacken der Vergangenheit befreien und in der Gegenwart des Sozialismus, dessen Gebäude sie selbst mitschaffen, wohnlich einrichten. Diese Bücher haben nicht nur dazu beigetragen, „die hemmende Schale des Mißtrauens gegen die eigene Kraft aufzubrechen“ (Grotewohl), die viele Menschen bei uns noch als Erbgut der depravierenden Wirkung kapitalistischer Vergangenheit umgibt; sie zeigen zugleich das wachsende Vertrauen in die eigene Kraft, den Stolz und das Selbstbewußtsein von Menschen, die sich vom Objekt der Geschichte zu ihrem Subjekt, zum Beherrscher gesellschaftlicher Prozesse entwickeln. Diese Werke sind Früchte des Bitterfelder Weges; es ist der Weg des sozialistischen Realismus in unserer Kunst.

Dabei hat sich in jedem Falle erwiesen, daß die künstlerische Wahrheit über das Leben nicht in der selbstgewählten Isolation der

Poetenstube geschrieben werden kann. Dazu gehören Kenntnisse. „Um zu begreifen", schrieb Plechanow bereits vor sechzig Jahren, „*auf welche Weise* die Kunst das Leben widerspiegelt, muß man den Mechanismus des Lebens verstehen".[15] Nur die Kenntnis der „Triebfedern" des gesellschaftlichen Lebens, Begabung und Beherrschung der künstlerischen Mittel vorausgesetzt, befähigt den Schriftsteller zu wahrheitsgetreuer Widerspiegelung des Lebens. Die Kenntnis des „Mechanismus des Lebens", der Bewegungs- und Entwicklungsgesetze, läßt sich im Sozialismus aber weder durch bloße Beobachtung noch allein aus dem Studium wissenschaftlicher Literatur erwerben. Das gestalterische Aufdecken des „gesellschaftlichen Kausalnexus" (Brecht) bedeutet auch für den Schriftsteller Bewußtheit an Stelle von Spontaneität. Brecht hebt hervor, daß es Aufgabe des sozialistischen Realismus sei, „die dialektischen Bewegungsgesetze des sozialen Getriebes" aufzudecken, deren Kenntnis die Meisterung des menschlichen Schicksals erleichtere.[16] Nur wenn es einem Kunstwerk mit seinen spezifischen Mitteln gelinge, „Einsichten in das soziale Getriebe" zu gewähren, sei es auch imstande, „sozialistische Impulse" zu vermitteln. Bewußtheit heißt aber – für Schriftsteller wie Leser – nicht allein *Kenntnis* der gesellschaftlichen Entwicklungsgesetze, sondern zugleich Mitgestalten und *Mitverändern.* Diese Bewußtheit ist wiederum nur in enger Verbindung mit der Politik unseres Arbeiter-und-Bauern-Staates sowie der SED zu erlangen. „Die größte Hilfe", schätzte Walter Ulbricht auf der Zweiten Bitterfelder Konferenz ein,

gibt die Partei den Künstlern dadurch, daß sie in ihren Beschlüssen die gesellschaftlichen Vorgänge der Vergangenheit und Gegenwart analysiert und in enger Verbundenheit mit dem Volke die Aufgaben für alle stellt. Die klare Sicht ins Vergangene, die Perspektive, die wir unserer Republik und jedem einzelnen vorzeichnen können, die Voraussicht der gesellschaftlichen und der individuellen Entwicklung ermöglichen unseren Schriftstellern und Künstlern die historische Konkretheit, jene umfassende Sicht, die Vergangenheit, Gegenwart und Zukunft umschließt, jene „Dreieinigkeit der Zeiten", die Johannes R. Becher – an Gorki anknüpfend – als das Wesen einer sozialistisch-realistischen Literatur ansah.[17]

Seit der Kulturkonferenz im Jahre 1957 hat die Sozialistische Einheitspartei Deutschlands in ihren Dokumenten wiederholt die

Grundprinzipien der Kunst des sozialistischen Realismus dargelegt. Damit ist ausgesprochen, daß es sich hierbei nicht um ästhetische Einzeluntersuchungen handelt, sondern um prinzipielle, richtunggebende Hinweise im Sinne der wissenschaftlich begründeten Politik des umfassenden Aufbaus des Sozialismus in allen Bereichen unseres gesellschaftlichen Lebens. Es ist Aufgabe der marxistisch-leninistischen Ästhetik, Kunst-, Literatur- und Musikwissenschaft, an Hand der künstlerischen Prozesse der Gegenwart, aber auch der Kunstgeschichte, die für die einzelnen Bereiche, Gattungen, Genres usw. relevanten ästhetischen Fragen im Detail auszuarbeiten.

IV

Woher nimmt unsere Literaturwissenschaft und -kritik ihre Kriterien für die Beurteilung der Werke? Welche ästhetischen Maßstäbe dienen ihr als „Kompaß“? Kein Schriftsteller beginnt ab ovo, jeder hat seine Vorbilder und Ahnen, steht in einer bestimmten Tradition, übernimmt und verarbeitet bestimmte Verfahren, Methoden, Motive, Stoffe usw., ganz gleich, ob er sich dessen bewußt ist oder nicht. Von der Kontinuität der ästhetischen Maßstäbe zu sprechen ist insofern berechtigt, als das Werk sowohl zur bisherigen als auch zur gegenwärtigen Literaturentwicklung in einer bestimmten Beziehung steht. Ein solcher Vergleich kann sehr fruchtbar sein, denn er vermag Höhe und Möglichkeit literarischen Schaffens in einer vergleichbaren Epoche bewußt zu machen. Die Unterlassung derartiger Vergleiche kann zu selbstverschuldetem Provinzialismus führen. Eine vergleichende Literaturbetrachtung ist darum nützlich und völlig legitim. Allerdings muß man sich auch ihrer Grenzen bewußt sein. Die ästhetischen Maßstäbe werden eben nicht allein – und nicht einmal primär – aus solchen Vergleichen gewonnen. Ein Werk kann und muß nicht nur mit anderen Werken verglichen werden, sondern vor allem mit der *Wirklichkeit,* die es wiederzugeben bemüht ist. Insofern haben die ästhetischen Maßstäbe auch ein diskontinuierliches Moment, auf das noch näher einzugehen ist.

Lange Zeit wurden – und werden zum Teil auch heute noch – ästhetische Maßstäbe angewandt, die nahezu ausschließlich aus der klassischen Kunst und dem kritischen Realismus des 19. Jahrhunderts gewonnen sind. Die Literatur des 20. Jahrhunderts mit solchen Kriterien einzuschätzen, ist am ausgeprägtesten in der Realismuskonzeption Georg Lukács' entwickelt und von ihm praktiziert worden. Es geht hier nicht um eine detaillierte Auseinandersetzung mit Lukács' Realismusauffassung. Verdienstvoll war sein Versuch, die Leninische Abbildtheorie auf die Kunst anzuwenden (1954 in seinem Essay ›Kunst und objektive Wahrheit‹ [in diesem Sammelband S. 341 ff.]). Allerdings zeigt sich auch hier bereits ein wesentlicher Mangel, nämlich die Vernachlässigung der künstlerischen Subjektivität. Die dort dargelegte Widerspiegelungsauffassung ist noch stark dem mechanischen Materialismus verhaftet. So hat Lukács z. B. die wertvollen Hinweise von Marx in den ›Theorien über den Mehrwert‹ und den ›Ökonomisch-philosophischen Manuskripten‹ nicht beachtet. Dort charakterisiert Marx die Kunst als eine besondere Weise der Produktion. Am Modellfall der Kunst demonstriert er den schöpferischen Charakter der Arbeit, weil hier – nach Marx – die materiell-gegenständlichen Bedingungen und die psychisch-physischen und geistigen Potenzen der Vergegenständlichung eine untrennbare Einheit bilden.

Das von Lukács hervorgehobene und verabsolutierte hierarchisch-zentralistische Kompositionsprinzip des Dramas, seine Forderung nach dem „mittleren Helden" im historischen Roman, die Übernahme der Hegelschen „Totalität der Bewegung" und „Totalität der Objekte" – das alles (und noch anderes mehr) ist eben der Kompositions- und Formenkanon der Klassik, der im wesentlichen auch für das 19. Jahrhundert Gültigkeit hat. Daran lassen sich aber z. B. die Dramen des sog. epischen Theaters oder die multiperspektivische Erzählweise vieler Romane in unserem Jahrhundert nicht mehr messen. Lukács stellt seine dergestalt – nahezu ausschließlich von den großen Realisten der Weltliteratur – gewonnenen Maßstäbe nicht nur schematisch der spätbürgerlichen Kunstentwicklung gegenüber. So kommt dann beispielsweise in seinem 1957 geschriebenen Buch ›Wider den mißverstandenen Realismus‹ eine Alternative zwischen Thomas Mann einerseits, Franz Kafka und Robert Musil andererseits zustande, die grundfalsch ist, da sie die reale Widersprüchlichkeit der Literaturgeschichte und des Lebens außer acht läßt. Anders ausgedrückt: Mit Thomas Mann werden Kafka und Musil abgetan, im ästhetischen Sinne buchstäblich „totgeschlagen“. So wenig ich der Ansicht bin, daß Kafka schlechthin ein Realist ist, so wenig bin ich aber mit dieser falschen Alternative einverstanden.[18]

Aber Lukács mißt mit seinen an der Klassik und dem kritischen Realismus gewonnenen Kriterien nicht nur den Avantgardismus, sondern auch die Kunst des sozialistischen Realismus. Wie sehr er z. B. den jungen Bredel – als schreibenden Arbeiter – durch seine abwertende und verurteilende Kritik gehemmt hat, kann hier nur erwähnt, nicht aber näher ausgeführt werden. Auf der einen Seite sieht Lukács nur die Tradition der großen Realisten. Auf der anderen Seite sieht er, vom Naturalismus angefangen bis zum Expressionismus, *nur* Auflösung des kritischen Realismus und Dekadenz. Seine einseitige Alternativauffassung hatte zur Folge, daß keine klaren Vorstellungen über die Herkunft und die Entwicklung vieler sozialistischer Realisten erarbeitet wurden, die nicht von den großen realistischen Traditionen herkommen. Es ist bekannt, daß Becher, Brecht, Eisler, Dessau, Paul Eluard, Aragon, Majakowski und andere aus avantgardistischen Strömungen hervorgingen. Es ist undifferenziert, wenn man z. B. den Expressionismus schlechthin als Dekadenz abtut. (Bekanntlich ist die Bezeichnung Expressionismus ein recht vager Sammelbegriff äußerst heterogener künstlerischer Erscheinungen, auf deren linkem Flügel wir, um bei der Literatur zu bleiben, den jungen Becher und Brecht [18a], auf dem rechten einen Gottfried Benn und Hanns Johst finden.) Es kann nicht übersehen werden, daß die Tradition dieser avantgardistischen Kunst auf diese Künstler in bestimmter Weise weitergewirkt hat, als sie bereits auf marxistische Positionen übergegangen waren. So ist z. B. ein Bertolt Brecht nicht voll begreifbar, wenn nicht bestimmte expressionistische Praktiken der künstlerischen Verallgemeinerung beachtet werden. Lukács' Formrigorismus läßt natürlich keine komplexe Fabel oder etwa die Montagetechnik zu. Das wird von ihm als Dekadenz verdächtigt. Es ist wohl kein Zufall, daß Lukács zu Brechts Kunst nie eine richtige Einstellung gefunden hat. Makaber aber ist es, Lukács heute in der Pose des Kritikers zu sehen, der sich über die Einförmigkeit des sozialistischen Realismus entrüstet.[19]

Wenn in unseren literaturkritischen Arbeiten mitunter noch Lukács verwandte Ansichten vertreten werden, so will ich damit nicht sagen, daß hier bewußt angeknüpft wird. Allerdings meine ich, daß wir uns noch nicht differenziert genug mit dem Werk Lukács' auseinandergesetzt haben. So ist es in unserer Literaturkritik noch gang und gäbe, daß Werke, die in vieler Hinsicht Pionierarbeit darstellen, mit weltliterarischen Maßstäben abgetan werden. So sprach z. B. Helmut Sakowski 1964 in Bitterfeld von der „weltliterarischen Elle", mit der vielfach in den Dramaturgien der Theater gemessen werde. In ähnlicher Weise äußerten sich Helmut Baierl und Hans-Dieter Mäde vor dem Forum sozialistischer Dramatik im Frühjahr 1964. Ganz gleich, wohin wir blicken, unentwegt begegnet uns das Problem der fehlenden, falschen oder unzulänglichen ästhetischen Maßstäbe.

So ist es wohl doch etwas zu linear, wenn in einer sehr interessanten Rezension der ›Skizze zur Geschichte der deutschen Nationalliteratur‹ festgestellt wird, daß

es der sozialistischen Literatur unmittelbar nach 1945 nicht gelungen (sei), die gleiche Höhe nationaler und welthistorischer Fragestellung, die sie während der Emigrationszeit erreicht hatte, unter den neuen Bedingungen der antifaschistisch-demokratischen und sozialistischen Revolution zu halten und ihre objektiv führende, bestimmende Rolle im Rahmen der Nationalliteratur und ihre Wirkung auf die Weltliteratur bruchlos zu verwirklichen [20].

Eine Rezension in einer Tageszeitung kann natürlich nicht ausführliche Begründungen geben, doch scheint mir diese Feststellung in vieler Hinsicht mehr eine apodiktische Behauptung als ein wissenschaftlicher Beweis. Es wird weiter ausgeführt, die Gründe seien schon oft erörtert und zur Debatte gestellt worden. Man mag sich nun darüber streiten, ob der Rezensent den Akzent auf „unmittelbar nach 1945" legt, aber das kann er wohl nicht, denn er spricht auch von der sozialistischen Revolution. Die SED hat in ihren Dokumenten wiederholt das Zurückbleiben unserer Literatur gegenüber dem sich entwickelnden Leben, vor allem gegenüber der Erfassung der Probleme der unmittelbaren sozialistischen Gegenwart, festgestellt. Ich halte es für wenig ersprießlich, die „Höhe nationaler und welthistorischer Fragestellung" in der Literatur der Emigrationszeit (wobei auch hier näher zu bestimmen wäre, was darunter verstanden wird) unhistorisch und schematisch als Vergleichsmaßstab für die sich entwickelnde Literatur unter den Bedingungen der antifaschistisch-demokratischen Ordnung und des Aufbaus des Sozialismus zu setzen. Das sind grundverschiedene Ebenen, denen unterschiedliche soziale Fragestellungen und ästhetische Maßstäbe zugrunde liegen. Ich meine, daß die Schwierigkeiten beim Aufbau des Sozialismus – erstmalig in einem hochindustrialisierten und gespaltenen Land, noch dazu bis zum 13. August 1961 unter den äußerst erschwerenden Bedingungen der offenen Grenze – zuwenig in die Betrachtung und Beurteilung der Literaturentwicklung nach 1945 einbezogen werden. Gibt es für diese Bedingungen des Aufbaus des Sozialismus in unserem Land ohne weiteres Vergleichsmaßstäbe? Meines Erachtens gibt es sie nicht. Wenn man diese Besonderheiten zuwenig beachtet, kann man sehr leicht zwei Werke ein und desselben Autors gegeneinander ausspielen, etwa ›Das siebte Kreuz‹ gegen ›Die Entscheidung‹.

Man darf eben nicht der Auffassung einer schematischen Kontinuität der ästhetischen Maßstäbe huldigen. Der Vergleich mit anderen literarischen Werken und Epochen ist zwar wichtig, reicht aber allein nicht aus, um über Wert oder Unwert eines Kunstwerks zu befinden. „Im Grunde“, sagte Helmut Baierl, „mißt man Kunstwerke nur an ihrer Wirkung auf andere Kunstwerke, statt sie in ihrer Wirkung auf die Wirklichkeit zu messen.“ [21] Welchen Sinn soll es haben, etwa Erik Neutschs Roman ›Die Spur der Steine‹ mit solchen Klassikern des Romans, wie es z. B. Balzac oder Fielding sind, zu vergleichen? Natürlich kann man das reiche und vielfältige Erbe der Weltliteratur, das der Roman aufzuweisen hat, nicht ungestraft ignorieren. Aber es hat sich ein neues gesellschaftliches Ideal vom Menschen herausgebildet. In der Welt des Sozialismus, die kapitalistische Entfremdung mehr und mehr überwindend, wachsen Menschen heran, die weder mit der moralischen noch mit der ästhetischen Elle bürgerlicher Maßstäbe gemessen werden können. Es gibt ein kontinuierliches und ein diskontinuierliches Moment dieser Maßstäbe. Das diskontinuierliche Moment wird vor allem durch den *neuen Gegenstand* bestimmt.

Übrigens wehrte sich Brecht bereits Ende der dreißiger Jahre energisch dagegen, daß seine Werke primär nicht mit der Wirklichkeit, sondern mit anderen Werken verglichen wurden. Brecht stellt unter „realistische Kritik" u. a. fest, die Kritiker schrieben ihm immer wieder vor, daß die Fabel so und so gebaut sein müsse, die Charakteristik der Personen auf die und die Weise zu erfolgen hätte. „So verfahrende Kritiker", heißt es,

lassen mich befürchten, daß sie gar nicht möglichst realistische Schilderungen, d. h. Schilderungen, die der Wirklichkeit gerecht werden, haben möchten, sondern daß sie im Kopf ganz bestimmte Erzählungs- und Beschreibungsformen haben, denen sie die Wirklichkeit unterworfen sehen wollen. Sie fragen nicht, ob sie in einer Beschreibung die Wirklichkeit wiederfinden, sondern eine bestimmte Beschreibungsart. Die Beschreibung der sich ständig verändernden Welt erfordert immer neue Mittel der Darstellung. Die neuen Mittel der Darstellung muß man nach ihrem Erfolg dem jeweiligen Objekt gegenüber beurteilen, nicht an sich, losgelöst von ihrem Objekt, durch den Vergleich mit alten Mitteln. Man muß die Literatur nicht von der Literatur aus beurteilen, sondern von der Welt aus, z. B. von dem Stück Welt aus, das sie behandelt ... Was für einen Sinn soll alles Reden vom Realismus haben, wenn darin nichts mehr Reales auftaucht? (Wie in gewissen Essays Lukács').[22]

V

Auch wenn heute das Kokettieren einiger mit der „Opulenz der zwanziger Jahre" längst der Vergangenheit angehört, so wird doch allenthalben ein Wehklagen laut ob des „ästhetischen Mankos", des „ästhetischen Substanzverlusts" unserer Kunst und Literatur, meist mit einem Seitenblick auf bestimmte westliche Werke. Ohne Zweifel ist in dieser Richtung durchaus berechtigte Kritik angebracht. Viele kritische Äußerungen scheinen mir aber am Wesen der Sache vorbeizugehen, weil das Ästhetische isoliert betrachtet und in einem bestimmten Maße unhistorisch verabsolutiert wird. Brecht hat an seiner eigenen Entwicklung, beim Übergang auf die neue, proletarische Position, einmal die damit auftretende ästhetische Problematik geschildert. „Die ›Hauspostille‹, meine erste lyrische Publikation", schreibt er, „trägt zweifellos den Stempel der Dekadenz der bürgerlichen Klasse. Die Fülle der Empfindungen enthält die

Verwirrung der Empfindungen. Die Differenziertheit des Ausdrucks enthält Zerfallselemente. Der Reichtum der Motive enthält das Moment der Ziellosigkeit.“ Demgegenüber „bedeuten die späteren ›Svendborger Gedichte‹ ebensogut einen Abstieg wie einen Aufstieg. Vom bürgerlichen *Standpunkt aus* ist eine erstaunliche Verarmung eingetreten.“ [23] Aber Brecht meint, daß seine Mitkämpfer auch erkennen werden, was dieser Aufstieg gekostet hat. „Der Kapitalismus hat uns zum Kampf gezwungen. Er hat unsere Umgebung verwüstet. Ich gehe nicht mehr ‚im Walde so für mich hin‘, sondern unter Polizisten. Da ist noch Fülle, die Fülle der Kämpfe. Da ist Differenziertheit, die der Probleme.“ [24] Brecht warnt davor, in alten Bildern zu denken und an einer idyllischen Vorstellung von der Blüte der Literatur festzuhalten. Er hat einen neuen Gegenstand der Literatur erobert; seine Gedichte wurden ein Faktor im Klassenkampf des Proletariats, wobei ihm die „Differenziertheit der Probleme“ mehr bedeutet als die des Ausdrucks spätbürgerlicher Literatur. Daß Brecht zugleich auch um die Form gerungen hat, ist jedermann bekannt, und es hieße Eulen nach Athen tragen, dies hier im einzelnen darzulegen.

Anna Seghers wurde vor einigen Wochen von der französischen Zeitung ›Le Nouvel Observateur‹ um ein Interview gebeten. Sie wurde gefragt, wie es mit dem „Schematismus“ in unserer Literatur und den sogenannten „Traktorenlyrikern“, wie im Westen einige unserer Lyriker geringschätzig bezeichnet werden, stünde. Sie antwortete darauf u. a.:

Wenn es auch noch den „Schematismus“ gibt, so bin ich der Meinung, daß man Fortschritte macht ... Ich glaube, daß *in jeder Kunstepoche zuerst einmal das wichtigste die Entdeckung einer neuen Realität ist.* Jetzt schreiten wir auf dem Wege zum Sozialismus voran, das bedeutet in der Literatur das Studium der Beziehungen der Menschen untereinander und der Beziehungen der Menschen zur Arbeit auf einer anderen Ebene. Diese neue Aufgabe, diese neuen Beziehungen entwickeln sich unaufhörlich weiter, und der Schriftsteller muß mit ihnen Schritt halten. Der Marxismus ist das Gegenteil von Verknöcherung und Verkalkung ... Was unsere „Traktorenlyriker“ anbelangt, so ähneln sie oft diesen Malern, die Madonnen für Saint-Sulpice malen, von denen man aber niemals einen Botticelli erhalten wird. Und trotzdem kommt es vor, daß man unter ihnen ein gutes Bild findet, das gleiche gilt auch für sie.[25]

Ich meine, diese Feststellungen bedürfen keiner weiteren Erläuterungen. Eins möchte ich lediglich hinzufügen: Niemand erwartet bei uns nur und ausschließlich in allen Kunstbereichen Spitzenleistungen.[26] Selbst ein Goethe hat uns schwache Werke hinterlassen. Die Spitzenleistungen jeder Zeit stehen auf dem Fundament breiter künstlerischer Strömungen. Wenn aus der ersten Hälfte des 18. Jahrhunderts heute z. B. Romanciers wie Defoe, Swift, Richardson, Fielding, Smollett genannt und ihre Werke zur Weltliteratur gezählt werden, so ist hier eine Handvoll von Hunderten von Autoren übriggeblieben. Das ist heute nicht anders. Selbst ein George Lillo, Schöpfer des ersten bürgerlichen Trauerspiels (›Der Kaufmann von London‹, 1731) und renommierter Dramatiker seiner Zeit, wird heute nur noch von Literaturhistorikern zur Kenntnis genommen. Aber er hat dem Bürgertum auf der Bühne neue Provinzen des Lebens erschlossen. Er war Wegbereiter der klassischen bürgerlichen Dramatik. Eine ähnliche – wenn auch nicht gleiche – Funktion hat bei uns z. B. ein Werk wie ›Menschen an unserer Seite‹ von Eduard Claudius. Damit reden wir nicht der Vernachlässigung der Form das Wort. Oder einfach: Hauptsache, das Thema stimmt, alles andere ist unwichtig. Aber es ist eine Tatsache, wie Brecht hervorhebt, daß in sozialen Aufstiegsperioden sehr häufig Stoffe roh und ungeformt dem Publikum vorgeworfen werden und trotz alledem große Wirkungen erzielen. „Es findet da oft eine Vernachlässigung der Form statt.“ [27] Wichtig ist für die Werke der bürgerlichen Aufstiegsperiode wie für den Übergang zum Sozialismus, daß ein neuer Gegenstand, nämlich der *der unmittelbaren Gegenwart* mit seinen neuen Menschen und Problemen, in Sicht gelangt.

Damit soll jedoch nicht jener vulgären Kunstbetrachtung Vorschub geleistet werden, die sich allein mit dem Nachweis des „soziologischen Äquivalents“ begnügt. Auf dem 9. Plenum des ZK wurde die Vertiefung der Lebenskenntnis der Künstler in Zusammenhang gebracht mit der Eroberung eines großen marxistisch-leninistischen Weltbildes *und der Erhöhung der künstlerischen Meisterschaft.* Das reiche und vielfältige Erbe, das in jeder Gattung und in jedem Genre vorhanden ist, muß eigentlich bei jedem neuen Werk Pate stehen. Die Vorwürfe an die Adresse vieler Künstler, daß sie mitunter dieses Erbe nicht gebührend berücksichtigen, ist eigentlich ein Bumerang für die Wissenschaftler dieser Bereiche. In welchem Maße haben sie es verstanden, das bewahrungswürdige Erbe aufzubereiten, damit es unter den heutigen Bedingungen schöpferisch durchdacht, für unsere Künstler bei ihrem Schaffensprozeß im besten Sinne des Wortes „zur Hand", „praktikabel" ist? Zweifellos kann man weder die formalästhetischen Möglichkeiten noch die Höhe nationaler und weltgeschichtlicher Fragestellung einer historisch vergleichbaren Epoche ungestraft ignorieren. Und dennoch ist eine schematische Gegenüberstellung meinetwegen von Heinrich Bölls ›Billard um halbzehn‹ und Dieter Nolls ›Die Abenteuer des Werner Holt‹ falsch, weil letzterer vor allem im zweiten Band einen Gegenstand zu bewältigen versucht, der bislang überhaupt noch nicht in den künstlerischen Gesichtskreis Bölls getreten ist.

VI

Die Forderung nach Verstehbarkeit bzw. Verständlichkeit der sozialistischen Kunst hat weder etwas mit sklavischer Kopie der Wirklichkeit im Sinne des Naturalismus gemein noch mit bequemer Anpassung der Formensprache an das Niveau des zurückgebliebensten Teils der Arbeiterklasse. Ohne Zweifel ist bei der Arbeiterklasse zunächst eine gewisse Affinität zu einem bestimmten Typus von Realismus vorhanden. Es handelte sich nach 1945, als die breite Masse des Volkes Zugang zur Kunst erlangte, sehr häufig noch um ein im Umgang mit der Literatur, Kunst und Musik unerfahrenes Publikum. Dieses Arbeiterpublikum suchte zwar auch im Theater usw. eine Anleitung zum Handeln, aber es mußte erst, wie Brecht es einmal ausdrückte, den Spaß am „Umweg" über den künstlerischen Genuß „erlernen". Die Aneignung des kulturellen Erbes und der Umgang mit Kunst erfolgt stufenweise. So kann auf einer bestimmten Entwicklungsstufe z. B. der Parabelcharakter eines Stückes – wie Brecht anläßlich der Erstaufführung seines ›Verhör des Lukullus‹ feststellte – den Zugang zum Ideengehalt erschweren.

Bereits aus diesen wenigen Hinweisen ist ersichtlich, daß die Forderung nach Verständlichkeit stets auch eine Frage der Konvention, der Übereinkunft zwischen Künstler und Publikum ist. In Westeuropa herrschen andere Traditionen als in Osteuropa, in China andere als etwa in Lateinamerika. Es gibt dafür keine Klischees; diese Frage läßt sich immer nur konkret-historisch beantworten. So wäre es völlig verkehrt, im Hinblick auf die Verständlichkeit und Verstehbarkeit meinetwegen den Typus des Realismus des 19. Jahrhunderts in Westeuropa zu *dem* Vorbild der sozialistischen Gegenwartsliteratur schlechthin zu erklären. Wichtig ist, daß der Leser Zugang zum Ideengehalt des Werkes gewinnt. Das bedeutet aber weder Verzicht auf Phantasie noch Verzicht auf die Verwendung der Parabel, auf symbolische, allegorische und andere Mittel. Es berührt eigenartig, wenn in Rezensionen immer wieder vor Symbolen u. a. völlig legitimen Mitteln realistischer Gestaltung und künstlerischer Verdichtung gewarnt wird.[28]

Es gibt gegenwärtig auch auf marxistischer Seite die Behauptung, daß die sozialistische Kunst der Zukunft, wenn auch nicht schlechthin abstrakt, so doch abstrakter sein wird als die heutige. Ich glaube, daß die Frage so nicht richtig gestellt ist. Es gibt, um eine ähnliche Thematik, den Widerstandskampf, zu wählen, Werke wie Bodo Uhses ›Die Patrioten‹ und Jorge Sempruns ›Die große Reise‹. Hier haben wir es mit zwei sich deutlich unterscheidenden künstlerischen Verfahrensweisen zu tun – und doch sind es zwei Werke des sozialistischen Realismus. Vermutlich darf man weder den einen noch den anderen Typ als *die* Zukunftsform des sozialistischen Romans verabsolutieren. Beide sind aber heute durchaus nebeneinander möglich. Ich meine auch nicht, daß Sempruns Gestaltungsweise abstrakter ist. Es ist eine *andere* künstlerische Verallgemeinerungsform. Sie stellt an den Leser erhebliche Anforderungen, da doch ein hohes Maß an Kenntnis des antifaschistischen Widerstandskampfes Voraussetzung für das Verständnis ist. Wie künftige Generationen Zugang zu diesem Roman finden werden, die ihren Erlebnissen oder Kenntnissen nach dieser Problematik nicht mehr so nahestehen wie wir heute, bleibt abzuwarten. Auch bin ich nicht der Ansicht, daß Erwin Strittmatter zu abstrakten Mitteln greift, wenn er bei der mehrfachen Überarbeitung und Straffung seines ›Ole Bienkopp‹ zu der Auffassung gelangt, es genüge, dem Leser – gleichsam einen Katalysator – „es herbstelte“ zu bieten, um bei ihm dann entsprechende Assoziationen hervorzurufen.[29] Strittmatter berücksichtigt, daß allmählich ein Leser heranwächst, den man im besten Sinne des Wortes als „gebildet“ bezeichnen kann. Diesem Publikum gegenüber kann sich der Künstler keine Bildtautologien leisten, d. h. nur das wiederholen, was das vorige Jahrhundert schon künstlerisch gültig gesagt hat.

„Was im Anfangsstadium einer sich entwickelnden Lyrik möglich war“, heißt es bei Johannes R. Becher[30], „kann man heute nicht einfach kopieren, um auf diese Weise einen volkstümlichen Ton zu erzeugen. Was volkstümlich sein will, heute, muß schon davon Kenntnis nehmen, daß sich inzwischen die Lyrik ausgebildet und höher entwickelt hat.“ Becher hat davon Kenntnis genommen. Ausgehend von der veränderten Realität entwickelte er lyrische Ausdrucksformen, wie sie in verwandter Art auch in der spätbürgerlichen Dichtung eine Rolle spielten (etwa den sog. assoziativen Stil), mit der Einschränkung allerdings, daß sie dort nur zum Teil realistisch gefaßt werden.[31] Zudem wirken heute natürlich die sog. Massenmedien nicht nur auf die Bewußtseins*struktur* der Menschen unserer Zeit, sondern modifizieren auch die Kompositionsprinzipien der Kunst. Damit zusammenhängend, ist auch die Bildstruktur – in wohl allen Bereichen der Kunst – eine andere, unterscheidet sich von der des 19. Jahrhunderts zum Teil erheblich.

Gerade in der Erforschung der letztgenannten Seite gibt es – vor allem im Hinblick auf die Kunstrezeption – noch große Lücken. Unsere Kunst stößt heute in einen soziologisch weitgehend anonymen Raum vor, d. h., wir wissen nicht, weshalb dieses oder jenes Werk in dieser oder jener Schicht oder Generation welche exakte Wirkung erzielt. Dabei wäre besonders der sozialpsychische Bereich genauer zu untersuchen, also die Stimmungen, Gefühle, Leidenschaften, Wünsche, Träume, Hoffnungen, die Mentalität bestimmter sozialer Gruppen, Schichten und Klassen. Diese Seite wird von der Kunst ja in viel stärkerem Maße angesprochen.[32] „Zweifellos“, schrieb Johannes R. Becher,

> trägt die Literatur zur Bewußtseinsentwicklung bei, aber nicht minder wichtig ist es, daß sie an der Bildung des Unbewußtseins und Unterbewußtseins mitarbeitet. Die Kunst hat die besondere, sie von der Wissenschaft unterscheidende Fähigkeit, vom ganzen Menschen Besitz zu ergrei-

fen und in ihm Eingang zu finden, auch ohne daß er sich dessen bewußt ist. Die Kunst ist insbesondere dazu berufen, den „Automaten" hervorzubringen, das heißt eine unbewußte, traumhafte Funktion im Menschen hervorzurufen, die, wie bekannt ist, sowohl im Negativen wie im Positiven eine außerordentliche Rolle spielt ... Das eine ist es, was der Mensch denkt, und das andere, was er fühlt, was in ihm unterirdisch „rumort". Fühlen und Denken sind keineswegs identisch und spielen einander oftmals die gefährlichsten Streiche ... Das Kunstwerk ist nun imstande, sich auch des Unbewußten zu bemächtigen und auf diese Weise, indem es den ganzen Menschen ergreift, die Bewußtseinsbildung bis in das scheinbar Unwillkürliche, bis in den Traum hinein zu beeinflussen.[33]

Die Erforschung dieser Seite könnte auch dazu beitragen, exakter die soziale Funktion der Kunst in unserer Literaturgesellschaft zu bestimmen, d. h. den eigenständigen und nur der Kunst allein zukommenden Platz bei der Aneignung der Welt und der Formung des Menschen. Oftmals haben wir noch ein Modell vor Augen, das auf Grund der Wirkungsweise der Kunst in der bürgerlichen Gesellschaft gebildet wurde. Zum andern sind bestimmte vulgarisierende Tendenzen noch nicht überwunden, die der Kunst lediglich zubilligen, Illustrationsmittel aktueller und historischer Vorgänge zu sein.[34]

Es ist gar nicht einfach, heißt es im Bericht des Politbüros an die 11. Tagung des ZK der SED im Hinblick auf die Künstler, in der gegenwärtigen Phase des sozialistischen Aufbaues „die verschiedenen Ergebnisse, Erlebnisse und Konflikte der Menschen richtig zu erfassen und ihren Zusammenhang mit unserer nationalen Politik zu verstehen". Die thematische Ankunft der Künstler im sozialistischen Alltag sowie dessen empirisches Studium reichen allein nicht mehr aus. Entscheidend für die Einschätzung großer weltpolitischer und nationaler Zusammenhänge ist heute ein höherer Reifegrad marxistisch-leninistischen Denkens. „Das entwickelte marxistisch-leninistische Niveau des Denkens ist die Voraussetzung für das tiefe Verständnis der Probleme von Ideal und Wirklichkeit, Parteilichkeit und Wahrheit, Schönheit und Schwere unseres Kampfes." Dies trifft voll und ganz auf die Arbeit der Ästhetiker, Kunst-, Literatur- und Musikwissenschaftler zu. Meines Dafürhaltens müßte sich die marxistische Ästhetik jetzt auf die allseitige Ausarbeitung und Vertiefung der Theorie des sozialistischen Realismus konzentrieren, wobei Fragen wie z. B. der Zusammenhang von Humanismus und Realismus, von Ästhetik und Ethik, das Verhältnis von historischer und poetischer Wahrheit unter dem Aspekt sozialistischer Parteilichkeit vorrangig untersucht werden sollten.

Anmerkungen

[1] J. R. Becher: Aus der Welt des Gedichts. In: J. R. Becher: Über Literatur und Kunst. Berlin 1962. S. 294/295.

[2] Vgl.: D. Schlenstedt: Motive und Symbole in Christa Wolfs Erzählung ›Der geteilte Himmel‹. In: Weimarer Beiträge. Heft 1/1964; S. Schlenstedt: Variationen in ES-Dur. Weltanschauungsmotivik und epische Gestaltung bei Max Walter Schulz. In: Weimarer Beiträge. Heft 3 und 4/1964; vgl. auch dieselben: Modern erzählt. Zu Strukturen in Hermann Kants Roman ›Die Aula‹. In: neue deutsche literatur. nr. 12/1965.

[3] Vgl. u. a. Ch. Wolf, E. Neutsch, H. Sakowski in ihren Beiträgen auf der Bitterfelder Konferenz. In: Zweite Bitterfelder Konferenz 1964. Berlin 1964; vgl. auch: A. Auer: Kritik der Kritik. In: neue deutsche literatur. nr. 4/1965; S. Töpelmann/I. Diersen/A. Auer: Über den Umgang mit Literatur und mit denen, die sie machen. In: neue deutsche literatur. nr. 10/1965; Kritik einer Rezension des Romans ›Der Schöpfungstage sind nicht sechs‹. In: Sonntag. Nr. 25/1965.

[4] Aktuelle Aufgaben der Germanistik. In: Weimarer Beiträge. Heft 2/1962. S. 245.

[5] In: N. G. Tschernyschewski: Ausgewählte Philosophische Schriften. Moskau 1953, S. 550.

[6] Vgl.: neue deutsche literatur. nr. 10/1965.

[7] Ebenda: S. 114.

[8] Erik Neutsch sagte in Bitterfeld: „Auch die Literaturwissenschaft ... läßt uns in unseren Bemühungen allein. Sie nimmt nicht oder sehr spärlich ... unsere Literatur zur Kenntnis. Sie versucht nicht, bestimmte Dinge zu verallgemeinern ..."

[9] W. Ulbricht: Über die Entwicklung einer volksverbundenen sozialistischen Nationalkultur. In: Zweite Bitterfelder Konferenz 1964. S. 126.

[10] B. Brecht: Schriften zum Theater. Bd. VII. Berlin und Weimar 1964. S. 354.

[11] In: Die Welt der Literatur. Nr. 18 vom 2. September 1965.

[12] Vgl.: M. von der Grün: Zweierlei deutsch? In: Frankfurter Rundschau vom 21. August 1965.

[13] Vgl.: Ebenda.

[14] In: Die Zeit vom 15. Oktober 1965.

[15] G. W. Plechanow: Kunst und Literatur. Berlin 1955. S. 195/196.

[16] Vgl.: B. Brecht: Schriften zum Theater. Bd. VII. S. 341.

[17] W. Ulbricht: Über die Entwicklung einer volksverbundenen sozialistischen Nationalkultur. In: Zweite Bitterfelder Konferenz 1964. S. 116/117.

[18] Vgl.: P. Reimann: Die gesellschaftliche Problematik in Kafkas Romanen. In: Von Herder bis Kisch. Berlin 1961; vgl.: E. Pracht: Präzisierung oder Preisgabe des Realismus-Begriffs. Abschn. 4. In: Sonntag. Nr. 11/1964; vgl. auch die Auseinandersetzung von Peter Weiß mit Kafka in seinem stark autobiographischen Roman ›Fluchtpunkt‹. Frankfurt a. M. 1962. S. 255 ff.

[18a] Durch redaktionelle Kürzungen, die im Einverständnis mit dem Verfasser erfolgten, von ihm allerdings nicht mehr durchgesehen werden konnten, ist Brecht in einen direkten Traditionszusammenhang mit dem Expressionismus gestellt. Aber selbst für den jungen Brecht ist dies nur bedingt richtig. „Die avantgardistische Kunstrichtung, die Bertolt Brecht vorfand, als er während des Ersten Weltkrieges Dramen zu schreiben begann, war der Expressionismus. Brechts frühe Stücke sind mit diesem verbunden, stellen sich aber auch als Antithesen dar, weil Brechts Weltanschauung von vornherein eine materialistische Orientierung hatte, die des Expressionismus aber ausgesprochen idealistisch war." (Ernst Schumacher: Die dramatischen Versuche Bertolt Brechts 1918–1933. Berlin 1955. S. 9.) [Anm. 1977.]

[19] Vgl.: G. Lukács: Wider den mißverstandenen Realismus. Hamburg 1958. S. 52.

[20] D. Schiller: Gegenstand der Debatte. In: Neues Deutschland vom 18. Juni 1965.

[21] H. Baierl: Die gelben Strümpfe des Malvolio. In: Neues Deutschland vom 4. März 1965.

[22] B. Brecht: Über Lyrik. Berlin und Weimar 1964. S. 73 f.

[23] Ebenda: S. 92 (Hervorhebung – E. P.).

[24] Ebenda: S. 92/93.

[25] Le Nouvel Observateur vom 3. Juni 1965 (Hervorhebung – E. P.).

[26] Johannes R. Becher mahnte, bei uns allein Werke von nationaler Repräsentanz oder gar nur weltliterarische Leistungen zu erwarten und zu würdigen. „Solch eine Theorie widerspricht der ‚Literaturgesellschaft', die nicht nur in sich das Beste vereinigt, sondern worin auch viel Mittel-

mäßiges, ja, auch Mißratenes enthalten ist, was nun keineswegs bedeutet, daß wir uns mit dem Mittelmäßigen begnügen oder gar das Mißratene fördern sollen. Aber auch in der Literatur geht es nicht ohne Spesen. Für jede geniale Leistung muß mit viel an Mittelmaß bezahlt werden, wie auch bei dem einzelnen Dichter selber das Erstklassige neben weniger Erstklassigem und mitunter ja ziemlich Mißlungenem steht."

[27] B. Brecht: Schriften zum Theater. Bd. VII. S. 328/329.

[28] So kann man in einer Rezension zu Johannes Bobrowskis Roman ›Levins Mühle‹ folgendes lesen: „In diesen poetischen Aktionen und Figuren findet sich eine verständliche erzählerische Subjektivität wieder, die bis an die Linie herangeht, auf der die realistische Auseinandersetzung in Gefahr ist, in eine symbolische Ausdeutung des Geschehens hinüberzuwechseln. Überschritten wird sie eigentlich nicht." (neue deutsche literatur. nr. 2/1965. S. 148) Hier werden m. E. falsche Warntafeln errichtet. Es kommt doch immer darauf an, wofür die Symbole eingesetzt sind, zur Erhellung oder zur Verdunkelung der Seinszusammenhänge. Im übrigen wird diese Rezension der tatsächlichen Bedeutung von Bobrowskis Roman in keiner Weise gerecht. (Vgl. dagegen: H. Kähler: Bobrowskis Roman. In: Sinn und Form. Heft 3 und 4/1965.)

[29] Vgl.: W. Nowojski: Interview mit Strittmatter. In: neue deutsche literatur. nr. 6/1965. S. 76 ff.

[30] J. R. Becher: Verteidigung der Poesie. Berlin 1952. S. 385.

[31] Vgl.: H. Haase: Johannes R. Bechers Deutschland-Dichtung. Berlin 1964. S. 304.

[32] Selbstverständlich ist dieser sozialpsychische Bereich nicht ideologiefrei oder -indifferent. Alle sozialen Leidenschaften und Gefühle machen, wie Brecht einmal sagte, „die Kurven der ideologischen Entwicklung jeweils mit".

[33] J. R. Becher: Das poetische Prinzip. Berlin 1957. S. 181.

[34] Vgl.: M. Dau in: Neues Deutschland vom 11. November 1964; vgl.: E. Neutsch in: Zweite Bitterfelder Konferenz 1964. S. 159/160.

Wolfgang Fritz Haug, Warenästhetik, Sexualität und Herrschaft. Gesammelte Aufsätze. Frankfurt a. M. 1972, S. 11–30 (früher erschienen in: Kursbuch 20 (1970), S. 140–158).

ZUR KRITIK DER WARENÄSTHETIK

Von Wolfgang Fritz Haug

Vorbemerkung

In der Weiterentwicklung des Kapitalismus seit seiner Analyse durch Karl Marx hat sich ein Komplex von Techniken und Erscheinungen in den Vordergrund gedrängt, der für Marx noch fast bedeutungslos war. Gemeint ist der bewußtseinsprägende und verhaltenssteuernde Einfluß von Aufmachung und Propagierung der für den massenhaften Absatz produzierten Waren. Viele Kritiker des gegenwärtigen Kapitalismus rücken diesen Komplex ins Zentrum ihrer Theorie. Baran und Sweezy, die ihn in ihrer Theorie des Monopolkapitals unter dem Begriff „Verkaufsförderung" abhandeln, sprechen von „deren alles durchdringenden Einfluß". „Von einem relativ unbedeutenden Merkmal des Systems", sagen sie, habe sich die Verkaufsförderung „zu einem seiner entscheidenden Nervenzentren entwickelt". In vielen nicht primär ökonomischen Theorien, vor allem aber in den politischen Diskussionen unter Studenten und Schülern, nehmen einige Begriffe eine Schlüsselrolle ein, die denselben Zusammenhang ansprechen sollen, vor allem der Begriff Manipulation und der Begriff des Repressiven. Manipulation bezeichnet die nichtterroristische Lenkung des Bewußtseins und Verhaltens der Massen durch sprachliche und ästhetische Mittel. Wenn von etwas gesagt wird, es sei „repressiv", soll ohne weitere Analyse angedeutet werden, dieses Etwas stehe im allgemeinen Zusammenhang von Herrschaft, Unterdrückung und Ausbeutung, und zwar als ein Moment und stabilisierendes Mittel dieses Zusammenhangs. Nun kann von manipulierten Bedürfnissen und ihrer repressiven Befriedigung gesprochen werden. Die Begriffe „Konsumterror" oder gar „Konsumfaschismus" steigern hilflos diese Aussage noch einmal. Solche Begriffe werden in der Isolation geprägt, die sie widerspiegeln und mit dem korrumpierten Bewußtseinsstand der unansprechbaren Umgebung begründen. Solche Begriffe werden ferner, wie an der Entwicklung der Studentenbewegung deutlich ablesbar, über Klassenschranken hinweg gesagt, die man nicht zu durchbrechen vermochte. In ihrer Radikalität sind solche Begriffe daher resigniert.

Während der Stagnationsperiode der neuen linken Bewegung wurden diese Begriffe verfeinert und dabei vollends ad absurdum geführt. Nun trat die Kategorie der Manipulation in den Hintergrund. Dafür wurden Begriffe aus dem ersten Abschnitt des ›Kapitals‹ von Marx aktuell. Warenform und Warencharakter, gar Fetischcharakter der Ware, wurden jetzt thematisiert, als seien es unmittelbar inhaltliche Kategorien, mit denen über neuartige Gebrauchswerte und die auf sie sich beziehenden Bedürfnisse geredet werden könnte. Auf irgendeine geheimnisvolle Weise sollte die pure Käuflichkeit einer Sache – denn das ist ihre Warenform, und nichts anderes – diese Sache in ihrem Gebrauchswert pervertieren und in einen Zusammenhang der Verblendung und verdummenden Abspeisung integrieren. Schriftsteller und Literaturwissenschaftler, Künstler und Kunsttheoretiker verstrickten sich in endlose Debatten über dies und das als Ware. Einer fand, „dem Wahrheitsgehalt der Kunst“ wirke „ihr Charakter als Ware prinzipiell bis zur Vernichtung ihres Sinns entgegen“. Er versäumte nur anzugeben, wie. Andere brachten den „Warencharakter der Kunst“ hauptsächlich mit einem Konsumentenstandpunkt in Verbindung, der auf Fertiggerichte Wert legt oder auf kulinarische Form oder auf Gängigkeit.

Gerade weil dieser kritische Jargon zumeist so verworren und hilflos bleibt, soll im folgenden versucht werden, den Zusammenhang der Produktion und Propagierung von Waren einerseits, von Bewußtsein und Bedürfnissen der Menschen andererseits zu analysieren. In der Tat stellt ja die Welt aus werbendem und unterhaltendem Schein, an dessen Erzeugung heute ganze Industrien arbeiten, eine das Leben und die Wahrnehmung der Menschen bis in die Intimität hinein bedingende Macht dar. Ist auch bei Marx dieser Zusammenhang noch nicht analysiert, so liegen doch die Grundbegriffe und Funktionsanalysen, auf denen die Untersuchung aufgebaut werden kann, im ›Kapital‹ bereit. Deshalb ist im folgenden nun zunächst den ökonomischen Funktionen des Tauschs, der Warenproduktion und der Kapitalverwertung nachzufragen, die zur Ausbildung jener Welt des manipulativen Scheins geführt haben. Nur von ihrer Analyse her können die Gesetzmäßigkeiten der Warenästhetik entwickelt werden. Zugleich lassen sich auf diesem Wege einige Fehler vermeiden, wie sie unter anderen Baran und Sweezy begangen haben, weil sie die von ihnen sogenannte Verkaufsförderung und deren Verschränkung mit der Gebrauchswertproduktion erst im Monopolkapitalismus ganz unvermittelt anheben lassen.[1] Man wird sehen, daß in der historischen Entwicklung die Grenze zwischen Gebrauchswert einerseits und zu Konsum und daher zu Kauf anreizender Aufmachung der Waren andererseits nicht erst in diesem Jahrhundert verschwimmt.

Erster Teil

1. Ursprung der Warenästhetik aus dem Widerspruch im Tauschverhältnis

Fragt man nach den immanenten Bedingungen, die erfüllt sein müssen, damit zwei Warenbesitzer den Tauschakt vollziehen können, so stößt man sogleich auf die Schwierigkeiten, als deren Lösung dann die weitertreibende Gestalt auftreten wird: das Geld. Die Schwierigkeiten sind folgende: erstens muß die Äquivalenz gegeben sein. Das heißt aber auch, zwei Dinge müssen sagen können, daß sie einander gleichwertig sind. Aber wie nun die Gleichwertigkeit ausdrücken?

Zweite Schwierigkeit: es muß das nichtbrauchende Haben jeder Seite mit dem nichthabenden Brauchen der andern Seite zusammentreffen. Wenn der, der das hat, was ich brauche, nicht das braucht, was ich habe, kann der Tausch nicht vollzogen werden.

Das Geld leistet ein Doppeltes. Der Tauschwert nimmt im Geld selbständige Gestalt an und ist nicht länger an irgendeinen besonderen Gebrauchswert als seinen Träger gebunden. Zum einen übernimmt das Geld die Funktion des messenden Wertausdrucks. Zum andern zertrennt es den allzu komplexen Tausch zweier Dinge in zwei Tauschakte. Als das Mittlere des Vergleichs tritt das Geld zwischen alle Waren und vermittelt ihren Austausch. Damit ist eine Abstraktion vollzogen: der Tauschwert hat sich von jeglichem besonderen Bedürfnis abgelöst. Dem, der über ihn verfügt, verleiht er eine nur quantitativ begrenzte Macht über alle besonderen Qualitäten. Indem sich das Geld als Allmacht durchsetzt, werden die alten qualitativen Mächte gestürzt. Das Geld verschärft sprunghaft einen bereits im einfachen Tausch angelegten Widerspruch. Treibendes Motiv für jede Seite im Tausch zweier Waren ist das Bedürfnis nach dem Gebrauchswert der Ware der jeweils andern Seite. Zugleich ist die eigene Ware und mit ihr das fremde Bedürfnis nur Mittel zu jenem Zweck. Der Zweck eines jeden ist dem jeweils andern nur Mittel, um durch Tausch zum eigenen Zweck zu kommen. So stehen sich in einem einzigen Tauschakt zwei mal zwei gegensätzliche Standpunkte gegenüber. Jede Seite steht sowohl auf dem Tauschwertstandpunkt als auch auf einem bestimmten Gebrauchswertstandpunkt. Jedem Gebrauchswertstandpunkt steht ein Tauschwertstandpunkt gegenüber, von dem aus er möglicherweise betrogen wird. Indem beide Standpunkte ungeschieden von jeder der beiden tauschenden Parteien eingenommen werden, bleibt in die Gleichheit beider Positionen der Widerspruch eingebunden.

Das Verhältnis ändert sich mit dem Dazwischentreten des Geldes. Wo Geld den Tausch vermittelt, zerlegt es ihn nicht nur in zwei Akte, in Verkauf und Kauf, sondern es scheidet die gegensätzlichen Standpunkte. Der Käufer steht auf dem Standpunkt des Bedürfnisses: sein Zweck ist der bestimmte Gebrauchswert, sein Mittel, diesen einzutauschen, ist der Tauschwert in Geldform. Dem Verkäufer ist derselbe Gebrauchswert bloßes Mittel, den Tauschwert seiner Ware zu Geld zu machen. Vom Standpunkt des Gebrauchswertbedürfnisses ist der Zweck der Sache erreicht, wenn die gekaufte Sache brauchbar und genießbar ist. Vom Tauschwertstandpunkt ist der Zweck erfüllt, wenn der Tauschwert in Geldform herausspringt. Dem einen gilt die Ware als Lebensmittel, dem anderen das Leben als Verwertungsmittel. Zwischen beiden Standpunkten ist ein Unterschied wie zwischen Tag und Nacht. Sobald sie erst einmal getrennt vorkommen, ist ihr Widerspruch auch schon eklatant.

Die Warenproduktion setzt sich zum Ziel nicht die Produktion bestimmter Gebrauchswerte als solcher, sondern das Produzieren für den Verkauf. Gebrauchswert spielt in der Berechnung des Warenproduzenten nur eine Rolle als vom Käufer erwarteter, worauf Rücksicht zu nehmen ist. Nicht nur sind Zweck und Mittel beim Käufer und Verkäufer entgegengesetzt. Darüber hinaus spielt sich derselbe Akt für sie in unterschiedlicher Zeit ab und hat für sie ganz unterschiedliche Bedeutung. Vom Tauschwertstandpunkt aus ist der Prozeß abgeschlossen und der Zweck realisiert mit dem Akt des Verkaufs. Vom Standpunkt des Gebrauchswertbedürfnisses aus ist derselbe Akt nur der Beginn und die Voraussetzung für die Realisierung seines Zwecks in Gebrauch und Genuß.

Aus dem so in Personen auseinandergelegten Widerspruch von Gebrauchswert und Tauschwert nimmt eine Tendenz ihren Ausgang, die den Warenkörper, seine Gebrauchsgestalt, in immer neue Veränderungen treibt. Hinfort wird bei aller Warenproduktion ein Doppeltes produziert: erstens der Gebrauchswert, zweitens und extra die Erscheinung des Gebrauchswertes. Denn bis zum Verkauf, mit dem der Tauschwertstandpunkt seinen Zweck erreicht, spielt der Gebrauchswert tendenziell nur als Schein eine Rolle. Das Ästhetische im weitesten Sinne: sinnliche Erscheinung und Sinn des Gebrauchswerts, löst sich hier von der Sache ab. Beherrschung und getrennte Produktion dieses Ästhetischen wird zum Instrument für den Geldzweck. So ist schon in der Vorgeschichte des Kapitalismus, im Prinzip des Tausches, die Tendenz zur Technokratie der Sinnlichkeit ökonomisch angelegt.

2. Die starken Reize als Instrumente des handelskapitalistischen Verwertungsinteresses

Bevor auf spezifische ästhetische Reize eingegangen werden kann, ist eine nähere Bestimmung des Tauschwertstandpunktes nachzutragen. Sobald im Geld der Tauschwert sich verselbständigt hat, ist die Voraussetzung für die Verselbständigung auch des Tauschwertstandpunkts gegeben. In Geldform ist der Tauschwert an kein sinnliches Bedürfnis mehr gebunden, hat alle sinnlich mannigfaltige

Qualität abgestreift. So sinnlos es wäre, bestimmte sinnliche Gebrauchswerte unendlich anzuhäufen, da ihnen doch eine Grenze durch ihre Brauchbarkeit gesetzt ist – die Anhäufung des Tauschwerts, der eh nur quantitativ interessant ist, kennt von sich aus kein Maß und keine Grenze. Mit dem Geld, anfangs die bloße Vergegenständlichung einer Funktion des Tauschs, kommt daher eine Macht von neuer Qualität auf die Welt: der abstrakte Reichtum, der verselbständigte Tauschwert. Er begründet ein neues Interesse, das diese Verselbständigung mitmacht: das Verwertungsinteresse. Wucher und Handel sind seine beiden ersten großen Gestalten in der Geschichte. Im folgenden interessieren einige Züge des Handelskapitals, dessen große Epoche in Europa zugleich die des Frühkapitalismus war.

Kaufen, um mit Gewinn zu verkaufen, ist seine Tätigkeit. Sie ist daher zunächst überregional, wo nicht gar transkulturell, hat ihre Stärke im Fernhandel. Um in die lokalen Märkte einzudringen, oder um Gebiete, die bisher keine Warenproduktion kannten, für den Handel aufzubrechen, bedarf das Handelskapital besonderer Warengattungen. Drei Warengruppen haben in diesem Sinne besonders Furore gemacht und der Veränderung der Verhältnisse weltweit den Weg gebahnt: erstens militärische Güter, zweitens Textil und drittens Reiz- und Genußmittel. Die starken Reize treten in die europäische Geschichte ein als Instrumente des handelskapitalistischen Verwertungsinteresses. Die europäischen Mächte, die über diesem Geschäft zu Weltmächten aufstiegen, heißen nacheinander Venedig, die Niederlande, England.

3. Luxus des Adels, bürgerlicher Rausch mit klarem Kopf

Wenn Marx einmal bemerkt, die Waren werfen Liebesblicke nach den möglichen Käufern, so bewegt die Metapher sich auf sozialgeschichtlichem Grund. Denn eine Gattung der starken Reize, mit denen die Produktion von Waren zum Zwecke der Verwertung operiert, ist die der Liebesreize. Dementsprechend wirft eine ganze Warengattung Liebesblicke nach den Käufern, indem sie nichts anderes nachahmt und dabei überbietet als deren, der Käufer, eigne

Liebesblicke, die die Käufer wiederum werbend ihren menschlichen Liebesobjekten zuwerfen. Wer um Liebe wirbt, macht sich schön und liebenswert. Allerlei Schmuck und Textil, Duft und Farbe bieten sich an als Mittel der Darstellung von Schönheit und Liebeswert. So entlehnen die Waren ihre ästhetische Sprache beim Liebeswerben der Menschen. Dann kehrt das Verhältnis sich um, und die Menschen entlehnen ihren ästhetischen Ausdruck bei den Waren. Das heißt, hier findet eine erste Rückkoppelung statt von der aus Verwertungsmotiven aufreizenden Gebrauchsgestalt der Waren auf die Sinnlichkeit der Menschen. Nicht nur verändert sich die Ausdrucksmöglichkeit ihrer Triebstruktur, sondern es verlagert sich der Akzent: starker ästhetischer Reiz, Tauschwert und Libido hängen aneinander wie die Leute in der Geschichte von der goldenen Gans, und wertvoll werden die Ausdrucksmittel, sie kosten auch ein Vermögen. Bald leiht die aufsteigende Bourgeoisie dem Adel gegen Wucherzinsen das Geld, womit er bei ihr die vielfältigen Imponiertextilien und Galanteriewaren kauft, bis Stück um Stück des adligen Grundbesitzes den Bürgern zufällt: und kapitalisiert wird zu Schaden aller unproduktiven Esser, die auf den Bettel oder ins Arbeitshaus getrieben werden, bis der Aufstieg der kapitalistischen Produktion billige Lohnarbeiter in ihnen findet. Der Luxus: die Waren mit den starken sinnlichen Reizen, vermittelt kein geringes Stück der großen Umverteilung des Besitzes bei Revolutionierung seiner Verwertung, die ursprüngliche Akkumulation heißt. Der Vorgang ist – funktionell wie historisch – im Fundament der bürgerlichen Gesellschaft angelegt und für sie durchweg bezeichnend. „Jeder Mensch“, heißt es in den Pariser Manuskripten von Marx, „spekuliert darauf, dem anderen ein neues Bedürfnis zu schaffen, um ihn zu einem neuen Opfer zu zwingen, um ihn in eine neue Abhängigkeit zu versetzen und ihn zu einer neuen Weise des Genusses und damit des ökonomischen Ruins zu verleiten.“ Die Bürger lassen es sich zur Lehre dienen. Müßiggang und Luxus, woran sie verdienen, sind ihnen bei ihresgleichen oder gar der Unterklasse gleichermaßen verhaßt. Doch kompensieren sie ihre Triebhaftigkeit, die sie aufs Kontorleben hin zuschneiden, mit Genüssen, die spezifisch gut zu bürgerlicher Tätigkeit passen: mit Tabak, Kaffee, vor allem aber Tee, der sich im 17. Jahrhundert rasch einen ungeheuren

Markt erobert. Klerus und Adel genießen indes Schokolade und Zuckerwerk. Da die Schokolade eine von katholischen Interessen verwertete Kolonialware war, wurde von den Kanzeln gegen Tabak und Tee als Teufelszeug gepredigt, dafür Kakao als Mittel gegen Pest und Cholera angepriesen. Die großen englischen und niederländischen Kapitalgesellschaften betrieben ihrerseits getarnte Reklame, bestachen Dichter, Komponisten, Chansonniers und Ärzte, um sie Tee oder Kaffee feiern zu lassen. Im übrigen gab es Ärzte, die den Kaffee zur Brechung des Alkoholrausches und den Tee als Mittel einsetzten, den Entzug alkoholischer Getränke erträglicher zu machen. Die Bürger brauchten noch beim Rausch den klaren Kopf. Zu beachten ist daran, daß die Schaffung und Steuerung von Bedürfnissen nicht, wie manche meinen, etwas spezifisch Spätkapitalistisches ist.

4. Kapitalistische Massenproduktion und Realisationsproblem: Ästhetik der Massenware

Die Kapitalisierung der Warenproduktion entfesselt großen Ansporn zur Entwicklung von Techniken der Produktion des relativen Mehrwerts, also der Steigerung der Produktivität, insbesondere der Bildung von Maschinerie und großer Industrie. Zugleich schließt sie tendenziell alle Gesellschaftsmitglieder an die Verteilung der Waren über den Markt an. Sie schafft also mit der massenhaften Ausweitung der Nachfrage auch Technologie und Produktivkräfte der Massenproduktion. Nun sind es nicht mehr in erster Linie die teuren Luxuswaren, die das große Geschäft bestimmen, sondern die relativ billigen Massenartikel. Über Realisierung, Masse und Rate von Profit entscheiden jetzt die für das industrielle Kapital charakteristischen Verwertungsfunktionen. Innerhalb der Produktionssphäre sind folgende Rentabilitätsfunktionen in unserem Zusammenhang von Interesse: erstens Verringerung der Arbeitszeit durch Steigerung der Produktivität der Arbeit – hierher gehört die Tendenz zur Ausschaltung der Handarbeit (die dann als besonders hochgeschätzter Bestandteil der Anpreisung bestimmter Luxuswaren wiederkehren wird) – und schließlich zur Ausbildung der Technologie massenhafter Produzierbarkeit standardisierter Artikel. Zweitens ist zu nennen die Verbilligung der Teile des konstanten Kapitals, die als Roh- und Hilfsstoffe und sonstige Zutaten ins Produkt eingehen. Drittens die Verringerung der Produktionszeit etwa durch künstliche Abkürzung von zur Reife notwendiger Lagerzeit.

Man sieht, daß alle diese Veränderungen die Erscheinung eines Produkts modifizieren müssen. Hier erwachsen ebenso viele Funktionen, durch zusätzlich produzierten Schein die Veränderungen zu überdecken oder zu kompensieren. Raffinierte Oberflächenbehandlung oder Einfärbung mag Verschlechterungen von Material und Verarbeitung überdecken. Branntwein, der nicht, wie zur Erlangung seiner Reife erforderlich, einige Jahre in Eichenfässern gelagert wurde, woher seine bräunliche Farbe rührt, wird mit karameliertem Zucker eingefärbt: so wird der Schein aufrechterhalten.

Innerhalb der Zirkulationssphäre interessiert in unserem Zusammenhang zunächst nur eines: hier muß der Formwandel stattfinden, hier müssen Wert und Mehrwert realisiert werden. Bereits eine bloße Stockung könnte den Ruin bedeuten. Marx verwendet die stärksten Ausdrücke, um dieses Problem – nennen wir es das Realisationsproblem – zur Sprache zu bringen. Hier muß die Ware ihren Salto mortale machen, vielleicht bricht sie sich das Genick dabei. Hier lechzt der an den Warenleib gebannte Tauschwert danach, in die Geldform erlöst zu werden. Hier dreht sich alles um „das Mirakel dieser Transsubstantiation", wie es im ›Kapital‹ heißt, hier ist der Ort und der Zeitpunkt, da die Waren ihre Liebesblicke werfen. „Gäbe es jene Warenseele", schreibt Walter Benjamin in seiner Schrift über Baudelaire als Lyriker im Zeitalter des Hochkapitalismus, „gäbe es jene Warenseele, von der Marx gelegentlich im Scherz spricht, so wäre es die einfühlsamste, die im Seelenreiche je begegnet ist. Denn sie müßte in jedem den Käufer sehen, in dessen Hand und Haus sie sich schmiegen will." Gerade im übertriebenen Gebrauchswertschein schafft sich die Verwertungsfunktion, die auf das Realisationsproblem Antwort sucht, Ausdruck und drängt sich der in der Ware steckende Tauschwert dem Gelde entgegen. Aus Sehnsucht nach dem Geld wird in der kapitalistischen Produktion die Ware nach dem Bilde der Sehnsucht des Käuferpublikums gebildet. Dies Bild wird die Werbung später abgetrennt von der Ware verbreiten.

5. Erster Effekt und zugleich Instrument der Monopolisierung: Unterordnung des Gebrauchswerts unter die „Qualitätsmarke“

Die Einfühlung der Waren, von der Benjamin spricht, stieß an die Grenzen des Marktes. Solange innerhalb einer Warengattung auf dem Markt sehr viele Produzenten konkurrierten, blieb die Warenästhetik an den Warenleib gebunden. Zugleich war ihr der Gebrauchswertstandard einer relativ gleichartigen Produktion vorgegeben. Solange sie nichts darstellte als eine Verkörperung jenes – innerhalb einer besonderen Warengattung – allgemeinen Gebrauchswerts, solange war ihre besondere Herkunft etwas Verschwindendes. Indem aber dies Verschwinden nur Mittel zum Zweck ist, trägt das Verhältnis seine Umkehrung bereits in sich. Es wird die Funktion des Besonderen, des Neuen und des Originellen sein, dies Verhältnis umzukehren. Daß die Produktion von Gebrauchswerten nur Mittel für den Zweck der Verwertung ist, wirkt sich jetzt so aus, daß das einzelne Kapital sich einen Gebrauchswert ganz unterzuordnen strebt. „Dies ist das Goldene Zeitalter der Warenzeichen“, heißt es in einer von Baran und Sweezy zitierten Schrift aus dem Jahre 1905,

> eine Zeit, in der fast jeder, der ein wertvolles Erzeugnis herstellt, die Umrisse einer Nachfrage festlegen kann, die nicht nur mit den Jahren alles Dagewesene überschreitet, sondern auch in einem bestimmten Grade zum Monopol wird ... Überall ... gibt es Gelegenheit, die Führung in der Werbung zu übernehmen – Dutzende von Allerweltserzeugnissen, unbekannten, nicht anerkannten Fabrikaten zu verdrängen durch betonte Aufmachung, durch Lebensmittel mit geschütztem Standardfirmenzeichen, unterstützt von einer das ganze Land erfassenden Werbung, die selbst schon für die Öffentlichkeit zur Qualitätsgarantie geworden ist.

Mit den unzähligen namenlosen Allerweltserzeugnissen war es immer der allgemeingültige Gebrauchswert, der verdrängt wurde als lästiges Hemmnis, das dem Verwertungsinteresse im Wege stand. Indem das Privatkapital einen bestimmten Gebrauchswert sich unterordnet, erhält die Warenästhetik nicht nur qualitativ neue Bedeutung, auch neuartige Informationen zu verschlüsseln, sondern sie löst sich jetzt ab vom Warenleib, dessen Aufmachung sich in der Verpackung steigert und von der Werbung überregional verbreitet wird. Mittel zum Zweck einer monopolähnlichen Stellung ist der Aufbau einer Ware zum Markenartikel. Hierfür werden alle verwendbaren ästhetischen Mittel aufgeboten. Das Entscheidende aber ist die Zusammenziehung aller Mitteilungen, die eine Aufmachung mit formal-ästhetischen, bildhaften und sprachlichen Mitteln macht, zum Namenscharakter. Die sachbezogene allgemeine Sprache hat allenfalls die Funktion, den Namen des Konzerns aufzusagen und mit einem Hof von Anerkennung zu umdienen. Während nur lokal verbreitete Markenartikel komisch wirken, wie andere lokale Eigenheiten der Namen und des Dialekts etwa, schieben sich die überregionalen Markennamen der großen Konzerne in der Erfahrung der Menschen vor die Natur und geradezu in den Rang derselben. Es gibt Warengattungen, für die den Menschen in den gegenwärtigen kapitalistischen Gesellschaften keine Gebrauchswertbegriffe mehr zur Verfügung stehen. An ihre Stelle ist der gesetzlich geschützte Warenname getreten, und allenfalls in den Gebrauchsanweisungen führt etwas von der Bedeutung der aus dem Weg geräumten Gebrauchswertbegriffe noch ein Schattendasein.

6. Zweiter Effekt der Monopolisierung: ästhetische Innovation

Bei steigender Produktivität ersteht für die Oligopole das Realisationsproblem in neuer Gestalt. Nun stoßen die privatkapitalistisch organisierten Produktivkräfte nicht mehr an die vielen konkurrierenden Anbieter als an ihre Grenze, sondern unmittelbar an die Schranke des gesellschaftlichen Bedarfs. In einer Gesellschaft wie in den USA beruht ein großer Teil der Gesamtnachfrage, wie Baran und Sweezy bemerkt haben, „auf dem Bedürfnis, einen Teil des Bestands an langfristigen Konsumgütern zu ersetzen, sobald er abgenutzt ist". Da der Weg zu gesamtgesellschaftlicher Einsparung von Arbeit auf die Abschaffung des Kapitalismus hinauslaufen würde, stößt das Kapital sich jetzt an der zu großen Haltbarkeit seiner Produkte. Eine Technik, mit der auf diese Situation geantwortet wird, besteht in der Verschlechterung der Produkte, wobei die Verschlechterung in der Regel durch Verschönerung kompensiert wird. Aber selbst so halten die Gebrauchsdinge noch zu lang für die Verwertungsbedürfnisse des Kapitals. Die radikalere Technik greift nicht nur beim sachlichen Gebrauchswert eines Produkts an, um seine Gebrauchszeit in der Konsumsphäre zu verkürzen und die Nachfrage vorzeitig zu regenerieren. Diese Technik setzt bei der Ästhetik der Ware an. Durch periodische Neuinszenierung des Erscheinens einer Ware verkürzt sie die Gebrauchsdauer der in der Konsumsphäre gerade fungierenden Exemplare der betreffenden Warenart. Diese Technik sei im folgenden als ästhetische Innovation bezeichnet. Die ästhetische Innovation ist ebensowenig wie andere derartige Techniken eine Erfindung des Monopolkapitalismus, sondern sie wird regelmäßig dort ausgebildet, wo die ökonomische Funktion, die ihr zugrunde liegt, aktuell wird. Kulischers ›Allgemeine Wirtschaftsgeschichte‹ zitiert eine Anordnung aus dem 18. Jahrhundert, die belegt, daß die ästhetische Innovation als Technik schon damals ganz bewußt eingesetzt wurde. In einem für die sächsische Baumwollindustrie erlassenen Reglement von 1755 heißt es, das Wohl „der Fabrik" – was hier noch so viel wie Gewerbe bedeutet, denn die Produktion war noch verlagsmäßig organisiert (die Waren wurden dezentral von Kleinmeistern für die kapitalistischen Verleger produziert) –, das Wohl „der Fabrik" also erfordere es, daß „neben den feinen Gespinsten auch die Waren selber von Zeit zu Zeit nach neuer Invention und einem guten Gusto gefertigt werden". Wohlgemerkt: argumentiert wird nicht mit dem Wohl der Käufer, wie es vom Gebrauchswertstandpunkt aus geschähe; sondern argumentiert wird mit dem Wohl der Unternehmer, also von einem auf Regeneration der Nachfrage bedachten Tauschwertstandpunkt aus. Ist die ästhetische Innovation auch keine Erfindung des Monopolkapitalismus, so hat sie doch erst in ihm eine die Produktion in allen entscheidenden Branchen der Konsumgüterindustrie beherrschende und für die kapitalistische Organisation dieser Industrie lebensnotwendige Bedeutung erlangt. Nie zuvor trat sie derart aggressiv auf. Wie politische Parolen verkünden Spruchbänder in den Auslagen großer Kaufhäuser die Wünsche des Kapitals, die den Kunden Befehl sein sollen. „Altes raus! Neues rein!" war zum Beispiel die Losung, die ein Ring von Möbelhäusern unlängst ausgab. In der Textilbranche, der Autoindustrie, bei Haushaltsgeräten, Büchern, Medikamenten und Kosmetikartikeln wälzen regelmäßig ästhetische Innovationen den Gebrauchswert hin und her, daß dem Verbraucher schwindlig wird. Auf dem Gebrauchswertstandpunkt ist unter solchen Bedingungen kaum zu bestehen. Diese Tendenz ist innerhalb des Kapitalismus nicht abzuwenden. Sie ist noch das geringste der Übel, die der Kapitalismus gegenwärtig zu bieten hat. Solange Faschismus und Krieg nicht die Nachfrage nach militärischen Waren sprunghaft ausweiten, derart, daß die Produktivkräfte vorübergehend nicht mehr gegen die zu eng gewordenen Grenzen der Produktionsverhältnisse stoßen, solange ist in einer oligopolistisch strukturierten kapitalistischen Gesellschaft die ästhetische Innovation fest verankert. Sie wird zur anthropologischen Instanz. Sie unterwirft die gesamte Welt der brauchbaren Dinge, in der die Menschen ihre Bedürfnisse in der Sprache käuflicher Artikel artikulieren, in ihrer sinnlichen Organisation einer permanenten Revolutionierung, die zurückschlägt auf die sinnliche Organisation der Menschen selbst.

Zweiter Teil

1. Technokratie der Sinnlichkeit, allgemein

Es ist nun wenigstens in Andeutungen zu untersuchen, wie und in welche Richtung die Bedürfnisstruktur der Menschen sich ändert unter dem Eindruck der veränderten Befriedigungsangebote, die die Waren machen. Zuvor aber ist nach einem besonderen Zweig der Herrschaft über die Natur zu fragen, nämlich nach der Beherrschung und willkürlichen, unbegrenzten scheinhaften Reproduzierbarkeit ihres Erscheinens, was hier mit Technokratie der Sinnlichkeit umschrieben wird. Ihre besondere Bedeutung im Kapitalismus und die Natur der Reize, mit denen sie, als Warenästhetik in Dienst genommen, operiert, sollen anschließend bestimmt werden.

Technokratie der Sinnlichkeit im Dienste der Aneignung der Produkte fremder Arbeit, allgemein im Dienste sozialer und politischer Herrschaft, ist beileibe keine Erfindung des Kapitalismus, so wenig, wie etwa der Fetischismus es ist. Die inszenierte Erscheinung ist nicht wegdenkbar aus der Geschichte der Kulte. Man vergegenwärtige sich nur die ungeheuerliche Zauberästhetik in den katholischen Wallfahrtskirchen des ausgehenden Mittelalters, die sowohl Ausdruck wie Anziehungsmittel von Reichtum war. Mit den Wallfahrern kamen Teile des Surplus, also des Produktionsüberschusses, angewandert, um in Form von Ritualgebühren aller Art, Opfer, frommen Stiftungen etc. hängenzubleiben. Auch hier wird, diesmal von der Kirche, eine Anstrengung des Erscheinens gemacht, um an Reichtum zu kommen. Oder man denke an die Gegenreformation, diesen mit allen Mitteln des Theaters, der Architektur und Malerei geführten Kulturkampf der bedrohten alten Macht der Kirche gegen die aufsteigenden Mächte der bürgerlichen Gesellschaft. Einer der grundlegenden Unterschiede zur Schein-Produktion im Kapitalismus ist darin begründet, daß es im Kapitalismus in erster Linie Verwertungsfunktionen sind, die ästhetische Techniken ergreifen, umfunktionieren und weiterbilden. Das Ergebnis ist nicht mehr auf bestimmte heilige oder Macht repräsentierende Stätten beschränkt, sondern bildet eine Totalität der sinnlichen Welt, aus der bald kein Moment *nicht* durch kapitalistische Verwertungsprozesse gegangen und durch deren Funktionen geprägt ist.

2. Hoher Rang des bloßen Scheins im Kapitalismus

Die Produktion und große Rolle von bloßem Schein ist in der kapitalistischen Gesellschaft angelegt in jenem pauschalen Widerspruch, der sich durch alle Ebenen hinzieht und mit dessen Entwicklung aus dem Tauschverhältnis diese Untersuchung begonnen hat. Der Kapitalismus basiert auf einem systematischen quidproquo: alle menschlichen Ziele – und sei es das nackte Leben – gelten dem System nur als Vorwände und Mittel (nicht theoretisch gelten sie ihm als solche, sondern faktisch ökonomisch fungieren sie derart). Der Standpunkt der Kapitalverwertung als Selbstzweck, dem alle Lebensanstrengungen, Sehnsüchte, Triebe, Hoffnungen nur ausbeutbare Mittel sind, Motivationen, an denen man die Menschen fassen kann und an deren Ausforschung und Indienstnahme eine ganze Branche der Sozialwissenschaften arbeitet, dieser Verwertungsstandpunkt, der in der kapitalistischen Gesellschaft absolut dominiert, steht dem, was die Menschen von sich aus sind und wollen, schroff gegenüber. Was, ganz abstrakt gesprochen, die Menschen mit dem Kapital vermittelt, kann nur etwas Scheinhaftes sein. So ernötigt der Kapitalismus die Scheinwelt von Grund auf. Anders gesagt: allgemein menschliche Zielsetzungen können im Kapitalismus, solange sie es bei ihm belassen wollen, nichts als bloßer Schein sein, daher dessen hoher Rang in dieser Gesellschaft.

Der Verwertungsstandpunkt des Kapitals steht gegen die sinnlich-triebhafte Wirklichkeit der Menschen. Die Individuen, die sich das Kapital zurichtet, sei es zu seinen Funktionsträgern, also zu Kapitalisten, oder sei es zu Lohnarbeitern etc., bei allen sonst bestehenden radikalen Unterschieden haben sie alle ein Triebschicksal, wenigstens formal, gemeinsam: ihre sinnliche Unmittelbarkeit muß gebrochen werden, absolut beherrschbar. Dies ist, wo nicht brutale Gewalt die Menschen fortwährend zur Arbeit für andere antreibt, nur möglich, wenn Naturkraft gegen Naturkraft gerichtet wird. Die scheinhaft beherrschte Sinnlichkeit wird als Anpassungslohn eingesetzt. Denn nicht nur die großen Menschheitsziele fallen aus dem Kapitalismus in Wirklichkeit heraus und müssen deshalb im Medium des Scheins unablässig wieder eingefangen werden, sondern auch die individuellen Triebziele.

3. Ästhetische Abstraktion, philosophisches Vorspiel

Aufbau, Wirkung und Wirkungsgrund des kapitalistisch in Dienst genommenen Scheins sollen nun weiter untersucht werden. Die Abstraktion vom Gebrauchswert, Folge der und Voraussetzung für die Etablierung des Tauschwerts und des Tauschwertstandpunkts, bahnt entsprechenden Abstraktionen den Weg, macht sie eher theoretisch vollziehbar und macht sie vor allem verwertbar. Die funktionelle Leerstelle, sozusagen die Systemnachfrage, ist also da, noch ehe die Fähigkeiten da sind, die sich sogleich in die Leerstelle hineinbilden werden. Eine dieser Abstraktionen wird für die Naturwissenschaften grundlegend sein: die Abstraktion von den Gebrauchswerten als Qualitäten, z. B. das Abziehen der bloßen räumlichen

Ausgedehntheit von den Dingen, die so zu bloßen res extensae, eben ausgedehnten Dingen, werden, zugleich reduziert auf vergleichbare Quantitätsverhältnisse. Es hat seine Logik, daß beim bahnbrechenden Theoretiker dieses Abstraktionsdenkens, bei Descartes, die ästhetische Abstraktion als die Technik benutzt wird, in die Entwirklichung der sinnlich-realen Welt einzuführen. Er macht sich die Annahme, es gäbe einen allmächtigen Gott der Manipulation, der in einer Art zentralem Fernsehprogramm für Leichtgläubige die ganze sinnliche Welt vortäuscht. Alle Gestalten, Farben, Klänge „und alles Äußere" sind nur vorgemacht. „Mich selbst", schreibt er, „werde ich betrachten als jemanden, der keine Hände hat und keine Augen, weder Fleisch noch Blut noch irgendein Sinnesorgan", sondern nur ein von einer den Menschen absolut überlegenen Technik verfälschtes Bewußtsein. Descartes gibt auch prosaischere Beispiele, die dasselbe sagen sollen. Erstes Beispiel: Eine Figur von der und der Form und Farbe wird in die Nähe der Heizung gehalten, fängt an zu schmelzen, verändert Form und Farbe und entpuppt sich als Wachs, als Plastik, die in alle möglichen sinnlichen Formen verkleidet werden kann. Zweites Beispiel: Jemand geht vor dem Fenster auf der Straße vorbei, es könnte aber auch ein in menschliche Kleider täuschend eingepackter Roboter gewesen sein. Alle diese Beispiele und Annahmen sollen einführen in die Lehre, daß zunächst – und dies gilt hinfort als Wissenschaft – nur eines sicher ist: daß nämlich überhaupt Bewußtseinsvorgänge sind; jeglicher Inhalt könnte gefälscht sein. Auf fälschbare Bewußtseinsvorgänge sind damit die Menschen reduziert. Und was bleibt von den Dingen? Sie werden reduziert auf „nichts anderes als etwas Ausgedehntes, Flexibles, Veränderbares", „extensum quid, flexibile, mutabile". Hier ist nicht die Gelegenheit, die unfreiwillige Dialektik dieserart frühbürgerlicher Theorie zu entwickeln, die mit der Absicht der Emanzipation von Täuschung (allerdings wohl hauptsächlich der vorbürgerlichen) anhebt und am Ende nur Herrschaft auf der einen, Täuschung auf der anderen Seite übrigbehält. Hier kommt es darauf an, jenen Prozeß, der als ästhetische Abstraktion eingeführt wurde, im Vermittlungszusammenhang ökonomischer und technologischer Entwicklungen zu sehen.

4. Ästhetische Abstraktion der Ware: Oberfläche – Verpackung – Reklamebild

Die ästhetische Abstraktion löst Sinnlichkeit und Sinn der Sache von dieser ab und macht sie getrennt verfügbar. Zuerst bleibt die funktionell bereits abgelöste Gestaltung und Oberfläche, der bereits eigne Produktionsgänge gewidmet werden, mit der Ware verwachsen wie eine Haut. Doch bereitet die funktionelle Differenzierung die wirkliche Ablösung vor, und die schön präparierte Oberfläche der Ware wird zu ihrer Verpackung, in die sie sich, wie die Tochter des Geisterkönigs in ihr Federkleid, einwickelt und ihre Gestalt verwandelt, um auf den Markt und ihrem Formenwechsel entgegenzufliegen. Um dem Geld das Entgegengehen zu erleichtern, ist man jüngst bei einer nordamerikanischen Bank dazu übergegangen, nun auch die Scheckformulare in euphorisierenden Pop-Farben zu gestalten. Doch zurück zur Ware: Nachdem ihre Oberfläche sich von ihr abgelöst hat und zu ihrer zweiten Oberfläche geworden ist, die in der Regel unvergleichlich perfekter als die erste ist, löst sie sich vollends los, entleibt sich und fliegt als bunter Geist der Ware in alle Welt. Niemand ist mehr vor seinen Liebesblicken sicher. Die Realisationsabsicht wirft sie mit der abgezogenen gespenstischen Erscheinung vielversprechenden Gebrauchswertes nach den Kunden, in deren Brieftaschen – noch – das Äquivalent des so verkleideten Tauschwerts sich befindet.

5. Der als Spiegelbild der Sehnsucht aufgemachte Schein, auf den man hereinfällt

Die Erscheinung verspricht mehr, weit mehr, als sie je halten kann. Insofern ist sie Schein, auf den man hereinfällt. Die Erzählung aus Tausendundeiner Nacht, die den schönen Schein, auf den man hereinfällt, und zwar im nichtübertragenen Wortsinn „hereinfällt", vorkommen läßt, diese Erzählung verbindet ihn bedeutungsvoll mit dem Handelskapital. Es ist die Geschichte von der Messingstadt. Von hohen Mauern aus schwarzem Stein umgeben, die Tore so fein eingelassen, daß man sie von der Mauer beim besten

Willen nicht unterscheiden kann, steht die Messingstadt mitten in der Wüste wie ein Safe, angefüllt mit Warenkapital des Luxushandels.

Weil kein Tor zu finden ist, machen die Abgesandten des Kalifen eine Leiter. Einer kletterte daran hoch, „bis er ganz oben war; dann richtete er sich auf, blickte starr auf die Stadt, klatschte in die Hände und rief, so laut er rufen konnte: ‚Du bist schön!‘ Und er warf sich in die Stadt hinein; da ward er mit Haut und Knochen völlig zermalmt. Der Emir Mûsa aber sprach: ‚Wenn ein Vernünftiger so handelt, was wird dann erst ein Irrer tun?‘ “ Einer nach dem andern klettert hinauf, und die Szene wiederholt sich, bis die Expedition zwölf Mann verloren hat. Schließlich steigt der einzige, der den Weg zur Messingstadt kannte und also auch den Rückweg nach Hause, der Scheich ’Abd es-Samad, die Leiter hinauf, „ein weiser Mann, der viel gereist ist; . . . ein hochbegabter Greis, den der Jahre und Zeiten Flucht gebrechlich gemacht hatte“. Fällt auch er auf den Zauber herein, so wird die ganze Truppe verloren sein. Der also erklimmt die Leiter, „indem er unablässig den Namen Allahs des Erhabenen anrief und die Verse der Rettung betete, bis daß er oben auf der Mauer ankam. Dort klatschte er in die Hände und blickte starr vor sich hin. Aber alles Volk rief laut: ‚O Scheich ’Abd es-Samad, tu es nicht! Wirf dich nicht hinab!‘ . . . Er aber begann zu lachen und lachte immer lauter.“ Später tut er den als künstlichen durchschauten Schein kund: „Als ich oben auf der Mauer stand, sah ich zehn Jungfrauen, wie Monde anzuschauen, die winkten mir mit den Händen zu, ich solle zu ihnen herabkommen, und es kam mir so vor, als ob unter mir ein See voll Wasser wäre.“ Vor seiner Frömmigkeit und mehr wohl noch vor seinem Alter zergeht der Zauber des sexuellen Scheingebildes, das in einer Kultur, in der die Frauen verschleiert gehen mußten, doch wohl von umwerfendem Reiz war. „Sicherlich“, heißt es abschließend, „ist das ein tückischer Zauber, den die Leute der Stadt ersonnen haben, um jeden, der sie anschauen will oder in sie einzudringen wünscht, von ihr fernzuhalten.“ Der Schein, auf den man hereinfällt, ist hier vom Standpunkt des Tauschwertbesitzes aus ersonnen. Was auf ihn hereinfällt, ist eine Triebsehnsucht. Die hinabspringen, tun es von einem leichtgläubigen Gebrauchswertstandpunkt aus. Die Geschichte von der Messingstadt kennt aber noch eine andere Ebene des Widerspruchs von Gebrauchswert und Tauschwert, diesmal mit Untergang derer, die auf dem Tauschwertstandpunkt stehen. Die Stadt ist nämlich nur von verschrumpelten Leichnamen bevölkert, und man erfährt auch den Grund: Inmitten ihrer unermeßlichen Tauschwerte fehlte es den Besitzern und Einwohnern zuletzt am lebensnotwendigsten Gebrauchswert. Sieben Jahre lang hatte es keinen Tropfen geregnet, die Vegetation war ausgestorben, und die Menschen waren allesamt verhungert.

Der Schein, auf den man hereinfällt, ist wie ein Spiegel, in dem die Sehnsucht sich erblickt und für objektiv hält. Wo den Menschen, wie in der monopolkapitalistischen Gesellschaft, aus der Warenwelt eine Totalität von werbendem und unterhaltendem Schein entgegenkommt, geschieht, bei allem abscheulichen Betrug, etwas Merkwürdiges, in seiner Dynamik viel zu wenig Beachtetes. Es drängen sich nämlich unabsehbare Reihen von Bildern heran, die wie Spiegel sein wollen, einfühlsam, auf den Grund blickend, Geheimnisse an die Oberfläche holend und dort ausbreitend. In diesen Bildern werden den Menschen fortwährend unbefriedigte Seiten ihres Wesens aufgeschlagen. Der Schein dient sich an, als kündete er die Befriedigung an, er errät einen, liest einem die Wünsche von den Augen ab, bringt sie ans Licht auf der Oberfläche der Ware. Indem der Schein, worin die Waren einherkommen, die Menschen ausdeutet, versieht er sie mit einer Sprache zur Ausdeutung ihrer selbst und der Welt. Eine andere als die von den Waren gelieferte steht schon bald nicht mehr zur Verfügung. Wie verhält, vor allem wie verändert sich jemand, der beständig mit einer Kollektion von Wunschbildern, die man ihm zuvor abspioniert hat, umdienert wird? Wie verändert sich jemand, der fortwährend erhält, was er wünscht – aber es nur als Schein erhält? Das Ideal der Warenästhetik wäre es, das zum Erscheinen zu bringen, was einem eingeht wie nichts, wovon man spricht, wonach man sich umdreht, was man nicht vergißt, was alle wollen, was man immer gewollt hat. Widerstandslos wird der Konsument bedient, sei es nach der Seite des Schärfsten, Sensationellsten, sei es nach der Seite des Anspruchslosesten, Bequemsten. Die Gier wird ebenso zuvorkommend bedient wie die Faulheit.

6. Korrumpierende Gebrauchswerte, ihre Rückwirkung auf die Bedürfnisstruktur

Indem die Warenästhetik den Menschen nach dieser Richtung ihr Wesen auslegt, scheint die progressive Tendenz des Treibenden in den Menschen, ihres Verlangens nach Befriedigung, Lust, Glück, umgebogen. Das Treibende scheint eingespannt und zu einem Antrieb zur Anpassung geworden zu sein. Manche Kulturkritiker sehen darin einen Vorgang umfassender Korruption geradezu der Gattung. Gehlen spricht von ihrer Entartung, indem sie sich „an allzu bequeme Lebensbedingungen" anpaßt. Es ist in der Tat eine Hinterhältigkeit in der Schmeichelei der Waren: Was sie bewegt, sich derart anzudienen, herrscht eben dadurch. Die vom Kapitalismus Bedienten sind am Ende nun mehr seine bewußtlosen Bediensteten. Nicht nur werden sie verwöhnt, abgelenkt, abgespeist, bestochen.

In Brechts Badener Lehrstück vom Einverständnis werden Untersuchungen angestellt, ob der Mensch dem Menschen hilft. Die dritte Untersuchung, eine Clownsnummer, führt vor, wie es ist, wenn der Kapitalismus dem Menschen hilft. Bedienen heißt hier amputieren. Wer sich setzt, der wird vielleicht nie wieder aufstehen können. Helfen heißt, eine Abhängigkeit schaffen (und weidlich ausnutzen). Derart ist die Dynamik der spätkapitalistischen Warenproduktion. Zuerst wird das Tun des Nötigen erleichtert; aber dann wird das Tun des Nötigen ohne Erleichterung zu schwer, und es kann das Nötige nicht mehr ohne Warenkäufe getan werden. Nun ist das Nötige nicht mehr zu unterscheiden vom Unnötigen, auf das nicht mehr verzichtet werden kann. Die Rede von den falschen Bedürfnissen meint nichts anderes als diese Verschiebung.

Sind Triebe und Bedürfnisse noch fortschrittlich unter diesen Umständen? Ist an den materiellen Interessen noch etwas Wesentliches zu fassen?

Das, was gelegentlich repressive Befriedigung genannt wird, erscheint jetzt als korrumpierender Gebrauchswert. Dieser dominiert vor allem in der Branche des Scheins als Ware. Der korrumpierende Gebrauchswert wirkt zurück auf die Bedürfnisstruktur der Konsumenten, denen er sich einprägt zu einem korrumpierten Gebrauchswertstandpunkt.

Die korrumpierenden Wirkungen von geradezu anthropologischem Ausmaß, die ein bloßer Nebeneffekt der Dynamik des kapitalistischen Profitstrebens sind, sind verheerend. Den Leuten scheint das Bewußtsein abgekauft. Täglich werden sie trainiert im Genuß dessen, was sie verrät, im Genuß der eigenen Niederlage, im Genuß der Identifikation mit der Übermacht. Selbst in realen Gebrauchswerten, die sie bekommen, wohnt oft eine unheimliche Macht der Zerstörung. Das Privatauto – bei Vernachlässigung der öffentlichen Transportmittel – zerpflügt die Städte nicht weniger wirksam als der Bombenkrieg und schafft die Entfernungen erst, die ohne es nicht mehr zu überbrücken sind.

Es bringt aber nicht weiter, vorschnell diesen Prozeß in Kategorien einer planmäßigen Verschwörung zur Korruption der Massen zu beschreiben. Es ist das Ideal der Warenästhetik: das gerade noch durchgehende Minimum an Gebrauchswert zu liefern, verbunden, umhüllt und inszeniert mit einem Maximum an reizendem Schein, der per Einfühlung ins Wünschen und Sehnen der Menschen möglichst zwingend sein soll. Nicht nur verschwindet trotz dieses Ideals der Warenästhetik in der Regel nicht der reale Gebrauchswert aus den Waren – und wären die Auswirkungen seines Gebrauchs getrennt zu untersuchen –, sondern auch in der Warenästhetik als solcher ist der Widerspruch enthalten. Die Agenten des Kapitals können mit ihr nicht machen, was sie wollen; vielmehr können sie es nur unter der Bedingung, daß sie machen oder erscheinen machen, was die Konsumenten wollen. Die Dialektik von Herr und Knecht in der Liebedienerei der Warenästhetik ist doppelbödig: zwar herrscht das Kapital in der Sphäre, wo Warenästhetik eine Rolle spielt, über das Bewußtsein und damit über das Verhalten der Menschen und schließlich über den Tauschwert in ihren Taschen durch einfühlendes Dienen, wird also die als bloß dienende erscheinende Macht zur wirklich herrschenden. Zwar werden die derart Bedienten unterworfen. Daß aber das Herrschen durch korrumpierendes Bedienen mit Schein seine eigne Dynamik entbindet, läßt sich an den Weiterungen studieren, die durch die Indienstnahme des sexuellen Scheins als Ware eigner Art sowie durch die Sexualisierung vieler anderer Waren verursacht sind.

7. Die Zweideutigkeit der Warenästhetik am Beispiel der Indienstnahme des sexuellen Scheins

Am Beispiel der Indienstnahme des sexuell reizenden Scheins läßt sich die Zweideutigkeit der Warenästhetik zeigen. Sie ist, wie am Anfang der Untersuchung entwickelt, Mittel zur Lösung bestimmter Verwertungs- und Realisationsprobleme des Kapitals. Zugleich aber ist sie die scheinhafte Lösung des Widerspruchs von Gebrauchswert und Tauschwert.

Sexuelles als Ware kommt zugleich auf den historisch unterschiedlichsten und am weitesten auseinander liegenden Entwicklungsstufen vor. Die Prostitution steht auf dem Niveau der einfachen Warenproduktion, die Zuhälterei auf dem des Verlagskapitalismus, das Bordell auf dem der Manufaktur – all diesen Formen der Sexualität als Ware ist gemein, daß der Gebrauchswert noch in unmittelbarer, sinnlich-leibhafter Berührung realisiert wird. Industriekapitalistisch verwertbar ist die sexuelle Sinnlichkeit nur in abstrahierter Form. Die bloße Ansicht oder ein bloßes Geräusch oder gar eine Verbindung beider kann aufgenommen und massenhaft reproduziert werden, in technisch unbegrenzter, praktisch nur vom Markt begrenzter Auflage. Im Zustand allgemeiner sexueller Unterdrükkung liegt der Gebrauchswert des bloßen sexuellen Scheins etwa in der Befriedigung der Schaulust. Diese Befriedigung mit einem Gebrauchswert, dessen spezifische Natur es ist, Schein zu sein, kann Schein-Befriedigung genannt werden. Für die Schein-Befriedigung mit sexuellem Schein ist charakteristisch, daß sie die Nachfrage nach ihr zugleich mit der Befriedigung reproduziert und zwanghaft fixiert. Wenn Schuldgefühle und die Angst, die sie verursachen, den Weg zum Sexualobjekt erschweren, dann springt die Ware Sexualität als Schein ein, vermittelt die Erregung und eine gewisse Befriedigung, die im sinnlich-leibhaften Kontakt nur schwer zu entwickeln wären. Durch diese Art scheinhafter, widerstandsloser Befriedigung droht die Möglichkeit der direkten Lust nun vollends amputiert zu werden. Hier wirkt die für die massenhafte Verwertung allein geeignete Form des Gebrauchswerts zurück auf die Bedürfnisstruktur der Menschen. So wird ein allgemeiner Voyeurismus verstärkt, habitualisiert, und werden damit die Menschen in ihrer Triebstruktur auf ihn festgelegt.

Triebunterdrückung bei gleichzeitiger Schein-Befriedigung des Triebs führt zu einer allgemeinen Sexualisierung – Gehirnsinnlichkeit nannte es Max Scheler als Verfassung der Menschen. Die Waren antworten darauf, indem sie von allen Seiten sexuelle Bilder spiegeln. Hier ist es nicht das Sexualobjekt, das Warenform annimmt, sondern tendenziell die Gesamtheit der Gebrauchsdinge mit Warenform nimmt in irgendeiner Weise Sexualform an, das sexuelle Bedürfnis und sein Befriedigungsangebot werden entspezifiziert. In gewisser Weise werden sie dem Geld ähnlich, mit dem in dieser Hinsicht Freud die Angst verglich: sie werden frei konvertibel in alle Dinge. So verwandelt der Tauschwert, der die Sexualität in seinen Dienst nimmt, sie sich selber an. In ihre Oberfläche werden zahllose Gebrauchsdinge eingewickelt, und die Kulissen des sexuellen Glücks werden zum häufigsten Warenkleid oder auch zum Goldgrund, auf dem die Ware erscheint. Die allgemeine Sexualisierung der Waren hat die Menschen mit einbezogen. Sie stellte ihnen Ausdrucksmittel für bisher unterdrückte sexuelle Regungen zur Verfügung. Vor allem die Heranwachsenden ergriffen diese Möglichkeit, ihre Nachfrage zog neues Angebot nach sich. Es wurde möglich, mit Hilfe neuer Textilmoden sich als allgemein sexuelles Wesen zu inserieren. Darin ist eine merkwürdige Rückkehr zum sozialgeschichtlichen Ausgangspunkt. Wie einmal die Waren ihre Reizsprache bei den Menschen entlehnten, so geben sie ihnen jetzt eine Kleidersprache der sexuellen Regungen zurück. Und machen auch die Kapitale der Textilbranche ihren Profit damit, so ist doch damit die verändernde Kraft der sich tastend herausentwickelnden Befreiung der Sexualität nicht unbedingt wieder eingefangen. Solange die ökonomische Funktionsbestimmtheit der Warenästhetik besteht, gerade also, solange das Profitinteresse sie antreibt, behält sie ihre zweideutige Tendenz: indem sie sich den Menschen andient, um sich ihrer zu vergewissern, holt sie Wunsch um Wunsch ans Licht. Sie befriedigt nur mit Schein, macht eher hungrig als satt. Als falsche Lösung des Widerspruchs reproduziert sie den Widerspruch in anderer Form und vielleicht desto weiter reichend.

Anmerkung [1975]

[1] Der Fehler-Vorwurf an Baran und Sweezy ist strenger formuliert, als gerecht wäre, und weniger präzise, als wünschenswert. Berichtigen wir zunächst die Ungerechtigkeit: Baran und Sweezy stellen ausdrücklich fest, daß die „Verkaufsförderung ... schon lange vor der jetzigen, monopolistischen Phase des Kapitalismus“ aufgetreten sei. Ungeklärt lassen die beiden Autoren allerdings sowohl den Entstehungszusammenhang als auch den Funktionszusammenhang und die einzig aus ihnen ableitbare funktionelle Differenzierung. Sie beschränken sich auf die Andeutung, die „Verkaufsförderung“ sei „viel älter als der Kapitalismus qua Wirtschafts- und Gesellschaftssystem“, was viel zu allgemein ist. Sie hätten sie als Moment der Produktion und des Tauschs von Waren überhaupt darstellen müssen. Zum andern unterstellen sie beiläufig eine historische Abfolge, die es so nie geben konnte. Um anzudeuten, daß die „Verkaufsförderung“ „einer starken qualitativen Veränderung unterworfen gewesen ist“, schreiben sie: „Die Preiskonkurrenz hat als Mittel zum Anreiz der Öffentlichkeit als Kundschaft ihren Wert verloren und neuen Arten der Absatzförderung Platz gemacht: Werbung, abwechslungsreiche Aufmachung und Verpakkung der Waren, ‚geplante Obsoleszenz‘, Änderung des Modells, Kundenkreditsysteme und dergleichen mehr“. Hier gehen allgemeine und besondere Momente von Warenästhetik kunterbunt durcheinander mit andersgearteten (nicht-ästhetischen) Realisierungsfunktionen bzw. Konkurrenzformen. – Im übrigen ist die Kategorie der „Verkaufsförderung“, im Original: der “sales promotion”, eine vom spätkapitalistischen Betrieb selber hervorgebrachte „Alltagskategorie“; für analytische Zwecke ist sie nur begrenzt brauchbar. Zwei Einwände seien hervorgehoben: Erstens überdeckt die Kategorie entscheidende Unterschiede, zweitens ist „Verkauf“ bereits eine abgeleitete Kategorie, während die Kategorie der „Ware“ die Zellenform benennt. Zu der hiermit zusammenhängenden Problematik vgl. neuerdings meine Beiträge zu dem Band ›Warenästhetik – Beiträge zur Diskussion, Weiterentwicklung und Vermittlung ihrer Kritik‹, Frankfurt a. M. 1975. Zur Einführung der Kategorie „Verkaufsförderung“ bei Baran/Sweezy vgl. deren ›Monopolkapital. Ein Essay über die amerikanische Wirtschafts- und Gesellschaftsordnung‹, Frankfurt a. M. 1967, S. 116 f.

VI

ANHANG

AUSWAHLBIBLIOGRAPHIE 1945–1975

Von Wolfhart Henckmann

Übersicht

Vorbemerkung

Dieser Auswahlbibliographie liegt ein Begriff von Ästhetik zugrunde, der sich nicht auf den Rahmen der Ästhetik als einer philosophischen Disziplin beschränkt, sondern der interdisziplinär diejenigen Disziplinen der Humanwissenschaften umfaßt, die nun schon seit einigen Jahrzehnten wichtige Beiträge zur Erforschung der „großen Tatsache Kunst" (Dessoir) und ihrer Produktion und Rezeption geleistet haben.

Die Auswahl des Schrifttums wurde begrenzt auf Publikationen, die zwischen 1945 und 1975 in den westlichen Sprachen Englisch, Französisch, Italienisch und Deutsch erschienen sind; einschließlich der Übersetzungen aus den östlichen Sprachen. Ausgeschlossen wurden die Neuauflagen oder Übersetzungen der klassischen Werke der Ästhetik, historische Analysen oder Gesamtdarstellungen, propädeutische und Sekundärliteratur.

Die Anordnung der Titel hielt sich an die gegenwärtig praktizierte Wissenschaftseinteilung; in einigen Gebieten wurden Untergliederungen vorgenommen, wenn sich bestimmte Forschungsschwerpunkte gebildet hatten. Innerhalb der einzelnen Gebiete wurden die Titel alphabetisch nach Autorennamen angeführt.

Die Einteilung nach Disziplinen hat etwas Konventionelles und Nivellierendes, das der interdisziplinären Ausrichtung und vielschichtigen Problematik der gegenwärtigen Ästhetik nicht gerecht werden kann. Viele Titel hätten mit dem gleichen Recht auch anderen Abschnitten zugeordnet werden können, sollten aber nur einmal angeführt werden; dies möge man bei der Benutzung im Auge behalten. Ebenso auch die nicht zu umgehende Maßnahme, das Œuvre von Autoren, die sich zu vielen Problemkreisen geäußert haben, auf mehrere Abschnitte zu verteilen, also das Ganze eines solchen Œuvre zu zerteilen. Die alphabetische Anordnung der Titel innerhalb der einzelnen Abschnitte soll zumindest die Wiederherstellung eines Œuvre, sofern es in dieser Bibliographie enthalten ist, erleichtern.

Für diejenigen, die daran interessiert sind, die ca. 650 Titel zu erweitern, sind weiterführende periodische und Spezialbibliographien angeführt worden. Für diejenigen, die sich in einen Problemzusammenhang einlesen wollen, sind von Fall zu Fall Sammelwerke angegeben worden.

Verzeichnis der Abkürzungen

ÄK	Ästhetik und Kommunikation, Frankfurt
Amer. philos. Quat.	American philosophical Quarterly, Pittsburgh
Aut Aut	Aut Aut, Milano
BJA	British Journal of Aesthetics, London
Cah. int. Sociol.	Cahiers Internationaux de Sociologie, Paris
Diogène	Diogène, Paris
DZPh	Deutsche Zeitschrift für Philosophie, Berlin-Ost
Et. philos.	Les études philosophiques, Paris
Filosofia	Filosofia, Torino
GCFI	Giornale Critico della Filosofia Italiana, Firenze
GM	Giornale di Metafisica, Torino
GRKG	Grundlagenstudien aus Kybernetik und Geisteswissenschaft, Quickborn
JAAC	Journal of Aesthetics and Art Criticism, Baltimore
JÄK	Jahrbuch für Ästhetik und allgemeine Kunstwissenschaft, Stuttgart. Ab Bd. 4: Köln. Ab Bd. 11 umbenannt in: Zeitschrift für Ästhetik und allgemeine Kunstwissenschaft (ZÄK)
JP	The Journal of Philosophy, New York
JPNP	Journal de Psychologie Normale et Pathologique, Paris
Kölner Zeitschr. f. Soziol.	Kölner Zeitschrift für Soziologie und Sozialpsychologie, Köln
KSt	Kant-Studien, Bonn
KuL	Sowjetwissenschaft. Kunst und Literatur. Zeitschrift für Fragen der Ästhetik und Kunstwissenschaft, Berlin-Ost

Ling. Ber.	Linguistische Berichte, Braunschweig
Linguistics	Linguistics. An International Review, Den Haag
Man and World	Man and World, Pittsburgh
Merkur	Merkur. Deutsche Zeitschrift für europäisches Denken, Stuttgart
Mind	Mind, Oxford
Monist	The Monist, La Salle
NHP	Neue Hefte für Philosophie, Göttingen
NR	Die neue Rundschau, Frankfurt am Main
Personalist	The Personalist, Los Angeles
Philosophy	Philosophy, London
Philos. Persp.	Philosophische Perspektiven. Ein Jahrbuch, Frankfurt am Main
PhJb	Philosophisches Jahrbuch der Görresgesellschaft, München
PhQ	The Philosophical Quarterly, St. Andrews
PPR	Philosophy and Phenomenological Research, Buffalo
PR	Philosophical Review, New York
Praxis	Praxis. Philosophische Zeitschrift. Internationale Ausgabe, Zagreb
Proc. Arist. Soc.	Proceedings of the Aristotelian Society, London
PsR	Psychological Review, Lancaster
Psych. Quat.	Psychoanalytical Quarterly, New York
Rass. Fil.	Rassegna di Filosofia, Roma
Ratio	Ratio, Oxford
RE	Revue d'Esthétique, Paris
Rev. Meta.	Review of Metaphysics, New Haven
Rev. philos. Louv.	Revue philosophique de Louvain, Louvain
RIP	Revue Internationale de Philosophie, Bruxelles
Riv. Est.	Rivista di Estetica, Torino/Padova
RS	Revue de Synthèse, Paris
RTP	Revue de Théologie et de Philosophie, Lausanne
Semiotica	Semiotica, Den Haag
Sewanee Review	The Sewanee Review, Sewanee
Sophia	Sophia, Padova
Stud. Gen.	Studium Generale, Berlin
Stud. philos.	Studia philosophica, Basel
Temps modernes	Les Temps Modernes, Paris
Theoria	Theoria, Lund/Kopenhagen/Göteborg
Tulane Studies in Philosophy	Tulane Studies in Philosophy, New Orleans

WB	Weimarer Beiträge. Zeitschrift für Literaturwissenschaft, Ästhetik und Kulturtheorie, Berlin/Weimar
ZÄK	Vgl. JÄK
ZphF	Zeitschrift für philosophische Forschung, Meisenheim/Glan

I. Bibliographische Nachschlagewerke

A. Abgeschlossene Bibliographien

Albert, E. M., C. Kluckhohn: A selected bibliography on values, ethics, and aesthetics in the behavioral sciences and philosophy. 1920–1958. Glencoe, Ill. 1960. XVIII, 342 S.

Hungerland, H.: Aesthetics 1946–1948. In: Actualités scientifiques et industrielles 1104. Paris 1950. 131–169.

Ballauff, Th., G. Beyrodt: Bibliographie 1944–1949. In: JÄK 1 (1951), S. 223–414.

Bandmann, G., H. Schmidt: Bibliographie 1950. In: JÄK 2 (1954), S. 191–220.

B. Periodische Bibliographien

Bulletin signalétique du Centre National de la Recherche Scientifique. Fasc. 519: Philosophie. Abtlg. 6: Kunstphilosophie, Ästhetik. Paris 1940– (bis 1955 u. d. T.: Bulletin analytique).

Eppelsheimer, H. W., C. Köttelwesch: Bibliographie der deutschen Literaturwissenschaft. 1–. Frankfurt a. Main 1957–. Berichtszeit: ab 1945.

Selected current bibliography. In: JAAC 4–32 (1945–1973).

Répertoire bibliographique de la philosophie. 1–, Louvain 1949–. Berichtszeit: ab 1946.

Bibliographie de la philosophie. 1. Serie Bd. 1–10, Paris 1937–1953. – 2. Serie 1–. Paris 1954–. Berichtszeit: ab 1954.

II. Kongreßberichte, Forschungsberichte, Sammelwerke

A. Kongreßberichte (1945 ff.)

Proceedings of the third international congress of aesthetics. Venezia 3.–5. 9. 1956. Ed. by L. Pareyson. Torino 1957.

Proceedings of the fourth international congress on aesthetics. Athens 1.–6. 9. 1960. Ed. by P. A. Michelis. Athen 1962.
Proceedings of the fifth international congress of aesthetics. Amsterdam 24.–28. 8. 1964. Ed. by J. Aler. Paris 1968.
Proceedings of the sixth international congress of aesthetics at Uppsala 1968. Uppsala 1972.
Proceedings of the seventh international congress of aesthetics at Bucarest 1972. Bucarest 1976.

B. Forschungsberichte

Morpurgo-Tagliabue, G.: L'esthétique contemporaine. Une enquète. Milano 1960. XXIII, 635 S.
Bayer, R.: L'esthétique mondiale au XXe siècle. Paris 1961. 238 S.
L'esthétique dans le monde. In: Revue d'Esthétique 25 (1972), 1–244.

C. Sammelwerke
(s. a. unter den einzelnen Abschnitten in III und IV)

Rader, M. (Hrsg.): A modern book of esthetics. Rev. ed. New York 1952.
Vivas, E., M. Krieger (Hrsg.): The problems of aesthetics. A book of readings. New York 1953.
Todd, J. M. (Hrsg.): The arts, artists, and thinkers. An inquiry into the place of the arts in human life. A symposion. London 1958.
Philipson, M.: Aesthetics today. Readings selected, edited, and introduced by M. Ph. Cleveland/New York 1961.
Osborne, H. (Hrsg.): Aesthetics. Oxford Univ. Press 1973. (Oxford Readings in Philosophy Series)

III. Allgemeine Ästhetik

1. Philosophische Ästhetik

1.1. Ästhetik als Einzelwissenschaft

Bayer, R.: Essais sur la méthode en esthétique. Paris 1953. 191 S.
–: Traité d'esthétique. Paris 1956. 302 S.
Kainz, Fr.: Vorlesungen über Ästhetik. Wien 1948. 664 S.

Lalo, Ch.: Les structures maîtresses de la beauté industrielle. In: RE 4 (1951), S. 252–292.
–: Esquisse d'une classification structurale des beaux-arts. In: JPNP 44 (1951), S. 128–175.
Michelis, P. A.: Etudes d'esthétique. Paris 1967. 230 S.
Munro, Th.: The arts and their interrelations. A survey of the arts and outline of comparative aesthetics. New York 1949. XV, 559 S. Rev. and enl. ed. Cleveland 1967. XVI, 587 S.
–: Toward science in aesthetics. Selected essays. New York 1956. 371 S.
–: Form and style in the arts. Cleveland 1970. XVII, 467 S.
Souriau, E.: La correspondance des arts: éléments d'esthétique comparée. Paris 1947. 280 S.
–: Passé, présent, avenir du problème de l'esthétique industrielle. In: RE 4 (1951), S. 225–251.
–: La notion de catégorie esthétique. In: RE 19 (1966), S. 225–242.
–: Le sublime. In: RE 19 (1966), S. 266–289.

1.2. Metaphysik, Ontologie, Anthropologie

Assunto, R.: Studi estetici. Forma formante e forma formata. In: Rass. Fil. 3 (1954), S. 137–161.
–: L'integrazione estetica. Studi e ricerche. Milano 1959. 102 S.
Banfi, A.: Vita dell'arte. Milano 1947. 253 S. (Estetica 12)
Berlinger, R.: Das Werk der Freiheit. Zur Philosophie von Geschichte, Kunst und Technik. Frankfurt a. M. 1959. 138 S.
Blumenberg, H.: Sokrates und das 'objet ambigue'. Paul Valérys Auseinandersetzung mit der Tradition der Ontologie des ästhetischen Gegenstandes. In: Wiedmann, F. (Hrsg.): Epimeleia. Die Sorge der Philosophie um den Menschen. München 1964. S. 285–323.
Bubner, R.: Über einige Bedingungen gegenwärtiger Ästhetik. In: NHP 5 (1973), S. 38–73.
Feibleman, J. K.: Aesthetics: A study of the fine arts in theory and practice. New York 1949. XI, 463 S. 2. Aufl. 1968.
–: The quiet rebellion. The making and meaning of the arts. New York 1972. 240 S.
Fubini, M.: Critica e poesia. Bari 1956. VII, 524 S.
Gadamer, H.-G.: Symbol und Allegorie. In: Archivio di Filosofia (1958), Nr. 2/3, S. 23–28.
–: Wahrheit und Methode. Grundzüge einer philosophischen Hermeneutik. Tübingen 1960. XVII, 486 S. (Bes. 1. Teil: Freilegung der Wahrheits-

frage an der Erfahrung der Kunst, S. 1–161.) 4. unveränd. Nachdr. d. 3. erw. Aufl. 1975. XXXI, 553 S.
–: Ästhetik und Hermeneutik. In: Algemeen Nederlands Tidschrift f. Wijsbegeerte 56 (1964), S. 1–7. Wieder abgedr. in: Gadamer, Kleine Schriften II. Tübingen 1967. S. 1–8.
Gehlen, S.: Urmensch und Spätkultur. Philosophische Ergebnisse und Aussagen. Bonn 1956. 300 S. 3., verb. Aufl. 1975. 271 S.
Glockner, H.: Die ästhetische Sphäre. Studien zur systematischen Grundlegung und Ausgestaltung der philosophischen Ästhetik (Ges. Schriften. Bd. III). Bonn 1966. XII, 639 S.
Grassi, E.: Kunst und Mythos. Hamburg 1957. 164 S. (rde 36)
–: Der Kampf gegen das Ästhetische. Eine Meditation über einige Richtungen der gegenwärtigen Kunst. In: NR 1961, S. 880–903.
–: Macht des Bildes: Ohnmacht der rationalen Sprache. Zur Rettung des Rhetorischen. Köln 1970. 231 S.
Halder, A.: Von der Kunst, von der Wirklichkeit und der Menschlichkeit des Menschen. In: H. Rombach (Hrsg.): Die Frage nach dem Menschen. Aufriß e. philos. Anthropologie. Festschr. f. M. Müller z. 60. Geb. Freiburg/München 1966. S. 156–172.
Harries, K.: The meaning of modern art. A philosophical interpretation. Evanston 1968. 166 S.
Hartmann, N.: Ästhetik. Berlin 1953. XI, 476 S. 2. Aufl. 1966.
Henckmann, W.: Über die Verbindlichkeit ästhetischer Urteile. In: ZÄK 15 (1970), S. 49–77.
Henrich, D.: Kunst und Kunstphilosophie der Gegenwart. Überlegungen mit Rücksicht auf Hegel. In: Poetik und Hermeneutik 2. München 1966, S. 11–32.
Hofstadter, A.: Truth and art. New York 1965. 227 S.
Hospers, J.: Meaning and truth in the arts. Chapel Hill 1946. VII, 252 S. Spätere Aufl. 1967.
Jähnig, D.: Welt-Geschichte: Kunst-Geschichte. Zum Verhältnis von Vergangenheitserkenntnis und Veränderung. Köln 1975. 239 S.
Jauss, H.-R.: Negativität und Identifikation. Versuch zur Theorie der ästhetischen Erfahrung. In: Poetik und Hermeneutik 6. München 1975. 263–339.
Koebner, R., F. Koebner: Vom Schönen und seiner Wahrheit. Eine Analyse ästhetischer Erlebnisse. Berlin 1957. 126 S.
Kuhn, H.: Wesen und Wirken des Kunstwerks. München 1960. 150 S.
–: Die Festlichkeit des Kunstwerks. In: Hochland 53 (1961), S. 343–348.
–: Die Ontogenese der Kunst. In: Festschr. f. H. Sedlmayr. München 1962.

S. 13–55. Wieder abgedr. in: Kuhn: Das Sein und das Gute. München 1962. S. 363–416.
–: Schriften zur Ästhetik. Im Auftr. d. Verf. hrsg. u. m. e. Nachwort vers. v. W. Henckmann. München 1966. 465 S.
Landmann, M.: Die absolute Dichtung. Essays zur philosophischen Poetik. Stuttgart 1963. 212 S.
Langer, S. K.: Philosophy in a new key. A study in the symbolism of reason, rite and art. New York 1948. VII, 248 S. – Dt.: Philosophie auf neuem Wege. Das Symbol im Denken, im Ritus und in der Kunst. Aus d. Amerik. übers. v. A. Löwith. Frankfurt 1965. 302 S.
–: Feeling and form. A theory of art developed from 'Philosophy in a New Key.' New York 1953. XVI, 431 S. Spätere Aufl. 1965.
–: Problems of art. Ten philosophical lectures. New York 1957. VII, 184 S.
Liebrucks, B.: Sprache und Kunst. In: bewußt sein. Gerhard Funke zu eigen. Hrsg. v. A. J. Bucher, H. Drüe, Th. M. Seebohm. Bonn 1975. S. 401–426.
Marquard, O.: Zur Bedeutung der Theorie des Unbewußten für eine Theorie der nicht mehr schönen Kunst. In: Poetik und Hermeneutik 2. München 1968. S. 375–392.
Nahm, M. C.: Aesthetic experience and its presuppositions. New York 1946. 567 S.
–: The artist as creator. An essay of human freedom. Baltimore 1956. XI, 352 S.
Osborne, H.: Aesthetics and criticism. London 1955. VIII, 341 S.
–: The art of appreciation. London/New York 1970. 296 S.
Pareyson, L.: Estetica. Teoria della formatività. Torino 1954. XVIII, 301 S. 3., rived. ed. 1974. 337 S.
–: Contemplation du beau et production de formes. In: RIP 9 (1955), S. 16–32.
–: L'estetica e i suoi problemi. Milano 1961. 410 S.
–: Teoria dell'arte. Saggi di estetica. Milano 1965. 206 S.
–: Conversazioni di estetica. Milano 1966. 192 S.
Pepper, St. C.: The basis of criticism in the arts. Harvard Univ. Press 1946. 190 S. 6. Aufl. 1965. 177 S.
–: Work of Art. Bloomington 1955.
Perpeet, W.: Von der Zeitlosigkeit der Kunst. In: JÄK 1 (1951), S. 1–28.
–: Das Problem des Schönen und der bildenden Kunst. In: JÄK 3 (1958), S. 36–53.
–: Das Sein der Kunst und die kunstphilosophische Methode. Freiburg/München 1970. 397 S.

Read, H.: The meaning of art. Harmondsworth 1949. 191 S.

Reid, L. A.: Meaning in the arts. London 1969. 317 S.

Ritter, J.: Landschaft. Zur Funktion des Ästhetischen in der modernen Gesellschaft. München 1963. 55 S.

Rombach, H.: Strukturontologie. Eine Phänomenologie der Freiheit. Freiburg/München 1971. 368 S.

Schilling, K.: Die Kunst. Bedeutung, Entwicklung, Wesen, Gattungen. Meisenheim/Glan 1961. VIII, 232 S.

Schmitz, H.: Der Leib im Spiegel der Kunst. Bonn 1966. 312 S. (System der Philosophie II/2)

Sparshott, F. E.: The structure of aesthetics. Toronto 1963. 471 S.

–: The concept of criticism. An essay. London 1967. VIII, 215 S.

Stefanini, L.: Metafisica dell'arte e altri saggi. Padova 1948. 99 S.

–: Estetica. Roma 1953. 138 S.

–: Trattato di estetica. Vol. I: L'arte nella sua autonomia e nel suo processo. Brescia 1955. 256 S.

Stolnitz, J.: On ugliness in art. In: PPR 11 (1950/51), S. 1–24.

–: On the formal structure of esthetic theory. In: PPR 12 (1951/52), S. 346–364.

–: Some questions concerning aesthetic perception. In: PPR 22 (1961/62), S. 69–87.

Volkmann-Schluck, K.-H.: Wahrheit und Schönheit. In: Beispiele. Festschr. f. E. Fink z. 60. Geb. Hrsg. v. L. Landgrebe. Den Haag 1965. S. 16–29.

Weidlé, W.: Die zwei Sprachen der Sprachkunst. Entwurf zur Grundlegung einer nicht-ästhetischen Kunsttheorie. In: ZÄK 12 (1967), S. 154–191.

Weischedel, W.: Die Tiefe im Antlitz der Welt. Entwurf einer Metaphysik der Kunst. Tübingen 1952. 80 S.

Wolandt, G.: Philosophie der Dichtung. Weltstellung und Gegenständlichkeit des poetischen Gedankens. Berlin 1965. X, 210 S.

–: Gestaltwelt. Ein system-theoretischer Versuch. In: Subjektivität und Metaphysik. Festschr. f. W. Cramer. Hrsg. v. D. Henrich u. H. Wagner. Frankfurt 1966. S. 366–396. Wieder abgedr. in: Wolandt: Idealismus und Faktizität. Berlin 1971. S. 76–100.

–: Kunsterfahrung als philosophisches Problem. Die Ästhetik und die Grundlagen der Kunstwissenschaften. In: Giannarás, A. (Hrsg.): Ästhetik heute. München 1974. S. 29–48.

Wollheim, R.: On art and the mind. Essays and lectures. London 1973. XII, 340 S.

1.3. Existenzphilosophie

Becker, O.: Von der Abenteuerlichkeit des Künstlers und der vorsichtigen Verwegenheit des Philosophen. In: Konkrete Vernunft. Festschr. f. E. Rothacker. Hrsg. v. G. Funke. Bonn 1958. S. 25–38. Später in: Ders.: Dasein und Dawesen. Gesammelte philosophische Aufsätze. Pfullingen 1963. S. 103–126.

Heidegger, M.: Der Ursprung des Kunstwerkes. In: Ders., Holzwege. Frankfurt 1950. S. 7–68. Neu hrsg. m. e. Einf. v. H.-G. Gadamer, Stuttgart 1960. (Reclam 8446/47.)

–: Erläuterungen zu Hölderlins Dichtung. 2. verm. Aufl. Frankfurt a. Main 1951. 144 S.

–: Bauen Wohnen Denken. In: Mensch und Raum. Darmstädter Gespräch, 2. Hrsg. v. O. Bartning. Darmstadt 1952. S. 72–84. Wieder abgedr. in: Heidegger: Vorträge und Aufsätze. Pfullingen 1954. S. 145–162.

–: Georg Trakl. Eine Erörterung seines Gedichtes. In: Merkur 7 (1953), S. 226–258. Wieder abgedr. in: Heidegger: Unterwegs zur Sprache. Pfullingen 1959. S. 35–82.

–: „... dichterisch wohnet der Mensch ...“ In: Akzente 1 (1954), S. 57–71. Wieder abgedr. in: Heidegger: Vorträge und Aufsätze. Pfullingen 1954. S. 187–204.

–: Die Kunst und der Raum. St. Gallen 1969. 26 S.

Jaspers, K.: Das tragische Wissen. In: Ders., Von der Wahrheit. München 1947. S. 915–960. Separatdruck: Über das Tragische. München 1952.

Malraux, A.: Les voix du silence. Psychologie de l'art. Paris 1951. 650 S. – Dt.: Stimmen der Stille. Übers. v. J. Lauts. Baden-Baden 1956. 653 S.

Merleau-Ponty, M.: Sens et non-sens. Paris 1948. 331 S. Neuaufl. 1958. (Le doute de Cézanne; Le roman et la métaphysique; Un auteur scandaleux; le cinéma et la nouvelle psychologie, u. a.).

–: Le langage indirect et les voix du silence. In: Temps modernes 7 (1952), S. 2113–44; 8 (1952), S. 70–94. Wieder abgedr. in: Ders., Signes. Paris 1960. S. 49–104. – Dt. Übers.: Ders., Das Auge und der Geist. Philosophische Essays. Hrsg. u. übers. v. H. W. Arndt. Reinbek 1967. S. 69–114.

–: L'œil et l'esprit Paris 1964. – Dt. Übers.: Das Auge und der Geist. Philosophische Essays. Hrsg. u. übers. v. H. W. Arndt. Reinbek 1967. S. 13–43.

Pfeiffer, J.: Zwischen Dichtung und Philosophie. Ges. Aufs. Bremen 1947. 224 S. 2., neubearb., z. T. erw. Aufl. u. d. T.: Über das Dichterische und den Dichter. Beiträge zum Verständnis deutscher Dichtung. Hamburg 1956. 185 S. 3. erw. Aufl. Berlin 1967. 257 S.

Picon, G.: L'écrivain et son ombre. Introduction à une esthétique de la littérature, I. Paris 1953.
–: Le jugement esthétique et le temps. In: RE 8 (1955), S. 135–156.
Sartre, J. P.: Qu'est-ce que la littérature? Paris 1948. 330 S. (Situations II) – Dt.: Was ist Literatur? Ein Essay. Übertr. v. H. G. Brenner. Hamburg 1958. 189 S. (rde 65)
–: Situations. I–IV. Paris 1947–1964.

1.4. Phänomenologische Ästhetik

Anceschi, L.: Progetto di una sistematica dell'arte. Milano 1966. 194 S.
–: Fenomenologia della critica. Con alcune appendici. Bologna 1966. 163 S.
–: Le istituzioni della poesia. Milano 1968. XI, 274 S.
Berleant, A.: The aesthetic field. A phenomenology of aesthetic experience. Springfield (Ill.) 1970. XIII, 199 S.
Biemel, W.: Philosophische Analysen zur Kunst der Gegenwart. Den Haag 1968. VIII, 263 S. (Phaenomenologica 28)
–: Pop-art und Lebenswelt. In: Aachener Kunstblätter 40 (1971), S. 194–214.
–: Kunst und Situation. Bemerkungen zu einem Aspekt der aktuellen Kunst. In: Philos. Persp. 4 (1972), S. 27–44.
–: Zum Problem der Wiederholung in der Kunst der Gegenwart. In: Sprache und Begriff. Festschr. f. B. Liebrucks. Hrsg. v. H. Röttges, B. Scheer, J. Simon. Meisenheim/Glan 1974. S. 269–291.
Conrad-Martius, H.: Die Irrealität des Kunstwerks. In: Festschrift f. H. Sedlmayr. München 1962. S. 1–12.
Diano, C.: Linee per una fenomenologia dell'arte. Vicenza 1956.
Dorfles, G.: Simbolo, communicazione, consumo. Torino 1962. 294 S. 2. Aufl. 1967.
–: Artificio e natura. Torino 1968. 251 S.
Dufrenne, M.: Philosophie et littérature. In: RE 1 (1948), S. 289–305.
–: Phénoménologie de l'expérience esthétique. 2 Bde. Paris 1953. 416, 276 S. (2. Aufl. 1967)
–: Le poétique. Paris 1963. 196 S.
–: L'art est-il langage? In: RE 19 (1966), S. 1–42.
–: Esthétique et philosophie. Paris 1967. 212 S.
–: Phénoménologie et ontologie de l'art. In: Les sciences humaines et l'œuvre d'art. Bruxelles 1969. S. 143–160.
–: Ästhetik der Abbildung. In: Philos. Persp. 4 (1972), S. 45–58.

Fink, E.: Spiel als Weltsymbol. Stuttgart 1960. 243 S.
Formaggio, D.: L'arte come comunicazione. Vol. I: Fenomenologia della tecnica artistica. Milano 1953. 416 S.
–: L'idea di artisticità. Milano 1962. 370 S.
–: Introduzione all'estetica come scienza filosofica. In: Riv. Est 12 (1967), S. 177–204.
Funke, G.: Ungegenständlich oder gegenstandslos? In: Der Mensch und die Künste. Festschrift f. H. Lützeler z. 60. Geb. Hrsg. v. G. Bandmann u. P. Bloch. Düsseldorf 1962. S. 112–161.
Giesz, L.: Phänomenologie des Kitsches. Ein Beitrag zur anthropologischen Ästhetik. Heidelberg 1960. 123 S. – 2. verm. u. verb. Aufl. München 1971. 103 S. (Theorie u. Geschichte d. schönen Künste 17)
Ingarden, R.: Das literarische Kunstwerk. 2., verb. u. erw. Auflage. Mit e. Anh.: Von den Funktionen der Sprache im Theaterschauspiel. Tübingen 1960. XVI, 430 S. 3. Aufl. 1965.
–: Aesthetic experience and aesthetic object. In: PPR 21 (1960/61), S. 289–313.
–: Untersuchungen zur Ontologie der Kunst. Musikwerk–Bild–Architektur–Film. Tübingen 1962. IX, 341 S.
–: Vom Erkennen des literarischen Kunstwerks. Tübingen 1968. 440 S.
–: Artistic and aesthetic values. In: BJA 4 (1964), S. 198–213. – Dt. Übers. in: Ingarden: Erlebnis, Kunstwerk und Wert. Tübingen 1969. S. 153–179.
–: Erlebnis, Kunstwerk und Wert. Vorträge zur Ästhetik 1937–1967. Tübingen 1969. 261 S.
Kaufmann, F.: Das Reich des Schönen. Bausteine zu einer Philosophie der Kunst. Stuttgart 1960. 405 S.
König, J.: Die Natur der ästhetischen Wirkung. In: Wesen und Wirklichkeit des Menschen. Festschr. f. H. Plessner. Hrsg. v. K. Ziegler. Göttingen 1957. S. 283–332.
Morpurgo-Tagliabue, G.: Il concetto dello stile. Saggio di una fenomenologia dell'arte. Milano 1951. 504 S. (Nuova Biblioteca Filosofica I, 4)
Piguet, J.-Cl.: De l'esthétique à la métaphysique. Den Haag 1959. 294 S. (Phaenomenologica 3)
Plessner, H.: Sprachlose Räume. Zur Hermeneutik nicht-sprachlichen Ausdrucks. In: NR 79 (1968), S. 64–75.
–: Die Musikalisierung der Sinne. Zur Geschichte eines modernen Phänomens. In: Merkur 26 (1972), S. 837–845.

1.5. Analytische Ästhetik

Sammelwerke:

Elton, W. (Hrsg.): Aesthetics and language. Oxford 1954. 186 S. (Reprint 1967)

Margolis, J. (Hrsg.): Philosophy looks at the arts. Contemporary readings in aesthetics. New York 1962. 235 S.

Bittner, R., P. Pfaff (Hrsg.): Das ästhetische Urteil. Beiträge zur sprachanalytischen Ästhetik. Köln 1977. 299 S. (Bibl.: 281–294)

Autoren:

Aschenbrenner, K.: The concepts of criticism. Dordrecht/Boston 1974. X, 549 S. (Foundations of Language. Supplem. series 20)

Beardsley, M. C.: Aesthetics. Problems in the philosophy of criticism. New York 1958. XI, 614 S.

–: The possibility of criticism. Detroit 1970. 123 S. (Criticism monograph 2)

–: Aesthetic experience regained. In: JAAC 28 (1970), S. 3–11.

–: What is an aesthetic quality? In: Theoria 39 (1973), S. 50–70.

Berggren, D.: The use and abuse of metaphor. In: Rev. Meta. 16 (1961/62), S. 237–258, 450–472.

Black, M.: Metaphor. In: Proc. Arist. Soc. 55 (1954/55), S. 273–294. Wieder abgedr. in: Margolis, J. (Hrsg.): Philosophy looks at the arts. New York 1962. S. 218–234.

Casey, E. S.: Meaning in art. In: Edie, J. M. (Hrsg.): New Essays in Phenomenology. Studies in the philosophy of experience. Chicago 1969. S. 100–115.

Casey, J.: The language of criticism. London 1966. 205 S.

Danto, A.: The artworld. In: JP 61 (1964), S. 571–584.

Dickie, G.: The myth of the aesthetic attitude. In: Amer. philos. Quat. 1 (1964), S. 56–65.

–: Art and the aesthetic: An institutional analysis. Cornell Univ. Press 1974. 204 S.

Gallie, W. B.: The function of philosophical aesthetics. In: Mind 57 (1948), S. 302–321.

–: Art as an essentially contested concept. In: PhQ 6 (1956), S. 97–114.

Goodman, N.: Languages of art. An approach to a theory of symbols. Indianapolis 1968. 277 S. – Dt. Übers.: Sprachen der Kunst. Ein Ansatz zu e. Symboltheorie. Mit e. Nachw. v. J. Schläger. Frankfurt 1973. 301 S.

–: Some notes on 'Languages of art'. In: JP 67 (1970), 563–573.

Haller, R.: Das Problem der Objektivität ästhetischer Wertungen. In: NHP 5 (1973), S. 105–117.
Hermerén, G.: Aesthetic qualities, value, and emotive meaning. In: Theoria 39 (1973), 71–100.
Hester, M. B.: The meaning of poetic metaphor. An analysis in the light of Wittgenstein's claim that 'meaning is use'. Den Haag 1967. 229 S.
Hungerland, L.: Poetic discourse. Berkeley/Los Angeles 1958. 177 S. (Univ. of California Publ. in Philosophy 33)
Isenberg, A.: Aesthetics and the theory of criticism. Selected essays. Ed. by W. Callaghan (u. a.). With an introduction by H. Mothersill and a biogr. sketch by W. Callaghan. Chicago/London 1973. XXXIX, 322 S.
Khatchadourian, H.: Kunstwerk und physische Wirklichkeit. In: Ratio 2 (1959), S. 37–49.
–: Family resemblances and the classification of works of art. In: JAAC 28 (1969/70), S. 79–90.
–: The concept of art. New York 1971. XI, 289 S.
Kivy, P.: Speaking of art. Den Haag 1973. VIII, 136 S.
Margolis, J.: The identity of a work of art. In: Mind 68 (1959), S. 34–50. Wieder abgedr. in Margolis: The language of art and art criticism (1965), S. 49–63, 184–185.
–: The language of art and art criticism. Analytic questions in aesthetics. Detroit 1965. 201 S.
Passmore, J. A.: The dreariness of aesthetics. In: Mind 60 (1951), S. 318–335.
Scriven, M.: The objectivity of aesthetic evaluation. In: Monist 50 (1966), S. 159–187.
Scruton, R.: Art and imagination: A study in the philosophy of mind. London 1974. VIII, 256 S.
Sibley, F.: Aesthetic concepts. In: PR 68 (1959), S. 421–450.
–: Aesthetics and the looks of things. In: JP 56 (1959), S. 905–915.
–: Aesthetic and nonaesthetic. In: PR 74 (1965), S. 135–159.
Sibley, F. N., M. Tanner: Objectivity and aesthetics. In: Proc. Arist. Soc., Suppl. Vol. 42 (1968), S. 31–54, 55–72.
Stolnitz, J.: On artistic familiarity and aesthetic value. In: JP 53 (1956), S. 261–276.
Tilghman, B. R.: The expression of emotion in the visual arts: A philosophical inquiry. Den Haag 1970. 85 S.
Urmson, J. O.: What makes a situation aesthetic? In: Proc. Arist. Soc., Suppl. Vol. 31 (1957), S. 75–92.
Weitz, M.: Philosophy of the arts. Cambridge, Mass. 1950. XI, 239 S.
–: The role of theory in aesthetics. In: JAAC 15 (1956/57), S. 27–35.
Wimsatt, S. K., M. C. Beardsley: The intentional fallacy. In: Sewanee

Review 54 (1946), S. 468–488. Wieder abgedr. in: Wimsatt, W. K.: The verbal icon. Lexington 1954, S. 3–18.
Ziff, P.: Art and the 'Object of Art'. In: Mind 60 (1951), S. 466–480.
–: The task of defining a work of art. In: PR 62 (1953), S. 58–78.

1.6. Materialistische Ästhetik

Bibliographie:

Baxandall, L.: Marxism and aesthetics. A selective annotated bibliography. New York 1968. XXII, 261 S.

Sammelwerke:

Grundlagen der marxistisch-leninistischen Ästhetik. (Russ. Moskau 1961) Berlin-Ost 1962. 725 S.
Probleme des Realismus in der Weltliteratur. Hrsg. im Auftrag d. Instituts f. Slavistik d. Dt. Ak. d. Wiss. Berlin. Berlin-Ost 1962. 629 S.
Pracht, E., W. Neubert (Hrsg.): Sozialistischer Realismus – Positionen, Probleme, Perspektiven. Eine Einführung. Berlin-Ost 1970. 343 S.
Zur Theorie des sozialistischen Realismus. Hrsg. v. Institut f. Gesellschaftswissenschaften beim ZK d. SED. Berlin-Ost 1974. 913 S.
Raddatz, F. J.: Marxismus und Literatur. Eine Dokumentation in 3 Bden. Reinbek 1969. 374, 305, 413 S.
Haug, W. F. (Hrsg.): Warenästhetik. Beiträge zur Diskussion, Weiterentwicklung und Vermittlung ihrer Kritik. Frankfurt 1975. 319 S. (Ed. Suhrkamp 657)

Autoren:

Balibar, R., P. Macherey: Thesen zum materialistischen Verfahren. In: Alternative 98 (1974), S. 193–221.
Bassenge, F.: Abbildung und Ausdruck. Zur Diskussion über Probleme der Ästhetik. In: DZPh 8 (1960), S. 116–143.
Besenbruch, W.: Zum Problem des Typischen in der Kunst. Versuch über den Zusammenhang der Grundkategorien der Ästhetik. Weimar 1956.
Bloch, E.: Ästhetik des Vorscheins. Hrsg. v. G. Ueding. 2 Bde. Frankfurt 1974. 326, 294 S. (Ed. Suhrkamp 726, 732)
Borew, J.: Über das Komische. Aus d. Russ. übers. v. H. Plavius. Berlin 1960. 501 S.
Burow, A. I.: Das ästhetische Wesen der Kunst. (Russ. Moskau 1956). Dt. Übers. v. U. Kuhirt. Berlin-Ost 1958. 330 S.
Della Volpe, G.: Critica del gusto. Milano 1960. 272 S. 3. Aufl. 1966.

Farner, K.: Der Aufstand der Abstrakt-Konkreten oder die 'Heilung durch den Geist'. Zur Ideologie der spätbürgerlichen Zeit. Neuwied/Berlin 1970. 184 S. (Slg. Luchterhand 13)

Fischer, E.: Kunst und Koexistenz. Beitrag zu e. modernen marxistischen Ästhetik. Reinbek 1966. 235 S. 2. Aufl. 1969.

–: Von der Notwendigkeit der Kunst. Hamburg 1967. 250 S.

Gorsen, P.: Marxisme et esthétique. Perspectives d'une problématique nouvelle. In: Les sciences humaines et l'œuvre d'art. Bruxelles 1969. S. 209–244.

–: Marxismus und Kunstanalysen in der Gegenwart. Studien. In: ÄK 2 (1970), S. 47–63.

Grlić, D.: Wozu Kunst? In: Praxis 2 (1966), S. 267–279.

–: Literaturkritik und marxistische Philosophie. In: Praxis 6 (1970), S. 344–360.

Harich, W.: Über die Empfindung des Schönen. In: Sinn und Form 1953, H. 6, S. 122–166.

Haug, W. F.: Zur Kritik der Warenästhetik. In: Kursbuch 20 (1970), S. 140–158. – Wieder abgedr. in: Ders., Warenästhetik, Sexualität und Herrschaft. Gesammelte Aufsätze. Frankfurt 1972. S. 11–30.

Holz, H. H.: Vom Kunstwerk zur Ware. Studien zur Funktion des ästhetischen Gegenstands im Spätkapitalismus. Neuwied/Berlin 1972. 258 S. (Slg. Luchterhand 65)

Jegorov, A. G.: Die Kunst und das gesellschaftliche Leben. Aus d. Russ. v. U. Kuhirt. Berlin 1962. 466 S.

–: Der Aufbau des Kommunismus und Fragen der marxistisch-leninistischen Ästhetik. In: KuL 11 (1963), S. 683–697, 797–817.

John, E.: Das Kunstwerk als dialektische Einheit von Inhalt und Form. In: Wiss. Z. d. Karl-Marx-Univ. Leipzig 15 (1966), S. 661–686.

–: Probleme der marxistisch-leninistischen Ästhetik. Ästhetik der Kunst. Halle 1967. 456 S.

Juzl, M.: Über die Beziehung zwischen Erkenntnis und Wertung. Axiologische Aspekte in der Ästhetik. In: ZÄK 14 (1969), S. 188–236.

Kagan, M.: Vorlesungen zur marxistisch-leninistischen Ästhetik. Aus d. Russ. Berlin-Ost 1969. 692 S. 3. überarb. Aufl. 1974.

Koch, H.: Marxismus und Ästhetik. Zur ästhetischen Theorie von K. Marx, F. Engels u. W. I. Lenin. Berlin 1961. 627 S.

Kosik, K.: Die Dialektik des Konkreten. Eine Studie zur Problematik des Menschen und der Welt. Aus d. Tschech. v. M. Hoffmann. Frankfurt 1967. S. 114–132. („Kunst und gesellschaftliches Äquivalent“)

Lefèbvre, H.: Contribution à l'esthétique. Paris 1953. 160 S. – Dt. Übers. v. K. Adolf. Berlin-Ost 1958.

Lefèbvre, H.: De la littérature et de l'art modernes considérés comme processus de destruction et d'auto-destruction de l'art. In: Littérature et société. Bruxelles 1967. S. 111–119.

Lehmann, G. K.: Grundfragen einer marxistischen Soziologie der Kunst. In: DZPh 13 (1965), S. 933–945.

–: Phantasie und künstlerische Arbeit. Betrachtungen zur poetischen Phantasie. Berlin 1966. 369 S.

Lukács, G.: Kunst und objektive Wahrheit. In: DZPh 2 (1954), S. 113–148. Wieder abgedr. in: Lukács, Werke Bd. IV: Probleme des Realismus I. Neuwied/Berlin 1971. S. 607–650.

–: Ästhetik. Tl. 1: Die Eigenart des Ästhetischen. 2 Bde. Neuwied 1963. 851, 887 S.

–: Über die Besonderheit als Kategorie der Ästhetik. Neuwied/Berlin 1967. 402 S.

Pawlow, T.: Grundgesetze der Kunst. Zu Fragen der marxistischen Ästhetik. Aus d. Bulgar. übers. v. I. Kukuk. Dresden 1964. 176 S. (Fundus-Bücherei 9)

–: Aufsätze zur Ästhetik. Hrsg. v. E. John. Berlin-Ost 1975. 320 S. (Studienbibliothek d. marxistisch-leninistischen Kultur- und Kunstwissenschaften)

Pracht, E.: Probleme der künstlerischen Widerspiegelung. Literatur und Wahrheit. In: DZPh 8 (1960), S. 838–862.

–: Ästhetik und Leben. In: DZPh 10 (1962), S. 963–981.

–: Sozialistischer Realismus und ästhetische Maßstäbe. In: DZPh 14 (1966), S. 5–21.

–: Versuch einer Gegenstandsbestimmung der Theorie des sozialistischen Realismus. In: WB 16 (1970), H. 6, S. 26–47.

Redeker, H.: Über die ästhetische Funktion des subjektiven Elements der Kunst. In: DZPh 6 (1958), S. 100–118.

–: Geschichte und Gesetze des Ästhetischen. Berlin 1960. 132 S.

–: Marxistische Ästhetik und empirische Soziologie. In: DZPh 14 (1966), S. 207–222.

Rjurikow, J.: Persönlichkeit – Kunst – Wissenschaft. Bemerkungen über die Methodologie der Ästhetik. In: KuL 12 (1964), S. 553–577.

Staufenbiel, F.: Thesen zur Umweltgestaltung. In: WB 16 (1970), H. 9, S. 137–148.

Stüben, J.: Parteilichkeit. Zur Kritik der marxistischen Literaturtheorie. Bonn 1974.

Tomberg, F.: Mimesis der Praxis und abstrakte Kunst. Ein Versuch über die Mimesistheorie. Neuwied/Berlin 1968. 110 S.

–: Politische Ästhetik. Vorträge u. Aufsätze. Neuwied/Berlin 1973. 170 S. (Slg. Luchterhand 104)

1.7. Frankfurter Schule

Adorno, Th. W., M. Horkheimer: Kulturindustrie. Aufklärung als Massenbetrug. In: Dies., Dialektik der Aufklärung. Philosophische Fragmente. Amsterdam 1947. Neuaufl. Frankfurt 1969. S. 128–176.
Adorno, Th. W.: Ohne Leitbild. Parva aesthetica. Frankfurt 1967. 183 S. (Ed. Suhrkamp 201)
–: Ästhetische Theorie. Hrsg. v. G. Adorno u. R. Tiedemann. Frankfurt 1970. 544 S. (Gesammelte Schriften Bd. 7)
Autonomie der Kunst. Zur Genese und Kritik einer bürgerlichen Kategorie. Mit Beiträgen v. M. Müller, H. Bredekamp, B. Hinz, F.-J. Verspohl, J. Fredel, U. Apitzsch. Frankfurt 1972. 299 S. (Ed. Suhrkamp 592)
Benjamin, W.: Das Kunstwerk im Zeitalter seiner technischen Reproduzierbarkeit. (1936) In: Ders., Schriften. Hrsg. v. Th. W. Adorno (u. a.) Frankfurt 1955. 2 Bde. Frankfurt a. Main 1955. Bd. 1, S. 366–405. Sonderausgabe Ed. Suhrkamp 28, Frankfurt a. Main 1963.
Gorsen, P.: Das Prinzip Obszön. Kunst, Pornographie und Gesellschaft. Reinbek 1969. 171 S.
–: Das Bild Pygmalions. Kunstsoziologische Essays. Reinbek 1969. 216 S.
Horkheimer, M.: Neue Kunst und Massenkultur. In: Die Umschau 3 (1948), S. 455–468. Wieder abgedr. in: Ders., Kritische Theorie. Eine Dokumentation. Hrsg. v. A. Schmidt. 2 Bde. Frankfurt 1968. Bd. 2, S. 313–332.
Marcuse, H.: Eros and civilisation: A philosophical inquiry into Freud. Boston 1955. XII, 277. – Dt.: Eros und Kultur. Dt. v. M. v. Eckardt-Jaffe. Frankfurt 1957. Später u. d. T.: Triebstruktur und Gesellschaft. Ein philosophischer Beitrag zu S. Freud. Frankfurt 1968. 268 S. (Bibliothek Suhrkamp 158)
–: Versuch über die Befreiung. Frankfurt 1969. 133 S. (Ed. Suhrkamp 329)
–: Kunst und Revolution. In: Ders., Konterrevolution und Revolte. Frankfurt 1973. S. 95–148. (Ed. Suhrkamp 591)
Scharang, M.: Zur Emanzipation der Kunst. Neuwied/Berlin 1971. 138 S. (Slg. Luchterhand 27)

2. Theologische Ästhetik

Bahr, H.-E.: Poiesis. Theologische Untersuchung der Kunst. Stuttgart 1961. 352 S. – (Siebenstern-Taschenbuch 59/60. München/Hamburg 1965. 285 S.)

Balthasar, H. U. v.: Herrlichkeit. Eine theologische Ästhetik. Bd. 1: Schau der Gestalt. Einsiedeln 1961. 664 S. – Bd. 2: Fächer der Stile. 1962. 887 S. – Bd. 3/1: Im Raum der Metaphysik. 1965. 997 S. – Bd. 3/2, 1: Theologie, Alter Bund. 1967. 413 S. – Bd. 3/2, 2: Theologie, Neuer Bund. 1969. 539 S.

Gilson, E.: L'école des muses. Paris 1951. 267 S. (Essai d'art et de philosophie 3)

–: Painting and reality. New York 1956. – Dt.: Malerei und Wirklichkeit. Dt. Übers. v. O. Laue. Salzburg 1965. 304 S.

–: Introduction aux arts du beau. Paris 1963. 276 S. (Essai d'art et de philosophie 5)

–: Matières et formes. Poiétiques particulières des arts majeurs. Paris 1964. 271 S. (Essais d'art et de philosophie 11)

–: Photographie et beauté. In: Diogène 1966, Nr. 55, S. 34–53.

Guardini, R.: Über das Wesen des Kunstwerks. Tübingen 1948. 53 S.

Leeuw, G. v. d.: Vom Heiligen in der Kunst. Übers. nach d. v. Prof. E. L. Smelik durchges. 3. Aufl. aus d. Holländ. v. A. Piper. Gütersloh 1957. 358 S.

Maritain, J.: Creative intuition in art and poetry. New York 1953. XXXII, 423 S. – Meridian Book M 8, 10. Aufl. 1961.

–: The responsibility of the artist. New York 1960. 120 S.

3. Soziologische Ästhetik und Kunsttheorie

Bibliographien:

Marshall, T. F., Smart, G. K., Budd, L. J.: Literature and society, 1950–1955. Selective bibliography. Florida 1956.

Fügen, H. N.: Bibliographie. In: Fügen (Hrsg.): Wege der Literatursoziologie (s. u.), S. 439–451.

Silbermann, A.: Empirische Kunstsoziologie. Eine Einführung mit kommentierter Bibliographie. Stuttgart 1973. XII, 238 S.

Sammelwerke:

Littérature et société. Problèmes de méthodologie en sociologie de la littérature. Bruxelles 1967. 223 S.

Fügen, H. N. (Hrsg.): Wege der Literatursoziologie. Neuwied/Berlin 1968. 451 S. (Soziologische Texte 46)

Silbermann, A., König, R. (Hrsg.): Künstler und Gesellschaft. Opladen 1974. (Kölner Zeitschr. f. Soziol. u. Sozialpsychol. Sonderh. 17)

Wilson, R. N. (Hrsg.): The arts in society. Prentice Hall 1964. – Dt.: Das

Paradox der kreativen Rolle. Soziologische u. sozialpsychologische Aspekte von Kunst u. Künstler. A. d. Amerik. übers. v. D. B. Sterz. Stuttgart 1975. VIII, 232 S. (Kunst u. Gesellschaft 2)

Autoren:

Bourdieu, P.: Zur Soziologie der symbolischen Formen. Aus d. Französischen v. W. H. Fietkau. Frankfurt 1970. 204 S.

–: Disposition esthétique et compétence artistique. In: Temps modernes 27 (1971), S. 1345–1378.

Duvignaud, J.: Sociologie de l'art. Paris 1967. 141 S. – Dt.: Zur Soziologie der künstlerischen Schöpfung. A. d. Frz. v. B. Schatz, überarb. v. H. Jensen. Stuttgart 1975. VIII, 120 S. (Kunst u. Gesellschaft 5)

Francastel, P.: Peinture et société. Naissance et destruction d'un espace plastique de la Renaissance au Cubisme. Lyon 1951. 298 S. 2. Aufl. 1965. 246 S.

–: Le réalité figurative. Éléments structurels de sociologie de l'art. Paris 1965. 418 S.

–: Études de sociologie de l'art. Paris 1970. 252 S.

Gehlen, A.: Über einige Kategorien des entlasteten, zumal des ästhetischen Verhaltens. In: Stud. Gen. 3 (1950), S. 54–60. Wieder abgedr. in Gehlen: Studien zur Anthropologie und Soziologie. Neuwied/Berlin 1963. S. 64–78.

–: Zeit-Bilder. Zur Soziologie und Ästhetik der modernen Malerei. Frankfurt/Bonn 1960. 232 S. 2., neu bearb. Aufl. 1965. 241 S.

Goldmann, L.: Pour une sociologie du roman. Paris 1964. 240 S. – Dt.: Soziologie des modernen Romans. Übers. v. L. Goldmann u. I. Fleischhauer. Neuwied/Berlin 1970. 258 S. (Soziol. Texte 61)

Gotshalk, D. W.: Art and the social order. Chicago 1947. XIV, 253 S. 2. Aufl. 1962.

Hauser, A.: Sozialgeschichte der Kunst und Literatur. 2 Bde. München 1953. XI, 536; VIII, 586 S. Sonderausg. in 1 Bd. München 1967. XIV, 1119 S. 24. Tausend 1972.

–: Kunst und Gesellschaft. München 1973. (Beck'sche Schwarze Reihe 100)

–: Soziologie der Kunst. München 1974. XVI, 818 S.

Hermerén, G.: Influence in art and literature. Princeton Univ. Press 1975. XVII, 346 S.

Mukerjee, R.: The social function of art. Bombay 1948. New York 1954.

Read, H.: Art and society. London 1937. 3. rev. ed. London 1956. – Dt.: Kunst und Gesellschaft. Übers. v. I. Lindt. Wien/Frankfurt o. J. 144 S.

Silbermann, A.: Musik, Rundfunk und Hörer. Aspekte der Musik am Rundfunk. Köln/Opladen 1959. (Kunst und Kommunikation 1)

Silbermann, A.: Die soziologischen Aspekte des Theaters. In: Silbermann (Hrsg.): Militanter Humanismus. Von den Aufgaben der modernen Soziologie. Frankfurt 1966. S. 173–198.
Souriau, E.: L'art et la vie sociale. In: Cah. int. Sociol. 3 (1948), S. 66–96.

4. Psychologische Ästhetik

Bibliographie:

Kiell, N.: Psychoanalysis, psychology, and literature. A bibliography. Madison/Wisc. 1963. V, 225 S.

Sammelwerke:

Art and psychoanalysis. Ed. with an introd. by W. Philipps. New York 1957. 558 S.
Hogg, J. (Hrsg.): Psychology and the visual arts. Middlesex 1969. 415 S.
Crews, F. (Hrsg.): Psychcanalysis and literary process. Cambridge/Mass. 1970. 296 S.
Psychoanalyse und Literaturwissenschaft. Texte zur Geschichte ihrer Beziehungen. Hrsg., eingel. u. m. e. weiterführenden Bibliographie vers. v. B. Urban. Tübingen 1973.
Berlyne, D. E. (Hrsg.): Studies in the new experimental aesthetics: Steps toward an objective psychology of aesthetic appreciation. New York 1974. VIII, 340 S.
Francès, R. (Hrsg.): Actes du premier coll. d'esthétique expérimentale. In: Sciences de l'art 3 (1966), S. 1–184.
Jakab, I. (Hrsg.): Psychiatry and art. Proc. of the 4th intern. coll. on psychopathol. expression. New York 1968. 211 S. – ... of the 5th intern. coll. on psychopathol. expression. New York 1969. 257 S.

Autoren:

Arnheim, R.: Art and visual perception. A psychology of the creative eye. Berkeley/Los Angeles 1954. – Dass., the new version. Univ. of Calif. Press 1974. 508 S. – Dt.: Kunst und Sehen. Eine Psychologie des schöpferischen Auges. Ins Dt. übertr. v. H. Bock. Berlin 1965. 436 S.
–: Towards a psychology of art. Collected essays. Berkeley/Los Angeles 1966. VIII, 369 S. 2. Aufl. 1967.
–: Visual thinking. Berkeley 1969. XI, 345 S. – Dt.: Anschauliches Denken. Zur Einheit von Bild und Begriff. Aus d. Amerik. übers. v. Verf. Köln 1972. 2. Aufl. 1974. 322 S.
Bachelard, G.: La poétique de l'espace. Paris 1957. – Dt.: Poetik des

Raumes. Aus d. Frz. übertr. v. K. Leonhard. München 1960. 284 S. (Literatur als Kunst)
–: La poétique de la rêverie. Paris 1960. 188 S.
–: Le droit de rêver. Paris 1970.
Berlyne, D. E.: The psychology of aesthetic behavior. Pennsylvania 1968.
–: Aesthetics and psychobiology. New York 1971. XIV, 336 S. (Century psychology series)
Caillois, R.: Images, images. Essais sur le rôle et les pouvoirs de l'imagination. Paris 1966. 159 S.
Deutsch, F.: Artistic expression and neurotic illness. In: American Imago 1947. H. 4, S. 64–102.
Ehrenzweig, A.: The hidden order of art. A study in the psychology of artistic imagination. London 1967. – Dt.: Ordnung im Chaos. Das Unbewußte in der Kunst. Ein grundlegender Beitrag zum Verständnis d. mod. Kunst. Übertr. v. G. Vorkamp. München 1974. 312 S.
–: The psychoanalysis of artistic vision and hearing. An introduction to a theory of unconscious perception. New York [2]1965. XXXV, 272 S.
Fraenkel, E.: Esthétique industrielle et psychanalyse. In: RE 4 (1951), S. 393–415.
Francès, R.: La perception de la musique. Paris 1958. 408 S.
–: Psychologie de l'esthétique. Paris 1968. 208 S. (SUP « Le Psychologue » 28)
Gardner, H.: The arts and human development. New York 1973. 350 S.
Holland, N. N.: The dynamics of literary response. New York 1968. XVIII, 378 S.
–: Poems in persons. An introduction to the psychoanalysis of literature. New York 1973. XI, 183 S.
–: Psychoanalysis and Shakespeare. New York 1966. XI, 412 S.
Huyghe, R.: Les puissances de l'image, bilan d'une psychologie de l'art. Paris 1965. 283 S.
Kaplan, A., E. Kris: Esthetic ambiguity. In: PPR 8 (1947/48), S. 415–435.
Kaplan, A.: Referential meaning in the arts. In: JAAC 12 (1953/54), S. 457–474.
Kellog, R.: Analyzing children's art. Paolo Alto/Calif. 1970. 308 S.
Kreitler, H. u. S.: Psychology of the arts. Duke Univ. Press 1972. 514 S.
Kris, E.: Psychoanalytic explorations in art. London 1953. 358 S.
Lee, H. B.: Spirituality and beauty in artistic experience. In: Psych. Quat. 17 (1948), S. 507–523.
Lundin, R. W.: An objective psychology of music. New York 1953. 303 S. 2. Aufl. 1967. VII, 345 S.

Mauron, Ch.: Des métaphores obsédantes au mythe personnel. Introduction à la psychocritique. 1963. 2. Aufl. 1964. 380 S. (Lit.: 355–364)
–: Aesthetics and psychology. Washington 1970.
Meager, R.: The sublime and the obscene. In: BJA 4 (1964), S. 214–227.
Moles, A.: Psychologie des Kitsches. München 1973. 222 S.
Pickford, R. W.: Psychology and visual aesthetics. London 1972. 270 S.
Smets, G.: Aesthetic judgment and arousal. An experimental contribution to psychoaesthetics. Leuven Univ. Press 1973. XVII, 106 S. (Studia psychologica)
Valentine, C. W.: The experimental psychology of beauty. London 1962. XI, 438 S.
Volmat, R.: L'art psychopathologique. Paris 1956. 325 S.
Weber, J.-P.: La psychologie de l'art. Paris 1958. 3. Aufl. 1965. IV, 140 S.

5. Informationsästhetik

Bibliographien:

Simmat, W. E.: Bibliographie über Informationsästhetik und Computer-Kunst. In: Simmat (Hrsg.): Kunst aus dem Computer. Stuttgart 1967. S. 58–71. (Exakte Ästhetik 5)
Klein, W.: Einführende Bibliographie. In: Mathematik und Dichtung. München [2]1967, S. 347–357.

Sammelwerke:

Kunst und Kybernetik. Ein Bericht über drei Kunsterziehertagungen. Recklinghausen 1965, 1966, 1967. Hrsg. v. H. Ronge. Köln 1967. 237 S.
Mathematik und Dichtung. Hrsg. v. H. Kreuzer u. R. Gunzenhäuser. 2., durchges., um eine Bibliographie erw. Aufl. München 1967. 362 S.

Autoren:

Alsleben, K.: Ästhetische Redundanz. Abhandlungen über die artistischen Mittel der bildenden Kunst. Vorw. v. A. Moles. Quickborn 1962. 133 S.
Bense, M.: Aesthetica. Einführung in die neue Aesthetik. Baden-Baden 1965. 348 S.
–: Einführung in die informationstheoretische Ästhetik. Grundlegung u. Anwendung in d. Texttheorie. Reinbek 1969. 147 S. (rde 320)
Frank, H.: Grundlagenprobleme der Informationsästhetik und erste Anwendung auf die mime pure. Stuttgart 1959. 99 S. 2. Aufl. 1968.
Fucks, W.: Nach allen Regeln der Kunst. Diagnosen über Literatur,

Musik, bildende Kunst – die Werke, ihre Autoren u. Schöpfer. Stuttgart 1968. 143 S.
Gunzenhäuser, R.: Ästhetisches Maß und ästhetische Information. Einf. in die Theorie G. D. Birkhoffs u. d. Redundanztheorie ästhetischer Prozesse. Quickborn 1962. 164 S. – 2. überarb. u. erw. Aufl. Baden-Baden 1975. 216 S.
Maser, S.: Numerische Ästhetik. Neue mathematische Verfahren zur quantitativen Beschreibung u. Bewertung ästhetischer Zustände. Stuttgart 1970. 183 S.
–: Kybernetisches Modell ästhetischer Probleme. (Ist Ästhetik heute noch möglich?) In: Giannarás, A. (Hrsg.): Ästhetik heute. München 1974. S. 115–135.
Moles, A. A.: Théorie de l'information et perception esthétique. Paris 1958. – Dt.: Informationstheorie und ästhetische Wahrnehmung. Übers. v. H. Ronge in Zusammenarb. m. B. u. P. Ronge. Köln 1971. 283 S.
–: Cybernétique et œuvre d'art. In: RE 18 (1965), S. 163–182.
Moles, A., R. Caude: Créativité et méthodes d'innovation. Paris 1970.
Moles, A. A.: Art et ordinateur. Tournai 1971. – Dt.: Kunst und Computer. Unter Mitarb. v. M.-L. André hrsg. v. H. Ronge. Köln 1973. 287 S.
Nake, F.: Ästhetik als Informationsverarbeitung. Grundlagen und Anwendungen der Informatik im Bereich ästhetischer Produktion und Kritik. Wien/New York 1974. XII, 360 S.

6. Semiotische und strukturalistische Ästhetik

Bibliographien:

Eschbach, A.: Zeichen – Text – Bedeutung. Bibliographie zu Theorie und Praxis der Semiotik. München 1974. XXX, 508 S. (Kritische Information 32)
Eimermacher, K.: Arbeiten sowjetischer Semiotiker der Moskauer und Tartuer Schule (Auswahlbibliographie). Kronberg/Ts. 1974. XV, 180 S. (Skripten Literaturwissenschaft 14)

Sammelwerke:

Yale French Studies 36/37: Structuralism. 1966.
Wahl, F. (Hrsg.): Qu'est-ce que le structuralisme? Paris 1968. 342 S. – Dt.: Einführung in den Strukturalismus. Aus d. Frz. v. E. Moldenhauer. Frankfurt 1973. 479 S. (stw 10)
Greimas, A. J. (et al., Hrsg.): Sign, language, culture. Den Haag 1970.

Blumensath, H. (Hrsg.): Strukturalismus in der Literaturwissenschaft. Köln 1972. 420 S. (Neue wissensch. Bibliothek 43: Literaturwissenschaften)

Eco, U. (Hrsg.): Estetica e teoria dell'informazione. Milano 1972. 205 S.

Actes du 1er congrès international de semiotique musical. Beograd 17.–21. Oct. 1973. Pesaro 1975.

Autoren:

Barthes, R.: Système de la mode. Paris 1967. 326 S.

–: Critique et vérité. Paris 1966. 80 S. – Dt.: Kritik und Wahrheit. Aus d. Frz. übers. v. H. Scheffel. Frankfurt 1967. 90 S. (Ed. Suhrkamp 218)

–: Éléments de sémiologie. In: Communications 11 (1968), S. 91–135.

–: Literatur oder Geschichte. Aus d. Frz. übers. v. H. Scheffel. Frankfurt 1969. 125 S. (Ed. Suhrkamp 303)

Bense, M.: Semiotik. Allgemeine Theorie der Zeichen. Baden-Baden 1967. 79 S.

–: Zeichen und Design. Semiotische Ästhetik. Baden-Baden 1971. 123 S.

–: Semiotische Ästhetik und ihre Semiosen. In: Zeitschrift f. Literaturwiss. u. Linguistik 4 (1974), H. 16, S. 69–77.

Chvatik, K.: Strukturalismus und Avantgarde. Aufsätze zur Kunst und Literatur. Aus d. Tschech. v. H. Gaertner. München 1970. 144 S. (Reihe Hanser 48)

Dorfles, G.: Dal significato alle scelte. Torino 1973. 245 S. (Saggi 517)

Eco, U.: Opera aperta. Forma e indeterminazione nelle poetiche contemporanee. Milano 1962. 372 S. – Dt.: Das offene Kunstwerk. Aus d. Ital. v. G. Memmert. Frankfurt a. Main 1973. 441 S.

–: Apocalittici e integrati. Communicazioni di masse e teorie della cultura di massa. Milano 1964. 387 S. 4. Aufl. 1973.

–: La struttura assente. Introduzione alla ricerca semiologica. Milano 1968. 431 S.

–: La definizione dell'arte. Milano 1968. 305 S.

–: Einführung in die Semiotik. Autoris. dt. Ausg. v. J. Trabant. München 1972. 473 S. (UTB 105)

–: Il segno. Milano 1973. 174 S.

Francastel, P.: Art, forme, structure. In: RIP 19 (1965), S. 361–386.

Garroni, E.: La crisi semantica delle arti. Roma 1964. 342 S.

–: Semiotica ed estetica. L'eterogeneità del linguaggio e il linguaggio cinematografico. Bari 1968. X, 185 S. (Biblioteca di cultura moderna 652)

Goldmann, L.: Le structuralisme génétique en sociologie de la littérature. In: Littérature et société. Bruxelles 1967. S. 195–211. – Dt. Übers.:

Der genetische Strukturalismus in der Literatursoziologie. In: Alternative 71 (1970), S. 50–60.
Merquior, J. G.: Analyse structurale des mythes et analyse des œuvres d'art. In: RE 23 (1970), S. 365–382.
Morris, Ch. W.: Signs, language, and behavior. New York 1946. 2. Aufl. 1947. XII, 365 S. – Dt.: Zeichen, Sprache und Verhalten. Mit e. Einf. v. K.-O. Apel. Düsseldorf 1973. 431 S.
–, D. J. Hamilton: Aesthetics, signs, and icons. In: PPR 25 (1964/65), S. 356–364. – Dt. in: Morris: Zeichen, Wert, Ästhetik, 1975 (s. d.), S. 320–333.
–: Grundlagen der Zeichentheorie. Ästhetik und Zeichentheorie. Übers. v. R. Posner. Nachw. v. F. Knilli. München 1972. 2. Aufl. 1975. 129 S. (Reihe Hanser 106)
–: Zeichen, Wert, Ästhetik. Hrsg. u. übers. v. A. Eschbach. Frankfurt 1975. 349 S. (Bibliogr. Morris: 334–342)
Mukařovský, J.: Kapitel aus der Poetik. Aus d. Tschech. übers. v. W. Schamschula. Frankfurt a. Main 1967. 156 S. (Ed. Suhrkamp 230)
–: Kapitel aus der Ästhetik. Aus d. Tschech. übers. v. W. Schamschula. Frankfurt a. Main 1970. 146 S. (Ed. Suhrkamp 428) – 2. Aufl. 1974.
–: Studien zur strukturalistischen Ästhetik und Poetik. Mit e. Nachw.: Die strukturalistische Ästhetik und Poetik Jan Mukařovskýs. Aus d. Tschech. übers. v. H. Grönebaum u. G. Riff. München 1974. 328 S.
Ruwet, N.: Langage, musique, poésie. Paris 1972. 251 S.
Schmidt, S. J.: Ästhetische Prozesse. Beiträge zu einer Theorie der nichtmimetischen Kunst und Literatur. Köln 1971. 189 S. (pocket 20)
–: Ästhetizität. Philosophische Beiträge zu einer Theorie des Ästhetischen. München 1971. 96 S.

IV. Ästhetik im Rahmen einzelner Kunstwissenschaften und Anwendungsbereiche

7. Literaturwissenschaft und Linguistik

Sammelwerke:

Jauß, H. R. (u. a., Hrsg.): Poetik und Hermeneutik. Arbeitsergebnisse einer Forschungsgruppe. Bd. 1 ff. München 1964 ff.
Strelka, J., W. Hinderer (Hrsg.): Moderne amerikanische Literaturtheorien. Frankfurt 1970. 562 S.
Kolbe, J. (Hrsg.): Ansichten einer künftigen Germanistik. München 1969. 4. revid. Aufl. 1970. 221 S.
–: Neue Ansichten einer künftigen Germanistik. Probleme einer Sozial-

und Rezeptionsgeschichte der Literatur. Kritik der Linguistik, Literatur- und Kommunikationswissenschaft. München 1973. 357 S.

7.1. Philosophische, soziologische, psychologische, literaturwissenschaftliche Ansätze und Probleme

Adorno, Th. W.: Noten zur Literatur. Bd. 1–4. Frankfurt 1958–1974. Wieder abgedr. in: Gesammelte Schriften 11. Frankfurt 1974. 708 S.

Assunto, R.: Theorie der Literatur bei Schriftstellern des 20. Jahrhunderts. Reinbek 1975. 224 S. (rde 372)

Frye, N.: Anatomy of criticism. Four essays. Princeton 1957. – Dt.: Analyse der Literaturkritik. Aus d. Amerik. v. E. Lohner u. H. Clewing. Stuttgart 1964. 380 S. (Sprache u. Literatur 15)

Gadamer, H.-G.: Kleine Schriften II: Interpretationen. Tübingen 1967. – Bd. 3. Tübingen 1972. (S. 261–271: Schriftenverzeichnis.)

Hamburger, K.: Die Logik der Dichtung. Stuttgart 1957. 2., stark veränd. Aufl. Stuttgart 1968. 284 S.

Kayser, W.: Das sprachliche Kunstwerk. Eine Einführung in die Literaturwissenschaft. Bern 1948. 16. Aufl. 1973. 460 S.

Kuhns, R. F.: Literature and philosophy. Structures of experience. London 1971. XII, 274 S.

Leibfried, E.: Kritische Wissenschaft vom Text. Manipulation, Reflexion, transparente Poetologie. Stuttgart 1970. XIII, 360 S. 2., teils verb. u. m. e. Vorw. vers. Aufl. 1972.

–: Identität und Variation. Prolegomena zur kritischen Poetologie. Stuttgart 1970. 120 S. (Texte Metzler 13)

Monnerot, J.: Les lois du tragique. Paris 1969. 128 S.

Mueller, G. E.: Philosophy of literature. New York 1949. 226 S.

Müller-Seidel, W.: Probleme der literarischen Wertung. Über die Wissenschaftlichkeit eines unwissenschaftlichen Themas. Stuttgart 1965. 194 S. 2. Aufl. 1969.

Pöggeler, O.: Dichtungstheorie und Toposforschung. In: JÄK 5 (1960), S. 89–201.

–: Ach, die Kunst. Die Frage nach dem Ort der Dichtung. In: Der Mensch und die Künste. Festschr. f. H. Lützeler z. 60. Geb. Hrsg. v. G. Bandmann u. P. Bloch. Düsseldorf 1962. S. 98–111.

Pollock, Th. C.: The nature of literature. Its relation to science, language and human experience. New York 1965. XXIV, 218 S.

Salber, W.: Literaturpsychologie. Gelebte und erlebte Literatur. Bonn 1972. 227 S. (Abh. z. Kunst-, Musik- u. Literaturwissenschaft. 130)

Staiger, E.: Grundbegriffe der Poetik. Zürich 1946. 256 S. 8. Aufl. 1968.
Weber, J.-P.: Genèse de l'œuvre poétique. Paris 1960. 564 S.
Weidlé, W.: Die Sterblichkeit der Musen. Betrachtungen über Dichtung und Kunst in unserer Zeit. Ins Dt. übertr. v. K. A. Horst in Zusammenarb. m. d. Autor. Stuttgart 1958. 390 S.
Weimann, R.: Literaturgeschichte und Mythologie. Methodologische und historische Studien. 3. Aufl. Berlin/Weimar 1974. 514 S.
Weitz, M.: Hamlet and the philosophy of literary criticism. Chicago 1965. 335 S.
Wellek, R., A. Warren: Theory of literature. New York 1949. – Dt.: Theorie der Literatur. Aus d. Engl. übertr. v. E. u. M. Lohner. Bad Homburg v. d. Höhe 1959. 418 S. (Bibl.: 358–397) Ullstein Buch 420/421. Frankfurt 1963. 326 S.

7.2. Strukturalismus

Culler, J.: Structuralist poetics: Structuralism, linguistics and the study of literature. Cornell Univ. Press 1975. XI, 301 S.
Gallas, H. (Hrsg.): Strukturalismus als interpretatives Verfahren. Darmstadt/Neuwied 1972. XXXI, 273 S. (Slg. Luchterhand 35)
Goldmann, L.: Jean Genets 'Die Neger'. Analyse der Mikrostrukturen in den ersten 24 Repliken. In: Alternative 62/63 (1968), Dokumente 4, S. 14–26.
Jakobson, R., C. Lévi-Strauss: 'Les Chats' de Baudelaire. In: L'Homme 1 (1962), S. 5–21. – Dt. Übers. in: Alternative 62/63 (1968), S. 156–170.
–: Poesie der Grammatik und Grammatik der Poesie. In: Mathematik und Dichtung. Versuche zu einer exakten Literaturwissenschaft (1965), S. 21–32, und in: Jakobson: Aufsätze zur Linguistik und Poetik. Hrsg. u. eingel. v. W. Raible. München 1974. S. 247–260.
–: Der grammatische Bau des Gedichts von B. Brecht „Wir sind sie". In: Beiträge zur Sprachwissenschaft, Volkskunde und Literaturforschung. W. Steinitz dargebracht. Berlin 1965. S. 175–189. – Wieder abgedr. in: Alternative 65 (1969), S. 62–74. Auch in Gallas (Hrsg.), Strukturalismus als interpretatives Verfahren (s. o.), S. 35–56.
Kristeva, J.: La révolution du langage poétique. Paris 1974. 645 S.
Lotman, J. M.: Vorlesungen zur strukturalen Poetik. Aus d. Russ. v. W. Jachnow. München 1970. 233 S.
–: Die Struktur literarischer Texte. Übers. v. R.-D. Keil. München 1972. 430 S. (UTB 103)
–: Aufsätze zur Theorie und Methodologie der Literatur und Kunst.

Hrsg. v. K. Eimermacher. Kronberg/Ts. 1974. XXV, 452 S. (Forschungen Literaturwissenschaft 1)

Riffaterre, M.: Essais de stylistique structurale. Paris 1971. – Dt.: Strukturale Stilistik. Aus d. Frz. v. W. Bolle. Vorw. z. frz. Originalausg. v. D. Delas. München 1973. 351 S. (List LTW 1422)

Schapiro, M.: Words and pictures: On the literary and the symbolic in the illustration of a text. The Hague 1973. 108 S.

Todorov, T.: Poétique. In: Qu'est-ce que le structuralisme? Paris 1968. S. 99–166. – Dt. in Wahl (Hrsg.), Einführung in den Strukturalismus. Frankfurt 1973, S. 105–179.

7.3. Rezeptionsästhetik

Sammelwerke:

Naumann, M. (et al., Hrsg.): Gesellschaft, Literatur, Lesen. Literaturrezeption in theoretischer Sicht. Berlin/Weimar 1973. 583 S.

Hohendahl, P. U. (Hrsg.): Sozialgeschichte und Wirkungsästhetik. Dokumente zur empirischen und marxistischen Rezeptionsforschung. Frankfurt 1974. 310 S. (FAT 2072)

Dehn, W. (Hrsg.): Ästhetische Erfahrung und literarisches Lernen. Frankfurt 1974. 300 S. (FAT 3008)

Warning, R. (Hrsg.): Rezeptionsästhetik. Theorie und Praxis. München 1975. 504 S. (UTB 303)

Grimm, G. (Hrsg.): Literatur und Leser. Theorien und Modelle zur Rezeption literarischer Werke. Stuttgart 1975. 444 S.

Autoren:

Durzak, M.: Plädoyer für eine Rezeptionsästhetik. In: Akzente 18 (1971), S. 487–504.

Iser, W.: Die Appellstruktur der Texte. Unbestimmtheit als Wirkungsbedingung literarischer Prosa. Konstanz 1970. 2. Aufl. 1971. (Konstanzer Universitätsreden 28)

–: Der implizite Leser. Kommunikationsformen des Romans von Bunyan bis Beckett. München 1972. 420 S. (UTB 163)

–: The reading process. A phenomenological approach. In: New literary history 3 (1972), S. 279–299.

Jauß, H. R.: Literaturgeschichte als Provokation der Literaturwissenschaft. Konstanz 1967. Wieder abgedr. in: Jauß: Literaturgeschichte als Provokation. Frankfurt 1970. S. 144–207. (Ed. Suhrkamp 418) 5. Aufl. 1974. 250 S.

–: Provokation des Lesers im modernen Roman. In: Poetik und Hermeneutik 3. München 1968. S. 669–690.
–: Racines und Goethes Iphigenie. In: NHP 4 (1973), S. 1–46.
Picon, G.: L'usage de la lecture. Paris 1960.

7.4. Linguistik, Texttheorie, mathematische Poetik

Sammelwerk:

Schmidt, S. J. (Hrsg.): Text Bedeutung Ästhetik. München 1969. 2. Aufl. 1970. 253 S. (Grundfragen der Literaturwissenschaft 1)

Autoren:

Baumgärtner, K.: Der methodische Stand einer linguistischen Poetik. In: Jb. f. internationale Germanistik 1/1 (1969), S. 15–43.
Bense, M.: Literaturmetaphysik. Der Schriftsteller in der technischen Welt. Stuttgart 1950. 96 S.
–: Theorie der Texte. Eine Einführung in neuere Auffassungen und Methoden. Köln 1962. 160 S. 2. Aufl. 1965.
Dijk, T. A. van: Beiträge zur generativen Poetik. München 1972. 224 S. (Grundfragen der Literaturwissenschaft 6)
Enkvist, N. E.: Linguistic stylistics. Den Haag 1973. 179 S. (Janua Linguarum. Series critica 5)
Fucks, W.: Mathematische Analyse von Sprachelementen, Sprachstil und Sprachen. Köln 1955. 110 S.
Ihwe, J.: Linguistik in der Literaturwissenschaft. Zur Entwicklung einer modernen Theorie der Literaturwissenschaft. München 1972. 450 S. (Grundfragen der Literaturwissenschaft 4)
Janik, D.: Informationsästhetische Gattungstheorie: Ebenen und Repertoires literarischer Bedeutungserzeugung. In: Zeitschrift f. Literaturwiss. u. Linguistik 4 (1974), H. 16, S. 79–98.
Kloepfer, R.: Poetik und Linguistik. Semiotische Instrumente. München 1975. 194 S. (UTB 366)
Marcus, S.: Mathematische Poetik. (1970) Aus d. Rumän. übertr. v. E. Mandorin. Frankfurt 1973. 437 S.
Martens, G.: Textlinguistik und Textästhetik. Prolegomena zu einer pragmatischen Theorie ästhetischer Texte. In: Sprache im technischen Zeitalter 53 (1975), S. 6–35.
Plett, H. F.: Textwissenschaft und Textanalyse. Semiotik, Linguistik, Rhetorik. Heidelberg 1975. 354 S. (UTB 328)
Wienold, G.: Semiotik der Literatur. Frankfurt 1972. 236 S.

Wirrer, J.: Literatursoziologie, linguistische Poetik. Zur Diskussion zwischen Linguistik und Literaturwissenschaft anhand zweier Texte v. W. B. Yeats. München 1975. 199 S. (Grundfragen der Literaturwissenschaft 9)

8. Musikwissenschaft

Sammelwerke:

Faltin, P., H.-P. Reinecke (Hrsg.): Musik und Verstehen. Aufsätze zur semiotischen Theorie, Ästhetik und Soziologie der musikalischen Rezeption. Köln 1973. 340 S.

Schuhmacher, G. (Hrsg.): Zur musikalischen Analyse. Darmstadt 1974. 684 S. (Wege der Forschung. Bd. CCLVII)

Autoren:

Adorno, Th. W.: Philosophie der neuen Musik. Tübingen 1949. VII, 144 S. Wieder abgedr. in: Adorno: Gesammelte Schriften 12. Frankfurt 1975. 207 S.

–: Dissonanzen. Musik in der verwalteten Welt. Göttingen 1956. 125 S. (Kleine Vandenhoeck-Reihe 28/29) Wieder abgedr. in: Adorno: Gesammelte Schriften 14. Frankfurt 1973. S. 7–167.

–: Klangfiguren. Musikalische Schriften I. Frankfurt 1959. 367 S.

–: Einleitung in die Musiksoziologie. Zwölf theoretische Vorlesungen. Frankfurt 1962. 226 S. Wieder abgedr. in: Adorno: Gesammelte Schriften 14. Frankfurt 1973. S. 167–433.

–: Quasi una fantasia. Musikalische Schriften II. Frankfurt 1963. 439 S.

–: Moments musicaux. Neu gedr. Aufs. 1928–1962. Frankfurt 1964. 184 S.

Ansermet, E.: Les fondements de la musique dans la conscience humaine. Neuchâtel 1962. 904 S. – Dt.: Die Grundlagen der Musik im menschlichen Bewußtsein. Aus d. Franz. v. H. Leuchtmann u. E. Maschat. Vom Autor überarb. u. autoris. dt. Erstausgabe. München 1965. 847 S.

Barbaud, P.: La musique, discipline scientifique. Introduction élémentaire à l'étude des structures musicales. Paris 1966.

Brelet, G.: Esthétique et création musicale. Paris 1947. VIII, 165 S. (Nouvelle encyclopédie philosophique 40)

–: L'interprétation créatrice. Essai sur l'exécution musicale. 2 Bde. Paris 1951. 478 S.

–: Musique et structure. In: RIP 19 (1965), S. 387–408.

Dahlhaus, C.: Musikästhetik. Köln 1967. 152 S.

–: Gefühlsästhetik und musikalische Formenlehre. In: DVj 41 (1967), S. 505–516.

Dahlhaus, K.: Analyse und Werturteil. Mainz 1970. 97 S. (Musikpädagogik 8)
Eiperson, G.: The musical symbol. A study of the philosophic theory of music. Ames (Iowa) 1967. 323 S.
Ferguson, D. N.: Music as metaphor: the elements of expression. Minneapolis 1960. 198 S.
Fucks, W.: Mathematische Analyse der Formalstruktur von Musik. Köln 1958. 46 S.
Georgiades, Th.: Musik und Sprache. Das Werden der abendländischen Musik, dargest. an der Vertonung der Messe. Berlin/Heidelberg 1954.
–: Musik und Rhythmus bei den Griechen. Zum Ursprung der abendländischen Musik. Reinbek 1958. 146 S. (rde 61)
Jankélévitch, Vl.: La musique et l'ineffable. Paris 1960. 200 S.
Lissa, Z.: Fragen der Musikästhetik. Einige Probleme der Musikästhetik im Lichte der Arbeit Stalins 'Der Marxismus u. d. Frage d. Sprachwissenschaft'. Übers. v. G. Hingst. Berlin-Ost 1954.
–: Aufsätze zur Musikästhetik. Eine Auswahl. Berlin-Ost 1969. 299 S.
Lundin, R. W.: Objective psychology of music. New York 1953. 303 S.
Meyer, L. B.: Emotion and meaning in music. Chicago 1956.
–: Explaining music: Essays and exploration. University of Calif. Press 1973. XII, 284 S.
Michel, A.: Psychanalyse de la musique. Paris 1951. XII, 244 S.
Piguet, J.-Cl.: Découverte de la musique. Essai sur la signification de la musique. Préface d'Etienne Souriau. Lausanne 1948.
Plessner, H.: Zur Anthropologie der Musik. In: JÄK 1 (1951), S. 110–121.
Pousseur, H.: Musique, Sémantique, Société. Paris 1972.
Schaeffer, P.: Traité des objets musicaux. Essais interdisciplines. Paris 1966. 672 S.
Schloezer, B. de: Introduction à J. S. Bach. Paris 1947. – Dt. Übers. v. H. Leuchtmann: Entwurf einer Musikästhetik. Zum Verständnis von J. S. Bach. Hamburg 1964. 364 S.
Seashore, C. B.: In search of beauty in music. A scientifique approach to musical esthetics. New York 1947. XVI, 389 S.
Sessions, R.: The musical experience of composer, performer, listener. New York 1950. 126 S.
–: Questions about music. Cambridge/Mass., 1970. 166 S. (Charles Eliot Norton Lectures 1968/69)
Sheets, M.: The phenomenology of dance. Milwaukee 1966. X, 158 S.
Supičić, I.: Musique et société. Perspectives pour une sociologie de la musique. Zagreb 1971. 205 S.

Uspenskij, B. A.: Poetik der Komposition. Struktur des künstlerischen Textes und Typologie der Kompositionsform. Hrsg. u. nach e. revid. Fassung d. Originals bearb. v. K. Eimermacher. Aus d. Russ. übers. v. G. Mayer. Frankfurt 1975. 218 S.

Viscidi, F.: Per un'estetica musicale. In: Riv. Est. 11 (1966), S. 99–118.

Wellek, A.: Musikpsychologie und Musikästhetik. Grundriß der systematischen Musikwissenschaft. Frankfurt 1963. XV, 391 S.

Xenakis, Y.: Vers une philosophie de la musique. In: RE 21 (1968), S. 173–210.

Zuckerkandl, V.: Vom musikalischen Denken. Zürich 1964. 267 S.

9. Kunstwissenschaft

Sammelwerke:

Schmoll gen. Eisenwerth, J. A.: Das Unvollendete als künstlerische Form. Ein Symposion. Bern/München 1959.

Warnke, M. (Hrsg.): Das Kunstwerk zwischen Wissenschaft und Weltanschauung. Gütersloh 1970.

Autoren:

Badt, K.: Kunsttheoretische Versuche. Hrsg. v. L. Dittmann. Köln 1968. 180 S.

–: Eine Wissenschaftslehre der Kunstgeschichte. Köln 1971. 199 S.

Bandmann, G.: Ikonologie der Architektur. In: JÄK 1 (1951), S. 67–109.

–: Das Kunstwerk als Gegenstand der Universalgeschichte. In: JÄK 7 (1962), S. 146–166.

Bauch, K.: Studien zur Kunstgeschichte. Berlin 1967. XII, 151 S.

Bialostocki, J.: Stil und Ikonographie. Studien zur Kunstwissenschaft. Dresden 1966. 238 S. (Fundus-Bücherei 18)

Brion, M.: Aspects d'une esthétique nouvelle de la sculpture. In: RE 7 (1954), S. 337–345.

Dittmann, L.: Stil, Symbol, Struktur. Studien zu Kategorien der Kunstgeschichte. München 1967. 243 S.

–: Kunstwissenschaft und Phänomenologie des Leibes. In: Aachener Kunstblätter 44 (1973), S. 287–316.

Francastel, P.: Art et technique aux XIXe et XXe siècles. Genf 1964. 295 S.

Frey, D.: Kunstwissenschaftliche Grundfragen. Prolegomena zu einer Kunstphilosophie. Wien 1946. 232 S. Reprograf. Nachdr. Darmstadt 1972.

–: Kunsttheoretische Schriften. Hrsg. v. G. Frey. Mit e. Geleitwort v. W. Frodl. Darmstadt 1975.

Gantner, J.: « L'Immagine del Cuor ». Die vorgestaltenden Formen der Phantasie und ihre Auswirkung in der Kunst. In: Eranos-Jahrbuch 35 (1966), S. 267–301.

Gombrich, E.: Art and illusion. A study in the psychology of pictorial representation. New York 1960. XXXI, 466 S. – Dt.: Kunst und Illusion. Zur Psychologie der bildlichen Darstellung. Aus d. Engl. übertr. v. L. Gombrich. Köln 1967. 526 S.

Haecht, L. v.: Beauté visible et métaphysique. In: Rev. philos. Louv. 60 (1962), S. 100–117.

–: Vérité et illusion des arts plastiques. In: ZÄK 19 (1974), S. 63–78.

Hermerén, G.: Representation and meaning in the visual arts. A study in the methodology of iconography and iconology. Lund 1969. 190 S. (Lund studies in philosophy 1)

Howell, R.: The logical structure of pictorial representation. In: Theoria 40 (1974), S. 76–109.

Imdahl, M.: Die Rolle der Farbe in der neueren französischen Malerei. Abstraktion und Konkretion. In: Poetik und Hermeneutik 2. München 1966. S. 195–225.

–: Vier Aspekte zum Problem der ästhetischen Grenzüberschreitung in der bildenden Kunst. In: Poetik und Hermeneutik 3. München 1968. S. 493–505.

Lapicque, Ch.: Essais sur l'espace, l'art et la destinée. Paris 1958.

Lützeler, H.: Die außerwissenschaftliche Kunsterfahrung. In: JÄK 7 (1962), S. 189–249.

–: Kunsterfahrung und Kunstwissenschaft. Systematische und entwicklungsgeschichtliche Darstellung und Dokumentation des Umgangs mit der bildenden Kunst. 3 Bde. Freiburg 1975. 1958 S. (Orbis academicus I/15, 1–3)

Panofsky, E.: Meaning in the visual arts. Papers in and on art history. Garden City 1955. XVIII, 364 S. (Anchor A 59.) – Dt.: Sinn und Deutung in der bildenden Kunst. Aus d. Engl. v. W. Höck, Köln 1975. 490 S. (m. Schriftenverz. v. Panofsky.)

–: Aufsätze zu Grundfragen der Kunstwissenschaft. Zusammengest. u. hrsg. v. H. Oberer u. E. Verheyen. Berlin 1964. 204 S. – 2. erw. u. verb. Aufl. Berlin 1974. 204 S. (Bibliogr. Panofsky: S. 1–17.)

Passeron, R.: L'œuvre picturale et les fonctions de l'apparence. Paris 1962. 372 S.

Podro, M.: A sens of complexity in the visual arts. In: Proc. Arist. Soc. 63 (1962/63), S. 83–98.

Rothschild, L.: Style in art. The dynamics of art as cultural expression. New York 1960. 175 S.

Schmoll gen. Eisenwerth, J. A.: Stilpluralismus statt Einheitszwang. Zur Kritik der Stilepochen-Kunstgeschichte. In: Gosebruch, M., Dittmann, L. (Hrsg.): Argo. Festschr. f. K. Badt zu s. 80. Geb. Köln 1970. S. 77–95.

Sedlmayr, H.: Verlust der Mitte. Die bildende Kunst des 19. und 20. Jahrhunderts als Symbol der Zeit. Salzburg 1948. 255 S. 8. Aufl. 1965.

–: Die Revolution der modernen Kunst. Reinbek 1955. 148 S. (rde 1)

–: Kunst und Wahrheit. Zur Theorie und Methode der Kunstgeschichte. Reinbek 1958. 211 S. (rde 71)

–: Der Tod des Lichtes. Übergangene Perspektiven zur modernen Kunst. Salzburg 1964. 244 S.

Wissmann, J.: Collagen oder die Integration von Realität im Kunstwerk. In: Poetik und Hermeneutik 2. München 1966. S. 327–360.

–: Pop art oder die Realität als Kunstwerk. In: Poetik und Hermeneutik 3. München 1968. S. 507–530.

9.1. Architektur

Borissavlievitch, M.: The Golden Number and the scientific aesthetics of architecture. New York 1958.

Campion, D.: Computers in architectural design. Amsterdam/London 1968. XII, 320 S. (Bibliogr.: S. 301–305)

Kiemle, M.: Ästhetische Probleme der Architektur unter dem Aspekt der Informationsästhetik. Quickborn 1967. 136 S.

Koenig, G. K.: Architettura e communicazione. Preceduta de elementi di analisi del linguaggio architettonico. Firenze 1970. 285 S. (Architettura contemporanea 15)

Michelis, P. A.: L'esthétique de l'architecture. Paris 1974. 361 S.

Morpurgo-Tagliabue, G.: La chiave semiologica dell'architettura. In: Riv. Est. 14 (1969), S. 5–37.

Paci, E.: Processo, relazione e architettura. In: Riv. Est. 1 (1956), S. 51–68.

Pöggeler, O.: Die Architektur und das Schöne. In: ZÄK 15 (1970), S. 125–149.

Scruton, R.: Architectural aesthetics. In: BJA 13 (1973), S. 327–345.

9.2. Stadt- und Landschaftsgestaltung

Bibliographie:

Tesdorpf, J. C.: Systematische Bibliographie zum Städtebau. Stadtgeographie, Stadtplanung, Stadtpolitik. Köln 1975. VIII, 618 S.

Sammelwerke:

Wingo, L. J. (Hrsg.): Cities and space. Baltimore 1963.

Choay, F.: L'urbanisme. Utopies et réalités. Une anthologie. Paris 1965. 448 S.

Autoren:

Appleton, J.: The experience of landscape. New York 1975. XIII, 293 S.

Assunto, R.: Il paesaggio e l'estetica. I: Natura e storia. II: Arte, critica e filosofia. Napoli 1973. XIII, 397, 353 S. (Geminae ortae 14)

Lefèbvre, H.: La révolution urbaine. Paris 1970. 248 S. – Dt.: Die Revolution der Städte. Aus d. Frz. v. U. Roeckl. München 1972. 201 S. (List LTW 1603)

Moles, A.: L'affiche dans la société urbaine. Paris 1970. IV, 153 S.

Spreieregen, P. D.: Urban Design: The architecture of towns and cities. New York 1965.

9.3. Design, Industrieästhetik

Dorfles, G.: Il disegno industriale e la sua estetica. Bologna 1963. 103 S. – Dt.: Gute Industrieform und ihre Ästhetik. München 1964. 104 S.

–: Introduzione al disegno industriale. Linguaggio e storia della produzione di serie. Torino 1972. 124 S. (Lit.: 113–118)

Evans, H. M.: Man the designer. New York 1973. 390 S.

Garnich, R.: Konstruktion, Design und Ästhetik. Allgemeine mathematische Methode zur objektiven Beschreibung ästhetischer Zustände im analytischen Prozeß und zur generativen Gestaltung im synthetischen Prozeß von Design-Objekten. Esslingen 1968.

Minerwin, G. B., M. W. Fjodorow: Über die technische Ästhetik: In: KuL 12 (1965), S. 1216–1225.

Read, H.: Art and industry. The principles of industrial design. New York 1954. – Dt.: Kunst und Industrie. Grundsätze industrieller Formgebung. Dt. v. E. Kaspar. Stuttgart 1958.

Selle, G.: Ideologie und Utopie des Design. Zur gesellschaftlichen Theorie der industriellen Formgebung. Köln 1973.

Vienot, J.: Les problèmes de l'esthétique industrielle. In: RE 7 (1954), S. 204–211.
Woronow, N.: Industrieformgestaltung – Schönheit – Kunst. In: KuL 18 (1970), S. 856–866.

9.4. Massenmedien

Kultermann, U.: Leben und Kunst. Zur Funktion der Intermedia. Tübingen 1970.
Pauson, M. L.: Studies in art media. In: Tulane Studies in Philosophy 10 (1970), S. 65–77.

9.5. Museum

Blanchot, M.: Le musée, l'art et le temps. In: Critique 7 (1951), Nr. 44, S. 30–42.
Bott, G. (Hrsg.): Das Museum der Zukunft. 43 Beiträge zur Diskussion über die Zukunft des Museums. Köln 1970.
O'Doherty, B. (Hrsg.): Museums in crisis. New York 1972. 178 S.

10. Theaterwissenschaft

Bibliographie:

Bibliographie deutschsprachiger Theaterliteratur. In: Theater heute. Jahresheft. Ab Jg. 10 (1970).

Sammelwerk:

Questions d'esthétique théâtrale: R. Bayer, E. Decroux, H. Gouhier, M. Marceau, L. Chancerel, Al. Villiers, M. Fernagu, P.-M. Schuhl, Mlle. Akakia-Viala, E. Souriau, C.-E. Rosen, D. Bablet, P. Ginestier. RE 13 (1960). 144 S.

Autoren:

Artaud, A.: Le théâtre et son double. Paris 1964. – Dt.: Das Theater und sein Double. Übers. v. G. Henniger. Frankfurt 1969. 208 S. – 7. Tausend 1976.
Brecht, B.: Schriften zum Theater. 7 Bde. Frankfurt 1963/64. 1295 S.
Brook, P.: The empty space. London 1964. – Dt.: Der leere Raum. Mög-

lichkeiten des heutigen Theaters. Aus d. Engl. v. W. Hasenclever. Hamburg 1969. 224 S.

Dawydow, J.: Sozialpsychologie und Theater. In: KuL 18 (1970), S. 976–996.

Duvignaud, J.: Sociologie du théâtre. Essai sur les ombres collectives. Paris 1965. 588 S. – 2. éd., rev. et mise à jour. Paris 1973. 224 S.

Frey, D.: Zuschauer und Bühne. Eine Untersuchung über das Realitätsproblem des Schauspiels. In: Ders., Kunstwissenschaftliche Grundfragen. Wien 1946. S. 151–223.

Gouhier, H.: Le théâtre et l'existence. Paris 1952. Nouv. éd. Paris 1973. 224 S.

–: L'œuvre théâtrale. Paris 1958. 218 S.

Jamati, G.: Théâtre et vie intérieure. Paris 1952. 175 S.

Koch, W. A.: Le texte normal, le théâtre et le film. In: Linguistics 48 (1969), S. 40–67.

Marcel, G.: Théâtre et réligion. Lyon 1959.

Marcus, S.: Mathematische Methoden im Theaterstudium. In: Ders., Mathematische Poetik. Aus d. Rumän. übers. v. E. Mandorin. Frankfurt 1973. S. 287–370.

Paul, A.: Theaterwissenschaft als Lehre vom theatralischen Handeln. In: Kölner Zeitschr. f. Soziol. 24 (1971), S. 55–77.

Rapp, U.: Handeln und Zuschauen. Untersuchungen über den theatersoziologischen Aspekt in der menschlichen Interaktion. Darmstadt/Neuwied 1973. 297 S. (Slg. Luchterhand 116) (Lit. S. 273–297)

Souriau, E.: Les cent mille situations dramatiques. Paris 1948.

–: Les grands problèmes de l'esthétique théâtrale. Paris 1956.

Steinbeck, D.: Einleitung in die Theorie und Systematik der Theaterwissenschaft. Berlin 1970. VIII, 253 S. (Lit. S. 241–251)

Stepun, F.: Theater und Film. München 1953. 164 S.

Wekwerth, M.: Theater und Wissenschaft. Überlegungen für das Theater von heute und morgen. München 1974. 166 S. (Reihe Hanser 164)

11. Filmtheorie

Sammelwerke:

Knilli, F. (Hrsg.): Semiotik des Films. Mit Analysen kommerzieller Pornos u. revolutionärer Agitationsfilme. Unter Mitarb. v. E. Reiss u. K. Hickethier. Frankfurt 1971. 275 S.

Prokop, D. (Hrsg.): Materialien zur Theorie des Films. Ästhetik, Soziologie, Politik. München 1971. 531 S.

Witte, K. (Hrsg.): Theorie des Kinos. Ideologiekritik der Traumfabrik. Frankfurt 1972. 336 S. (Ed. Suhrkamp 557)

Mast, G., M. Cohen (Hrsg.): Film theory and criticism: Introductory readings. Oxford Univ. Press 1974. 639 S.

Autoren:

Arnheim, R.: Film als Kunst. Mit e. Vorw. zur Neuausg. München 1974. 344 S.

Balázs, B.: Der Film. Werden und Wesen einer neuen Kunst. Wien [4]1972. 309 S.

Bazin, A.: Qu'est-ce que le cinéma? I: Ontologie et langage. Paris 1958. – II: Le cinéma et les autres arts. Paris 1959. – III: Cinéma et sociologie. Paris 1961. – IV: Une esthétique de la réalité: le néoréalisme. Paris 1962. – Dt. Auswahl: Was ist Kino? Bausteine zur Theorie des Films. Mit e. Vorw. v. E. Rohmer u. e. Nachw. v. F. Truffaut. Köln 1975. 180 S.

Bellour, R.: Pour une stylistique du film. In: RE 19 (1966), S. 161–178.

Bettetini, G.: Cinema: lingua e scrittura. Milano 1968. 236 S. (Nuovi saggi italieni 3)

Brinkley, A. B.: Toward a phenomenological aesthetics of cinema. In: Tulane Studies of Philosophy 20 (1971), S. 1–17.

Cavell, St.: The world viewed: Reflections on the ontology of film. New York 1971. XV, 174 S.

Cohen-Séat, G.: Essai sur les principes d'une philosophie du cinéma. Notions fondamentales et vocabulaire de filmologie. (1946) Nouv. éd. Paris 1958. – Dt. Übers. v. Chr. Rudolph: Film und Philosophie. Ein Essay. Gütersloh 1962. 120 S.

Dami, M.: Le cinéma offre-t-il un modèle de connaissance? In: RE 20 (1967), S. 236–249.

Debrix, J. R.: Les fondements de l'art cinématographique. I: Art et réalité au cinéma. Paris 1960. 187 S.

Della Volpe, G.: Il verosimile filmico e altri scritti di estetica (1954) Nuova ediz. corretta e ampiata a cura di E. Bruno. Roma 1971. 113 S. (Saggistica 34)

Dorfles, G.: Problemi estetici nella comunicazione cinetica e filmica. In: Riv. Est. 6 (1961), S. 209–218.

Fulchignoni, E.: Musique et film. In: RE 7 (1954), S. 401–415.

Krakauer, S.: Theorie des Films. Die Errettung der äußeren Wirklichkeit. Vom Verf. revid. Übers. v. F. Walter u. R. Zellschan. Frankfurt 1964. 454 S. (Bibl.: S. 429–438)

Lebel, J.-P.: Cinéma et idéologie. Paris 1971. 243 S.

Leirens, J.: Le cinéma et le temps. Paris 1955.
Malraux, A.: Esquisse d'une psychologie du cinéma. Paris 1946.
Metz, Chr.: Essais sur la signification au cinéma. Paris 1968. 246 S.
–: Langage et cinéma. Paris 1971. 223 S. – Dt. Übers.: Sprache und Film. Frankfurt 1973. 320 S.
Mitry, J.: Esthétique et psychologie du cinéma. Bd. I: Les structures. Paris 1963. – Bd. II: Les formes. Paris 1965.
Richter, H.: Die Frage einer spezifischen ästhetischen Gesetzlichkeit bei der Verfilmung von Dramen. Prolegomena zu einer Ästhetik des Films. In: Wiss. Zeitschr. d. Fr.-Schiller-Universität Jena 3 (1953/54), S. 115–134. (Gesellsch. u. sprachwiss. Reihe H. 1)
Souriau, E.: L'univers filmique. Paris 1953. 210 S.
Wollen, P.: Signs and meaning in the cinema. Bloomington 1969. 168 S.
Worth, S.: The development of a semiotic of film. In: Semiotica 1 (1969), S. 282–321.

12. Erziehungswissenschaft (ästhetische Erziehung)

Sammelwerke:

Smith, R. A. (Hrsg.): Aesthetics and criticism in art education. Problems, in defining, explaining, and evaluating art. Chicago 1966. 513 S.
Ehmer, H. K. (Hrsg.): Visuelle Kommunikation. Beiträge zur Kritik der Bewußtseinsindustrie. Köln 1971. 393 S.
Schwencke, O. (Hrsg.): Ästhetische Erziehung und Kommunikation. Frankfurt/Berlin/München 1972. 120 S.
Field, D., J. Newick (Hrsg.): The study of education and art. Boston 1973. XI, 244 S.
Battcock, G. (Hrsg.): New ideas in art education. New York 1973. XII, 289 S.

Autoren:

Feldman, E. B.: Becoming human through art: Aesthetic experience in the school. Englewood Cliffs 1970. 389 S.
Giffhorn, H.: Kritik der Kunstpädagogik. Zur gesellschaftlichen Funktion eines Schulfachs. Köln 1972.
Haase, O.: Musisches Leben. Hannover 1951. 111 S. (Päd. Bücherei. 19) 2. Aufl. 1953.
John, A.: Arbeiter und Kunst. Zur künstlerisch-ästhetischen Erziehung der Werktätigen im Sozialismus. Berlin-Ost 1973. 254 S.

Munro, Th.: Art education: Its philosophy and psychology. Selected essays. New York 1956. XVII, 387 S.

Otto, G.: Kunst und Erziehung im industriellen Zeitalter. In: Erziehungswissenschaftliches Handbuch. Hrsg. v. Th. Ellwein (u. a.). Bd. 1. Berlin 1969. S. 227–281.

Read, H.: Education through art. New rev. ed. London 1958. XXIV, 328 S. – Dt.: Erziehung durch Kunst. Aus d. Engl. v. A. P. Zeller. München/Zürich 1962. Danach: Knaur Taschenbuch 168. München 1968 (u. ö.)

–: The redemption of the robot: My encounter with education through art. New York 1966.

Skaterschtschikow, W.: Die Rolle der ästhetischen Erziehung bei der Formung des neuen Menschen. In: Sowjetwissenschaft. Gesellschaftswissenschaftliche Beiträge 1959. H. 7, S. 727–747.

Sparshott, F. E.: The unity of aesthetic education. In: Journal of aesthetic education 2/2 (1968), S. 9–21.

Stefanini, L.: Educazione estetica e artistica. Saggi e discorsi. Brescia 1954. 119 S.

NAMENREGISTER